S0-BOO-060

Editores Mexicanos Unidos
Luis González Obregón 5-B Col. Centro
Delegación Cuauhtémoc
C.P. 06020. Tels: (5)521-88-70 al 74
Fax: (5)512-85-16
E-mail: editmusa@mail.internet.com.mx

Miembro de la Cámara Nacional
de la Industria Editorial, Reg. No. 115

Ilustración: "Napoleón Bonaparte visita a las
víctimas de la peste" (detalle),
Antoine-Jean-Gros. Museo de Louvre, París.

Compendio de Guillermo Sanchez Cano
Diseño de colección: Mabel Laclau Miró

La presentación y composición tipográficas
son propiedad de los editores

Prohibida la reproducción total o parcial
sin permiso de los editores

ISBN 968-15-1118-2

edición Marzo 2006

Impreso en México
Printed in Mexico

LOS MISERABLES

Víctor Hugo

 editores mexicanos unidos, s.a.

PRÓLOGO

*U*na de las tradiciones literarias más poderosas e influyentes en Occidente desde el siglo XVIII, al menos, es la que proviene de Francia, la antigua y secular Galia conquistada a sangre y fuego por Julio César, cuya gesta fue narrada por su autor, precisamente en sus *Comentarios de la Guerra de las Galias*, ésa que vio nacer al magno imperio carolingio en el siglo VIII, en el mismo siglo en que España era conquistada por los árabes; lo que propició la creación de una de las joyas arquitectónicas más grandiosas de la cultura occidental: las catedrales góticas, cuyo estilo es motivo de sorpresa en nuestros días.

Esa Francia que durante el Renacimiento vivió el florecimiento de una literatura única, de la mano de escritores como Michel de Montaigne, Blas Pascal o Francois Rabelais; la que en el siglo XVII vivió el estremecimiento de autores como Corneille, Jean Racine o Moliére, y que en el siglo XVIII vio el nacimiento del Siglo de las Luces con hombres como Voltaire, Diderot y Juan Jacobo Rosseau —este último uno de los precursores del Romanticismo tanto en Alemania como en Francia y cuya obra preparó el camino para que en el siglo XIX emergiera una pléyade de grandes escritores y la figura mayestática de Víctor Hugo, quien con su presencia presidió la vida literaria de este siglo excepcional que finalmente afincó el prestigio literario francés para proponerse como modelo de la creación literaria por excelencia en novela, cuento, poesía o ensayo; algunos ejemplos: Lamartine, De Vigny, Musset, Flaubert, Balzac, Maupassant, Saint Beuve, los hermanos Goncourt, Baudelaire, Nerval, Verlaine, Mallarmé, Rimbaud, Gautier, Banville, entre otros muchos, cuya obra y capacidad cimentaron el prestigio literario o se revelaron como creadores o buscadores de nuevas sensibilidades, voces y posibilidades de expresión literaria, sobre cuya cima campeó la figura de Víctor Hugo, a quien en su momento de mayor gloria alguien le comentó que París debería cambiar su nombre por el de "Hugopolis", a lo que lacónicamente él contestó: "Ya sucederá."

Víctor Hugo encarnó a la perfección a esa estirpe de escritores cuya vocación creadora no sólo fue capaz de manifestarse en todos los géneros literarios, sino que también le permitió a sí mismo labrarse una carrera política de gran éxito, cuya mayor gloria se dio cuando abiertamente se opuso a la toma del poder en Francia por Napoleón III, malhadado dictador de malos recuerdos para México, pues él apoyó la intervención francesa para imponer a Maximiliano de Habsburgo en 1861, como emperador de México, lo que al final le significó la muerte a manos del ejército mexicano encabezado por Benito Juárez. Por cierto, México tiene una deuda de gratitud precisamente con Víctor Hugo, quien al oponerse a la dictadura de Napoleón III, al cual apodó *El pequeño*, lanzó una histórica e inolvidable proclama desde su destierro, pues había sido desterrado por este emperador, para alentar el espíritu de lucha e independencia de los mexicanos y solidarizarse fraternalmente con su causa, en contra del ejército invasor. Vale la pena recordarla:

"¡Mexicanos! Tenéis la razón y yo estoy con vosotros.
Podéis contar con mi apoyo. Y habéis de saber que no
es Francia quien os hace la guerra, es el Imperio. Estoy
de veras con vosotros porque todos estamos frente al
Imperio; vosotros en México y yo en Europa. Combatid,
luchad, sed terribles y si creéis que mi nombre vale algo,
servíos de él. ¡Apuntad a ese hombre en la cabeza y que
la bala que lo mate sea vuestra libertad! ¡Valientes
hombres de México! Resistid a la perfidia y a la traición.
Y si lo hacéis venceréis. Pero sabed que vencedores o
vencidos, Francia siempre será vuestra hermana, hermana
en vuestra gloria como en vuestra desgracia, yo, por mi
parte, envío a los vencedores mexicanos mi fraternidad
de ciudadano libre; y si vencidos, mi fraternidad de
proscrito."

Esta grandiosa proclama contribuyó a una gesta heroica en la que finalmente el ejército invasor fue vencido, humillado y devuelto a Francia de manera vergonzosa, mientras que en México se restauró el régimen liberal encabezado por el presidente Benito Juárez. Esta es una muestra de la calidad humana y creadora de un gigante cuya obra no sólo ha quedado como la más significativa e importante escrita en el siglo XIX y en la historia de las letras francesas, sino también en la historia de la literatura universal de todos los tiempos.

Víctor Hugo nació el 26 de febrero de 1802 en Besanzon, Francia, y murió el 22 de mayo de 1885. Sus funerales paralizaron toda Francia, que le rindió un homenaje digno de un jefe de Estado. Su vasta obra abarcó la poesía: *Odas y baladas*, *Orientales*, *Poemas antiguos y modernos*, *Las hojas de otoño*, *La leyenda de los siglos* —obra monumental—, *Las canciones de las calles y de los bosques*, *Contemplaciones*, *Los cantos del crepúsculo*, *Luces y sombras*. Obras de teatro como *Hernani*, que en 1830 tras su estreno le propició la fama; *Cromwell*, drama cuyo prólogo sirvió precisamente de manifiesto para el movimiento romántico en Francia; *Lucrecia Borgia*, *María Tudor*, y novelas como *Han de Islandia*, *Los trabajadores del mar*, *Nuestra Señora de París*, *El hombre que ríe* y *Los miserables*, obra escrita en diez volúmenes cuya vigencia literaria y social está más presente que nunca en nuestros días, gracias los desatinos económicos del neoliberalismo.

Hacer justicia a esta obra monumental en un pequeño espacio es imposible: rogamos a nuestros lectores su benevolencia. *Los miserables* ha sido traducida desde su aparición en 1862 a casi todas las lenguas, y en este siglo XX que está por concluir, ha sido adaptada varias veces en cine y teatro. La mayoría de los críticos y analistas han señalado que una obra de estas características sólo pudo ser escrita por un espíritu templado, profundo y justiciero, como el que distinguió a Víctor Hugo. Puede decirse que fue consecuencia de un proceso de maduración que duró casi treinta largos años, ya que la trama de esta obra le fue sugerida, probablemente, entre los años de 1830 a 1840.

En 1834, París se conmovió por un hecho que probablemente fijó la atención de Hugo para tener un vislumbre de *Los miserables*, ya que la noticia de que un infeliz obrero llamado Claude Gueux, sin empleo, había sido capturado por la policía tras haber robado pan para su esposa e hijos hambrientos y mientras estaba en la cárcel cometió un asesinato. Víctor Hugo escribió conmovido a los miembros del Parlamento en defensa del detenido: "Señores, ustedes hacen demasiada alharaca acerca de si los botones de la guardia nacional deben ser blancos o amarillos... Caballeros, consideren esto: la mayoría del pueblo sufre... el pueblo tiene hambre. El pueblo tiene frío. La pobreza conduce a la gente al crimen o al vicio... ustedes tienen demasiados convictos, demasiadas prostitutas. ¿Qué prueban estas dos úlceras, sino que el cuerpo social sufre debido a las impurezas de su corriente sanguínea?"*

De este hecho Víctor Hugo lentamente fue madurando una obra que para 1862 estaba completamente terminada, madura y más vigente que nunca. ¿Cuál es el tema de esta obra? Uno muy simple: La denuncia de la pobreza y la marginación social y económica que se vivía en Francia desde 1830, la que en forma extrema azotaba no sólo las calles de París, sino las de toda Francia, y a la cual la mayoría de los adeptos del romanticismo francés se adhirieron, no por vocación social o por voluntad política expresa, sino porque les ofrecía la oportunidad de cuestionar a un sistema político tambaleante, que a su vez les permitía reencauzar sus esfuerzos creativos en una dirección menos poética o metafísica, dando cierto sentido de densidad y permanencia a la forma en que captaban el mundo. Pero el genio de Hugo se distinguió sobre todo y todos, porque él sí, expresamente, experimentó una simpatía natural hacia los pobres y desheredados, hacia sus causas políticas, y comprendió —guiado por su espíritu justiciero— que nadie más que él podría dotarlos de una voz que diera amplia expresión a su situación vital tan difícil y desesperanzada.

Tal vez uno de los grandes méritos tanto del autor como de la obra sea el hecho de ejercer de manera dinámica y muy competente un control de los recursos literarios, pleno de madurez, para saberlos escanciar adecuadamente, una vez llegado el preciso instante en que con las ideas o conceptos perfectamente bosquejados, deja salir con un aire pleno de libertad a su voz y tras un proceso continuo e intenso, culmina de manera absoluta arrojando como resultado una obra acabada. Uno de los muchísimos y grandes méritos de *Los miserables*, el más singular e interesante, es que esta obra es un perfecto manual para hacer novela de suspenso.

Tanto el autor como la obra alcanzaron la aristocracia suprema de la obra finalizada, cerrada, como una cosmovisión realizada a la manera del *Fiat Lux* de los primeros versos bíblicos del *Génesis*. Esta novela no es ni apunte, ni fresco, ni bosquejo; es una toma del pulso de una época, de una sociedad que en su totalidad, ya sea por presencia o ausencia, forman parte de su plan general, pues aunque la temática está inclinada a describir la vida de pobres y desheredados, de manera dialéctica los lectores también piensan, se preguntan, reflexionan acerca de la otra cara de la moneda social, es decir, la de los privilegiados —los ricos, los burgue-

* André Le Bretón, *La Piedad Social en la Novela*, Revista de Dos Mundos, no. XXII, París, 1902.

ses, los que tienen resuelta su vida y no padecen todas las dificultades e inclemencias que enfrentan los personajes centrales de esta novela—. A grandes rasgos, ésta obra está dividida en cinco partes, con personajes centrales inolvidables, como el proscrito Valjean, Cosette, Mario, entre otros. Cada uno de ellos constituye en sí mismo un universo cerrado con sus definiciones, indefiniciones y sus características esenciales.

Víctor Hugo los utiliza como pilares firmes para sostener una gran red de relaciones, interrelaciones, que se dan en el espacio y el tiempo literarios en los que la novela discurre tramas, subtramas, apostillas, notas al pie de página, al calce, apéndices, expresiones, explicaciones, notas *per se*, textos y subtextos que pueblan la novela desde la *a* hasta la *z*, dotándola de una vitalidad tan sorprendente, que como se ha dicho en su momento de otras obras, ésta también tiene el gran mérito de parecer haber sido escrita el día anterior, la semana anterior o a lo más, el año anterior.

Dada para su publicación el mismo año en que el general Zaragoza derrotaba a los franceses en la batalla de Puebla, en 1862, de inmediato acaparó la atención del público francés, para constituirse en una de las obras fundamentales de la literatura. Es un ejemplo muy profundo de la belleza de la palabra escrita y del gran arte de hacer novelas, cuya esencia en este agonizante siglo XX, late con un pulso vibrante, intenso e inolvidable.

Los miserables es una gran lección de vida, de justicia social y de arte, que permanecerá para siempre y nos seguirá aportando la posibilidad de descorrer el velo del dolor, del misterio y sobre todo el de la dignidad a favor del hombre.

Rafael David Juárez Oñate

Primera parte

Fantina

Libro primero

● Un justo ●

I. M. MYRIEL

En 1815, M. Carlos-Francisco-Bienvenido Myriel era obispo de la ciudad de D. Era un anciano de casi setenta y cinco años, y ocupaba la sede de D desde 1806.

Aunque esta circunstancia no interesa en manera alguna al fondo de lo que vamos a referir, quizá no será inútil, aun cuando no sea más que para ser exactos en todo, indicar aquí los rumores y las habladurías que habían circulado acerca de su persona, cuando llegó por primera vez a su diócesis.

Lo que los hombres se dice, verdadero o falso, ocupa tanto lugar en su destino, y sobre todo en su vida, como lo hacen. M. Myriel era hijo de un consejero del Parlamento de Aix, nobleza de toga. Decíase que su padre, reservándole para heredar su puesto, le había casado aun muy joven, a los dieciocho o veinte años, según costumbre muy admitida en las familias de la magistratura.

Sobrevino la revolución; precipitáronse los sucesos; las familias de la magistratura antigua, diezmadas, perseguidas, acosadas, se dispersaron, y M. Carlos Myrel emigró a Italia en los primeros días de la revolución. Su mujer murió allí de una enfermedad de pecho, de que hacía largo tiempo estaba atacada. No habían tenido hijos. ¿Qué pasó después en los destinos de M. Myriel?

Nadie hubiera podido decirlo: sólo se sabía que a su vuelta de Italia era sacerdote.

En 1804, M. Myriel desempeñaba el curato de B. (Brignolles). Era ya anciano y vivía en un profundo retiro.

Un día en que el emperador fue a visitar al digno cura, que esperaba en la antesala, se halló paso de S. M. Imperial. Napoleón, viéndose mirar con cierta curiosidad por aquel anciano, se volvió, y dijo bruscamente:

—¿Quién es ese buen hombre que me mira?

—Señor —dijo M. Myriel—, vos miráis a un hombre bueno, y yo miro a un gran hombre. Cada uno de nosotros puede aprovecharse de lo que mira.

En la misma noche el emperador pidió al cardenal el nombre de aquel cura, y algún tiempo después M. Myriel quedó sorprendido al saber que había sido nombrado obispo de D.

M. Myriel había llegado a D. acompañado de una solterona, la señorita Baptistina, que era su hermana y contaba diez años menos que él.

Por toda servidumbre tenía una criada de la misma edad que la señorita Baptistina, llamada la señora Magloire, la cual, después de haber sido *el ama del señor cura*, tomaba al presente el doble título de doncella de la señorita y ama de llaves de Su Ilustrísima.

La señorita Baptistina era de corta estatura, de rostro pálido, de fisonomía bondadosa; realizaba el ideal de lo que expresa la palabra *respetable*, pues parece necesario que una mujer haya sido madre para ser *venerable*.

La señora Magloire era una viejecilla blanca, gorda, repleta, hacendosa, siempre afanada y siempre sofocada: primero a causa de su actividad, luego a causa de su asma.

A su llegada, instalaron a M. Myriel en su palacio episcopal, con todos los honores dispuestos por los decretos imperiales, que clasificaban al obispo inmediatamente después del mariscal de campo. El alcalde y el presidente le hicieron la primera visita, y él por su parte hizo la primera al general y al prefecto.

Terminada la instalación, la población aguardó a ver cómo se conducía su obispo.

II. M. MYRIEL SE CONVIERTE EN MONSEÑOR BIENVENIDO

El palacio episcopal de D. estaba contiguo al hospital.

El palacio episcopal era un vasto y buen edificio, construido de piedra a principio del último siglo por disposición de monseñor Enrique Puget, doctor en teología de la facultad de París y abad de Simore, el cual había sido obispo de D. en 1712. Este palacio era una verdadera morada señorial. Todo en él respiraba cierto aire de grandeza: las habitaciones del obispo, los salones, las habitaciones interiores, el patio de honor, muy ancho, con galerías de arcos, según la antigua costumbre florentina, los jardines plantados de magníficos árboles.

El hospital era una casa estrecha y baja, de un solo piso, con un jardincito.

Tres días después de su llegada, el obispo visitó el hospital. Terminada la visita, suplicó al director que tuviera a bien ir a verle a su palacio.

—Señor director del hospital —le dijo—: ¿cuántos enfermos tenéis en este momento?

—Veintiséis, monseñor.

—Son los que había contado —dijo el obispo.

—Las camas —replicó el director— están muy próximas las unas a las otras.

—Mirad, señor director, aquí evidentemente hay un error. En el hospital sois veintiséis personas repartidas en cinco o seis pequeños cuartos. Nosotros somos aquí tres y tenemos sitio para sesenta. Hay error, os digo; vos tenéis mi casa y yo la vuestra. Devolvedme la mía, pues aquí estoy en vuestra casa.

Al día siguiente, los veintiséis pobres enfermos estaban instalados en el palacio del obispo, y éste en el hospital.

M. Myriel no tenía bienes, pues su familia había sido arruinada por la revolución. Su hermana cobraba una renta vitalicia de quinientos francos, que en el curato bastaba a su gasto personal, y M. Myriel recibía del Estado, como obispo, una asignación de quince mil francosa.

El obispo no se había reservado más que mil francos, los cuales, unidos a la pensión de la señorita Baptistina, hacían mil quinientos francos por año. Con estos mil quinientos francos vivían aquellas dos mujeres y aquel anciano.

—El caso es que no ando muy holgado.

—Ya lo creo —exclamó la señora Magloire—: como que su ilustrísima ni siquiera se ha acordado de reclamar la renta que el departamento le debe pagar sus gastos de coche en la población y de visitas a la diócesis. A lo menos así lo hacían los obispos en otros tiempos.

—Pues es verdad que tenéis razón, señora Magloire —dijo el obispo.

Y presentó su reclamación.

Algún tiempo después el consejo general, tomando en consideración la petición del obispo, le votó una suma anual de tres mil francos, con el siguiente epígrafe: *Asignación a su ilustrísima el obispo para gastos de carruaje, de correo, postas y visitas pastorales.*

Esto hizo gritar bastante a la clase media de la población, y con tal motivo, un senador del Imperio, antiguo miembro del Consejo de los Quinientos, favorable al 18 brumario, y agraciado cerca de la ciudad de D. con una magnífica senaduría, escribió al ministro de Cultos M. Bigot de Préamenen, una carta irritada y confidencial.

En cuanto a los derechos episcopales, dispensa de amonestaciones, dispensas de parentesco, predicaciones, bendición de iglesias o capillas, matrimonios, etcétera, el obispo los cobraba a los ricos con tanto rigor como presteza tenía en dar a los pobres.

En menos de un año el obispo llegó a ser el tesorero de todos los beneficios, y el cajero de todas las estrecheces. Grandes sumas pasaban por sus manos; pero nada hacía que cambiara o modificase su género de vida, ni que añadiera lo más ínfimo de lo superfluo a lo que le era puramente necesario.

Lejos de esto, como siempre hay abajo más miseria, que fraternidad arriba, todo estaba, por decirlo así, dado aun antes de ser recibido. Era como el agua arrojada sobre una tierra seca: por más que recibía dinero, nunca lo tenía; y cuando llegaba la ocasión se despojaba de lo suyo.

Los pobres del país le habían elegido, con una especie de instinto afectuoso, el nombre de monseñor Bienvenido.

III. A buen obispo, mal obispado

No porque monseñor Bienvenido hubiera convertido su carruaje en limosnas dejaba de hacer sus visitas pastorales; y eso que es un poco cansada la diócesis de D. Hay en ella muy pocas llanuras y muchas montañas, además de muy pocos caminos. La diócesis comprende treinta y dos curatos, cuarenta y un vicariatos y doscientas ochenta y cinco sucursales. Visitar todo esto era asunto arduo; pero su ilustrísima se daba traza para todo.

Un día llegó a Senez, antigua ciudad episcopal, montado en un burro. Algunas personas se reían en derredor.

—Señor alcalde —dijo el obispo—, y vosotros señores regidores, bien conozco lo que oz escandaliza: creéis que es demasiado orgullo en un pobre sacerdote presentarse a caballo en una cabalgadura que fue la de Jesucristo. Os seguro que por necesidad lo hice, no por vanidad.

En estos viajes era indulgente y piadoso, y predicaba menos que conversaba. Nunca iba a buscar muy lejos sus argumentos, ni los modelos que solía citar.

Hablaba así, grave y paternalmente: a falta de ejemplos, inventaba parábolas: iba derecho al fin que se proponía, con pocas frases y muchas imágenes, que era la elocuencia misma de Jesús, concencida y convincente.

IV. Las obras parecidas a las palabras

Su conversación era afable y alegre; acomodábase a la inteligencia de las dos ancianas que pasaban la vida a su lado: cuando reía, era su risa la de un escolar.

La señora Magloire le llamaba siempre *Vuestra Grandeza*. Un día se levantó de su sillón y fue a la biblioteca a buscar un libro. Estaba éste en una de las tablas más altas del estante, y como el obispo era de corta estatura, no pudo alcanzarlo. *Senora Magloire*, dijo, *traedme una silla, por que mi Grandeza no alcanza a esa tabla.*

La condesa de Ló, parienta lejana suya, rara vez dejaba escapar la ocasión de enumerar en su presencia lo que ella llamaba «las esperanzas» de sus tres hijos.

—¡Dios mío! primo —dijo la condesa—, ¿en qué estáis pensando?

—Pienso —contestó el obispo— en una máxima singular, que es, creo, de San Agustín: "Poned vuestra esperanza en aquel a quien nadie sucede."

Cuando se trataba de la caridad, no retrocedía ni aún ante una negativa, y solía en estas ocasiones decir frases o palabras que hacían reflexionar. Una vez pedía para los pobres en una de las principales tertulias de la ciudad: hallábase allí el marqués de Champtercier, viejo rico y avaro, el cual había encontrado medio de ser a la vez ultra-realista y ultra-volteriano; es esta una variedad que ha existido. El obispo, al llegar a él, le tocó en el brazo: Señor marqués —le dijo—, es menester que me déis algo. El marqués se volvió y le contestó bruscamente: Monseñor: yo tengo mis pobres.

—Dádmelos —le replicó el obispo.

Un día en la catedral predicó este sermón:

"Queridos hermanos míos, mis buenos amigos; hay en Francia un millón trescientas veinte mil casas de aldeanos que no tienen más que tres huecos; un millón ochocientas diecisiete mil que sólo tienen dos, la puerta y una ventana; y trescientas cuarenta y seis mil cabañas que no tienen más que una abertura: la puerta. Esto, a consecuencia de una contribución que se llama de puertas y ventanas. Figuráos estas casucas habitadas por familias pobres, por mujeres ancianas, por niños, y considerad las calenturas y las enfermedades que padecerán. ¡Ay! Dios dio el aire a los hombres: la ley se lo vende: no censuro la ley; pero bendigo a Dios. En el Isère, en el Var, en los dos Alpes, Altos y Bajos, los aldeanos carecen hasta de carretillas, y tienen que transportar los abonos a cuestas; carecen de velas, y queman para alumbrarse teas y pedazos de cuerda empapados en alquitrán. Así pasa en todo el país alto del Delfinado. Amasan pan para seis meses, y lo cuecen con boñiga seca de vaca. En invierno cortan este pan a hachazos, y lo tienen en agua veinticuatro horas para poder comerlo. Hermanos míos, sed compasivos, y ved cuánto padecen otros en derredor vuestro."

Siendo un ex pecador, como se calificaba a sí mismo sonriendo, no tenía ninguna de las asperezas del rigorismo, y profesaba muy alto, sin cuidarse para nada del fruncimiento de cejas de los virtuosos intratables, una doctrina que podía resumirse en estas palabras:

"El hombre tiene sobre sí la carne, que es a la vez su carga y su tentación. La lleva, y cede a ella.

"Debe vigilarla, contenerla, reprimirla, mas si a pesar de sus esfuerzos cae, la falta así cometida es venial. Es una caída; pero caída sobre las rodillas, que puede transformarse y acabar en oración."

Era indulgente para con las mujeres y los pobres, sobre quienes pesa con todo su peso la sociedad humana. Decía:

—Las faltas de las mujeres, de los hijos, de los criados, de los débiles, de los pobres y de los ignorantes, son las faltas de los maridos, de los padres, de los amos, de los fuertes, de los ricos y de los sabios.

—¿Y dónde juzgarán al fiscal?

Sucedió en D. una aventura trágica: un hombre fue condenado a muerte por asesinato.

Era menester un sacerdote para que asistiera al reo en sus últimos momentos. Se fue a buscar a un cura, el cual parece que rehusó asistirle diciendo que no le concernía aquéllo. "¡Yo, dijo, nada tengo que ver con esa tarea, ni con ese saltimbanqui!, también yo estoy enfermo; además que ese no es mi lugar". Se refirió esta respuesta al obispo que dijo: «El señor cura tiene razón; ese puesto no es el suyo, es el mío.»

Inmediatamente marchó a la cárcel, bajó al calabozo del saltimbanqui, le llamó por su nombre, le dio la mano y le habló. Pasó todo el día a su lado, olvidando el alimento y el sueño, pidiendo a Dios por el alma del reo, y pidiendo al reo por la suya propia.

Le dijo las mejores verdades, que son las más sencillas: fue padre, hermano, amigo; obispo sólo para bendecir. Le enseñó todo, tranquilizándole y consolándole.

El obispo le hizo ver una luz.

Subió con él a la carreta, y con él también al cadalso. El reo, taciturno y abatido la víspera, estaba animado y radiante, pero contrito. Sentía que su alma se había reconciliado, y esperaba en Dios. El obispo le abrazó, y en el momento en que la cuchilla iba a caer le dijo: «Aquel a quien el hombre mata, Dios le resucita; aquel a quien sus hermanos repelen, lo acoge el Padre. Orad, creed, entrad en la vida. El Padre está allí.»

Cuando bajó del cadalso había alguna cosa en su mirada que hizo que el pueblo le abriese calle. No se sabía qué era más de admirar en él, si su palidez o su serenidad. Al volver a aquella humilde habitación, que él llamaba sonriendo *su palacio*, dijo a su hermana: *Acabo de oficiar de pontifical.*

Como las cosas más sublimes son por lo general las menos comprendidas, no faltó gente que, que comentando la conducta del obispo, dijera que aquello *era afectación*. A bien que no fue más que una palabra de salón. El pueblo, que nunca supone malicia en las acciones verdaderamente santas, quedó enternecido y admirado.

En cuanto al obispo, la vista de la guillotina fue para él un golpe terrible, del cual tardó mucho tiempo en reponerse.

En efecto, el patíbulo, cuando está ante nuestros ojos levantado, en pie, derecho, tiene algo que alucina. Se puede abrigar cierta indiferencia hacia la pena de muerte, no pronunciarse ni en pro ni en contra, no decir que sí ni que no, mientras no se ha visto una guillotina; pero si se llega a encontrar una, la sacudida es violenta; es menester decidirse, y tomar partido en pro o en contra de ella. Los unos admiran, como De Maistre; los otros execran, como Beccaría. La guillotina es la concreción de la ley: se llama *vindicta*: no es neutral, ni os permite que lo seáis tampoco. Quien llega a divisarla, se estremece con el más misterioso de los estremecimientos. Todas las cuestiones sociales alzan sus interrogantes en torno de aquella cuchilla.

El cadalso es una visión: no es un tablado, ni una máquina, ni un mecanismo inerte de madera, de hierro y de cuerdas. Parece que es una especie de ser, que tiene no sé qué sombría iniciativa. Se diría que aquellos andamios ven, que aquella máquina oye, que aquel mecanismo comprende, que aquella madera, aquel hierro y aquellas cuerdas tienen voluntad. En la horrible meditación en que aquella vista sume al alma, el patíbulo aparece terrible y como teniendo conciencia de lo que hace. El patíbulo es el cómplice del verdugo; devora, come carne, bebe sangre. El patíbulo es una especie de monstruo fabricado por el juez y por el carpintero; un espectro, que parece vivir de una especie de vida espantosa, hecha y amasada con todas las muertes que ha dado.

Así, la impresión fue horrible y profunda: al siguiente día de la ejecución, y aun muchos días después, el obispo estuvo abatido. Habíase desvanecido la serenidad casi violenta del fatal momento, y el fantasma de la justicia social le asediaba. Él, que de ordinario recababa de todas sus acciones una satisfacción tan pura, parecía como que se acusaba en ésta, como que le causaba pesar el haberla llevado a cabo. A intervalos hablaba consigo mismo, y murmuraba a media voz lúgubres monólogos. Véase uno que su hermana oyó y recogió una noche:

"No creía que esto fuese tan monstruoso. Acaso es una falta absorberse en la ley divina hasta el punto de no acordarse de la ley humana. Sólo a Dios pertenece la muerte. ¿Con qué derecho tocan los hombres a esta cosa desconocida?"

Con el tiempo estas impresiones se atenuaron, y acaso se borraron del todo. Sin embargo, se observó que desde entonces el obispo evitaba pasar por la plaza de las ejecuciones.

V. DE CÓMO MONSEÑOR BIENVENIDO HACÍA DURAR DEMASIADO TIEMPO SUS SOTANAS

La vida privada de M. Myriel estaba llena de los mismos pensamientos que su vida pública. Para quien hubiera podido verla de cerca, hubiese sido un espectáculo grave y sublime aquella pobreza voluntaria en que vivía el obispo de D.

Como todos los ancianos, y como la mayor parte de los pensadores, dormía poco. Este sueño, aunque corto, era profundo. Por la mañana oraba durante una hora, después decía su misa, bien en la catedral, bien en su casa. Dicha la misa, se desayunaba con pan de centeno, mojado en la leche de sus vacas. Después trabajaba.

Un obispo es un hombre muy ocupado: es preciso que reciba todos los días al secretario del obispado, que de ordinario es un canónigo, y casi todos los días a sus grandes vicarios.

El tiempo que le dejaban libre éstos, y sus oficios, y su breviario, lo dedicaba primero a sus necesitados, a los enfermos y a los afligidos; y el que éstos le dejaban vacante, lo destinaba al trabajo. Tan pronto escardaba, sembraba o regaba en su jardín, como leía o escribía. Sólo usaba de una palabra para designar estas dos clases de trabajo: llamábalo jardinear. "El espíritu es también un jardín" decía.

Donde quiera que aparecía había fiesta. Hubiérase dicho que su paso esparcía por donde iba, luz y animación. Los niños y los ancianos salían al cancel de sus puertas para ver al obispo, como para tomar el sol. Bendecía y le bendecían. A cualquiera que necesitaba algo se le indicaba la casa del obispo.

Deteníase acá y allá; hablaba a los chicos y a las niñas, y sonreía a las madres. Visitaba a los pobres mientras tenía dinero; y cuando éste se le acababa, visitaba a los ricos.

Como hacía durar sus sotanas mucho tiempo, y no quería que nadie lo notase, nunca se presentaba en público sino con su traje de obispo, lo cual en verano le molestaba un poco.

Cuando volvía de paseo, comía. La comida se parecía al almuerzo.

Por la noche, a las ocho y media cenaba con su hermana, y la señora Magloire les servía la mesa. Nada más frugal que la cena.

Después de cenar, hablaba durante media hora con la señorita Baptistina y con la señora Magloire; después se marchaba a su cuarto, y allí, o escribía en hojas sueltas, o en los márgenes de algún libro en folio. Era literato, y aun un poco erudito.

Hacia las nueve de la noche, se retiraban las mujeres, y subían al piso principal, donde tenían sus habitaciones, dejándole hasta la mañana siguiente solo en el piso bajo.

Aquí es necesario que demos una idea exacta de la casa de Su Ilustrísima el obispo de D.

VI. Por quién hacía guardar su casa

Ya hemos dicho que la casa que habitaba se componía de dos pisos solamente: bajo y principal. En el bajo había tres piezas, otras tres en el principal, encima un desván, y detrás de la casa, un jardín. Las dos mujeres ocupaban el principal; el obispo habitaba el bajo. La primera pieza que daba a la calle, le servía de comedor; la segunda de dormitorio, y de oratorio la tercera.

La botica del hospital, edificio pequeño añadido a la casa y tomado del jardín, había sido trasformada en cocina y en despensa.

Había además en el jardín un establo, que era la antigua cocina del hospicio, y donde el obispo tenía dos vacas. Fuera la que quisiera la cantidad de leche que éstas dieran, enviaba invariablemente todas las mañanas la mitad a los enfermos del hospital. «Pago mi diezmo», decía.

La habitación era bastante grande y bastante difícil de caldear en la estación fría. Como en D. la leña estaba muy cara, había imaginado hacer en el establo de las vacas una separación cerrada con tablas. Allí pasaba las veladas en la época de los grandes fríos, y por eso lo llamaba su *salón de invierno*.

Había en su oratorio dos reclinatorios de paja, y en la alcoba un sillón de brazos, también de paja. No es posible figurarse nada más sencillo que el dormitorio del obispo. Una puerta-ventana que daba al jardín: enfrente, la cama, una cama como las del hospital, con colcha de sarga verde: en la sombra que proyectaba la cama, detrás de una cortina, los utensilios de tocador, revelando todavía los antiguos hábitos elegantes del hombre de mundo; dos puertas: una, cerca de la chimenea que daba paso al oratorio; otra, cerca de la biblioteca que daba al comedor. La biblioteca era un armario grande con puertas vidrieras, lleno de libros; la chimenea era de madera, pero pintada imitando a mármol; habitualmente sin fuego: en ella se veían un par de morillos de hierro adornados con dos vasos con guirnaldas y canelones, en otro tiempo plateados, lo cual era una especie de lujo episcopal: encima de la chimenea un crucifijo de cobre, que en su tiempo había estado plateado como los morillos, estaba clavado sobre terciopelo negro algo raído, y colocado en un cuadro de madera que había sido dorada; cerca de la puerta-ventana había una gran mesa con un tintero, cargada de una masa confusa de papeles y gruesos libros. Delante de la mesa, el sillón de paja; delante de la cama, un reclinatorio tomado de la capilla u oratorio del obispo.

Todos los cuartos de la casa, lo mismo del piso bajo que del principal, sin excepción, estaban blanqueados con cal, a la manera y moda de cuartel u hospital.

Sin embargo, en los últimos años la señora Magloire halló, como más adelante se verá, bajo el enlucido, pinturas que adornaban la habitación de la señorita Baptistina.

Antes de ser hospital aquella casa, había sido locutorio del pueblo. De aquí provenía aquel adorno. Los cuartos estaban enlosados con baldosas encarnadas que se aljofifaban todas las semanas, y delante de todas las camas había una esterilla de junco. Por lo demás, la casa, cuidada por dos mujeres, respiraba de un extremo al otro una exquisita limpieza. Era el único lujo que el obispo se permitía. De él decía: *Esto no les quita nada a los pobres.*

Menester es confesar, sin embargo, que le quedaban de lo que en otro tiempo había poseído seis cubiertos de plata y un cucharón que la señora Magloire miraba con cierta satisfacción todos los días relucir espléndidamente sobre el blanco mantel de gruesa tela. Y como procuramos pintar aquí al obispo de D. tal cual era, debemos añadir que más de una vez le había sucedido decir: Renunciaría difícilmente a comer con cubiertos que no fuesen de plata.

A estas alhajas deben añadirse dos grandes candeleros de plata maciza, que eran herencia de una tía segunda. Aquellos candeleros sostenían dos velas de cera, y de ordinario figuraban sobre la chimenea del obispo. Cuando había convidado a cenar, la señora Magloire encendía las dos velas y ponía los dos candeleros en la mesa.

Una vez, la señora Magloire dijo a Su Ilustrísima con cierta dulce malicia:

—Monseñor, vos que sacáis partido de todo, tenéis ahí un cuadro de tierra inútil. Más valdría que eso produjera frutos que no flores.

—Señora Magloire —respondió el obispo—, os engañáis: lo bello vale tanto como lo útil. Y añadió después de una pausa: Tal vez más.

No había en la casa una puerta siquiera que cerrase con llave. La del comedor, que, como ya hemos dicho, daba a la plaza de la catedral, había estado en otro tiempo pertrechada de cerraduras y cerrojos, como la de una cárcel. El obispo hizo quitar todos aquellos hierros, y la puerta, así de día como de noche, sólo quedaba cerrada con un simple pestillo. El primer recién llegado, fuera la hora que quisiera, no tenía que hacer más que levantarlo y entrar. Al principio, las dos mujeres se habían asustado bastante al ver que la puerta no quedaba nunca cerrada; pero el obispo les dijo: "Si queréis, poned cerrojos a las puertas de vuestras habitaciones"; y al fin acabaron por participar de la confianza de Su Ilustrísima, o aparentar a lo menos que la tenían. Sólo a la señora Magloire le asaltaban de cuando en cuando ciertos temores.

VII. CRAVATTE

Aquí tiene su lugar natural un hecho, que no debemos omitir, porque es de los que mejor dan a conocer la clase de hombre que era Su Ilustrísima el obispo de D.

Después de la destrucción de la banda de Gaspar Bés, que había infestado las gargantas de Ollioules, uno de sus tenientes, llamado Cravatte, se refugió en la montaña.

Sus latrocinios desolaban al país. Lanzóse en su persecución la gendarmería, pero en vano; se escapaba siempre, y algunas veces resistía a viva fuerza. Era un audaz miserable. En medio del temor que suscitaba llegó el obispo, que iba a hacer su visita al Chastelar. El alcalde salió a recibirle y le suplicó que se volviese; Cravatte era dueño de la montaña hasta el Arche, y aun más allá; había peligro de andar por allí, aun con escolta; era exponer inútilmente tres o cuatro gendarmes.

—Siendo así —dijo el obispo—, iré sin escolta.

—¡Pensáis en eso, monseñor! —exclamó el alcalde.

—Y tanto, que no quiero que venga conmigo ningún gendarme, y que pienso marchar dentro de una hora.

—¡Marchar!

—Marchar.

—¿Solo?

—Solo.

—Monseñor, no haréis lo que decís.

—Hay allá en la montaña —replicó el obispo— una pequeña feligresía, tan grande casi como la palma de la mano, la cual no he visitado hace tres años.

—Pero, monseñor, ¿y los ladrones?

—Calle —dijo el obispo—: ahora caigo. Tenéis razón; puedo encontrarlos, y ellos también deben necesitar que se les hable de Dios.

—Monseñor, esa gente es una banda de forajidos, un rebaño de lobos.

—Señor alcalde, precisamente de ese rebaño es de quien acaso Jesús me hizo pastor. ¿Quién sabe cuáles son las miras de la Providencia?

—Monseñor, os robarán.

—Nada tengo.

—Os matarán.

—A un pobre y anciano sacerdote que pasa la vida mascullando sus rezos, ¿para qué?

No quiso llevar consigo, ni a su hermana, ni a la señora Magloire. Atravesó la montaña en una mula; a nadie encontró, y llegó sano y salvo al territorio de sus «buenos amigos» los pastores. Permaneció allí quince días, predicando, administrando, enseñando y moralizando. Cuando se acercó el día de su marcha, resolvió cantar pontificalmente un *Te Deum*. Habló de ello al cura, pero ¿qué hacer careciendo de ornamentos episcopales?

Hallábanse sin saber cómo salir del paso, cuando dos hombres desconocidos, montados en sendos caballos, llevaron y dejaron en casa del cura un gran cajón para el obispo. Abrióse éste y se vio que contenía una capa de tisú de oro, una mitra adornada de diamantes, una cruz arzobispal, un magnífico báculo, y todas las vestiduras episcopales robadas un mes antes en la iglesia de Nuestra Señora de Embrun. En la caja había también un papel, en el cual estaban escritas las siguientes palabras: «Cravatte, a monseñor Bienvenido».

Cuando volvió al Chastelar, en todo lo largo del camino salía la gente a verle con curiosidad. En el presbiterio halló a la señorita Baptistina y a la señora Magloire que le estaban esperando, y dijo a su hermana:

"¿Tenía o no tenía yo razón? El pobre sacerdote fue a los pobres montañeses con las manos vacías, y vuelve con ellas llenas. Marché llevando sólo mi esperanza puesta en Dios, y vuelvo trayendo el tesoro de una catedral."

Por la noche, antes de acostarse volvió a decir: "No temamos nunca ni a los ladrones ni a los asesinos: esos son los peligros exteriores, los pequeños peligros. Temámonos a nosotros mismos. Las preocupaciones, ésas son los ladrones: los vicios, esos son los asesinos. Los grandes peligros existen dentro de nosotros. ¿Qué importa lo que amenaza a nuestra cabeza o a nuestra bolsa? Pensemos con preferencia en lo que amenaza a nuestra alma."

VIII. Filosofar después de beber

El senador, de quien más arriba hemos hablado, era un hombre entendido que había hecho su carrera, siguiendo un camino tanto más derecho, cuanto que para nada se había cuidado de esos obstáculos que dificultan o embarazan, y que se llaman conciencia, fe jurada, justicia, deber. Siempre había marchado recto a su objeto, sin separarse una sola vez de la línea de su adelantamiento y de su interés. Era un antiguo procurador, blando por sus triunfos, no mal hombre del todo, que hacía cuantos pequeños favores podía a sus hijos, a sus yernos, a sus parientes y aun a sus amigos; y que habiendo aprovechado el buen lado de la vida, las buenas utilidades, parecíale tonto y bestia lo demás. Tenía ingenio y era suficientemente instruido para creerse discípulo de Epicuro, no siendo en realidad más que un producto de Pigault-Lebrun. Reíase buena y agradablemente de las cosas infinitas y eternas, y de las «salidas del buen obispo». A veces, con cierta amable autoridad reíase ante el mismo Myriel que le escuchaba.

No sé en qué ceremonia semi-oficial el conde, que era el senador de quien hablamos, y M. Myriel comieron juntos en casa del prefecto. A los postres el senador, un tanto alegre, aunque siempre digno, exclamó:

"Aborrezco a Diderot: es un ideólogo, un declamador y un revolucionario; en el fondo creyente en Dios y más mojigato que Voltaire, se burló de Needham, e hizo mal; porque las anguilas de Needham prueban que Dios es inútil. Una gota de vinagre en una cucharada de masa de harina suple al *fiat lux*. Suponed que la gota es más grande y la cucharada mucho más grande también, y tendréis el mundo. El hombre es la anguila; y entonces ¿para qué el Padre Eterno? Señor obispo, la hipótesis Jehová me fatiga. Sólo sirve para producir personas flacas que piensan hueco. ¡Abajo ese Gran Todo, que me fastidia! ¡Viva Cero, que me deja tranquilo! De vos a mí, y para decirlo todo, y para confesarme con mi pastor, como conviene, os confieso que no soy tonto. Yo no puedo volverme loco con vuestro Jesús, que predica en todas partes la pobreza y el sacrificio. Consejo de avaro a desarrapados. Pobreza: ¿por qué? Sacrificio: ¿para qué? Nunca he visto que un lobo se inmole por la felicidad de otro lobo. Permanezcamos, pues, dentro del orden de la naturaleza."

"Hablemos verdad nosotros que somos los iniciados, que hemos levantado el velo de Isis: no hay bien ni mal; no hay más que vegetación. Busquemos la realidad, profundicemos, penetremos en el fondo, ¡qué diablo! Es menester ventear la verdad, minar bajo tierra y apoderarse de ella: y cuando la tenéis, entonces sí que sois fuerte y os reís de todo. Yo soy cuadrado por la base, señor obispo; la inmortalidad del alma es una ridícula paradoja. ¡Oh promesa encantadora! Fiad en ella. Vaya un billete de banco que tiene Adán. Si es alma, será ángel, tendrá alas azules en los omóplatos. Argüidme, pues: ¿no es Tertuliano quien dice que los bienaventurados irán de un astro a otro? Bueno: quiere decir que serán las langostas de las estrellas. ¡Y después verán a Dios! Ta, ta, ta. No son malas tonterías todos esos paraísos. Dios es una patarata monstruo. Yo no diré esto en el *Monitor*, pardiez; pero lo cuchicheo entre amigos: *Inter pocula*. Sacrificar la tierra al paraíso es lo mismo que dejar la presa por la sombra, lo cierto por lo dudoso. ¡Ser burlado por lo infinito! ¡Cá! ¡no soy tan bestia! Soy nada. Me llamo el señor conde Nada, senador. ¿Era antes de mi nacimiento? No. ¿Seré después de mi muerte? No. ¿Qué soy, pues? Un poco de polvo agregado y constituido en un organismo. ¿Qué tengo qué hacer en la Tierra? La elección es mía; padecer o gozar. ¿A dónde me conducirá el padecimiento? A la nada; pero habré padecido. ¿A dónde me conducirá el goce? A la nada; pero habré gozado. Mi elección está hecha. Es menester comer o ser comido: comamos."

El obispo batió las palmas.

—Eso es lo que se llama hablar —exclamó—. ¡Qué excelente, que maravilloso es ese materialismo! ¡Ah! no todo el que quiere lo tiene. Cuando se posee no es un juguete de nadie. No se deja uno desterrar bestialmente como Catón, ni lapidar como San Esteban, ni quemar vivo como Juana de Arco. Los que han conseguido procurarse ese materialismo admirable, tienen la alegría de sentirse irresponsables, y de pensar que pueden devorarlo todo sin inquietud, los cargos, las sinecuras, las dignidades, el poder bien o mal adquirido, las palinodias lucrativas, las traiciones útiles, las sabrosas capitulaciones de la conciencia, y que bajarán a la tumba hecha ya la digestión. ¡Qué cosa tan agradable! No digo esto por vos, señor senador; sin embargo, me es imposible no felicitaros. Vosotros, los grandes señores, tenéis, como habéis dicho, una filosofía peculiar, especial, para vuestro uso exclusivo, exquisita, refinada, accesible solamente a los ricos, buena en cualquier salsa que se la sirva, y admirablemente sazonada de los placeres de la vida. Esta filosofía está sacada de las profundidades, y desenterrada por rebuscadores especiales. Pero sois príncipes amables, y no halláis del todo mal que la creencia en Dios sea la filosofía del pueblo, sobre poco más o menos como el pato con castañas es el pavo trufado del pobre.

IX. El hermano pintado por la hermana

Para dar una idea del menaje anterior del obispo de D. y de la manera con que aquellas dos santas mujeres subordinaban sus acciones, sus pensamientos, y hasta sus instintos de mujeres fácilmente asustadizas a los hábitos y las costumbres del obispo, sin que éste tuviera ni aún que tomarse el trabajo de hablar para expresar su deseo, nada mejor podemos hacer que trascribir aquí una carta de la señorita Baptistina a la señora vizcondesa de Boischevron, su amiga de la niñez. Esta carta que poseemos dice así:

D. 16 de diciembre de 18...

"Mi buena señora: No pasa un día sin que hablemos de vos. Es por lo regular nuestra costumbre, y hay ahora además una razón para ello. Figuráos que al lavar y desempolvar los techos y paredes de nuestras habitaciones, la señora Magloire ha hecho varios descubrimientos: al presente, nuestros dos cuartos tapizados de viejo papel blanqueado con cal; no figurarían mal en un castillo por el estilo del vuestro. La señora Magloire ha desgarrado y arrancado todo el papel. Debajo había otras cosas. Mi salón, en el que no hay muebles, y que nos sirve para tender la ropa de la colada, tiene quince pies de alto y dieciocho de ancho; su techo, pintado antiguamente con dorados y a bovedilla como en vuestra casa, estaba cubierto con una tela del tiempo en que fue hospital. En fin, tiene ensambladuras del tiempo de nuestros abuelos. Pero mi gabinete es el que tiene que ver. La señora Magloire ha descubierto, a lo menos debajo de diez papeles pegados unos encima de otros, pinturas que, sin ser buenas, son siquiera soportables. Unas representan a Telémaco armado caballero por Minerva; otras al mismo en un jardín, de cuyo nombre no puedo acordarme, donde las damas romanas iban una sola noche. ¿Qué podré deciros? Hay romanos, romanas (aquí una palabra ininteligible), y todo su séquito. La señora Magloire ha puesto en claro todo esto, y este verano va a reparar algunas pequeñas averías, y a barnizarlo todo de nuevo, con lo cual quedará mi cuarto hecho un verdadero museo.

"Soy tan feliz como siempre. ¡Mi hermano es tan bueno! Todo cuanto tiene lo da a los pobres y a los enfermos. Vivimos un poco estrechos: el país es muy malo en invierno, y es menester hacer algo por los que nada tienen. Nosotras estamos casi bien abrigadas y bien alumbradas; ya veis que no es poca cosa."

"El año último se fue a pie y solo a un país de ladrones. No quiso llevarnos consigo. Estuvo ausente quince días. A su vuelta nada le había pasado; se le creía muerto; pero gozaba de buena salud, y decía: Ved aquí cómo me han robado." Y abrió una maleta y nos la enseñó llena de todas las alhajas de la catedral de Embrun, que los ladrones le habían devuelto.

"He preguntado a mi hermano las noticias que me pedíais sobre la familia de Faux. Ya sabéis que él sabe de todo, y que tiene sus recuerdos, porque es siempre buen realista. Los de Faux son una antigua familia normanda, de la nobleza de Caen. Hace quinientos años que hubo un Raul de Faux, un Juan de Faux, y un Tomás de Faux, que eran nobles, y uno de ellos señor de Rochefort."

"Buena señora, recomendadme a vuestro santo pariente el cardenal para que me tenga presente en sus oraciones. En cuanto a vuestra querida Silvania ha hecho bien en no perder en escribirme los cortos instantes que pasa a vuestro lado. Está buena, trabaja según nuestros deseos, me quiere como siempre, es todo lo que deseo, y me felicito por el recuerdo que por vos me envía. Mi salud no es muy mala y, sin embargo, enflaquezco cada día más. Adiós: me falta ya el papel, y me obliga a despedirme de vos: mil cosas a todos.

"Baptistina."

Como se ve por esta carta, aquellas dos santas mujeres sabían acomodarse a la manera de ser del obispo, con ese genio particular de la mujer que comprende al hombre mejor que el hombre se comprende a sí mismo. El obispo de D., bajo aquel aire manso y cándido que nunca se desmentía, hacía a veces cosas grandes, atrevidas y magníficas, sin aparentar que sabía lo que hacía.

X. El obispo en presencia de
una luz desconocida

En una época un poco posterior a la fecha de la carta citada en las precedentes páginas, hizo una cosa, que según voz pública en la ciudad, había sido mucho más arriesgada y peligrosa que su paseo por la montaña infestada de bandidos.

Había cerca de D., en el campo, un hombre que vivía solitario; aquel hombre, digamos de corrido la espantable palabra, era un antiguo convencional y se llamaba G.

Hablábase del convencional G. entre la sociedad de D., con una especie de horror. ¡Un convencional! ¿Os podéis figurar una fiera de esta especie? Eso existía en el tiempo en que todo el mundo se tuteaba, y en que se decía: ciudadano. Aquel hombre era casi un monstruo. No había votado la muerte del rey, pero casi, casi lo había hecho. Era un casi regicida. Había sido terrible.

Habitaba a tres cuartos de hora de la ciudad, lejos de toda vivienda, separado de todo camino, no sé qué retiro perdido en un valle semisalvaje. Tenía allí, decían, una especie de campo, un agujero, una madriguera. Ni un vecino, ni siquiera transeúntes. Desde que vivía en aquel valle, el sendero que a él conducía se había cubierto de hierba. Hablábase de aquel sitio como de la casa del verdugo.

Un día, al fin, se esparció el rumor en la ciudad de que una especie de pastorcillo que servía al convencional G. en su vivienda, había ido a buscar un médico; que el viejo malvado se moría: que la parálisis se había apoderado de él, y que no saldría de la noche. ¡Gracias a Dios!, añadían algunos.

El obispo tomó su báculo, púsose su sobretodo a causa de estar su sotana un tanto raída, como ya hemos dicho, y también a causa del viento de la noche, que no debía tardar en levantarse, y marchó.

Era una casita baja, pobre, pequeña y limpia, con un emparrado en la fachada.

Cerca del anciano sentado hallábase en pie un joven, el pastorcillo, que alargaba al anciano una vasija con leche.

El obispo avanzó. Al ruido que hacía al andar, el viejo, sentado como estaba, volvió la cabeza, y su rostro manifestó toda la sorpresa que se puede tener después de una larga vida.

—Desde que vivo aquí, es esta la primera vez que entra una visita en mi casa: ¿quién sois, caballero?

El obispo respondió:

—Me llamo Bienvenido Myriel.

—En ese caso, sois mi obispo.

—Un poco.

—Entrad, señor.

—Celebro mucho ver que me habían engañado. En verdad, no parece que estéis enfermo.

—Señor, voy a curarme del todo.

Hizo una pausa y añadió:

—Moriré dentro de tres horas. Soy un poco médico, y sé cómo se acerca la última hora. Ayer sólo tenía los pies fríos: hoy el frío ha subido hasta las rodillas; ahora le siento que sube hasta la cintura: cuando llegue al corazón, acabaré. Qué hermoso es el sol, ¿no es verdad?

"Y en verdad, ¿qué importa? Morir es una cosa muy sencilla. No se necesita la mañana para esto. Sea: moriré de noche."

"Vete a acostar —le dijo el anciano al pastor—. Has velado toda la última noche; debes estar cansado. Mientras que él duerme, moriré; los dos sueños pueden hacer buena vecindad."

El obispo no estaba conmovido, como parece que debiera estarlo. No creía sentir a Dios en aquella manera de morir.

G., tranquilo, con la cabeza casi derecha y la voz vibrante, era uno de esos grandes octogenarios, que son la admiración del fisiólogo. La revolución ha contado mucho de estos hombres proporcionados a su época. Veíase y se adivinaba en aquel anciano al hombre de prueba.

Había allí una piedra. El obispo se sentó en ella. El exordio fue *exabrupto*.

—Os felicito —dijo en tono de represión—, pues al cabo no habéis votado la muerte del rey.

—Señor, no me felicitéis demasiado pronto; he votado el fin del tirano.

—¿Qué queréis decir? —replicó el obispo.

—Quiero decir que el hombre tiene un tirano: la ignorancia; y yo he votado el fin de ese tirano, que engendra la falsa autoridad en vez de la autoridad que se apoya en lo verdadero. El hombre no debe ser gobernado más que por la ciencia.

—Y por la conciencia —añadió el obispo.

—Es lo mismo. La conciencia es la cantidad de ciencia innata que tenemos en nosotros mismos.

Monseñor Bienvenido escuchaba, un poco admirado, aquel lenguaje tan nuevo para él.

El convencional prosiguió:

—En cuanto a Luis XVI, no voté su muerte. No me creo con el derecho de matar a un hombre; pero me siento con el deber de exterminar el mal. He votado el fin del tirano: el fin de la prostitución para la mujer, el fin de la esclavitud para el hombre, el fin de la ignorancia para el niño. He votado la fraternidad, la concordia, la aurora. He ayudado a la caída de las preocupaciones y de los errores. El hundimiento de las unas y de los otros produce la luz. Nosotros hemos hecho caer el viejo mundo, vaso de miserias; al volcarse sobre el género humano, se ha convertido en una urna de alegría.

"¡Ay! La obra estaba incompleta, convengo en ello; hemos demolido el antiguo régimen en los hechos; no hemos podido suprimirlo completamente en las ideas. No basta destruir los abusos; es menester modificar las costumbres."

"El derecho tiene su cólera, señor obispo. De todos modos y dígase lo que se quiera, la revolución francesa es el paso más grande dado por el género humano desde el advenimiento de Cristo. Progreso incompleto, sea, pero sublime. Ha despejado todas las incógnitas sociales, ha dulcificado los ánimos, ha apaciguado, ilustrado; ha hecho correr sobre la

Tierra torrentes de civilización. La revolución francesa es la consagración de la humanidad."

—¿Sí? ¿Y el 93?

—¡Oh! ya apareció el 93. Esperaba esa palabra. Durante mil quinientos años se ha estado formando una nube; al cabo de quince siglos ha estallado la tormenta, y vos formáis causa al rayo.

El obispo sintió, sin confesarlo tal vez, que algo en él había sido herido. Sin embargo, presentó buen continente, y replicó:

—El juez habla en nombre de la justicia; el sacerdote habla en nombre de la piedad, que no es sino una justicia más elevada. Un rayo no debe nunca engañarse.

¿Luis XVII? Veamos. ¿Por quién lloráis? ¿Por el niño inocente? Entonces, bien: yo lloro con vos. ¿Es por el niño real? Os pediré que reflexionéis. El hermano del bandido Cartucho, niño inocente, colgado por los sobacos en la plaza de Gréve hasta que el suplicio produjera la muerte, por el solo crimen de ser hermano de Cartucho, no es para mí menos digno de compasión que el nieto de Luis XV, niño inocente martirizado en la torre del Temple, por el solo crimen de haber sido nieto de Luis XV.

—Señor mío —dijo el obispo—, no me gusta la proximidad entre ciertos hombres.

Hubo un momento de silencio; el obispo casi se arrepentía de haber ido a visitar al convencional, y, sin embargo, sentíase vaga y extrañamente conmovido.

El convencional continuó:

—¡Ah, señor sacerdote! No os gusta la esperanza de la verdad. Cristo la amaba. No se hubiera incomodado porque el delfín de Barrabás hubiese estado codo con codo con el delfín de Herodes. Señor, la inocencia tiene su corona en sí misma. La inocencia nada gana con ser alteza. Tan augusta es desarrapada como flordelisada.

—Es verdad —dijo el obispo en voz baja.

—Lloraré por los hijos de todos los reyes con vos, con tal que vos lloréis conmigo por todos los hijos del pueblo —insistió el convecional.

—Lloro con vos —dijo el obispo.

—Hace mucho tiempo que el pueblo padece; y luego, no es esto sólo; ¿a qué venís a preguntarme y a hablarme de Luis XVII? Yo no os conozco.

"Me habéis contestado que érais el obispo; pero esto nada me enseña respecto de vuestra persona moral. En suma, vuelvo a repetiros mi pregunta: ¿Quién sois? Un obispo, es decir, un príncipe de la Iglesia, uno de esos hombres dorados, blasonados, ricos, que tienen gruesas prebendas, buena mesa, gran número de familiares y sirvientes; pero esto, o me dice demasiado, o no me dice bastante; esto no me ilustra sobre vuestro valor intrínseco y esencial, sobre vos, que venís con la pretensión probable de traedme la sabiduría. ¿A quién es a quien hablo? ¿Quién sois?"

El obispo bajó la cabeza y contestó: —*Vermis sum.*

—¡Un gusano en carroza! —murmuró el convencional.

El convencional empezaba a sentir hipo; el asma de la agonía que se mezcla con los últimos alientos, le entrecortaba la voz. Sin embargo, se notaba todavía en sus ojos la perfecta lucidez de su inteligencia. Continuó:

—Digamos aún algunas palabras. Fuera de la revolución, que, tomada en su conjunto, es una inmensa afirmación humana, el 93 ¡ay! es una réplica. Os parece inexorable; pero ¿y toda la monarquía, señor obispo? Carrier es un bandido; ¿pero qué nombre dáis a Montrevel? Jourdan Corta-cabezas es un monstruo, pero no tanto como el marqués de Louvois. Compadezco a María Antonieta, archiduquesa y reina, pero también me inspira compasión aquella pobre mujer hugonote, que en 1685, en tiempo de Luis el Grande, fue atada, desnuda hasta la cintura, a un poste, y su hijo mantenido a cierta distancia; el pecho de la madre se llenaba de leche y su corazón de angustia, y el niño hambriento y pálido, agonizaba y gritaba. Y el verdugo decía a aquella mujer, madre y nodriza; ¡abjura! dándole a elegir entre la muerte de su hijo y la abjuración. ¿Qué decís de este suplicio de Tántalo aplicado a una madre? Abreviaré, o por mejor decir, concluyo. Tengo demasiado buen juego; además, ¡me muero!

—Sí; las brutalidades del progreso se llaman revoluciones. Pero cuando han concluido se reconoce que el género humano ha sido maltratado, pero ha marchado.

El convencional ni siquiera sabía que acababa de tomar por asalto uno tras otro, todos los atrincheramientos interiores del obispo. Uno no más quedaba, y de este atrincheramiento, supremo recurso de la resistencia de monseñor Bienvenido, salieron estas frases en que apareció toda la rudeza del principio de la conversación:

—El progreso debe creer en Dios. El bien no puede tener un servidor impío. Es mal conductor del género humano el que es ateo.

—¡Oh tú! ¡oh ideal! ¡tú sólo existes!

Hubo una pausa; el anciano levantó un dedo hacia el cielo, y añadió:

—El infinito existe. Está allí. Si el infinito no tuviera un yo, el yo sería su límite; no sería infinito: en otros términos, no existiría. Pero existe: luego hay un yo. Este yo del infinito es Dios.

El moribundo había pronunciado estas últimas palabras en voz alta y con el estremecimiento del éxtasis, como si viese a alguien.

Lo que acababa de decir le había aproximado a la muerte; el instante supremo se acercaba.

—Esta hora —dijo— es la hora de Dios. ¿No creéis que sería sensible que nos hubiésemos encontrado en vano?

—Señor obispo —dijo con una lentitud que acaso más provenía de la dignidad del alma que del desfallecimiento de las fuerzas físicas—: he pasado mi vida en la meditación, en el estudio y en la contemplación. Tenía sesenta años cuando mi país me llamó y me ordenó que me mezclara en sus asuntos. Obedecí. Había abusos: los combatí. Había tiranías: las destruí. Había derechos y principios: proclamé los unos y confesé los otros. El territorio estaba invadido: lo defendí. Francia estaba amenazada: le ofrecí mi pecho. No era rico y soy pobre.

"Ya desde hace muchos años, a pesar de mis cabellos blancos, siento y conozco que muchas personas creen tener sobre mí el derecho de despreciarme; para la pobre turba ignorante mi cara es la de un condenado, y acepto, sin odiar a nadie, el aislamiento del odio. Al presente tengo ochenta y seis años, y voy a morir. ¿Qué es lo que venís a pedirme?"

—El amigo —dijo el obispo— os pide que estrechéis su mano; el sacerdote os da su bendición. Cuando el obispo levantó la cabeza, el rostro del convencional había tomado un tinte verdaderamente augusto; acababa de expirar.

El obispo volvió a su casa profundamente absorto, no se sabe en qué pensamientos, y pasó toda la noche en oración.

Desde aquel momento redobló su ternura y fraternidad para con los pobres y con los que padecen.

XI. Una restricción

Muy cerca estaría de engañarse quien de aquí dedujera que monseñor Bienvenido era un «obispo filósofo» o «un cura patriotero». Su encuentro, lo que casi pudiera llamarse su conjunción, con el convencional G. le causó una especie de admiración, que le hizo más humilde todavía; pero no pasó de aquí.

Sin profundizar en cuestiones que sólo tocan indirectamente el asunto de este libro, decimos simplemente esto. Hubiera sido hermoso que monseñor Bienvenido no hubiese sido realista; que su mirada no se hubiera separado un solo instante de esa contemplación serena, en que se ven irradiar distintamente, por encima de las ficciones y de los odios de este mundo, por encima del vaivén tempestuoso de las cosas humanas, esas tres puras luces: la Verdad, la Justicia y la Caridad.

Aun conviniendo en que Dios no había creado a monseñor Bienvenido para cargos políticos, hubiéramos comprendido y admirado en él la protesta en nombre del derecho y de la libertad; la oposición altiva, la resistencia peligrosa y justa a Napoleón omnipotente; pero lo que nos agrada respecto de los que suben, nos disgusta respecto de los que bajan.

Fuera de esto era y fue el obispo de D. en todo, justo, verdadero, equitativo, inteligente, humilde y digno, benéfico y benévolo, que es una especie de beneficencia también. Era un sacerdote, un sabio y un hombre. Pero debe decirse, aun en esta opinión política que acabamos de reprocharle y que estamos dispuestos a juzgar casi siempre con severidad, que era tolerante y fácil, tal vez más que los mismos que le censuramos.

XII. SOLEDAD DE MONSEÑOR BIENVENIDO

Hay casi siempre alrededor de un obispo una turba de cleriguillos, como en rededor de un general hay una bandada de oficiales. Estos son los que el bueno y sencillo San Francisco de Sales llama, no sé dónde, "curas boqui-rubios".

Así como en otros ramos hay cargos pingües, en la Iglesia hay buenas mitras. Éstas las desempeñan obispos que están bien con la corte: ricos, con rentas, hábiles, aceptados por el mundo, que sin duda saben orar, pero que también saben solicitar; poco escrupulosos de que toda una diócesis haga antesala a su persona; lazos de unión entre la sacristía y la diplomacia; más bien clérigos que sacerdotes; más bien prelados que obispos. ¡Feliz el que a ellos se aproxima!

Monseñor Bienvenido, humilde, pobre, particular, no se contaba entre las buenas mitras. Era esto visible en la completa ausencia de clérigos jóvenes que se notaba en torno suyo. Ya se ha visto que en París "no había petado". Ni un solo porvenir pensaba apoyarse en el solitario anciano; ni una ambición en flor cometía la locura de cobijarse bajo su sombra. Sus canónigos y vicarios eran buenos viejos como él, como él también un poco plebeyos, encerrados con él en aquella diócesis sin salida al cardenalato, y que se parecían a su obispo, con la diferencia de que ellos eran finitos y él era cabal.

XIII. Lo que se creía

Desde el punto de vista de la ortodoxia, no tenemos por qué sondear al obispo de D. Ante un alma semejante sólo sentimos respeto. La conciencia del justo debe ser creída sobre una palabra. Además, dadas ciertas naturalezas, admitimos el desarrollo posible de todas las bellezas de la virtud humana en una creencia diversa de la nuestra.

En ciertos momentos parecía pedir a Dios conmutaciones. Examinaba sin cólera y con la mirada del lingüista que descifra un palimpsesto, la cantidad de caos que existe todavía en la Naturaleza. En estas meditaciones dejaba a veces escapar palabras extrañas. Una mañana estaba en el jardín; se creía solo, pero su hermana paseaba detrás sin que él la viese. De repente se paró, miró algo en el suelo; era una araña gorda, negra, velluda, horrible. Su hermana le oyó decir:

—¡Pobre animal; no es culpa suya!

Cuando hablaba con esa alegría infantil —que era una de sus gracias, y a la cual ya hemos aludido— causaba cierto placer estar al lado suyo, y parecía que de toda su persona brotaba alegría. Su tez, de buen color y fresca; sus dientes perfectamente blancos —que había conservado intactos, y que dejaba ver cuando reía— le daban ese aire franco y fácil, que hace decir de un hombre: "es un buen muchacho"; y de un anciano, "es un buen hombre".

Parecía que era para él como una especie de rito prepararse al sueño por la meditación, en presencia de los grandes espectáculos que ofrece el cielo por la noche. Algunas veces a hora bastante avanzada de ésta, si las dos mujeres no dormían, le oían pasear lentamente por las calles del jardín. Hallábase allí solo consigo mismo; recogido, apacible, adorando, comparando la serenidad de su corazón con la serenidad del éter, conmovido en las tinieblas por los resplandores visibles de las constelaciones, y por los invisibles resplandores de Dios, abriendo su alma a los pensamientos que brotan de lo desconocido.

Pensaba en la grandeza y en la presencia de Dios; en la eternidad futura, extraño misterio; en la eternidad pasada, misterio más extraño todavía; en todos los infinitos que se hundían ante sus ojos en todos sentidos; y sin tratar de comprender lo incomprensible, lo miraba. No estudiaba a Dios; se deslumbraba contemplándole en sus obras. Consideraba aquellos magníficos enlaces de los átomos que dan aspecto a la materia; que revelan las fuerzas evidenciándolas; que crean los individuos en la unidad, las proporciones en la extensión, lo innumerable en lo infinito, y que por la luz produce la belleza. Estos enlaces se forman y deshacen sin cesar: de aquí la vida y la muerte.

XIV. LO QUE PENSABA

Una palabra para concluir.

Como los pormenores de esta clase, particularmente en el momento en que estamos, y para servirnos de una expresión moderna, podrían dar al obispo de D. cierta fisonomía "panteísta" y hacer creer, ya en contra, ya en favor suyo, que profesaba una de esas filosofías personales propias de nuestro siglo, que germinan algunas veces en los ánimos solitarios, y en ellos se arraigan, se desarrollan y crecen hasta reemplazar a la religión, debemos decir, e insistimos en ello, que ninguno de cuantos han conocido a monseñor Bienvenido se ha creído autorizado para pensar nada semejante de él. Lo que en aquel hombre resplandecía era el corazón. Su sabiduría era hija de la luz que aquél producía.

Ningún sistema, muchas obras; tal era su conducta. Las especulaciones abstractas acaban por producir vértigos, y nada indica que aventurase su espíritu en los apocalipsis. El apóstol puede ser osado; pero el obispo debe ser tímido. Probablemente hubiera tenido escrúpulo de sondear demasiado el fondo de ciertos problemas, reservados en algún modo a los grandes y atrevidos pensadores.

No trataba de hacer en su casulla los pliegues del manto de Elías; no proyectaba ningún rayo del porvenir sobre los vaivenes tenebrosos de los acontecimientos; no trataba de condensar en llama la luz de las cosas; nada tenía de profeta y nada de mago. Aquel alma humilde amaba y nada más.

Inclinábase hacia lo que gime y hacia lo que expía. El universo se le aparecía como una inmensa enfermedad; sentía en todas partes la calentura; auscultaba en todas partes el padecimiento, y sin tratar de adivinar el enigma, procuraba vendar y curar la llaga.

Hay hombres que trabajan en la extracción del oro; él trabajaba en la extracción de la piedad. La miseria universal era su mina, el dolor por todas partes esparcido, era para él siempre ocasión de bondad. *Amaos los unos a los otros;* en esta máxima lo encontraba todo, nada más deseaba, y esta era toda su doctrina.

Monseñor Bienvenido era sencillamente un hombre que observaba desde fuera las cuestiones misteriosas, sin escrutarlas, sin agitarlas, y sin perturbar su propio espíritu, y que tenía en el alma el grave respeto de la sombra.

Libro segundo

• LA CAÍDA •

I. LA NOCHE DE UN DÍA DE MARCHA

En los primeros días del mes de octubre de 1815, como una hora antes de ponerse el sol, un hombre que viajaba a pie entraba en la pequeña ciudad de D. Los pocos habitantes que en aquel momento estaban asomados a sus ventanas o en el umbral de sus casas, miraban a aquel viajero con cierta especie de inquietud. Difícil hubiera sido hallar un transeúnte de aspecto más miserable. Era un hombre de mediana estatura, rechoncho y robusto, en la fuerza de la edad; y como de cuarenta y seis a cuarenta y ocho años. Un casquete con visera de cuero, calado hasta los ojos, ocultaba en parte su rostro tostado por el sol y el aire, y todo cubierto de sudor. Su camisa, de una tela gorda y amarillenta abrochada hasta el cuello con una pequeña áncora de plata, dejaba ver su velludo pecho; llevaba una corbata retorcida como una cuerda; un pantalón de cutí azul, usado y roto, blanco en una rodilla, agujereado en la otra; una vieja blusa gris hecha jirones, remendada en una de las mangas con un pedazo de paño verde cosido con bramante; un morral de soldado a la espalda, bien repleto, bien cerrado y nuevo; en la mano un enorme palo nudoso, los pies sin medias calzados con gruesos zapatos claveteados, la cabeza esquilada y la barba larga.

El sudor, el calor, el viajar a pie, el polvo, añadían no sé qué de sórdido a aquel conjunto derrotado.

Sus cabellos estaban cortados al rape, y, sin embargo, erizados, porque comenzaban a crecer un poco y parecía que no habían sido cortados hacía algún tiempo. Aquel hombre debía de haber caminado todo el día, pues parecía muy fatigado.

Al llegar a la esquina de la calle de Poichevert, tomó por la izquierda y se dirigió hacia el Ayuntamiento. Entró en él y volvió a salir un cuarto de hora después.

Había entonces en D. una buena posada que, según la muestra, se titulaba *La Cruz de Colbas*.

Encaminóse el hombre hacia esta posada, que era la mejor del país, y entró en la cocina, a la cual se pasaba directamente desde la calle. Todas las hornillas estaban encendidas, y un gran fuego ardía alegremente en la chimenea.

El posadero, al oír abrirse la puerta y entrar uno, preguntó sin apartar la vista de sus hornillas:

—¿Qué ocurre?

—Cama y comida —dijo el hombre.

—Al momento —replicó el huésped. Entonces volvió la cabeza, abrazó con una rápida ojeada todo el conjunto del viajero, y añadió:

—Pagando, por supuesto.

El hombre sacó una gran bolsa de cuero del bolsillo de su blusa y contestó:

—Tengo dinero.

—En ese caso, al momento soy con vos —dijo el huésped.

El hombre volvió a meter la bolsa en la blusa; se quitó el morral; le puso en el suelo cerca de la puerta, conservó su palo en la mano, y fue a sentarse en un banquillo cerca del fuego.

—¿Se come pronto? —preguntó

—Al momento —dijo el huésped.

Mientras el recién venido se calentaba con la espalda vuelta al posadero, éste sacó un lápiz del bolsillo, rasgó un pedazo de periódico que había sobre una mesa pequeña cerca de la ventana, escribió en el margen blanco una línea o dos, lo dobló sin cerrarlo, y entregó aquel papel a un muchacho que parecía servirle a la vez de pinche y de criado.

Volvió el muchacho: traía un papel. El huésped lo desdobló apresuradamente, como quien está esperando una contestación. Leyó atentamente, movió la cabeza y permaneció pensativo. Por fin dio un paso hacia el viajero, que parecía sumido en no muy agradables ni tranquilas reflexiones.

—Buen hombre —le dijo—, no puedo recibiros en mi casa.

El hombre medio se enderezó sobre su asiento.

—Estoy en la hostería; tengo hambre y me quedo.

El posadero se inclinó entonces hacia él, y le dijo con un acento que le hizo estremecer:

—Marchaos.

El viajero estaba en aquel momento encorvado, y empujaba algunas brasas con la contera de su garrote. Volvióse bruscamente, y como abriese la boca para replicar, el huésped le miró fijamente y añadió en voz baja:

—Mirad, basta de conversación. ¿Queréis que os diga vuestro nombre? Os llamáis Juan Valjean. Ahora, ¿queréis que os diga también lo que sois? Al veros entrar sospeché algo; envié a preguntar al Ayuntamiento, y ved lo que me han contestado: ¿sabéis leer?

El hombre bajó la cabeza, recogió el morral que había dejado junto a la puerta al entrar, y se marchó.

Echó por la calle principal; caminaba a la casualidad, pegado casi a las paredes de las casas, como un hombre humillado y triste.

Caminó así algún tiempo andando a la ventura por calles que no conocía, olvidando el cansancio, como sucede cuando el ánimo está triste. De pronto sintióse aguijoneado por el hambre. La noche se acercaba. Miró en derredor para ver si descubría algún sitio donde recogerse.

La posada se había cerrado para él; buscaba algún humilde figón, algún pobre chiribitil.

Precisamente ardía una luz al extremo de la calle: una rama de pino colgada de una horquilla de hierro se destacaba sobre el fondo blanquecino del crepúsculo. Se dirigió hacia ese lugar.

Era en efecto un figón, y al propio tiempo una casa para dormir: el figón de la calle de Chaffaud.

El viajero se detuvo un momento, miró por los vidrios de la puerta el interior de la sala baja del figón, iluminada por una pequeña lámpara colocada sobre una mesa, y por un gran fuego que ardía en la chimenea.

El viajero no se atrevió a entrar por la puerta de la calle. Entró en el corral, se detuvo de nuevo, luego levantó tímidamente el pestillo, y empujo la puerta.

—¿Quién va? —dijo el amo.

—Uno que quiere comer y dormir.

—Las dos cosas pueden hacerse aquí.

Entró.

El huésped le dijo:

—Aquí tenéis fuego. La cena cuece en la marmita; venid a calentaros, camarada.

Uno de los que estaban sentados junto a la mesa del figón era un pescadero, que antes de ir a él había estado a dejar su caballo en la posada de Labarre.

Desde el sitio en que estaba hizo al figonero una seña imperceptible. Éste se acercó a él, y hablaron algunas palabras en voz baja. El hombre había vuelto a caer en sus meditaciones.

El figonero se acercó a la chimenea, puso bruscamente la mano en el hombro del viajero, y le dijo:

—Vas a largarte de aquí.

El viajero se volvió, y contestó con dulzura:

—¡Ah! ¿sabéis?...

—Sí.

—Y yo te echo de aquí.

—¿Pero, ¿a dónde queréis que vaya?

—A cualquier parte.

Al salir, algunos chiquillos que le habían seguido desde *La Cruz de Colbas,* y que parecía que le habían esperado, le empezaron a tirar piedras. Volvió atrás colérico, y les amenazó con el palo; y los muchachos se dispersaron como una bandada de pájaros.

Pasó por delante de la cárcel. A la puerta colgaba una cadena de hierro unida a una campana. Llamó.

Abrióse un postigo.

—Buen carcelero —le dijo quitándose respetuosamente la gorra—, ¿queréis abrirme y darme alojamiento por esta noche?

Una voz le contestó:

—La cárcel no es una posada.

Haced que os prendan, y se os abrirá.

El postigo volvió a cerrarse.

Entró en una callejuela a la cual daban muchos jardines. Algunos, en vez de tapia, sólo estaban cerrados por un pequeño seto, lo cual alegraba la calle. Entre estos jardines y estos setos vio una casa de un solo piso, cuya ventana aparecía iluminada.

El forastero permaneció un momento meditabundo ante aquel espectáculo tierno y tranquilo. ¿Qué pasó en su ánimo? Sólo él pudiera decirlo. Es probable que pensara que aquella casa alegre, también sería hospitalaria, y que allí donde veía tanta dicha, hallaría también un poco de piedad.

Llamó débilmente con la mano a uno de los vidrios.

No lo oyeron.

Dio un segundo golpe.

Oyó que la mujer decía al marido:

—Hombre, me parece que llaman.

—No —contestó el marido.

Llamó por tercera vez.

El marido se levantó, cogió el velón y abrió la puerta.

Era un hombre alto, medio campesino, medio artesano, con un gran delantal de cuero que le subía hasta los hombros.

—Buen hombre, perdonad —dijo el viajero—. ¿Podríais darme, pagando, por supuesto, un plato de sopa y un rincón en ese cobertizo del jardín para pasar la noche? ¿Podríais dármelo, pagando?

—¿Quién sois? —preguntó el amo de la casa al tiempo que miraba de la cabeza a los pies al forastero—. ¡Ah! ¿seréis vos por ventura el ...? Vete.

—Por piedad —replicó el hombre— un vaso de agua.

—Un tiro sí que te daré.

Al propio tiempo cerró violentamente la puerta, y el viajero le oyó correr dos viejos cerrojos.

Continuaba anocheciendo, y el viento frío de los Alpes comenzaba a soplar.

Atravesó resueltamente la barrera de madera que cerraba el jardín, y se halló dentro de éste. Acercóse a la choza:

Pensó que efectivamente sería aquella alguna choza de peones camineros. Sentía frío y hambre. Estaba resignado a sufrir ésta, pero contra el frío quería encontrar un abrigo. Generalmente esta clase de chozas no están habitadas por la noche. Púsose a gatas y logró penetrar en la choza. Estaba caliente, y además halló en ella una buena cama de paja. Quedóse por un momento tendido en aquel lecho, sin poder hacer ningún movimiento; tal era su cansancio. Luego, como notase que el morral le incomodaba, y que además podía servirle de excelente almohada, púsose a desatar una de las correas. En aquel momento se oyó un gruñido: alzó los ojos y vio que por la abertura de la choza asomaba la cabeza de un mastín enorme.

El sitio en donde estaba era una perrera.

Era el viajero vigoroso y temible: armóse con su garrote, hizo de su morral una especie de escudo, y salió de la choza como pudo, no sin agrandar los desgarrones de su vestido.

Cuando, no sin trabajo, hubo vuelto a pasar la barrera, y se halló de nuevo en la calle, solo, sin comida, sin techo, sin abrigo, arrojado hasta de aquella cama de paja, y de aquella zahurda miserable, dejóse caer más bien que se sentó sobre una piedra, y parece que uno que pasaba le oyó decir:

—Soy menos que un perro.

A poco se levantó y se puso de nuevo a andar.

Caminó un rato con la cabeza siempre baja.

El horizonte estaba negro, no sólo por efecto de la oscuridad de la noche, sino porque le empañaban nubes muy bajas, que parecían apoyarse en la colina, y que subían cubriendo todo el cielo.

Aquel hombre estaba muy distante de tener esos hábitos delicados de la inteligencia y del espíritu que nos hacen sensibles al aspecto misterioso de las cosas; sin embargo, había en aquel cielo, en aquella colina, en aquella llanura, y en aquel árbol, algo tan profundamente desconsolador, que después de un momento de inmovilidad y de meditación, el viajero se volvió atrás bruscamente. Hay momentos en que hasta la Naturaleza parece hostil.

Volvióse a la ciudad. Las puertas de D. estaban ya cerradas.

Pasó por una brecha, y entró de nuevo en la población.

Serían como las ocho de la noche. Como no conocía, ni bien, ni mal las calles, volvió a comenzar su paseo a la ventura.

Andando así, llegó a la prefectura y luego al seminario. Cuando pasó por la plaza de la catedral, enseñó el puño a la iglesia en señal de amenaza.

Una anciana salía de la iglesia en aquel momento, y vio a aquel hombre tendido en la oscuridad.

—¿Qué hacéis, buen amigo? —le preguntó.

—Ya lo véis, buena mujer, me acuesto —le contestó con voz colérica y dura.

La buena mujer, bien digna de este nombre por cierto, era la marquesa de R.

—¿En ese banco? —replicó.

—Durante diez y nueve años he tenido un colchón de madera, y hoy tengo un colchón de piedra.

—¿Habéis sido soldado?

—Sí, buena mujer, soldado.

—¿Por qué no vais a la posada?

—Porque no tengo dinero.

—He llamado a todas las puertas.

—¿Y qué?

—De todas me han arrojado.

La "buena mujer" tocó en el hombro al viajero, y le señaló al otro extremo de la plaza una puerta pequeña al lado del palacio arzobispal.

—¿Habéis llamado —repitió— a todas las puertas?

—Sí.

—¿Habéis llamado a aquélla?

—No.

—Pues, llamad a ella.

II. La prudencia aconseja a la sabiduría

Aquella noche, el obispo de D., después de dar un paseo por la ciudad, permaneció hasta bastante tarde encerrado en su cuarto. Ocupábase en escribir una gran obra sobre los *Deberes,* la cual desgraciadamente ha quedado incompleta. A las ocho trabajaba todavía, escribiendo bastante incómodamente en grandes cuartillas de papel, con un voluminoso libro abierto sobre las rodillas, cuando la señora Magloire entró, según costumbre, a sacar la plata del cajón colocado junto a la cama.

Poco después el obispo, conociendo que la mesa estaba puesta, y que su hermana tal vez estaría esperando, cerró su libro, abandonó su asiento y entró en el comedor.

En el momento en que entró el obispo en el comedor, la señora Magloire hablaba con singular viveza. Conversaba con la *señorita* de un asunto que le era familiar, y el cual el obispo estaba ya acostumbrado. Tratábase del cerrojo de la puerta principal.

Parece que yendo a hacer algunas compras para la cena había oído referir ciertas cosas en distintos sitios. Hablábase de un vagabundo de mala facha: decíase que había llegado un hombre sospechoso, el cual debía de estar en alguna parte de la ciudad, y que podía suceder que llegasen a tener un mal encuentro los que aquella noche se olvidaran de recogerse temprano.

—Hermano mío, ¿oyes lo que dice la señora Magloire?

—He oído vagamente algo —contestó el obispo.

—Veamos: ¿qué hay? ¿Qué sucede? ¿Nos amenaza algún peligro?

Decíase que un gitano, un desarrapado, una especie de mendigo peligroso se hallaba en la ciudad.

En aquel momento se oyó llamar a la puerta con alguna violencia.

—¡Adelante! —dijo el obispo.

III. Heroísmo de la obediencia pasiva

La puerta se abrió.

Pero se abrió de par en par, todo lo grande que era, como si alguien la empujase con energía y resolucion.

Entró un hombre.

A este hombre le conocemos ya. Era el viajero a quien hemos visto ha poco vagar buscando asilo.

El obispo fijaba en el hombre una mirada tranquila.

Al abrir los labios, sin duda para preguntar al recién venido lo que deseaba, éste apoyó ambas manos en su garrote, pasó su mirada por el anciano y las dos mujeres, y sin esperar a que el obispo hablase dijo en alta voz:

—Me llamo Juan Valjean: soy presidiario. He pasado en presidio diecinueve años. Estoy libre desde hace cuatro días, y me encamino a Pontarlier, que es el punto de mi residencia. Hace cuatro días que estoy en marcha desde Tolón. Hoy he andado doce leguas a pie. Esta tarde, al llegar a este país, he entrado en una posada, de la cual me han despedido, a causa de mi pasaporte amarillo, que había presentado en la alcaldía. Era preciso que así lo hiciese. He ido a otra posada, y me han dicho: "Vete", lo mismo en la una que en la otra. Nadie quiere recibirme. He ido a la cárcel y el carcelero no me ha abierto. Me he metido en una perrera, y el perro me ha mordido y me ha arrojado de allí, como si no hubiera sido un hombre.

Iba a echarme ahí en la plaza sobre una piedra, cuando una buena mujer me ha señalado vuestra casa, y me ha dicho: llamad ahí. He llamado: ¿Qué casa es ésta? ¿Una posada? Tengo dinero producto de mi masita. Ciento nueve francos y quince sueldos que he ganado en presidio con mi trabajo en diecinueve años. Pagaré ¿qué me importa si tengo dinero? Estoy muy cansado; he andado doce leguas a pie, y tengo hambre: ¿queréis que me quede?

—Señora Magloire —dijo el obispo—, poned un cubierto más.

El hombre dio tres pasos; y se acercó al velón que estaba sobre la mesa.

—Todo el mundo me cela. ¿Queréis vos recibirme? ¿Esta es una posada? ¿Queréis darme cama y cena? ¿Tenéis una cuadra?

—Señora Magloire —dijo el obispo—, pondréis sábanas limpias en la cama de la alcoba.

La señora Magloire salió para ejecutar las órdenes que había recibido.

El obispo se volvió hacia el hombre y le dijo:

—Sentaos y calentaos: dentro de un momento cenaremos, y mientras cenáis se os hará la cama.

—¿Es de veras? ¡Cómo! ¿me recibís? ¿no me echáis? ¿a mí? ¿a un presidiario? ¿y no me tuteáis? ¿y no me decís: "¡vete perro!" como acostumbran a decirme? Yo creía que tampoco aquí me recibirían; por eso he dicho en seguida lo que soy. ¡Oh, gracias a la buena mujer que me ha enseñado esta casa! ¡Voy a cenar! ¡a dormir en una cama con colchones y sábanas como todo el mundo! ¡Una cama! Hace diecinueve años que no me he acostado en una cama, y no queréis que la deje.

Sois un excelente hombre. Sois el posadero, ¿no es verdad?

—Soy —dijo el obispo— un sacerdote que vive aquí.

—¡Un sacerdote! —dijo el hombre—. ¡Oh, un buen sacerdote! Entonces ¿no me pedís dinero? ¿Sois el cura, no es esto? ¿El cura de esta iglesia? ¡Toma, y es verdad! ¡Qué tonto! No había visto vuestro solideo.

Hablando así había dejado el saco y el palo en un rincón, guardado su pasaporte en el bolsillo y tomado asiento. La señorita Baptistina le miraba con dulzura.

—Sois muy humano, señor cura —continuó diciendo—; vos no despreciáis a nadie. Es gran cosa un buen sacerdote.

—No —dijo el obispo—, guardad vuestro dinero. ¿Cuánto tenéis? ¿No me habéis dicho que ciento nueve francos?

—Y quince sueldos —añadió el hombre.

—Ciento nueve francos y quince sueldos. ¿Y cuánto tiempo os ha costado ganar ese dinero?

—¡Diecinueve años!

El obispo suspiró profundamente.

El hombre prosiguió:

—Todavía tengo todo mi dinero. En cuatro días no he gastado más que veinticinco sueldos, que he ganado ayudando a descargar unos carros en Grasse. Y pues que sois sacerdote, voy a deciros que en el presidio teníamos un capellán. Y un día vi a un obispo, a monseñor, como allí le llaman.

Estábamos colocados en fila, por los tres lados, con los cañones y las mechas encendidas enfrente de nosotros. No lo veíamos bien. El obispo habló; pero estaba demasiado lejos, y no le oíamos. Ved aquí lo que es un obispo.

La señora Magloire volvió, y trajo un cubierto que puso en la mesa.

—Señora Magloire —dijo el obispo—, poned ese cubierto lo más cerca posible de la lumbre.

—Y volviéndose hacia su huésped, preguntó: "¿Tenéis frío, caballero?, el viento de noche de los Alpes es muy crudo".

Cada vez que pronunciaba la palabra *caballero* con su voz dulcemente grave, se iluminaba la fisonomía del huésped. Llamar caballero a un presidiario, es dar un vaso de agua a un náufrago de la Medusa. La ignominia está sedienta de consideración.

—Mal alumbra esta luz —dijo el obispo.

La señora Magloire lo oyó; trajo de la chimenea del cuarto de Su Ilustrísima los dos candeleros de plata, y los puso encendidos en la mesa.

El obispo le miró y le dijo:

—¿Habéis padecido mucho?

—¡Oh! la chaqueta roja, la bala al pie, una tarima para dormir, el calor, el frío, el trabajo, los presidiarios, la doble cadena por nada, el calabozo por una palabra, y aun enfermo en la cama, ¡la cadena! ¡Los perros, los perros son más felices! ¡Diecinueve años! Ahora tengo cuarenta y seis, y un pasaporte amarillo. Aquí está todo.

—Sí —replicó el obispo—, salís de un lugar de tristeza. Pero sabed que hay más alegría en el cielo por las lágrimas de un pecador arrepentido, que por la blanca vestidura de cien justos. Si salís de ese lugar de dolores con pensamiento de odio y de cólera contra los hombres, seréis digno de lástima; pero si salís con pensamientos de caridad, de dulzura y de paz valdréis más que todos nosotros.

Mientras tanto la señora Magloire había servido la cena; una sopa hecha con agua, aceite, pan y sal; un poco de tocino, un pedazo de carnero, higos, un queso fresco, y un gran pan de centeno.

—A la mesa —dijo con viveza, según acostumbraba cuando cenaba con él algún forastero; e hizo sentar al hombre a su derecha. La señorita Baptistina, tranquila y naturalmente, tomó asiento a su izquierda.

El obispo dijo el *benedicite*, y después sirvió la sopa según su costumbre. El hombre empezó a comer ávidamente.

—Me parece que falta algo en la mesa —dijo el obispo de repente.

La señora Magloire no había puesto más que los tres cubiertos absolutamente necesarios. Pero era costumbre de la casa, cuando el obispo tenía algún convidado, poner en la mesa los seis cubiertos de plata, inocente ostentación.

La señora Magloire comprendió la observación, salió sin decir una palabra, y un momento después los tres cubiertos pedidos por el obispo lucían en el mantel, colocados simétricamente ante cada uno de los comensales.

IV. PORMENORES SOBRE LAS QUESERÍAS DE PONTARLIER

Ahora, para dar una idea de lo que pasó en aquella mesa, no podremos hacer nada mejor que transcribir aquí un pasaje de una carta de la señorita Baptistina a la señora de Boischevron, en que refiere con minuciosa sencillez la conversación entre el obispo y el forzado.

"Este hombre no prestaba atención alguna a nada. Comía con una voracidad de hambriento". Sin embargo, después de cenar dijo:

—Señor ministro de Dios, todo esto es demasiado bueno para mí; pero debo deciros que los carreteros que no me han permitido comer con ellos, comen mejor que vos.

Mi hermano respondió:

—Trabajan más que yo.

—No —replicó el hombre—, tienen más dinero. Vos sois pobre; ya lo veo. Quizá no sois ni aun cura.

Un momento después, añadió:

—Señor Juan Valjean, ¿vais a Pontarlier?

—Con itinerario forzoso.

—Es preciso que me ponga en camino mañana al rayar el día. Muy duro es viajar. Las noches son frías y los días calurosos.

—Vais —dijo mi hermano— a buen país.

Al fin de la cena, cuando estábamos comiendo unos higos, llamaron a la puerta. Era la tía Gerbaud con su hijo en brazos. Mi hermano besó al niño en la frente, y me pidió quince sueldos que tenía yo allí, para darlos a la tía Gerbaud. El hombre no prestó gran atención a esto. No hablaba nada, y parecía cansado. La pobre tía Gerbaud salió; mi hermano dio gracias; se volvió hacia el hombre y le dijo: debéis tener necesidad de descanso.

V. TRANQUILIDAD

Monseñor Bienvenido, después de haber dado las buenas noches a su hermana, cogió uno de los dos candeleros de plata que había sobre la mesa, dio el otro a su huésped, y le dijo:

—Caballero, voy a enseñaros vuestro cuarto.

El hombre le siguió.

Como ha podido conocerse por lo que hemos dicho más arriba, la habitación estaba distribuida de tal modo, que para salir o entrar al oratorio en que estaba la alcoba, era preciso pasar por el dormitorio del obispo.

En el momento en que atravesaban este cuarto, la senora Magloire cerraba el armario de la plata que estaba a la cabecera de la cama. Este era el último cuidado que tenía cada noche antes de acostarse.

El obispo instaló a su huésped en la alcoba. Una cama blanca y limpia le esperaba. El hombre puso la luz sobre una mesita.

—Vaya —dijo el obispo—, que paséis buena noche. Mañana temprano, antes de marchar, tomaréis una taza de leche de nuestras vacas, bien caliente.

—Gracias, señor cura —dijo el hombre.

Pero apenas hubo pronunciado estas palabras de paz, súbitamente, sin transición alguna hizo un movimiento extraño, que hubiese helado de espanto a las dos santas mujeres, si hubieran estado presentes. Hoy mismo nos es difícil explicar la causa que le impulsaba en aquel momento. ¿Quería hacer una advertencia o una amenaza? ¿Obedecía simplemente a una especie de impulso instintivo y desconocido para él mismo? Lo cierto es que se volvió bruscamente hacia el anciano, cruzó los brazos, y fijando en él una mirada salvaje, exclamó con voz ronca:

—¡Ah! ¡decididamente me alojáis en vuestra casa y lo hacéis tan cerca de vos!

Calló un momento, y añadió con una sonrisa que tenía algo de monstruosa:

—¿Lo habéis reflexionado bien? ¿Quién os ha dicho que no soy un asesino?

El obispo respondió:

—Esa es cuenta de Dios.

Un momento después estaba en su jardín, paseando, meditabundo, contemplando con el alma y con el pensamiento los grandes misterios que Dios descubre por la noche a los ojos que permanecen abiertos.

En cuanto al hombre, estaba tan cansado, que ni aun se aprovechó de aquellas sábanas tan blancas. Apagó la luz soplando con la nariz como acostumbran los presidiarios, y se dejó caer vestido en la cama, donde quedó en seguida profundamente dormido.

Era media noche cuando el obispo volvía del jardín a su cuarto.

Algunos minutos después, todos dormían en aquella casa.

VI. Juan Valjean

Juan Valjean despertó poco después de media noche.

Juan Valjean era de una pobre familia de Brie. No había aprendido a leer en su infancia; y cuando fue hombre, tomó el oficio de podador en Faverolles.

Juan Valjean tenía el carácter pensativo, aunque no triste, propio de las almas afectuosas. Su naturaleza estaba algo adormecida, era algo indiferente, en apariencia a lo menos. Perdió de muy corta edad a su padre y a su madre.

Juan Valjean se encontró sin más familia que una hermana de más edad que él, viuda y con siete hijos entre varones y hembras. Esta hermana había criado a Juan Valjean, y mientras vivió su marido tuvo en su casa a su hermano. El marido murió cuando el mayor de los siete hijos tenía ocho años y el menor uno. Juan Valjean acababa de cumplir veinticinco años.

Juan Valjean ganaba en la estación, de la poda, diez y ocho sueldos diarios; y después se empleaba como segador, como peón de albañil, como mozo de bueyes, y como jornalero. Hacía todo lo que podía. Su hermana también trabajaba por su parte. Pero, ¿qué habían de hacer con siete niños? Aquella familia era un triste grupo rodeado y estrechado poco a poco por la miseria. Llegó un invierno cruel; Juan no tuvo que trabajar. La familia no tuvo pan. ¡Ni un bocado de pan y siete niños!

Un domingo por la noche Maubert Isabeau, panadero de la plaza de la iglesia en Faverolles, se disponía a acostarse, cuando oyó un golpe violento en la puerta y en la vidriera de su tienda. Acudió, y llegó a tiempo de ver pasar un brazo al través del agujero hecho en la vidriera por un puñetazo. El brazo cogió un pan y se retiró. Isabeau salió apresuradamente: el ladrón huyó a todo correr, pero Isabeau corrió también y le detuvo. El ladrón había tirado el pan, pero tenía aún el brazo ensangrentado. Era Juan Valjean.

Esto pasó en 1795. Juan Valjean fue acusado ante los tribunales de aquel tiempo como autor de un "robo con fractura, de noche, y en casa habitada". Tenía en su casa un fusil de que se servía como el mejor tirador del mundo; era un poco aficionado a la caza furtiva, y esto le perjudicó.

Juan Valjean fue declarado culpado. Las palabras del código eran terminantes.

Juan Valjean fue condenado a cinco años de presidio.

El 22 de abril de 1796, se celebró en París la victoria de Montenotte, ganada por el general en jefe del ejército de Italia, a quien el mensaje del Directorio a los Quinientos, el 2 floreal del año IV, llama Buonaparte. Aquel mismo día se remachó una cadena en Bicetre. Juan Valjean formaba parte de esta cadena.

Parecía que no comprendía de su posición sino que era horrible.

Mientras que a grandes martillazos remachaban detrás de él la bala de su cadena, lloraba; las lágrimas le ahogaban, le impedían hablar, y solamente de rato en rato exclamaba: *Yo era podador en Faverolles*. Después sollozando y alzando su mano derecha, y bajándola gradualmente siete veces, como si tocase sucesivamente siete cabezas a desigual altura, quería indicar que lo que había hecho, fuese lo que fuese, había sido para alimentar y vestir a siete criaturitas.

Por fin partió para Tolón, donde llegó después de un viaje de veintisiete días, en una carreta y con la cadena al cuello. En Tolón fue vestido con la chaqueta roja; y entonces se borró todo lo que había sido en su vida, hasta su nombre, porque desde entonces ya no fue Juan Valjean, sino el número 24,601. ¿Qué fue de su hermana? ¿Qué de los siete niños? Pero, ¿quién se cuida de esto? ¿Qué es el puñado de hojas del árbol serrado por el pie?

La historia es siempre la misma. Estos pobres seres, estas criaturitas de Dios, sin apoyo alguno, sin guía, sin asilo, quedaron a merced de la casualidad: ¿qué más se ha de saber?

Apenas, durante todo el tiempo que pasó en Tolón, oyó hablar una sola vez de su hermana. Al fin del cuarto año de prisión, recibió noticias por no sé qué conducto. Alguno que los había conocido en su país había visto a su hermana: estaba en París.

Ocupó su ánimo esta noticia un día, es decir, un momento, un relámpago, como una ventana abierta bruscamente en el destino de los seres a quienes había amado. Después se cerró la ventana; no se volvió a hablar más, y todo se acabó. Nada supo después; no los volvió a ver, no los encontró, ni los encontrará en la continuación de esta dolorosa historia.

A fines de este mismo cuarto año, le llegó su turno para la evasión. Sus camaradas le ayudaron como suele hacerse en aquella triste mansión, y se evadió.

En la noche del segundo día fue preso. No había comido ni dormido hacía treinta y seis horas. El tribunal marítimo le condenó por este delito a un recargo de tres años; con lo cual eran ocho los de la pena. Al sexto año le tocó también el turno para la evasión; pero no pudo consumarla. Al décimo le llegó otra vez su turno, y le aprovechó; pero no salió mejor librado. Tres años más por esta nueva tentativa: total dieciséis años. En fin, el año décimo tercio, según creo, intentó de nuevo su evasión, y fue cogido a las cuatro horas.

Tres años más por estas cuatro horas: total diez y nueve años. En octubre de 1815 salió en libertad: había entrado en presidio en 1796 por haber roto un vidrio y haber cogido un pan.

Juan Valjean había entrado en el presidio sollozando y tembloroso; salió impasible. Entró desesperado; salió sombrío.

¿Qué había pasado en su alma?

VII. La inferioridad de la desesperación

Tratemos de explicarlo.

Es preciso que la sociedad se fije en estas cosas, pues que ella es su causa.

Juan era, como hemos dicho, un ignorante; pero no era un imbécil. La luz natural ardía en su interior; y la desgracia, que tiene también su luz, aumentó la poca claridad que había en aquel espíritu. Bajo la influencia del látigo, de la cadena, del calabozo, del trabajo bajo el ardiente sol del presidio, en el lecho de tablas del presidiario, se encerró en su conciencia, y reflexionó.

Se constituyó en tribunal.

Principió por juzgarse a sí mismo.

Reconoció que no era un inocente castigado injustamente.

Después se preguntó:

Si era el único que había obrado mal en tan fatal historia; si no era una cosa grave que él, trabajador, careciese de trabajo; que él, laborioso, careciese de pan; si el castigo no había sido feroz y extremado después de cometida y confesada la falta; si no había más abuso por parte de la ley en la pena, que por parte del culpado en la culpa; si no había un exceso de peso en uno de los platillos de la balanza, en el de la expiación; si el recargo de la pena no era el olvido del delito, y no producía por resultado el cambio completo de la situación, reemplazando la falta del delincuente con el exceso de la represión, transformando al culpado en víctima, y al deudor en acreedor, poniendo definitivamente el derecho de parte del mismo que le había violado; si esta pena, complicada con recargos sucesivos por las tentativas de contraevasión, no concluía por ser una especie de atentado del fuerte contra el débil, un crimen de la sociedad contra el individuo; un crimen que empezaba todos los días; un crimen que se cometía continuamente por espacio de diecinueve años.

Presentadas y resueltas estas cuestiones, juzgó a la sociedad, y la condenó.

La condenó en su odio.

La hizo responsable de su suerte, y se dijo que no dudaría quizá en pedirle cuentas algún día.

La cólera puede ser loca, absurda; el hombre puede irritarse injustamente; pero no se indigna cuando tiene razón en el fondo, por algún lado. Juan Valjean se sentía indignado.

Además, de la sociedad no había recibido sino males; nunca había conocido más que esa fisonomía iracunda que se llama Justicia, y que enseña a los que castiga.

Los hombres no le habían tocado más que para maltratarle. Todo contacto que con ellos había tenido había sido una herida. Nunca, desde su infancia, exceptuando a su madre y a su hermana, nunca había encontrado una voz amiga, una mirada benévola.

Había en Tolón una escuela para los presidiarios, dirigida por los hermanos llamados Ignorantinos, en la cual se enseñaba lo más preciso a los desgraciados que tenían por su parte buena voluntad. Juan fue del número de los hombres de buena voluntad. Principió a ir a la escuela a los cuarenta años, y aprendió a leer, a escribir y a contar. Entonces conoció que fortificar su inteligencia era fortificar su odio; porque en ciertos casos, la instrucción y la luz pueden servir de auxiliares al mal.

Aquí es difícil pasar adelante sin meditar un momento.

¿La naturaleza humana puede transformarse completamente? ¿El hombre, creado bueno por Dios, puede hacerse malo por el hombre?

¿No hay en toda alma humana, no había en el alma de Juan Valjean en particular, una primera chispa, un elemento divino, incorruptible en este mundo, inmortal en el otro, que el bien puede desarrollar, encender, purificar, y hacer brillar esplendorosamente, y que el mal no puede nunca apagar?

Cierto, y no tratamos de disimularlo, el observador fisiólogo hubiese visto allí una miseria irremediable; se hubiera lamentado tal vez del mal causado por la ley; pero no hubiera tratado siquiera de curarle; habría vuelto el rostro a otro lado al entrever las profundas cavernas de aquel alma, y como Dante de la puerta del infierno, hubiera borrado de esta existencia la palabra que el dedo de Dios ha escrito en la frente de todo hombre: *¡Esperanza!*

Pero este lado del alma, que hemos tratado de analizar, ¿era tan claro para Juan Valjean, como nosotros tratamos de presentarle a nuestros lectores? ¿Veía distintamente este desgraciado, a medida que se formaban todos los elementos de que se componía su miseria moral?

Esto es lo que no nos atreveremos a decir: esto es lo que no creemos. Había demasiada ignorancia en Juan Valjean para que, aun después de tanta desgracia, no quedase mucha vaguedad en su espíritu. Ni aun sabía exactamente en cada momento lo que por él pasaba. Juan Valjean estaba en las tinieblas; padecía en las tinieblas; odiaba en las tinieblas; puede decirse que odiaba todo lo que pudiera haber delante de él.

Pero pasaba el relámpago, venía la noche, y ¿dónde estaba él? Ya no lo sabía.

La consecuencia inmediata de las penas de esta naturaleza, en las que domina la impiedad, es decir, la estupidez, es transformar poco a poco, por una especie de transfiguración estúpida, un hombre en una bestia y algunas veces en una bestia feroz. Las tentativas de evasión de Juan Valjean, sucesivas y obstinadas, bastarían para probar esta extraña influencia de la iey penal sobre el alma humana.

Una circunstancia que no debemos omitir es que estaba dotado de una fuerza física, a que no llegaba con mucho ninguno de sus compañeros de presidio. En el trabajo para hacer un cable, para tirar de una cabria, Juan Valjean valía tanto como cuatro hombres.

Su agilidad era aún mayor que su fuerza. Ciertos presidiarios, fraguadores perpetuos de evasiones, concluyen por hacer de la fuerza y de la destreza combinadas una verdadera ciencia: la ciencia de los músculos.

Dado un ángulo de un muro, con la tensión de la espalda y de los jarretes, con los codos y talones hundidos en las asperezas de la piedra se izaba, por decirlo así, mágicamente a un tercer piso. Algunas veces subía de este modo hasta el techo del calabozo.

Estaba continuamente absorto, en efecto.

Todo esto, leyes, ilusiones, hechos, hombres y cosas, iba y venía sobre su cabeza, siguiendo el movimiento complicado y misterioso que Dios imprime a la civilización, pasando sobre él, y humillándolo con pacífica crueldad, con inexorable indiferencia. Los réprobos de la ley, almas caídas en el fondo del infortunio, desgraciados perdidos en lo más inferior de los limbos, a donde nadie dirige una mirada, sienten gravitar sobre su cabeza todo el peso de la sociedad humana, tan formidable para el que está debajo de ella.

La naturaleza visible apenas existía para él. Casi con verdad podría decirse que no había para Juan Valjean ni sol, ni hermosos días de verano, ni cielo esmaltado, ni frescas auras de abril. No sé qué día de suspiros iluminaba habitualmente su alma.

Para resumir lo que puede resumirse y traducirse en resultados positivos de todo lo que acabamos de indicar, nos limitaremos a consignar que en diecinueve años Juan Valjean, el inofensivo podador de Faverolles, el terrible presidiario de Tolón, había llegado a ser capaz, gracias a la constitución del presidio, de dos clases de malas acciones: primero, de una mala acción rápida, irreflexiva, llena de aturdimiento, hija del instinto, especie de represalia del mal sufrido; y segunda, de una mala acción grave, seria, meditada en la conciencia con las ideas falsas que puede dar semejante desgracia. Sus premeditaciones pasaban por las tres fases sucesivas, que sólo las naturalezas de cierto temple pueden recorrer: la razón, la voluntad, la obstinación. Tenía por móviles la indignación habitual, la amargura del alma, el profundo sentimiento de la iniquidad padecida, la reacción aun contra los buenos, los inocentes y los justos, si los hay. El punto de partida, así como el término de estos pensamientos, era el odio a la ley humana: ese odio, que si no se detiene en su desarrollo por algún incidente providencial, llega a ser en un tiempo dado, el odio a la sociedad; después el odio al género humano; después el odio a la creación, que se traduce por un deseo vago, incesante y brutal de hacer daño, no importa a quién, a todo ser viviente. No sin razón, pues, el pasaporte de Juan Valjean le calificaba de *hombre muy peligroso*.

De año en año se había ido desecando su alma, lenta, pero fatalmente. A alma seca, ojos secos. A su salida de presidio hacía diecinueve años que Juan Valjean no había derramado una lágrima.

VIII. La ola y la sombra

¡Un hombre al mar!

¡Qué importa! El buque no se detiene por eso. El viento sopla; el sombrío buque tiene una senda trazada, que debe recorrer necesariamente. Y pasa.

Sus gritos desesperados resuenan en las profundidades. Observa aquel espectro de una vela que se aleja.

Pero, ¿qué ha sucedido? Resbaló; cayó. Todo ha terminado.

Llega la noche; hace algunas horas que nada; sus fuerzas se agotan ya: aquel buque, aquella cosa lejana donde hay hombres ha desaparecido: se encuentra, pues, solo en el formidable antro crepuscular; se sumerge, se estira, se enrosca, ve debajo de sí los indefinibles monstruos del infinito; grita.

Ya no le oyen los hombres. ¿Y dónde está Dios?

Llama: ¡socorro! ¡socorro! Llama sin cesar.

Pero nada en el horizonte; nada en el cielo.

IX. Nuevas quejas

Cuando llegó la hora de la salida del presidio, cuando Juan Valjean oyó resonar en sus oídos estas palabras extrañas *¡estás libre!* tuvo un momento indescriptible: un rayo de viva luz, un rayo de la verdadera luz de los vivos penetró en él súbitamente. Pero no tardó en debilitarse este rayo. Juan Valjean se había deslumbrado con la idea de la libertad. Había creído en una viva nueva; pero pronto conoció lo que es una libertad con pasaporte amarillo.

Al día siguiente de su libertad, en Grasse vio delante de la puerta de un destilador de flores de naranjo algunos hombres que descargaban unos fardos. Ofreció su trabajo. Era necesario y fue aceptado.

Pero estando trabajando pasó un gendarme, le observó, y le pidió sus papeles. Le fue preciso enseñar el pasaporte amarillo. Hecho esto, Juan Valjean volvió a su trabajo. Un momento antes había preguntado a un compañero cuánto ganaba al día: *treinta sueldos,* le habían respondido. Llegó la tarde, y como debía partir al siguiente día por la mañana, se presentó al amo y le rogó que le pagase. El amo no pronunció una palabra, y le entregó quince sueldos. Reclamó, y le respondieron: *bastante es eso para ti*. Insistió. El amo le miró fijamente, y le dijo: *iguárdate de la cárcel!*

También allí se creyó robado.

La sociedad, el Estado disminuyéndole su masita le había robado en grande. Ahora le tocaba la vez al individuo, y le robaba en pequeño.

La excarcelación no es la libertad. Se acaba el presidio, pero no la condena.

Esto era lo que le había sucedido en Grasse.

Ya hemos visto cómo había sido recibido en D.

X. Un hombre despierto

Daban las dos en el reloj de la catedral cuando Juan Valjean despertó.

Lo que le despertó fue el lecho demasiado bueno. Iban a cumplirse veinte años en que no se había acostado en cama, y aunque no se hubiese desnudado, la sensación era demasiado nueva para no turbar su sueño.

Había dormido más de cuatro horas. Había descansado. No acostumbraba a dedicar más horas al reposo.

Abrió los ojos y miró un momento en la oscuridad en derredor suyo: después los cerró para dormir otra vez.

Pero cuando han agitado el ánimo durante el día muchas sensaciones diversas; cuando se ha pensado a la vez en muchas cosas, el hombre duerme, pero no vuelve a dormir una vez que ha despertado. El sueño viene con más facilidad que vuelve. Esto fue lo que sucedió a Juan Valjean. No pudo dormir otra vez, y se puso a meditar.

Muchas ideas le acosaban; pero entre ellas había una que se presentaba más continuamente a su espíritu, y que expulsaba a las demás. Vamos a manifestar desde luego esta idea: —Había reparado en los seis cubiertos de plata y el cucharón que la señora Magloire había puesto en la mesa.

Se había fijado mucho en ese cajoncito —a la derecha, entrando por el comedor—. Y eran macizos. Y de plata antigua.

Su mente osciló por espacio de una hora larga en fluctuaciones, en que había alguna lucha. Dieron las tres. Abrió los ojos, se incorporó bruscamente en la cama, extendió el brazo, y buscó a tientas el morral que había arrojado en un rincón de la alcoba; después dejó caer sus piernas, puso los pies en el suelo, y se encontró, casi sin saber cómo, sentado en la cama.

Seguía en esta situación y hubiera permanecido en ella hasta que viniese el día, si el reloj no hubiese dado una campanada —el cuarto o la media—. No pareció, sino que esta campanada le dijo: ¡Vamos!

Cuando llegó a la ventana Juan Valjean la examinó.

Miró al jardín con esa mirada atenta que estudia más que mira.

Después de haber echado esta mirada, y con el ademán de un hombre resuelto, se dirigió a la cama, cogió su morral, le abrió, le registró, sacó una cosa que puso sobre la cama, se metió los zapatos en los bolsillos, cerró el saco y se le echó a la espalda; se puso la gorra bajando la visera encima de los ojos, buscó a tientas su palo, y fue a colocarse en el ángulo de la ventana; después volvió a la cama y cogió resueltamente el objeto que había dejado allí. Parecía una barra de hierro corta, aguzada como un chuzo por uno de sus extremos.

XI. Lo que hace

Juan Valjean escuchó un momento. No se oía ruido alguno.

Empujó la puerta.

La empujó con un solo dedo, suavemente, con la suavidad furtiva e inquieta del gato que quiere entrar en una habitación.

La puerta cedió a esta presión, y se movió imperceptible y silenciosamente, ensanchando un poco la abertura.

Juan Valjean reconoció la dificultad. Necesitaba abrir un poco más la puerta.

Se decidió y la empujó por tercera vez con más energía que las anteriores. Esta vez, un gozne mal untado de aceite produjo en la oscuridad un ruido ronco y prolongado.

Juan Valjean tembló. El ruido de este gozne sonó en sus oídos como un eco formidable y vibrante, como la trompeta del juicio final.

Permaneció inmóvil, petrificado como estatua de sal, sin atreverse a hacer ningún movimiento. Pasaron algunos minutos. La puerta se había abierto completamente. Se atrevió a entrar en el cuarto; nada se había movido. Escuchó; nada se movía. El ruido del gozne mohoso no había despertado a nadie.

Había pasado el primer peligro; pero Juan Valjean estaba sobrecogido y confuso. Mas no retrocedió. Ni aun en el momento en que se creyó perdido retrocedió. Sólo pensó en acabar cuanto antes. Dio un paso y se encontró en el cuarto del obispo.

De repente se detuvo. Estaba cerca de la cama; había llegado antes de lo que creía.

El alma de los justos en el sueño contempla un cielo misterioso. La fisonomía del obispo reflejaba este cielo.

Había casi divinidad en aquel hombre tan augusto, sin saberlo.

Nadie hubiera podido decir lo que pasaba en aquel momento por el criminal: ni aun él mismo lo sabía.

Su vista no se separaba del anciano: y lo único que dejaba conocer claramente su fisonomía era una extraña indecisión. Parecía dudar entre dos abismos; el de la perdición y el de la salvación; entre herir aquel cráneo y besar aquella mano.

De repente Juan Valjean se puso la gorra, pasó rápidamente a lo largo de la cama sin mirar al obispo, dirigiéndose al armario que estaba a la cabecera; alzó la barra de hierro como para forzar la cerradura; pero estaba puesta la llave; le abrió, y lo primero que encontró fue el cestito con la plata; le cogió, atravesó la estancia a largos pasos, sin precaución alguna y sin cuidarse ya del ruido, pasó la puerta, entró en el oratorio, cogió su palo, abrió la ventana, la saltó, guardó la plata en su morral, tiró el canastillo, atravesó el jardín, saltó la pared como un tigre y desapareció.

XII. El obispo trabaja

Al día siguiente, al salir el sol, monseñor Bienvenido se paseaba por el jardín. La señora Magloire salió corriendo a su encuentro toda azorada.

—Monseñor, monseñor —exclamó—: ¿sabe vuestra grandeza dónde está el canastillo de la plata?

—Sí —contestó el obispo.

—¡Bendito sea Dios! —dijo ella—. No sabía dónde estaba.

—Aquí está.

—Sí —dijo ella—; pero vacío. ¿Dónde está la plata?

—¡Ah! —dijo el obispo—. ¿Es la plata lo que buscáis? No lo sé.

—¡Gran Dios! ¡La han robado! El hombre de anoche la ha robado.¡Monseñor, el hombre también se ha escapado! ¡Ha robado la plata!

—Mirad: por allí se ha ido. Ha saltado a la calle Cochefilet. ¡Ah, que abominación! ¡Nos ha robado la plata! Pero —se preguntó—, ¿Y era nuestra esa plata

"Señora Magloire, yo retenía injustamente hace algún tiempo esa plata. Pertenecía a los pobres. ¿Quién es ese hombre?, un pobre evidentemente."

¿Con qué va a comer ahora monseñor?

—El hierro sabe mal.

Algunos momentos después almorzaba en la misma mesa a que se había sentado Juan Valjean la noche anterior.

Cuando el ama y la hermana iban a levantarse de la mesa llamaron.

—Adelante —dijo el obispo.

Abrióse la puerta. Un grupo extraño y violento apareció en el umbral. Tres hombres traían a otro agarrado del cuello. Los tres hombres eran tres gendarmes. El cuarto era Juan Valjean.

Un cabo de gendarmes que parecía dirigir el grupo estaba también cerca de la puerta. A poco entró y se dirigió al obispo haciendo el saludo militar.

—Monseñor —dijo el cabo de gendarmes—: ¿es verdad lo que decía este hombre? Le hemos encontrado como si fuese huyendo, y le hemos detenido hasta ver. Tenía esos cubiertos...

—¿Y os ha dicho —interrumpió sonriendo el obispo— que se los había dado un hombre, un sacerdote anciano, en cuya casa había pasado la noche? Ya lo veo. Y le habéis traído aquí. Eso no es nada.

—Según eso —dijo el gendarme—, ¿podemos dejarle libre?

—Sin duda —dijo el obispo.

Los gendarmes soltaron a Juan Valjean, que retrocedió.

—Amigo mío —dijo el obispo—, tomad vuestros candeleros, antes de iros. Llevadlos.

Después, volviéndose a los gendarmes, les dijo:

—Señores, podéis retiraros.

Los gendarmes salieron.

Juan Valjean quedó como un hombre que va a desmayarse.

El obispo se aproximó a él, y le dijo en voz baja:

—No olvidéis nunca que me habéis prometido emplear este dinero en haceros hombre honrado.

Juan Valjean, que no recordaba haber prometido nada, quedó suspenso. El obispo había recargado estas palabras al pronunciarlas, y continuó con solemnidad:

—Juan Valjean, hermano mío, vos no pertenecéis al mal, sino al bien. Yo compro vuestra alma; yo la libro de las negras ideas y del espíritu de perdición, y la consagro a Dios.

XIII. Gervasillo

Juan Valjean salió del pueblo como huido. Caminó precipitadamente por el campo, tomando los caminos y senderos que se le presentaban, sin notar que a cada momento desandaba lo andado. Así anduvo errante toda la mañana, sin comer y sin tener hambre. Una multitud de sensaciones nuevas le oprimían. Se sentía colérico, y no sabía contra quién. No podía distinguir si estaba conmovido o humillado. Sentía por momentos un estremecimiento extraño, y le combatía, oponiéndole el endurecimiento de sus últimos veinte años.

Todo el día le persiguieron multitud de pensamientos imposibles de expresar.

Cuando ya el sol iba a desaparecer en el horizonte, y alargaba en el suelo hasta la sombra de la menor piedrecilla, Juan Valjean se sentó detrás de un matorral en una gran llanura rojiza, enteramente desierta.

Volvió la cabeza, y vio venir por el sendero a un niño saboyano, de unos diez años, que venía cantando, con su gaita al lado, y un cajón con una mona a la espalda.

El muchacho interrumpía de rato en rato su canto para jugar con algunas monedas que llevaba en la mano, y que serían probablemente todo su capital. Entre estas monedas había una de plata de dos francos, o sean cuarenta sueldos.

El muchacho se detuvo cerca del arbusto sin ver a Juan Valjean, y tiró al alto las monedas, que hasta entonces había cogido con bastante habilidad en el dorso de la mano.

Pero esta vez la moneda de cuarenta sueldos se le escapó, y fue rodando por la hierba hasta donde estaba Juan Valjean.

Juan Valjean le puso el pie encima.

Pero el niño había seguido la moneda con la vista y lo había observado.

No se detuvo; se fue derecho hacia el hombre.

El sitio estaba completamente solitario.

—Señor —dijo el saboyanito con esa confianza de los niños, que es una mezcla de ignorancia y de inocencia—: ¡Mi moneda!

—¿Cómo te llamas? —preguntó Juan Valjean.

—Gervasillo, señor.

—Pues anda con Dios —le dijo Juan Valjean.

—Señor, dadme mi moneda —volvió a decir el niño. ¡Quiero mi moneda! ¡Mi moneda de cuarenta sueldos!

El niño lloraba. Juan Valjean levantó la cabeza; pero siguió sentado.

Y después, irritado ya y casi con tono amenazador, a pesar de su niñez, le dijo:

—Pero, ¿quitaréis el pie? ¡Vamos: levantad el pie!

—¡Ah! Conque estás ahí todavía —dijo Juan Valjean; y poniéndose repentinamente en pie, sin descubrir por esto la moneda, añadió—: ¿Acabarás de largarte de aquí?

El niño le miró atemorizado; tembló de pies a cabeza, y después de algunos momentos de estupor, echó a correr con todas sus fuerzas sin volver la cabeza, ni dar un grito.

Algunos instantes después, el niño había desaparecido.

El sol se había puesto.

De pronto, se estremeció: sentía ya el frío de la noche.

Se encasquetó bien la gorra; se cruzó y abotonó maquinalmente la blusa, dio un paso, y se bajó para coger del suelo el palo.

Al hacer este movimiento vio la moneda de cuarenta sueldos que su pie había medio sepultado en la tierra, y que brillaba entre algunas piedras. Su vista le hizo el efecto de una conmoción galvánica.

Después de algunos minutos se tiró convulsivamente a la moneda de plata, la cogió, y enderezándose miró a lo lejos por la llanura, dirigiendo sus ojos a todo el horizonte, anhelante, como una fiera asustada que busca un asilo.

Nada vio. La noche cerraba, la llanura estaba fría, e iba formándose una bruma violada en la claridad del crepúsculo.

Dio un suspiro y marchó rápidamente en una dirección, hacia el sitio por donde el niño había desaparecido. Después de haber andado unos treinta pasos se detuvo y miró. Pero tampoco vio nada.

Entonces gritó con todas sus fuerzas:

—¡Gervasillo! ¡Gervasillo!

Calló y esperó.

Nada respondió.

El campo estaba desierto y triste; Juan Valjean se veía rodeado sólo del espacio.

Juan Valjean echó a correr en la dirección que había tomado primeramente.

Siguió a la suerte un camino, mirando, llamando y gritando; pero no encontró a nadie. Dos o tres veces corrió hacia algunos objetos que le parecieron una persona echada o acurrucada; eran malezas o rocas a flor de tierra. En fin, se detuvo en un sitio en que había tres senderos. La luna había salido. Paseó su mirada a lo lejos, y gritó por última vez:

—¡Gervasillo! ¡Gervasillo ¡Gervasillo! Sus voces se apagaron en la bruma sin despertar ni un eco siquiera.

Cayó desfallecido sobre una piedra con las manos en la cabeza y la cara entre las rodillas, y exclamó: "¡Soy un miserable!"

Su corazón se abrió, y rompió a llorar. Era la primera vez que lloraba en diecinueve años.

Cuando Juan Valjean salió de casa del obispo estaba, por decirlo así, fuera de todo lo que había sido su pensamiento hasta allí. No podía explicarse lo que pasaba por él. Quería resistir la acción angélica, las dulces palabras del anciano: "Me habéis prometido ser hombre honrado. Yo compro vuestra alma. Yo la liberto del espíritu de perversidad, y la consagro a Dios". Estas frases se presentaban a su memoria sin cesar; y oponía a esta diligencia celeste el orgullo, que es en nosotros la fortaleza del mal.

Una voz le decía al oído que acababa de atravesar la hora solemne de su destino, que ya no había término medio para él; que si desde entonces no era el mejor de los hombres, sería el peor; que era preciso por decirlo así, que se elevase a mayor altura que el obispo, o descendiese más abajo que el presidiario; que si quería ser bueno, debía ser un ángel; que si quería ser malo, debía ser un monstruo.

Lo cierto, lo que Juan Valjean veía sin duda alguna, era que ya no era el mismo hombre; que todo había cambiado en él, y que no había estado en su mano evitar que el obispo le hablase y le conmoviese.

Al robar la moneda al niño se había verificado en él un extraño fenómeno, que parecía imposible en su situación, porque había hecho una cosa de que hacía mucho tiempo no era capaz.

Su cerebro estaba en uno de esos momentos violentos, y sin embargo, horriblemente tranquilos, en que la meditación es tan profunda que absorbe la realidad; momentos en que no se ven los objetos que se tienen delante, y se ven fuera de sí mismo las imágenes que existen en el espíritu.

El obispo, que iluminaba el alma de aquel miserable con un resplandor magnífico.

Juan Valjean lloró un buen rato. Lloró lágrimas ardientes, lloró sollozando, lloró con la debilidad de una mujer, con el temor de un niño.

Mientras lloraba se encendía poco a poco una luz en su cerebro, una luz extraordinaria, una luz maravillosa y terrible a la vez. Su vida pasada, su primera falta, su larga expiación, su embrutecimiento exterior, su endurecimiento interior, su libertad halagada con tantos planes de venganza, las escenas de casa del obispo, la última acción que había cometido, aquel robo de cuarenta sueldos a un niño, crimen tanto más culpable, tanto más monstruoso, cuanto que tuvo efecto después del perdón del obispo; todo esto se le presentó claramente; pero con una claridad que no había conocido hasta entonces. Examinó su vida y le pareció horrorosa; examinó su alma y le pareció horrible. Y sin embargo, sobre su vida y sobre su alma se extendía una suave claridad. Parecíale que descubría a Satanás con la luz del paraíso.

¿Cuánto tiempo estuvo llorando así? ¿Qué hizo después de llorar? ¿A dónde fue? No se supo. Solamente parece averiguado que aquella misma noche, el conductor que hacía el viaje a Grenoble, y que llegaba a D. hacia las tres de la mañana, al atravesar la calle donde vivía el obispo, vio a un hombre en actitud de orar, de rodillas en el empedrado, en la sombra, y delante de la puerta de monseñor Bienvenido.

Libro tercero

● En el año 1817 ●

I. El año 1817

El de 1817 era el año que Luis XVIII, con cierto aplomo real, que no estaba exento de orgullo, llamaba el vigésimo segundo de su reinado. Era también el año en que tenía celebridad M. Bruguiere de Sorsum. Todas las peluquerías esperando los polvos y la vuelta del ave real, estaban pintadas de azul y flordelisadas.

En 1817 cantaba Pelegrini, bailaba la señorita Bigottini, reinaba Potier, y Odry no existía aún. Madama Saquí sucedía a Forioso. Aún había prusianos en Francia. M. Delalot era un personaje. La legitimidad acababa de afirmarse cortando la mano y después la cabeza a Pleignier, a Carbonneau y a Tolleron. El príncipe Talleyrand, gran Chambelán, y el abate Luis, designado para ministro de Hacienda, se miraban y se reían con la risa de dos augures: ambos habían celebrado, el 14 de julio de 1790, la misa de la federación en el Campo de Marzo; Talleyrand había oficiado como obispo, y Luis le había ayudado como diácono. En 1817 en la arboleda del mismo Campo de Marzo se veían gruesos cilindros de madera, expuestos a la lluvia, pudriéndose entre la hierba, pintados de azul con restos de águilas y de abejas que habían sido doradas. Estos restos eran las columnas que dos años antes habían sostenido el solio del emperador en el Campo de Mayo. Estaban ya ennegrecidos por el fuego de los austriacos, acampados cerca de Gros-Caillou.

La Academia francesa proponía como tema de premio *la felicidad que proporciona el estudio.* M. Bellart era elocuente oficialmente. A su sombra germinaba el futuro abogado general de Broë, prometido a los sarcasmos de Pablo Luis Courier. Había un falso Chateubriand llamado Marchangy, esperando que hubiese un falso Barchangy llamado Arlincourt. *Clara de Alba* y *Malek Adel* eran las obras más notables, y madama Cottin era considerado el primer escritor de la época. El Instituto dejaba borrar de su lista al académico Napoleón Bonaparte.

Todas las jóvenes cantaban el ermitaño de Saint-Avelle, letra de Edmundo Geraud. El *Enano amarillo* se transformaba en *Espejo*. El café de Lemblin defendía al emperador contra el café de Valois que defendía a los Borbones. Acababa de casarse el duque de Berry con una princesa de Sicilia, y Louvel le seguía ya los pasos. Hacía un año que había muerto madama Staël.

Todas las personas de buen sentido convenían en que Luis XVIII, llamado "el autor inmortal de la Carta", había cerrado para siempre la era de las revoluciones.

La ciudad de París restauraba a su costa los dorados de la cúpula de los Inválidos. Los hombres formales se preguntaban qué haría en tal o cual ocasión M. de Triquelague. M. Clausel de Montals se separaba en algunos puntos de M. Clausel de Coussergues. M. de Salaberry no estaba contento.

El cómico Picard, que era de la Academia en que no había podido entrar el cómico Molière, hacía representar *Los dos Filibertos* en el Odéon, en cuyo frontis, a pesar de haberse arrancado las letras se leía claramente: Teatro de la Emperatriz. Todo el mundo tomaba partido en favor o en contra de Cugñet de Montarlot. Fabvier era faccioso, y Bavoux revolucionario. El librero Pelicier publicaba una edición de Voltaire con el título: *Obras de Voltaire*, de la Academia francesa, y decía cándidamente: "Esto llama a los compradores". La opinión general era que M. Carlos Loyson sería el genio del siglo; la envidia empezaba a morderle, signo de gloria, y se le aplicaba este verso: *Aun cuando Loyson vuela, se ve que tiene patas.*

El nombre de lord Byron principiaba a sonar; y una nota del poema de Milevoye le daba a conocer a Francia en estos términos: *un tal lord Baron. David* de Angers se ensayaba en dar forma al mármol. El abate Caron citaba con elogio en el comité de seminaristas del callejón de Feullantines a un sacerdote desconocido, llamado Felecitas Roberto, que fue después Lamennais. En el Sena humeaba y se movía con el ruido de un perro que nada, una cosa que iba y venía bajo las ventanas de las Tullerías, desde el Puente Real al Puente de Luis XV; era un aparato mecánico que no valía gran cosa, una especie de juguete, un sueño de un inventor fantástico, una utopía: un barco de vapor. Los parisienses miraban esta inutilidad con indiferencia. M. de Vaublanc, reformador del

Instituto por golpe de Estado, real orden y hornada, autor distinguido de varios académicos, después de haberlos hecho, no podía conseguir serlo.

La justicia llamaba al tribunal a un hombre, que viendo entrar al conde de Artois en Nuestra Señora, había dicho en voz alta: *Por vida mía, que echo de menos el tiempo en que veía a Bonaparte y a Talma entrar del brazo en Bal-Sauvage.* Palabras sediciosas: seis meses de prisión.

Los traidores se presentaban al descubierto; hombres que se habían pasado al enemigo la víspera de una batalla no ocultaban la recompensa, e iban públicamente pavoneándose en mitad del día con todo el cinismo de las riquezas y de las dignidades; desertores de Ligny y de Quatre-Bras, en la ostentación de su infamia pagada, manifestaban su adhesión monárquica completamente desnuda, olvidando lo que se dice en las paredes interiores de las columnas mingitorias de Inglaterra: *Please adjust your dress before leaving,* o lo que es lo mismo: *sírvase usted abrocharse antes de salir.*

Esto era lo que sobrenadaba confusamente en el año 1817, olvidado ya hoy. La historia no se hace cargo de todas estas particularidades; y no puede tampoco hacer otra cosa, porque la invadiría el infinito. Sin embargo, estos detalles que se llaman pequeños —no hay hechos pequeños en la humanidad, ni hojas pequeñas en la vegetación—, son útiles. La figura de los siglos se compone de la fisonomía de los años.

En este año de 1817, cuatro jóvenes parisienses representaron "una buena farsa".

II. Doble cuatro

Estos parisienses eran uno de Tolosa, otro de Limoges, el tercero de Cahors, y el cuarto de Montauban: pero eran estudiantes; y quien dice estudiante dice parisiense, porque estudiar en París es nacer en París.

Estos jóvenes eran insignificantes; todo el mundo conoce su tipo; cuatro imágenes del primero que llega; ni buenos, ni malos; ni sabios, ni ignorantes; ni genios, ni imbéciles, ramas de ese abril encantador que se llama veinte años. Eran cuatro Oscares cualesquiera; porque en aquella época aún no se conocían los Arturos. *Quemad en honor suyo los perfumes de la Arabia,* decía la novela. *Oscar adelanta, Oscar, voy a verle.* Se salía de Ossian; la elegancia era escandinava y caledoniana; el género inglés puro no debía prevalecer hasta después, y el primero de los Arturos, Wellington, acababa de ganar la batalla de Waterloo.

Estos Oscares se llamaban Félix Tholomyes de Tolosa; Listolier de Cahors; Fameuil de Limoges, y Blachevelle de Montauban. Cada uno tenía naturalmente su amor. Blachevelle amaba a Favorita, llamada así porque había estado en Inglaterra; Listolier adoraba a Dalia, que había tomado por nombre de guerra un nombre de flor; Fameuil idolatraba a Zefina, abreviatura de Josefina; Tholomyes quería a Fantina, llamada la rubia, por sus hermosos cabellos, que eran como los rayos del sol.

Los jóvenes eran camaradas; las jóvenes eran amigas. Tales amores llevan siempre consigo tales amistades.

Fantina era la única de las cuatro a quien no tuteaba más que un hombre.

Fantina era uno de esos seres que salen del fondo del pueblo. Había salido de las regiones más insondables de la sombra social, y tenía en su frente la señal de lo anónimo y de lo desconocido.

Trabajó para vivir, y después amó también para vivir; porque el corazón tiene su hambre.

Y amó a Tholomyes.

Un día Tholomyes llamó aparte a los otros tres, hizo un gesto propio de un oráculo y les dijo:

—Pronto hará un año que Fantina, Dalia, Zefina y Favorita nos piden una sorpresa. Se la hemos prometido solemnemente, y nos la están reclamando siempre; a mí sobre todo.

Tholomyes bajó la voz, y articuló misteriosamente algunas palabras tan alegres, que de las cuatro bocas salió a carcajadas un gran entusiasmo, al mismo tiempo que Blachevelle exclamaba: —¡Es una gran idea!

El resultado de aquel secreto fue una gran partida de campo que se celebró el domingo siguiente, invitando los cuatro estudiantes a las cuatro jóvenes.

III. Cuatro a cuatro

Es muy difícil figurarse hoy lo que era hace cuarenta y cinco años una comida de campo de estudiantes y grisetas.

La víspera, Favorita, que era la única que sabía escribir, había escrito a Tholomyes lo siguiente: "Es muy sano salir de madrugada".

Por esta razón se levantaron todos a las cinco de la mañana. Fueron a Saint-Cloud en coche; se pararon ante la cascada seca, y exclamaron: ¡qué hermosa sería si tuviera agua! Almorzaron en la *Tete-Noire*, donde no se conocía a Castaing; jugaron una partida a la sortija en las arboledas del estanque grande; subieron a la linterna de Diógenes; jugaron los macarrones en la ruleta del puente de Sevres; hicieron ramilletes en Poteaux; compraron silbatos en Neuilly; comieron en todas partes pastelillos de manzanas; en fin, fueron perfectamente felices.

Las cuatro eran locamente hermosas.

IV. THOLOMYES ESTÁ TAN ALEGRE, QUE CANTA UNA CANCIÓN ESPAÑOLA

Aquel día parecía una aurora continua. La Naturaleza estaba de fiesta, y manifestaba su alegría. Los parterres de Saint-Cloud embalsamaban el aire; el soplo del Sena movía suavemente las hojas; las ramas gesticulaban en el viento; las abejas saqueaban los jazmines; una nube de mariposas se posaba en las hojas de los tréboles y las avenas; el augusto parque del rey de Francia estaba ocupado por un ejército de vagabundos: por los pájaros.

Las cuatro divertidas parejas resplandecían al sol en el campo, entre las flores y los árboles.

Después del almuerzo las cuatro parejas fueron a ver, en lo que se llamaba entonces el jardín del rey, una planta nueva traída de la India, cuyo nombre no recordamos en este momento, y que en aquella época llevaba a todo París a Saint-Cloud; era un bonito y caprichoso arbolillo de un tallo, cuyas innumerables ramas, delgadas como hilos, enmarañadas y sin hojas, estaban cubiertas de miles de rositas blancas; lo que daba a la planta el aspecto de una cabellera sembrada de flores. Siempre había una multitud que la admiraba.

De cuando en cuando, preguntaba Favorita:

—¿Y la sorpresa?

—Paciencia —respondía Tholomyes.

V. En casa de Bombarda

Cansados ya de las montañas rusas, habían pensado en comer; y los ocho algo fatigados habían entrado en la hostería de Bombarda, sucursal que había establecido en los Campos Elíseos aquel famoso Bombarda, cuya muestra se veía entonces en la calle de Rívoli, al lado del pasaje Delorme.

Allí entraron en un cuarto grande, pero mal alhajado, con alcoba y cama en el fondo (tuvieron que aceptar este rincón por estar la hostería llena); dos ventanas, desde donde se descubrían, al través de los olmos, el muelle y el río, y por donde entraba un magnífico sol de agosto; dos mesas, en una de las cuales había una montaña de ramilletes mezclados con sombreros de hombre y de mujer, y en la otra las cuatro parejas, sentadas alrededor de un montón de platos, bandejas, vasos y botellas, frascos de cerveza y de vino; poco orden en la mesa, y algún desorden debajo.

Los pies bajo la mesa, sin reposo armaban un estrépito espantoso.

Allí, pues, estaba a las cuatro y media de la tarde la broma que había empezado a las cinco de la mañana. El sol declinaba, y el apetito se extinguía.

VI. El amor de Favorita

Palabras de sobremesa y palabras de amor; tan difíciles son de coger unas como otras. Las palabras de amor son llamaradas; las palabras de sobremesa son humo.

Fameuil y Dalia murmuraban una canción; Tholomyes bebía; Zefina reía; Fantina se sonreía; Listolier tocaba una trompetilla de madera comprada en Saint-Cloud. Favorita miraba tiernamente a Blachevelle, y decía:

—Blachevelle, te adoro.

Esto produjo una pregunta de Blachevelle.

—¿Qué es lo que harías, Favorita, si dejara de amarte?

—¡Yo! —exclamó Favorita—. ¡Bah! no digas eso, ni en broma. Si dejaras de amarme, me tiraría a ti, te arañaría, te arrancaría los ojos, te daría un baño, y te haría prender.

Blachevelle sonrió con la voluptuosa fatuidad de un hombre halagado en su amor propio.

Favorita hizo una pausa, y continuó:

—Dalia, ¿lo creerás? estoy triste. Todo el verano ha estado lloviendo; el viento me encoleriza, me irrita los nervios. Blachevelle es muy roñoso; apenas hay guisantes en el mercado; no sé qué comer: tengo *spleen*, como dicen los ingleses; ¡está tan cara la manteca! y luego, ya ves; es un horror esto; ¡comer en un cuarto donde hay una cama! Es cosa de aborrecer la vida.

VII. Sabiduría de Tholomyes

Viendo que unos hablaban y otros cantaban tumultuosamente y todos juntos metían ruido, Tholomyes intervino.

—No hablemos así por hablar, ni con demasiada viveza —exclamó—. Si queremos deslumbrar, meditemos. Quien mucho abarca poco aprieta. Señores, nada de prisa. Démosle majestad a nuestra francachela. Comamos con recogimiento: *Festina lente.* No nos apresuremos. Ved lo que le pasa a la primavera; se adelanta y todo se pierde: todo se hiela. El exceso de celo pierde los albérchigos y los albaricoques. El exceso de celo mata la gracia y la alegría de los festines. Nada de celo, señores. Grimaud de la Reyniere es del parecer de Talleyrand.

Una sorda rebelión agitó al grupo.

—Tholomyes, déjanos en paz —dijo Blachevelle.

—Abajo el tirano —exclamó Fameuil.

—Bombarda, Bombance y Bamboche —gritó Listolier.

—El domingo existe —repitió Fameuil.

—Nosotros somos sobrios —añadió Listolier.

—Tholomyes —dijo Blachevelle—, contempla mi calma.

—Tú eres el marqués de ese título —respondió Tholomyes.

—Tholomyes —gritó Blachevelle—, estás borracho.

—¡Pardiez! —dijo Tholomyes.

—Pues ponte alegre —replicó Blachevelle.

—Consiento en ello —respondió Tholomyes.

Y llenando su vaso se levantó:

—¡Gloria al vino! *¡Nunc te Bache canam!* Perdonad, señoritas, esto es español. Y la prueba, señores, vedla aquí: tal pueblo, tal tonel. La arroba de Castilla tiene dieciséis litros; el cántaro de Alicante, doce; el almud de Canarias, veinticinco; el cuartal de las Baleares, veintiséis; la bota del Czar Pedro, treinta. ¡Viva este Czar que era grande, y viva su bota que es más grande todavía!

—Escupe Tholomyes —dijo Blachevelle.

Al mismo tiempo, éste, acompañado de Listolier y de Fameuil, entonó con la música de una canción lastimera, uno de esos cánticos de taller, compuesto de las primeras palabras que por la imaginación se ocurren, medio rimados, medio sin rimar, vacíos de sentido, como el movimiento de un árbol o el ruido del viento, que nacen del vapor de las pipas, y se disipan y desvanecen como el humo que las mismas arrojan.

No era un cántico de esta suerte lo más a propósito para calmar la improvisación de Tholomyes; vació su vaso, lo llenó de nuevo, y volvió a comenzar:

Mi alma vuela hacia los bosques vírgenes y hacia las sabanas. ¡Todo es bello! Las moscas zumban revoloteando en torno a los rayos del sol. De un estornudo del sol ha nacido el colibrí. Abrázame, Fantina.

Se equivocó, y abrazó a Favorita.

VIII. Muerte de un caballo

—Se come mejor en casa de Edon que en casa de Bombarda —exclamó Zefina.

Hubo una pausa.

—Tholomyes —gritó Fameuil—, hace poco Listolier y yo teníamos una disputa.

—Disputar es bueno —respondió Tholomyes—, pero reñir es mejor...

—Disputábamos sobre filosofía.

—¿Y bien?

—¿A quién prefieres tú, a Descartes o a Spinosa?

—A Desaugiers —dijo Tholomyes.

Fameuil le interrumpió de nuevo:

—Tholomyes, tus opiniones son ley. ¿Cuál es tu autor favorito?

—Ber...

—¿Quién?

—No. Choux.

Y Tholomyes prosiguió:

—¡Honor a Bombarda! Igualaría a Munofis de Elefanta si pudiera cogerme una almeja, y a Tigelión de Queronea si pudiera traerme una hetaria. Porque, señoras, también en Grecia y en Egipto había Bombardas: Apuleyo nos lo cuenta. ¡Ay! siempre las mismas cosas y nada nuevo. Nada inédito en la creación del Creador. *Nihil sub sole novum,* dijo Salomón; *amor omnibus idem,* dijo Virgilio; y Carabina se embarca con Carabin en la galeota de Saint-Cloud, como Aspasia se embarcaba con Pericles en la escuadra de Samos. Una postrer palabra: ¿Sabéis lo que era Aspasia, señoras? Aunque vivió en un tiempo en que las mujeres no tenían todavía alma, era un alma, un alma de color de rosa y púrpura, más abrasada que el fuego, más fresca que la aurora. Aspasia era una criatura, en la cual se tocaban los dos extremos de la mujer; era la prostituta diosa. Sócrates, y además Manon Lescaut. Aspasia fue creada para el caso de que a Prometeo le hiciese falta un molde.

Una vez lanzado Tholomyes, difícilmente se hubiera detenido, a no haber caído un caballo en la calle en aquel momento mismo.

En aquel momento Favorita, cruzando los brazos, echando la cabeza hacia atrás, miró resueltamente a Tholomyes, y le dijo:

—Pero ¿y la sorpresa?

—Justamente ha llegado el momento —respondió Tholomyes—. Señores, la hora de sorprender a estas damas ha sonado. Señoras, esperadnos un momento.

—La sorpresa empieza por un beso —dijo Blachevelle.

—En la frente —añadió Tholomyes.

Cada uno depositó gravemente un beso en la frente de su querida; después se dirigieron hacia la puerta los cuatro en fila, con el dedo puesto sobre la boca.

Favorita aplaudió al verlos salir.

—¡Qué divertido es! —dijo.

—No tardéis mucho —murmuró Fantina—; os esperamos.

IX. Alegre fin de la alegría

Una vez solas las jóvenes se echaron de pecho, dos a dos en cada ventana, charlando, sacando fuera las cabezas, y hablándose de una ventana a otra.

Vieron a los jóvenes salir del brazo de casa de Bombarda; los cuatro se volvieron, hiciéronles varias señas riéndose y desaparecieron entre aquella polvorienta muchedumbre que invade semanalmente los Campos Elíseos.

—¡No tardéis mucho! —gritó Fantina.

—¿Qué nos traerán? —dijo Zefina.

—De seguro que será una cosa bonita —dijo Dalia.

—Yo quiero que sea de oro —replicó Favorita.

—¡Cuánto tardan! —dijo Fantina.

Cuando Fantina acababa más bien de suspirar que de decir esto, el camarero que les había servido la comida entró. Llevaba en la mano algo que se parecía a una carta.

—¿Qué es eso? —preguntó Favorita.

El camarero respondió:

—Es un papel que esos señores han dejado abajo para estas señoritas.

—¿Por qué no lo habéis traído antes?

—Porque esos señores —añadió el camarero—, mandaron que no se os entregara hasta pasada una hora.

Favorita arrancó el papel de manos del camarero. Era una carta, en efecto.

—¡Calla! —dijo—: no tiene sobre; pero ved lo que tiene escrito encima:

Esta es la sorpresa

Rompió vivamente el sobre, abrió la carta y leyó (sabía leer).

"¡Oh, amadas nuestras!"

"Sabed que tenemos padres: vosotras no entenderéis muy bien qué es esto de padres. Así se llaman el padre y la madre en el Código civil, pueril y honrado. Ahora bien, estos padres lloran; estos ancianos nos reclaman; estos buenos hombres y estas buenas mujeres nos llaman hijos pródigos, desean nuestra vuelta, y nos ofrecen hacer sacrificios. Somos virtuosos y los obedecemos. A la hora en que leáis esto, cinco fogosos caballos nos arrastran hacia nuestros papás y nuestras mamás. Levantamos el campo, como dice Bossuet. Partimos; hemos partido. Huimos en brazos de Lafitte y en alas de Caillard. La diligencia de Tolosa nos arranca del borde del abismo; el abismo sois vosotras, ¡oh nuestras bellas amantes! Entramos de nuevo en la sociedad, en el deber, y en el orden, al gran trote, a razón de tres leguas por hora. Importa a la patria que seamos como todo el mundo, prefectos, padres de familia, guardas campestres y consejeros de Estado. Veneradnos: nos sacrificamos. Lloradnos rápidamente, y reemplazadnos pronto. Si esta carta os produce pena, rompedla. Adiós.

"Durante dos años os hemos hecho dichosas; no nos guardéis, pues, rencor".

"Firmado: Blachevelle, Fameuil, Listolier, Félix Tholomyes. *Postscriptum:* La comida está pagada."

Las cuatro jóvenes se miraron.

Favorita fue la primera que rompió el silencio.

—¡Y bien! —exclamó—; lo mismo da, es una buena broma.

—Es muy graciosa.

—Quien la ha ideado debe de ser Blachevelle —replicó Favorita—. Esto hace que le vuelva a querer. Tan pronto ido, tan pronto amado. Esta es la historia.

—No —dijo Dalia—, esta idea es de Tholomyes, se conoce a la legua.

—En ese caso —dijo Favorita—, ¡muera Blachevelle y viva Tholomyes!

—¡Viva Tholomyes! —gritaron Dalia y Zefina.

Y rompieron a reír.

Fantina soltó también la risa como las demás.

Una hora después cuando estuvo ya en su cuarto, lloró. Era, ya lo hemos dicho, su primer amor. Se había entregado sin reserva a Tholomyes como a un marido, ¡y la pobre joven era madre!

Libro cuarto

● Confiar es a veces entregar ●

I. Una madre que se encuentra con otra

En el primer cuarto de este siglo había en Montfermeil, cerca de París, una especie de figón que ya no existe. Este figón, a cargo de unas personas llamadas Thenardier, que eran marido y mujer, se hallaba situado en un callejón titulado del *Boulanger*. Por encima de la puerta se veía una tabla clavada descuidadamente en la pared, en la cual se hallaba pintado algo que en cierto modo se asemejaba a un hombre que llevase a cuestas a otro hombre con grandes charreteras de general, doradas, y grandes estrellas plateadas; unas manchas rojas querían figurar la sangre; el resto del cuadro era todo humo, y representaba una batalla. Debajo del cuadro se leía esta inscripción: *Mesón del Sargento de Waterloo*.

Nada más frecuente que ver un carro o una carreta a la puerta de una taberna; pero esto no obstante, el vehículo, o mejor dicho, el fragmento de vehículo que obstruía la calle delante del figón del Sargento de Waterloo, una tarde de la primavera de 1818, hubiese ciertamente llamado la atención, por su masa, de cualquier pintor que lo hubiera visto.

¿Por qué aquella desmesurada carreta ocupaba aquel sitio en la calle?

El centro de la cadena colgaba debajo muy próximo al suelo, y en su medio, como sobre la cuerda de un columpio, estaban sentadas y agrupadas aquella tarde, en una unión perfecta, dos tiernas niñas, la una como de dos años y medio, la otra como de diez y ocho meses, la más pequeña en los brazos de la mayor. Un pañuelo prudentemente atado impedía que se cayesen. Una madre había visto aquella espantosa cadena y había dicho: "Buen entretenimiento para mis niñas."

Por lo demás, las dos niñas graciosamente ataviadas, hasta con cierto cuidado, brillaban, por decirlo así; parecían dos rosas entre el hierro viejo; sus ojos eran un triunfo, sus frescas mejillas sonreían; una de las niñas era rubia-castaña; la otra, morena; sus inocentes rostros eran dos admiraciones encantadoras; un espino florido que había cerca enviaba a los transeúntes perfumes que parecía provenían de ellas; la de dieciocho meses enseñaba su lindo vientre desnudo con la casta indecencia de la infancia.

Al mismo tiempo que mecía a sus hijas, la madre con voz de falsete entonaba una canción entonces célebre:

"Preciso es, decía un guerrero..."

Su canción y la contemplación de sus niñas la impedían ver y oír lo que pasaba en la calle.

Esto no obstante, una persona se le había ido aproximando cuando empezaba la primera estrofa de su canción, y de improviso oyó una voz que decía muy cerca de su oído: "Tenéis dos hermosas niñas, señora."

"... a su adorada Imogina, respondió la madre continuando su canción, y volviendo después la cabeza.

Hallábase a algunos pasos delante de ella una mujer, la cual llevaba también en sus brazos a una niña.

Además llevaba un abultado saco de noche que parecía muy pesado.

La hija de aquella mujer era uno de los seres más hermosos que pueden verse. Era una niña de dos a tres años. Por la coquetería de su adorno hubiera podido competir con las otras niñas; tenía una gorrita de lienzo fino, cintas en la chambra, y además lazos en la gorra.

Dormía con ese sueño de absoluta confianza propio de su edad. Los brazos de las madres son hechos de ternura; los niños duermen en ellos profundamente.

En cuanto a la madre, era pobre y triste su aspecto. Tenía el traje de una obrera que tiende a convertirse en aldeana. Era joven; acaso hermosa, pero con aquel traje no lo parecía.

Tenía las manos ásperas y salpicadas de manchas rojizas, el índice endurecido y agrietado por la aguja, una manta negra de lana tosca, y gruesos zapatos. Era Fantina.

Diez meses habían transcurrido desde la "famosa sorpresa".

¿Qué había sucedido durante estos diez meses? Fácil es adivinarlo.

Fantina había quedado sola. Habiéndola abandonado el padre de su hija —iah! y estos rompimientos son irrevocables—, se encontró absolutamente aislada, con el hábito del trabajo de menos y la afición al placer de más. Impulsada por sus relaciones con Tholomyes a despreciar el pobre oficio que sabía, había descuidado sus medios de trabajo, y todas las puertas llegaron a cerrársele.

No sabía a quién dirigirse. Había cometido una falta; pero el fondo de su naturaleza era, según puede recordarse, pudor y virtud; conoció que se hallaba en vísperas de caer en el abatimiento y resbalar hasta el abismo. Necesitaba valor; lo tuvo, y se irguió de nuevo. Ocurrióle la idea de volver a su pueblo natal, a M., a orillas del M. Acaso allí la conocería alguno y le daría trabajo, sí; pero érale menester ocultar su falta.

Vendió, pues, todo lo que tenía, lo cual le produjo doscientos francos y después de pagar sus pequeñas deudas, vinieron a quedarle unos ochenta francos próximamente. A los veintidós años, y en una hermosa mañana de primavera, dejó a París llevando a su niña a la espalda. El que las hubiese visto pasar a una y otra se hubiera apiadado de ellas.

Al pasar por delante de la hostería de Thenardier las dos niñas, tan contentas en su columpio monstruo, produjeron en ella una especie de deslumbramiento, y se detuvo ante aquella visión de alegría.

Tenéis dos hermosas niñas, señora.

Las criaturas más feroces se sienten desarmadas cuando se acaricia a sus hijos.

La madre levantó la cabeza y le dio gracias, e hizo sentar a la transeúnte en el escalón de la puerta, porque ella estaba también en el umbral. Las dos mujeres hablaron.

—Me llamo la señora Thenardier —dijo la madre de las dos niñas—. Tenemos esta hostería.

Era la señora Thenardier una mujer colorada, robusta y angulosa, el tipo de la mujer de soldado en toda su desgracia, aunque por un capricho con cierto aire sentimental, que debía a sus lecturas novelescas. Era una carantoña hombruna.

La viajera refirió su historia un poco modificada.

Contó que era trabajadora; que su marido había muerto, que faltándole trabajo en París iba a buscarlo fuera, a su país; que había dejado a París aquella misma mañana, a pie; que como llevaba a su hija y se sentía cansada, había encontrado el coche de Villemomble y había subido; que de Villemomble a Montfermeil había venido a pie; que la niña había andado un poco, aunque no mucho, porque como era tan pequeñita, había tenido que cogerla, y que la alhaja se había dormido.

La tía Thenardier desató a sus hijas, las hizo bajar del columpio, y dijo:

—Jugad las tres.

Las dos mujeres continuaban hablando.

—¿Cómo se llama vuestra niña?

—Cosette.

—¿Qué edad tiene?

—Va para tres años.

—Lo mismo que mi niña mayor.

—¿Queréis tenerme a mi niña?

La Thenardier hizo uno de esos movimientos de sorpresa que no son ni el asentimiento ni la negativa.

La madre de Cosette continuó:

—Mirad: yo no puedo llevar a mi hija a mi país. El trabajo no lo permite. Con una criatura no hay dónde colocarse. ¡Son tan ridículos en mi país! El Dios de la bondad es el que me ha hecho pasar por vuestra hostería.

—Veremos —dijo la Thenardier.

—Pagaré seis francos al mes.

Entonces una voz de hombre gritó desde el interior del figón.

—No se puede menos de siete francos, y eso pagando seis meses adelantados.

—Seis por siete son cuarenta y dos —dijo la Thenardier.

—Los daré —dijo la madre.

—Además quince francos para los primeros gastos —añadió la voz de hombre.

—Total cincuenta y siete francos —dijo la tía Thenardier.

—Los pagaré —dijo la madre.

La voz de hombre repuso:

—¿Y la niña tiene equipo?

—Ese es mi marido —dijo la Thenardier.

—Vaya si tiene equipo mi pobre tesoro. Ya he conocido que es vuestro marido. ¡Vaya, y buen equipo! un equipo desmedido, todo por docenas, y trajes de seda como una señora. Ahí lo tengo en mi saco de noche.

La madre pasó la noche en la hostería, dio su dinero y dejó su niña, ató de nuevo su saco de noche, desprovisto ya del equipo, y partió a la madrugada siguiente, calculando volver en breve. Con facilidad se disponen estas separaciones; pero causan la desesperación.

Cuando la madre de Cosette hubo marchado,el hombre dijo a su mujer: "Con esto satisfaré mi pagaré de cien francos que vence mañana. Me faltaban cincuenta. ¿Sabes que si no, hubiese tenido aquí al escribano con un protesto? No has armado mala ratonera con tus niñas."

II. Primer contorno de dos figuras bizcas

Pobre era el ratón cogido; pero el gato se alegra aun por el ratón más flaco. ¿Quiénes eran los Thenardier? Digámoslo desde luego. Después completaremos el cuadro.

Pertenecían estos seres a esa clase bastarda compuesta de personas groseras que han llegado a elevarse, y de personas inteligentes que han decaído, que está entre la clase llamada media y la llamada inferior, y que combina alguno de los defectos de la segunda con casi todos los vicios de la primera, sin tener el generoso impulso del obrero, ni el honesto orden del ciudadano.

Eran de esas naturalezas enanas, que llegan con facilidad a hacerse monstruosas, si por acaso las caldea un fuego sombrío. Tenía la mujer el fondo de un bruto, y el hombre era de la estofa de un pordiosero vagabundo.

Hay almas que, como el cangrejo, retroceden continuamente hacia las tinieblas, que retrogradan más que adelantan en la vida, empleando su experiencia en aumentar su deformidad, empeorándose sin cesar, e impregnándose más y más de un tizne creciente. Aquel hombre y aquella mujer eran de esa clase de almas.

Particularmente Thenardier era repugnante para el fisonomista. A ciertos hombres no hay más que mirarlos para desconfiar de ellos, porque se les ve tenebrosos por sus dos lados. Son inquietos por detrás y amenazadores por delante.

El tal Thenardier, a creer su dicho, había sido soldado; él decía que sargento; había hecho probablemente la campaña de 1815, y aun se había conducido bastante bien, a lo que parece.

III. LA ALONDRA

No basta ser malo para prosperar. El bodegón iba mal.

Gracias a los cincuenta francos de la viajera, Thenardier pudo evitar un protesto y hacer honor a su firma. Al mes siguiente volvieron a tener necesidad de dinero, y la mujer llevó a París y empeñó en el Monte de Piedad el equipo de Cosette en la cantidad de sesenta francos. Cuando hubieron gastado aquella cantidad los esposos Thenardier se fueron acostumbrando a no ver en la niña más que una criatura que rentan en su casa por caridad, tratándola como a tal.

Su madre, que se había establecido, como se verá después, en M. —a orillas del M.—, escribía, o mejor dicho, hacía escribir todos los meses para tener noticias de su hija. Los Thenardier contestaban siempre: Cosette está perfectamente.

Transcurridos los seis primeros meses, la madre remitió siete francos para el siguiente, y continuó con bastante exactitud haciendo sus remesas de mes en mes. Aún no había concluido el año cuando Thenardier dijo: "¡Vaya un gran favor que nos hace! ¿Qué quiere que hagamos con siete francos?", y la escribió pidiéndole hasta doce. La madre, a la cual persuadían que su hija era feliz, y que "se criaba bien" se sometió, y envió los doce francos.

Mientras tanto Thenardier, habiendo llegado a saber por no sé qué oscuros caminos que la niña era probablemente bastarda, y que su madre no podía confesarlo, exigió quince francos al mes, diciendo que "la criatura" se iba haciendo grande, y que "comía" y amenazando con despedirla. "Que no me ande fastidiando —exclamaba—, porque le arrojo su rapaza en medio de sus tapujos. Es preciso que aumente el estipendio." La madre pagó hasta los quince francos.

De año en año la niña crecía, y su miseria también.

Mientras que Cosette fue pequeñita, fue la llevagolpes de las otras dos niñas; pero desde que empezó a desarrollarse un poco, es decir, aun antes de que cumpliera cinco años, vino a ser la criada de la casa.

Si aquella madre hubiese vuelto a Montfermeil al cabo de estos tres años, no habría conocido a su hija. Cosette, tan fresca y tan linda cuando llegó a aquella casa, estaba entonces flaca y pálida, notándose además en ella cierto aire de desconfianza.

Lástima daba ver en el invierno a aquella pobre niña, que aún no contaba seis años, tiritando bajo los viejos harapos de percal agujereados, barrer la calle antes de apuntar el día, con una enorme escoba en sus manitas amoratadas, y una lágrima en sus grandes ojos.

En el lugar la llamaban la Alondra. El pueblo, que gusta de las imágenes, se complacía en dar este nombre a aquel pequeño ser, no mayor que un pájaro, que temblaba, se asustaba y tiritaba, despierto el primero en la casa y en la aldea, siempre el primero en la calle o en el campo antes del alba.

Sólo que la pobre alondra no cantaba nunca.

Libro quinto

● EL DESCENSO ●

I. HISTORIA DE UN
PROGRESO EN LOS ABALORIOS NEGROS

¿Qué era, dónde estaba, qué hacía mientras tanto aquella madre que al decir de la gente de Montfermeil parecía haber abandonado a su hija?

Después de dejar su pequeña Cosette a los Thenardier, prosiguió su camino, y llegó a M. —a orillas del M.

Se recordará que esto era en 1818.

Fantina había abandonado su país como unos diez años antes. M. —a orillas del M.— había cambiado de aspecto. Mientras Fantina descendía lentamente de miseria en miseria, su pueblo natal había prosperado.

Hacía como dos años aproximadamente que se había realizado en él uno de esos hechos industriales que son los grandes acontecimientos de los pequeños países.

Es este un detalle importante, y creemos útil desarrollarle, y aun casi podríamos decir subrayarle.

De tiempo inmemorial, M. —a orillas del M.— tenía por industria especial la imitación del azabache inglés y de las cuentas de vidrio negras de Alemania. Semejante industria no había hecho más que vegetar a causa de la carestía de las primeras materias, la cual venía a redundar en perjuicio de la mano de obra. Pero cuando Fantina volvió a M. —a orillas del M.— habíase verificado una transformación inaudita en aquella producción de "artículos negros". A fines de 1815, un hombre, un desconocido, había ido a establecerse al pueblo y concebido la idea de sustituir en aquella fabricación la goma laca a la resina, y para los brazaletes en particular, los colgantes simplemente enlazados a los colgantes soldados.

Tan pequeño cambio fue una revolución, pues redujo prodigiosamente el precio de la materia primera: lo cual en primer lugar, permitió subir el de la mano de obra, beneficio para el país; en segundo, mejorar la fabricación, provecho para el consumidor; y en tercero, vender más barato triplicando la ganancia, ventaja para el manufacturero.

De modo que por una idea se obtenían tres resultados.

En menos de tres años habíase hecho rico el autor de aquel procedimiento, cosa excelente, y lo que es más, todo lo había enriquecido a su alrededor. Era forastero en el departamento. Nada se sabía de su origen, y muy poco de sus principios.

Referíase que había llegado al pueblo con muy poco dinero; algunos centenares de francos todo lo más.

De tan pequeño capital, puesto al servicio de una idea ingeniosa, fecunda por el orden y la previsión, había sacado su fortuna y la fortuna de toda la comarca.

A su llegada a M. —a orillas del M.— no tenía sino el traje, el aspecto y el lenguaje del obrero.

A lo que parece, la tarde misma en que aquel personaje hacía oscuramente su entrada en el pequeño pueblo de M. —a orillas del M.— a la caída de una tarde de diciembre, llevando el morral a la espalda y el palo de espino en la mano, acababa de estallar un violento incendio en la casa municipal. Aquel hombre se arrojó al fuego, y salvó, con peligro de su vida, a dos niños, que después resultaron ser los del capitán de la gendarmería; lo cual hizo que no se pensase en pedirle el pasaporte. Desde entonces se supo su nombre. Llamábase el tío Magdalena.

II. EL TÍO MAGDALENA

Era hombre como de cuarenta años, de aire distraído, pero bueno. Esto es todo lo que de él podía decirse.

Gracias a los rápidos progresos de aquella industria que había restaurado tan admirablemente, M. —a orillas del M.— se había convertido en un considerable centro de negocios. España, que consume mucho abalorio negro, encargaba a aquel pueblo compras inmensas cada año. M. —a orillas del M.—, por su comercio, hacía casi competencia a Londres y Berlín. Los beneficios del tío Magdalena eran tales, que al segundo año pudo ya edificar una gran fábrica, en la cual había dos grandes talleres, uno para los hombres y otro para las mujeres. Allí solía presentarse todo el que tenía hambre, seguro de encontrar trabajo y pan. El tío Magdalena pedía a los hombres buena voluntad, a las mujeres costumbres puras, a todos probidad.

El tío Magdalena ocupaba a todo el mundo. No exigía más que una sola cosa: ¡ser hombre honrado! ¡ser mujer honrada!

Según hemos dicho, en medio de aquella actividad, de que era causa y eje, el tío Magdalena hacía su fortuna; pero, cosa no poco singular en un hombre dedicado tan sólo al comercio, no mostraba que fuera aquel su principal cuidado. Parecía que pensaba mucho en los demás, y poco en sí mismo. En 1820 se le conocía una suma de seiscientos treinta mil francos colocada en casa de Laffitte; pero antes de ahorrar estos seiscientos mil francos, había gastado más de un millón para el pueblo y para los pobres.

El hospital estaba mal dotado; había costeado diez camas.

En los primeros tiempos, cuando se le vio empezar, las buenas almas decían: es un atrevido que quiere enriquecerse. Cuando le vieron enriquecer al país antes de enriquecerse a sí mismo, las buenas almas dijeron: es un ambicioso.

Esto, no obstante, en 1819, corrió la voz una mañana por el lugar, de que a propuesta del prefecto, y en consideración a los servicios hechos al país, el tío Magdalena iba a ser nombrado por el rey alcalde de M. —a orillas del M.—. Los que habían declarado "ambicioso" al recién llegado, aprovecharon con transporte la ocasión que todos los hombres desean, de exclamar: "¡Vaya! ¿no lo decía yo?" Esta exclamación se repitió por todo M. —a orillas del M.—. La noticia tenía fundamento. Días después apareció el nombramiento en el *Monitor*. A la mañana siguiente renunció el tío Magdalena.

En aquel mismo año de 1819, los productos del nuevo procedimiento inventado por Magdalena figuraron en la Exposición de la industria; a informe del jurado, el rey nombró al inventor caballero de la legión de honor. Nuevo rumor en la población. "¡Vaya, era la cruz lo que quería!" El tío Magdalena renunció a la cruz.

Decididamente aquel hombre era un enigma.

Cuando fue reputado rico "las personas de buena sociedad" le saludaron, y en el lugar se le llamó el señor Magdalena; sus trabajadores y los niños le llamaban como siempre tío Magdalena, y era lo que más le agradaba. Las invitaciones llovían sobre él a medida que iba subiendo: "La sociedad" le llamaba.

Hiciéronsele mil invitaciones. A todas se negó.

Cuando se le vio ganar dinero, se dijo: es un negociante. Cuando se le vio derramar su ganancia, se dijo: es un ambicioso. Cuando se le vio desechar los honores, se dijo: es un aventurero. Cuando se le vio rechazar la sociedad, se dijo: es un bruto.

En 1820, cinco años después de su llegada a M. —a orillas del M.—, eran tan notables los servicios que había hecho al país, y tan unánime el voto de toda la comarca, que el rey le nombró nuevamente alcalde de la ciudad. De nuevo renunció; pero el prefecto no admitió su renuncia; rogáronle los notables, suplicóle el pueblo en plena calle, y la insistencia fue tan viva, que al fin tuvo que aceptar. Echóse de ver que lo que más pareció determinarle fue un apóstrofe casi irritado de un viejo del pueblo, que desde el umbral de su puerta le gritó desembozadamente: *Un buen alcalde es útil. ¿Quién retrocede cuando puede hacer un bien?*

Aquella fue la tercera fase de su elevación. El tío Magdalena había llegado a ser el señor Magdalena; el señor Magdalena había llegado a ser el señor alcalde.

III. Cantidades depositadas en casa de Laffitte

Magdalena, por lo demás, continuó viviendo con la misma sencillez del primer día. Tenía los cabellos grises, la mirada grave, el aire cansado del obrero, y el rostro pensativo de un filósofo. Ordinariamente llevaba sombrero de anchas alas y ancho gabán de paño grueso, abotonado hasta la barba. Cumplía con las funciones de alcalde, y fuera de ellas vivía solitario.

Comía siempre solo, con un libro abierto delante de sí, en el cual leía. Tenía una pequeña y escogida biblioteca; gustaba de los libros: los libros son amigos fríos y seguros. A medida que con la riqueza adquiría desahogo de trabajo, parecía que se aprovechaba de él para cultivar su espíritu.

A pesar de no ser ya joven, decíase que tenía fuerzas prodigiosas.

Sospechábase que habría debido vivir en otro tiempo en la vida del campo, porque conocía toda clase de secretos útiles, que comunicaba a los campesinos.

Viendo un día a la gente del país muy ocupada en arrancar ortigas, miró aquel montón de plantas desarraigadas y ya secas, y dijo:

—Están muertas. No obstante, serían provechosas si se supieran utilizar. Cuando la ortiga es nueva, su hoja es una excelente legumbre; cuando es vieja, tiene filamentos y fibras como el cáñamo y el lino. La tela de ortiga sería tan buena como la tela de cáñamo. Picada la ortiga es buena para las aves; molida es buena para los animales de cuernos. La semilla de ortiga mezclada con el forraje da lustre al pelo de los animales; su raíz mezclada con sal produce un hermoso color amarillo. Por lo demás, es un excelente heno que se puede segar dos veces. ¿Y qué necesita la ortiga? Un poco de tierra sin cuidado ni cultivo alguno. Unicamente la semilla se cae conforme va madurando, y es difícil de recoger, pero no más. Con poco trabajo la ortiga sería útil; se la desprecia, y es dañina. Entonces se la mata. ¡Cuántos hombres se asemejan a la ortiga!

Después de una pausa, añadió:

—Amigos míos, acordaos de esto: no hay, ni malas hierbas ni malos hombres. No hay sino malos cultivadores.

Ejecutaba una multitud de acciones buenas, ocultándose como si fueran malas.

Era afable y triste. El pueblo decía: ese es un hombre rico que no tiene aire orgulloso; un hombre feliz que no tiene aire de contento.

Murmurábase que tenía sumas "inmensas" colocadas en casa de Laffitte, con la particularidad de que estaban siempre a su disposición inmediata, de tal suerte añadían que el señor Magdalena podría llegar una mañana a casa de Laffitte formar un recibo, y llevarse sus dos o tres millones de francos en diez minutos.

IV. El señor Magdalena de luto

Al principiar el año de 1821 anunciaron los periódicos la muerte del señor Myriel, obispo de D., apellidado "*monseñor Bienvenido*", que había fallecido en olor de santidad a la edad de ochenta y dos años.

El obispo de D., para añadir aquí un detalle que los periódicos omitieron, estaba cuando murió, ciego desde hacía muchos años, y contento de hallarse ciego porque su hermana estaba a su lado.

Digámoslo de paso: ser ciego y ser amado es, en efecto en este mundo en que nada hay completo, una de las formas más extrañamente perfectas de la felicidad.

La dicha suprema de la vida es la convicción de que somos amados, amados por nosotros mismos; mejor dicho, amados a pesar de nosotros; esta convicción la tiene el ciego. Ser en su desgracia servido, es ser acariciado. ¿Le falta algo? No. Tener amor no es perder la luz. ¡Y qué amor! un amor formado enteramente de virtud.

Siéntese uno acariciado con el alma. Nada ve, pero se conoce adorado. Está en un paraíso de tinieblas.

El anuncio de su muerte fue reproducido por el periódico local de M. —a orillas del M.—, y el señor Magdalena se presentó a la mañana siguiente todo de negro con gasa en el sombrero.

Echóse de ver en el pueblo su luto, y se comentó. Pareció como un vislumbre del origen del señor Magdalena. Dedújose que tenía algún parentesco con el venerable obispo.

Una tarde cierta decana de aquel pequeño círculo aristocrático, curiosa por derecho de ancianidad, se atrevió a preguntarle: ¿era acaso el señor alcalde primo del difunto obispo de D.?

Respondió: No, señora.

—Pues —repuso la viuda—, ¿no lleváis luto por él?

Magdalena respondió: Es que en mi juventud fui lacayo de su familia.

Otra cosa se advirtió además, a saber: que cada vez que pasaba por el pueblo un joven saboyano recorriendo el país en busca de chimeneas que limpiar, el señor alcalde le hacía llamar, le preguntaba su nombre y le daba dinero. Los saboyanitos se lo contaban unos a otros, y por allí pasaban muchos.

V. Vagos relámpagos en el horizonte

Poco a poco y con el tiempo fueron disipándose todas las oposiciones. Terminaba las diferencias, suspendía los pleitos, y reconciliaba a los enemigos. Todos le tomaban por juez de sus derechos. Parecía como que tenía por alma el cetro de la ley natural.

Un hombre sólo, en la población y en el distrito, se libró absolutamente de aquel contagio, e hiciera lo que quisiese el tío Magdalena, permanecía rebelde, como si una especie de instinto incorruptible e imperturbable le despertase e inquietase.

Este personaje, grave, con gravedad casi amenazadora, era de esos que por rápidamente que se les vea, llaman la atención del observador. Llamábase Javert, y era de la policía.

Javert había nacido en una prisión, de una echadora de cartas, cuyo marido estaba en presidio. Cuando hubo crecido, pensó que se hallaba fuera de la sociedad, y se desesperó por no poder entrar en ella nunca.

Entró, pues, en la policía y prosperó. A los cuarenta años era inspector.

En su juventud había estado empleado en los presidios del mediodía.

Estaba compuesto este hombre de dos sentimientos muy sencillos y relativamente muy buenos, pero que él convertía casi en malos a fuerza de exagerarlos: el respeto a la autoridad y el odio a la rebelión.

Toda la persona de Javert expresaba al hombre que espía y que se oculta.

En sus momentos de ocio, que eran poco frecuentes, aunque odiaba los libros, leía; de aquí que no fuese completamente literato, lo cual se conocía en cierto énfasis que había en sus palabras.

Javert era como un ojo siempre fijo sobre el señor Magdalena; ojo lleno de sospechas y conjeturas.

Javert estaba evidentemente desconcertado en algún modo por el aspecto natural y la tranquilidad de Magdalena. Esto no obstante, un día su extraño comportamiento pareció hacer impresión en Magdalena, con el motivo que vamos a decir.

VI. EL TÍO FAUCHELEVENT

El señor Magdalena, pasando una mañana por una callejuela no empedrada de M. —a orillas del M.— oyó ruido y viendo un grupo a alguna distancia, acercóse a él: un viejo llamado el tío Fauchelevent acababa de caer debajo de su carro, cuyo caballo se había rendido.

El señor Magdalena llegó, y todos se apartaron con respeto.

—¡Socorro! —gritó el viejo de Fauchelevent—. ¿No habrá alguno tan bueno que quiera salvar a este viejo?

El señor Magdalena se volvió hacia los concurrentes:

—¿No hay un cabrestante? —dijo.

—A buscarle han ido —respondió un aldeano.

—Oíd —repuso Magdalena—, todavía queda debajo del carro bastante espacio para que un hombre pase y le levante con la espalda. Medio minuto no más y se sacará a ese pobre hombre. ¿Hay alguno que tenga puños y corazón? Hay cinco luises de oro para ganar.

Nadie chistó en el grupo.

—¡Diez luises! —dijo Magdalena.

Los asistentes bajaron los ojos. Uno de ellos murmuró:"Muy fuerte habría que ser. Se corre el peligro de quedar aplastado."

—¡Vamos! —añadió Magdalena— ¡veinte luises!

El mismo silencio.

—No es buena voluntad lo que les falta —dijo una voz.

El señor Magdalena se volvió y conoció a Javert. No le había visto al llegar.

Javert continuó:

—Es la fuerza. Sería preciso ser un hombre terrible para hacer la proeza de levantar un carro como ése con la espalda.

Magdalena miró a su alrededor.

—¿No hay nadie, pues, que quiera ganarse veinte luises, y salvar la vida a ese pobre anciano?

Ninguno de los asistentes se movió, Javert repuso:

—No he conocido más que un hombre que pudiera reemplazar a una cabria; era un forzado.

—¡Ah! que me aplasta —gritó el viejo.

Magdalena levantó la cabeza, encontró los ojos de halcón de Javert siempre fijos sobre él, vio a los aldeanos y se sonrió tristemente. En seguida, sin decir una palabra se puso de rodillas, y antes que la multitud hubiera podido arrojar un grito, estaba debajo del carro.

Hubo un momento espantoso de expectación y de silencio.

Vióse a Magdalena pegado a tierra bajo aquel peso espantoso probar dos veces en vano a juntar los codos con las rodillas. Gritábanle: tío Magdalena, salid de ahí. El mismo viejo Fauchelevent le dijo: "¡señor Magdalena, marchaos! ¡No hay más remedio que morir, ya lo véis, dejadme! ¡Váis a ser aplastado también!" Magdalena no respondió.

Oyóse una voz ahogada que exclamaba: ¡pronto, ayudad! Era Magdalena que acababa de hacer el último esfuerzo.

Todos se precipitaron. La abnegación de uno solo dio fuerza y valor a todos. El carro fue levantado por veinte brazos: el viejo Fauchelevent se había salvado.

VII. FAUCHELEVENT SE HACE JARDINERO EN PARÍS

Fauchelevent se había dislocado la rótula en la caída. El tío Magdalena le hizo llevar a una enfermería que había establecido para sus trabajadores en el edificio mismo de su fábrica, y que estaba asistida por dos hermanas de la caridad. A la mañana siguiente temprano el anciano se halló un billete de mil francos sobre la mesa de noche, con esta línea escrita por mano del tío Magdalena: *Os compro vuestro carro y vuestro caballo.* El carro se había roto, y el caballo muerto. Fauchelevent curó; pero la pierna le quedó anquilosada. El señor Magdalena, por recomendación de las hermanas y de su cura, hizo colocar al pobre hombre de jardinero en un convento de monjas del barrio de San Antonio, en París.

Algún tiempo después, el señor Magdalena fue nombrado alcalde. La primera vez que Javert vio al señor Magdalena revestido de la banda que le daba toda autoridad sobre la población, experimentó la especie de estremecimiento que sentiría un mastín que olfatease un lobo bajo los vestidos de su amo. Desde aquel momento huyó de él todo cuanto pudo; y cuando las necesidades del servicio lo exigían imperiosamente y no podía menos de encontrarse con el señor alcalde, le hablaba con un respeto profundo.

La prosperidad creada por el tío Magdalena en M., a orillas del M., tenía además de los signos visibles que hemos indicado, otro síntoma que por no ser visible no era menos significativo; síntoma que no engaña nunca. Cuando la población padece, cuando falta el trabajo, cuando el comercio es nulo, el contribuyente resiste al impuesto por penuria, deja pasar los plazos, y el Estado gasta mucho dinero en apremios y reintegros.

Tal era la situación del país cuando volvió a él Fantina. Nadie se acordaba de ella, pero afortunadamente la puerta de la fábrica del señor Magdalena era como un rostro amigo. Se presentó y fue admitida en el obrador de las mujeres. Era el oficio enteramente nuevo para Fantina, y no podía estar muy experta en él; por tanto sacaba poca cosa como producto de su jornal; pero al fin aquello le bastaba; el problema estaba resuelto; ganaba su vida.

VIII. La señora Victurnien gasta
TREINTA FRANCOS EN FAVOR DE LA MORALIDAD

Cuando Fantina vio que vivía con su trabajo, tuvo un momento de alegría. Ganarse la vida honradamente ¡qué favor del cielo! Recobró verdaderamente el gusto del trabajo. Se compró un espejo, se regocijó de ver en él su juventud, sus hermosos cabellos, sus hermosos dientes; olvidó muchas cosas; no pensó sino en Cosette y en el porvenir posible, y fue casi feliz. Alquiló un cuartito y le amuebló de fiado sobre su trabajo futuro; resto de sus hábitos de desorden.

No pudiendo decir que estaba casada, se guardó mucho, como lo hemos dejado entrever, de hablar de su pequeña hija.

En un principio, como hemos visto, pagaba exactamente a los Thenardier; y como no sabía más que firmar, para escribirles se veía obligada a valerse de un memorialista.

Nadie mejor para espiar las acciones de los demás que aquellos que nada tienen que ver con ellos.

Y frecuentemente, conocidos estos secretos, publicados estos misterios, descubiertos estos enigmas a la luz del día, producen catástrofes, duelos, quiebras, ruinas de familia, existencias amargadas, con gran gozo de aquellos que lo han "descubierto todo" sin interés, y por puro instinto. Cosa triste en verdad.

Ciertas personas son malas únicamente por necesidad de hablar. Su palabra, conversación en la sala, habladuría en la antecámara, es como esas chimeneas que consumen pronto la leña; necesitan mucho combustible, y el combustible es el prójimo.

Observóse, pues, a Fantina.

Añádase que más de una tenía envidia de sus cabellos rubios y de sus blancos dientes.

Hubo comadre que hizo el viaje a Montfermeil, habló a los Thenardier, y dijo a su vuelta: "Mis treinta y cinco francos me ha costado, pero lo sé todo. He visto a la criatura."

La comadre que esto hizo, era una gorgona, llamada señora Victurnien, guardiana y portera de la virtud de todo el mundo.

Esta tal señora Victurnien fue, pues, la que pasó a Montfermeil, y volvió diciendo: "He visto a la niña."

Tantos pasos pidieron tiempo: Fantina llevaba ya un año en la fábrica, cuando una mañana la sobrestante del obrador le entregó, de parte del señor alcalde, cincuenta francos, diciéndole que ya no formaba parte del taller, y que el señor alcalde la invitaba a salir fuera del país.

Esto ocurrió precisamente en el mismo mes en que los Thenardier, después de haber pedido doce francos en lugar de seis, acababan de exigir quince francos en vez de los doce.

Fantina quedó aterrada. No podía salir del pueblo; debía el alquiler de la casa y de los muebles. Cincuenta francos no eran bastantes para solventar estas deudas.

Aconsejáronla que viese al alcalde; pero no se atrevió.

IX. Triunfo de la señora Victurnien

La viuda del fraile sirvió, pues, para algo.

En cuanto al señor Magdalena, no supo nada de aquello. Tales son las combinaciones de que está llena la vida.

Había puesto al frente de este obrador a una soltera vieja que le había proporcionado el cura, y tenía toda su confianza en aquella capataza, persona respetable verdaderamente, firme, equitativa, íntegra, llena de la caridad que consiste en dar; pero que no poseía en el mismo grado la caridad que consiste en comprender y en perdonar.

Fantina se ofreció como criada en la localidad, y fue de casa en casa.

Púsose a coser camisas para los soldados de la guarnición, con lo que ganaba doce sueldos al día: su hija le costaba diez: Entonces fue cuando comenzó a pagar mal a los Thenardier.

No obstante, una anciana que le encendía la luz cuando volvía de noche, le enseñó el arte de vivir en la miseria.

Llega esto hasta ser un talento. Fantina adquirió este sublime talento, y recobró un poco de valor.

La vieja que le había dado lo que pudiera llamarse lecciones de vida indigente, era una buena mujer llamada Margarita, devota con buena devoción, pobre y caritativa para los pobres, y aun para los ricos: sabía escribir lo suficiente para firmar *Marjarrita*, y creía en Dios, lo que constituye la ciencia.

En las pequeñas poblaciones una desgracia se encuentra expuesta al sarcasmo y a la curiosidad de todos.

Era preciso acostumbrarse al menosprecio, como se había acostumbrado a la indigencia. Poco a poco fue tomando resolución.

El exceso de trabajo fatigaba a Fantina, y se le aumentó la pequeña tos que la aquejaba. Un día decía a su vecina Margarita:

—Tocad, veréis qué calientes tengo las manos.

X. Continuación del triunfo

Fantina fue despedida a fines de invierno; pasó el verano y el invierno volvió. Días cortos, menos trabajo. En el invierno no hay calor, no hay luz, no hay medio día; la tarde se junta con la mañana; todo es niebla, crepúsculo; la ventana está empañada, no se ve claro.

Sus acreedores la acosaban.

Fantina ganaba poquísimo; sus deudas se habían aumentado.

Fantina tomó un amante, el primero que se presentó, un hombre a quien no amaba, por desquite, con la rabia en el corazón. Era un miserable, un ocioso indigente, que la maltrataba, y que la dejó como ella le había tomado, con disgusto.

Fantina adoraba a su hija.

A medida que iba descendiendo, cuanto más sombrío se hacía todo a su alrededor, más irradiaba en el fondo de su alma aquel dulce angelito.

Fantina decía: "Cuando yo sea rica tendré a mi Cosette conmigo", y se sonreía. La tos no la abandonaba, y sentía sudores en la espalda.

Cierto día recibió una carta de los Thenardier concebida en estos términos: "Cosette está mala de una enfermedad que hay en el pueblo. Tiene lo que llaman una fiebre miliar. Necesita medicamentos caros, lo cual nos arruina, y ya no podemos pagar más. Si no nos enviáis cuarenta francos antes de ocho días, la niña habrá muerto."

Echóse a reír a carcajadas, y dijo a su anciana vecina: "¡Vaya que está bueno! ¡cuarenta francos! es decir, ¡dos napoleones de oro! ¿De dónde quieren que yo los saque? ¡Qué tontos son estos aldeanos!

Se quedó pensativa, y se puso a la labor. Al cabo de un cuarto de hora dejó la costura, y volvió a leer la carta de los Thenardier en la escalera.

Al volver a entrar, dijo a Margarita que trabajaba a su lado:

—¿Qué es una fiebre miliar? ¿lo sabéis?

—Sí —respondió la vieja—, es una enfermedad.

—¿Y se necesitan muchas medicinas?

—¡Oh! medicinas terribles.

—¿Y en qué consiste?

—Es una erupción como otras.

—¿Y ataca sólo a los niños?

—Principalmente a los niños.

—¿Y mueren muchos?

—Muchos —dijo Margarita.

Fantina salió y fue una vez más a leer la carta en la escalera.

Por la tarde bajó, y se la vio dirigirse hacia la calle de París, en que estaban las posadas.

A la mañana siguiente, como Margarita entrase en el cuarto de Fantina antes de amanecer, porque trabajaban siempre juntas, y de este modo no encendían más que una luz para las dos, encontró a Fantina pálida, helada.

Margarita se detuvo en el umbral de la puerta, petrificada por tan enorme desorden, y exclamó:

—¡Señor, la vela se ha consumido toda! ¿Qué ocurre?

Después miró a Fantina que volvía hacia ella, su cabeza sin cabellos.

—¡Jesús! —dijo Margarita—; ¿qué tenéis, Fantina?

—Nada —respondió Fantina—. Al contrario. Mi niña no morirá de esa espantosa enfermedad por falta de socorros. Estoy contenta.

Al hablar así, señalaba a la vieja dos napoleones de oro que relucían sobre la mesa.

—Los he ganado —dijo Fantina.

Los dos dientes habían sido arrancados.

Envió, pues, los cuarenta francos a Montfermeil.

Por lo demás, aquello había sido una estratagema de los Thenardier para sacar dinero. Cosette no estaba mala.

Fantina había perdido el pudor; después perdió la coquetería, y últimamente hasta el aseo. Salía con papalinas sucias; y ya por falta de tiempo, ya por indiferencia, no recosía su ropa.

Las personas a quienes debía le daban "escándalos" y no le dejaban ningún reposo.

Tosía mucho; odiaba profundamente al tío Magdalena, y no se quejaba. Se pasaba cosiendo diez y siete horas al día; pero un contratista del trabajo de las cárceles que hacía trabajar más barato a las presas, hizo de pronto bajar los precios, con lo cual se redujo el jornal de las trabajadoras libres a nueve sueldos. ¡Diez y siete horas de trabajo y nueve sueldos diarios! Sus acreedores eran más implacables que nunca.

La infortunada se hizo mujer pública.

XI. Christus nos liberavit

¿Qué es esta historia de Fantina? Es la sociedad comprando una esclava.

¿A quién? A la miseria.

Al hambre, al frío, al abandono, al aislamiento, a la desnudez. ¡Mercado doloroso! Un alma por un pedazo de pan: la miseria ofrece, la sociedad acepta.

En el punto a que hemos llegado de este doloroso drama, nada le queda a Fantina de lo que era en otro tiempo. Se ha convertido en mármol al hacerse lodo. Quien la toca, siente frío. Pasa, os sufre y no sabe quién sois; es la figura deshonrada y severa; la vida y el orden social le han dicho su última palabra. Le ha acontecido todo lo que podía acontecerle.

Así lo cree ella a lo menos. Pero es un error creer que la suerte se agota, y que se toca el fondo de ninguna situación, cualquiera que sea.

XII. Los ocios del señor Bamatabois

Hay en todas las poblaciones pequeñas, y había en particular en M., a orillas del M., una clase de jóvenes que consumen quinientas libras de renta en provincia, con el mismo aire con que sus iguales devoran en París doscientos mil francos por año. Pertenecen, estos seres a la gran especie neutra; impotentes, parásitos, nulos, que tienen un poco de tierra, un poco de tontería y un poco de chispa; que serían rústicos en un salón, y se creen caballeros en una taberna; que dicen mis prados, mis bosques, mis colonos; que silban a las actrices del teatro para probar que son personas de gusto; que riñen con los oficiales de la guarnición para demostrar que son gente de armas tomar; que cazan, fuman, bailan, beben, huelen a tabaco, juegan al billar, miran bajar a los viajeros de la diligencia, viven en el café, comen en la fonda, tienen un perro que roe los huesos debajo de la mesa, y una querida que pone los platos encima; que escatiman un sueldo, exageran las modas, admiran la tragedia, desprecian a las mujeres, gastan las botas viejas, copian a Londres al través de París, y a París al través de Pont-a-Musson, envejecen embrutecidos, no trabajan, no sirven de nada y tampoco dañan gran cosa.

El elegante de provincia llevaba las espuelas más largas, y los bigotes más pronunciados que el de París.

Cada vez que la mujer pasaba por delante de él, la arrojaba con una bocanada de humo de su cigarro algún apóstrofe que él creía chistoso y agudo, como: "¡Qué fea eres! ¿Cuándo te ocultas? No tienes dientes, etc., etc." Aquel señor se llamaba Bamatabois.

El poco efecto que causaba picó sin duda al ocioso, que aprovechando un momento en que la mujer se volvía, se fue tras ella a paso de lobo, y ahogando la risa, se bajó, tomó del suelo un puñado de nieve y se lo puso bruscamente en la espalda entre sus dos hombros desnudos. La joven arrojó un rugido, se volvió, saltó como una pantera, y se arrojó sobre el hombre clavándole las uñas en el rostro con las más espantosas palabras que pueden oírse en un cuerpo de guardia. Aquellas injurias, vomitadas por una voz enronquecida por el aguardiente, salían asquerosamente de la boca de una mujer, a la cual faltaban en efecto los dientes delanteros. Era Fantina.

Al ruido que produjo, los oficiales salieron del café, los transeúntes se agruparon también, y se formó un gran círculo alegre, azuzando y aplaudiendo alrededor de aquel torbellino, compuesto de dos seres en quienes con trabajo podían distinguirse un hombre y una mujer; el hombre defendiéndose, con el sombrero en tierra; la mujer golpeando con pies y manos, descompuesta, rugiente, sin dientes y sin cabellos, lívida de cólera, horrible.

De pronto, un hombre de alta estatura salió de entre la multitud, agarró a la mujer por el vestido de raso verde, cubierto de lodo, y le dijo: "isígueme!"

La mujer levantó la cabeza, y su voz furiosa se apagó súbitamente. Sus ojos se pusieron vidriosos; de lívida se quedó pálida, y temblaba con estremecimientos de terror. Había conocido a Javert.

El elegante aprovechó la ocasión para escaparse.

XIII. Solución de algunas cuestiones de policía municipal

Javert alejó a los concurrentes, deshizo el círculo y echó a andar a grandes pasos hacia la oficina de policía, que estaba al extremo de la plaza, arrastrando tras de sí a la miserable. Ella se dejó llevar maquinalmente.

Al llegar a la oficina de policía, que era una sala baja, caldeada por una estufa, y custodiada por un guardia, con una puerta vidriera enrejada que daba a la calle, Javert abrió la puerta, entró con Fantina, y cerró detrás de sí, con gran desconcierto de los curiosos, que se empinaron sobre la punta de los pies, y alargaron el cuello por la vidriera oscura del cuerpo de guardia, procurando ver. La curiosidad es una glotonería. Ver es devorar.

Al entrar Fantina fue a sentarse en un rincón, inmóvil y muda, acurrucada como perro que tiene miedo.

El sargento de la guardia puso una luz encendida sobre una mesa. Javert se sentó, sacó del bolsillo una hoja de papel sellado, y se puso a escribir.

Cuanto más examinaba el hecho de aquella joven, se sentía tanto más indignado. Era evidente que acababa de ver cometer un crimen: acababa de ver en la calle a la sociedad, representada por un propietario elector, insultada y atacada por una criatura excluida de todo derecho. Una prostituta había atentado contra un ciudadano. Lo había él visto, él, Javert. Escribía, pues, en silencio.

Cuando terminó, firmó, dobló el papel, y dijo al sargento de guardia, entregándoselo:

—Tomad tres hombres y conducid a esta joven a la cárcel.

Luego, volviéndose hacia Fantina, añadió:

—Ya tienes para seis meses.

La desgraciada se estremeció:

—Señor Javert —dijo—, os pido perdón. Os aseguro que yo no he tenido la culpa. Si hubieseis presenciado el principio de la ocurrencia hubierais visto. Os lo juro por Dios que no he tenido la culpa. Ese caballero, a quien yo no conocía, me echó nieve en la espalda.

Habré hecho mal en enfadarme; pero ya véis, en el primer momento nadie es dueño de sí; hay prontos.

¡Oh, mi Cosette! ¡Oh mi ángel de la santa Virgen! ¿qué sería de ella? Mirad, los Thenardier, los posaderos, los campesinos no entienden de razones. Necesitan dinero. No me metáis en la cárcel. Mirad, tengo una niña, a quien pondrían en medio del camino a la ventura, en mitad del invierno; es preciso tener piedad de esas criaturas, mi buen señor Javert. Si fuera mayor, ya ganaría su vida; pero no puede aquel ángel. Yo no soy una mala mujer en el fondo. No es el vicio ni la holgazanería los que han hecho de mí lo que véis. Si bebo aguardiente es por miseria. No me gusta, pero me aturde.

—Vamos —dijo Javert—, ya te he oído. ¿Has acabado ya? Ahora marcha. ¡Ya tienes para seis meses!

Quedó abatida completamente, y cayó murmurando:

—¡Perdón!

Javert volvió la espalda.

Los soldados la cogieron por el brazo.

Algunos minutos antes había penetrado en la sala un hombre sin que se reparase en él.

—Un instante, si os parece.

Javert levantó la vista, y conoció al señor Magdalena.

Se quitó el sombrero, y saludando con cierta especie de torpeza y enfado, dijo:

—Perdonad, señor alcalde...

Estas palabras "señor alcalde" hicieron en Fantina un efecto extraño. Se levantó rápidamente como un espectro que sale de la tierra, rechazó a los soldados que la tenían por los brazos, se dirigió al señor Magdalena antes que pudieran detenerla, y mirándole fijamente con aire extraviado, exclamó:

—¡Ah! ¡eres tú el señor alcalde!

Después se echó a reír, y le escupió en el rostro.

El señor Magdalena se limpió la cara, y dijo:

—Inspector Javert, poned a esta mujer en libertad.

Javert creyó que se había vuelto loco. Experimentó en aquel momento una después de otra, y casi mezcladas, las emociones más fuertes que había sentido en su vida.

Pero cuando vio al alcalde, al magistrado, limpiarse tranquilamente el rostro, y le oyó decir: *poned en libertad a esta mujer*, sintió como un deslumbramiento de estupor; le faltaron el pensamiento y la palabra; el asombro había pasado para él los límites de lo posible. Quedó mudo.

Las palabras del alcalde no habían hecho menos efecto en Fantina.

—¡En libertad! ¡Que me dejen marchar! ¡Que no vaya por seis meses a la cárcel! ¿Quién lo ha dicho? ¿Es posible que se haya dicho esto? ¿He oído mal? ¡No será el monstruo del alcalde! ¿Habéis sido vos, señor Javert, el que ha dicho que me pongan en libertad? ¡Oh, yo os contaré, y me dejaréis marchar! ¡Ese monstruo de alcalde, ese pícaro viejo es la causa de todo! Figuraos, señor Javert, que me ha despedido por las habladurías de una porción de picaronas que hay en el taller. ¡Esto es horroroso! ¡Despedir a una pobre joven que trabaja honradamente! Yo no había ganado lo bastante, y de ahí provino mi desgracia.

¡Oh, señor Javert! vos sois el que habéis dicho que me pongan en libertad. ¿No es cierto?

El señor Magdalena la escuchaba con profunda atención.

—¿Cuánto habéis dicho que debéis?

—Hijos, el señor inspector ha dicho que me soltéis, y me voy.

Puso la mano en el picaporte. Un paso más y estaba en la calle.

—Guardia —exclamó—, ¿no véis que esa pícara se va? ¿Quién os ha dicho que la dejéis salir?

—Yo —dijo Magdalena.

Fantina, al oír la voz de Javert tembló y soltó el picaporte, como suelta un ladrón sorprendido infraganti el objeto robado. A la voz de Magdalena se volvió, y sin pronunciar una palabra, sin respirar siquiera, su mirada pasó de Magdalena a Javert, de Javert a Magdalena, según hablaba uno u otro.

—Señor, eso no puede ser.

—¡Cómo! —dijo Magdalena.

—Esta desgraciada ha insultado a un ciudadano.

—Inspector Javert —contestó el señor Magdalena, con voz conciliadora y tranquila—, escuchad. Sois un hombre, y no tengo dificultad en explicaros lo que hago. Vais a oír la verdad. Pasaba yo por la plaza cuando traíais a esta mujer; había algunos grupos, me he informado; lo he sabido todo: el ciudadano es el que ha faltado, y el que debía haber sido arrestado.

Javert respondió:

—Esta miserable acaba de insultaros.

—Bien: eso me toca a mí —dijo Magdalena—. Mi injuria es mía, y puedo hacer de ella lo que quiera.

—Siento muchísimo tener que oponerme al señor alcalde; es la primera vez que lo hago en mi vida; pero me será permitido observar que estoy dentro de los límites de mis atribuciones. Hablo del hecho del ciudadano. Yo lo presencié. Esta mujer se arrojó sobre el señor Bamatabois, que es elector y propietario de esa hermosa casa de piedra, con tres pisos, que hace esquina a la explanada

—El hecho de que habláis es un hecho de policía municipal, de que soy juez, según los artículos 9, 11, 15 y 66 del Código de procedimientos. Mando, pues, que esta mujer quede en libertad.

Javert hizo el último esfuerzo.

—Pero, señor alcalde...

—Os recuerdo el artículo 81 de la ley de 13 de diciembre de 1799 sobre la detención arbitraria.

Javert recibió este golpe de pie, de frente, en medio del pecho, como un soldado ruso. Saludó profundamente al alcalde, y salió.

Fantina se separó un poco de la puerta, y le vio pasar a su lado con estupor.

La joven estaba sometida a una extraña emoción.

—Os he oído. No sabía nada de lo que habéis dicho. Creo y comprendo que todo es verdad. Ignoraba también que hubiéseis abandonado mis talleres. ¿Por qué no os habéis dirigido a mí? Pero yo pagaré ahora vuestras deudas, y haré que venga vuestra hija, o que vayáis a buscarla. Viviréis aquí o en París, donde queráis. Yo me encargo de vuestra hija y de vos: no trabajaréis más si no queréis; os daré todo el dinero que os haga falta. Volveréis a ser honrada siendo feliz.

Esto era mucho más de lo que Fantina podía resistir. ¡Vivir con Cosette! ¡Dejar aquella vida infame! ¡Vivir libre, rica, dichosa, honrada con Cosette!

Dobláronse sus piernas, y cayó de rodillas delante de Magdalena, y antes que él pudiese impedirlo, sintió que le cogía la mano, y posaba en ella los labios. Después, se desmayó.

Libro sexto

● JAVERT ●

I. Principio del reposo

El señor Magdalena hizo llevar a Fantina a la enfermería que tenía en su propia casa, y la entregó a las hermanas, que la acostaron. Fantina tuvo una gran fiebre, y pasó una parte de la noche delirando y hablando en voz alta; pero por fin se durmió.

Al día siguiente a mediodía despertó; y oyendo una respiración cerca de su cama, separó las cortinas, y vio al señor Magdalena de pie, y mirando algo por encima de su cabeza.

—¿Cómo estáis?

—Bien; he dormido y creo que estoy mejor. Esto no será nada.

Magdalena había pasado la noche y la mañana informándose, y ya lo sabía todo; conocía en todos sus dolorosos pormenores la historia de la joven.

Javert había escrito aquella noche una carta, y la había puesto por sí mismo en el correo de M., a orillas del M. Era para París, y el sobre decía: *Al señor Chabouillet, secretario del señor prefecto de policía.*

Magdalena se apresuró a escribir a los Thenardier. Fantina les debía ciento veinte francos. Les envió trescientos, diciéndoles que se cobrasen de esta cantidad, y que enviasen inmediatamente a la niña a M., a orillas del M., donde estaba su madre.

Esta cantidad deslumbró a Thenardier. "¡Diablo —dijo a su mujer—, no hay que soltar la chica. Este pajarillo nos va a dar el producto de una vaca de leche. Lo adivino: algún inocente se habrá enamoriscado de su madre."

Contestó enviando una cuenta de quinientos y tantos francos muy bien hecha. En esta cuenta figuraban por más de trescientos francos dos documentos incontestables; uno del médico y otro del boticario, los cuales habían asistido y medicinado en dos largas enfermedades a Eponina y a Azelma. Cosette, según hemos dicho ya, no había estado mala. Pero todo se compuso con una sustitución de nombres. Thenardier puso debajo *Recibido a cuenta 300 francos.*

El señor Magdalena le mandó inmediatamente otros trescientos francos, y escribió: enviad en seguida a Cosette.

—¡Por Cristo! —dijo Thenardier—, no hay que soltar a la chica.

Magdalena la visitaba dos veces al día, y cada vez le preguntaba:

—¿Veré pronto a mi Cosette?

La respuesta era:

—Quizá mañana por la mañana. De un momento a otro llegará: la espero.

Y la fisonomía de la madre brillaba por un instante.

—¡Oh! —decía—, ¡qué feliz voy a ser!

Acabamos de decir que no se restablecía; por el contrario, su estado pareció agravarse cada semana.

El médico auscultó a Fantina, y movió tristemente la cabeza.

Magdalena le preguntó:

—¿Y qué?

—¿No tiene un hijo a quien desea ver? —dijo el médico.

—Sí.

—Pues haced que venga pronto.

El señor Magdalena se estremeció.

Fantina le preguntó:

—¿Qué ha dicho el médico?

Magdalena hizo un esfuerzo para sonreírse.

—Ha dicho que venga pronto vuestra hija, que esto os volverá la salud.

—¡Oh! —dijo ella—, tiene razón; pero ¿qué hacen esos Thenardier que no envían a mi Cosette? ¡Oh, va a venir! Por fin veré la felicidad a mi lado.

Thenardier, sin embargo, no enviaba a la niña; y daba para ello mil razones.

—Enviaré por Cosette —dijo el señor Magdalena—; y si es preciso, iré yo mismo.

Y escribió, dictándole Fantina, esta carta que la hizo firmar.

"Señor Thenardier:

Entregaréis a Cosette al dador.

Se os pagarán todas esas deudillas.

Tengo el honor de enviaros mis respetos.

Fantina."

En este tiempo sucedió un grave incidente. En vano cortamos y labramos lo mejor posible el tronco misterioso de que está hecha nuestra vida; la vena negra del destino se presentará siempre en él.

II. De cómo Juan puede convertirse en Champ

Una mañana, el señor Magdalena estaba en su gabinete ocupado en arreglar con tiempo algunos asuntos de la alcaldía, para el caso que se decidiese a hacer el viaje a Montfermeil, cuando entraron a decirle que el inspector de policía Javert deseaba hablarle. Al oír pronunciar su nombre no pudo Magdalena evitar cierta impresión desagradable. Desde la cuestión de la oficina de policía, Javert había huido de él más que nunca, y no le había vuelto a ver.

—Que entre —dijo.

Javert entró.

Este saludó respetuosamente al alcalde que le volvía la espalda, y que sin mirarle continuaba anotando su legajo.

Javert dio tres pasos en el gabinete, y se detuvo sin romper el silencio.

Al entrar se había inclinado delante del señor Magdalena, dirigiéndole una mirada en que no había ni rencor, ni cólera, ni desconfianza; se había detenido algunos pasos detrás del sillón que ocupaba el alcalde; allí permaneció de pie en una actitud casi militar, con la rudeza fría y sencilla de un hombre que no conoce la dulzura, y que está acostumbrado a la impasibilidad.

Por fin Magdalena dejó la pluma, y se volvió un poco.

—Y bien: ¿qué es eso? ¿qué hay, Javert?

Javert permaneció aún un momento silencioso como si estuviese absorto; después dijo con una especie de triste solemnidad, que no excluía la sencillez:

—Hay, señor alcalde, que se ha cometido una acción culpable.

—¿Cuál?

—Un agente inferior de la autoridad, ha faltado al respeto a un magistrado del modo más grave. Y vengo, cumpliendo con mi deber, a ponerlo en vuestro conocimiento.

—¿Quién es el agente? —preguntó el señor Magdalena.

—Yo —dijo Javert.

—¿Vos?

—Yo.

—¿Y quién es el magistrado agraviado por el agente?

—Vos, señor alcalde.

—Señor alcalde, hace seis semanas, y a consecuencia de la cuestión que tuvimos por aquella joven, me encolericé y os denuncié.

—¿Me denunciásteis?

—A la prefectura de policía de París.

Magdalena, que no era mucho más risueño que Javert, se echó a reír.

—¿Como alcalde que ha usurpado las atribuciones de la policía? —dijo.

—Como antiguo presidiario —respondió Javert.

El alcalde se puso lívido.

Javert, que no había levantado los ojos, continuó:

—Así lo creía. Hacía algún tiempo que tenía esta idea. Vuestra semejanza, las indagaciones que habéis practicado en Faverolles, vuestra fuerza, la aventura del viejo Fauchelevent, vuestra destreza en el tiro, vuestra pierna que cojea un poco... ¡y qué sé yo! ¡tonterías! Pero al fin os tomé por un tal Juan Valjean.

—¿Un tal decís?... ¿Qué nombre?...

—Juan Valjean: un presidiario a quien yo había visto hace veinte años cuando era ayudante de guarda-chusma en Tolón.

—¿Y qué os han respondido?

—Que estaba loco.

—¿Y vos qué decís?

—Que tienen razón.

—¡Bueno es que lo conozcáis!

—No había remedio, porque se ha encontrado al verdadero Juan Valjean.

El hecho es que hubo robo, con escalamiento de una pared, y fractura de algunas ramas de árboles. Fue detenido cuando aún tenía las ramas en la mano, y le llevaron a la cárcel.

En esta cárcel había un antiguo presidiario, llamado Brevet, que estaba preso no sé por qué, y que desempeñaba el cargo de calabocero, porque se portaba bien. Apenas hubo entrado Champmathieu, cuando Brevet exclamó: "¡Caramba! yo conozco a este hombre: hemos sido *compañeros de colegio*. Miradme, buen hombre: sois Juan Valjean. ¡Juan Valjean!"

Nada más natural que al salir de presidio tratase de tomar el nombre de la madre para ocultarse, y cambiara su nombre en el de Juan Mathieu. Pasa después a Auvernia. La pronunciación del país cambia el Juan en Chan, y se llama Chan Mathieu. Nuestro hombre adopta esta modificación, y se transforma en Champmathieu. Me comprendéis ¿no es verdad? Se hacen indagaciones en Faverolles. La familia de Juan Valjean ha desaparecido: no se sabe qué ha sido de ella.

Escribí al juez de instrucción: me llamó, me presenté a Champmathieu.

—¿Y qué? —interrumpió el señor Magdalena.

Javert respondió con la misma tristeza e imperturbabilidad:

—Señor, la verdad es la verdad. Lo siento; pero aquel hombre es sin disputa Juan Valjean. Le he conocido yo mismo.

Magdalena le preguntó en voz baja:

—¿Estáis seguro?

Javert se echó a reír con la risa dolorosa que expresa una convicción profunda. —¡Oh! seguro.

—¿Y qué dice ese hombre?

—¡Ah, señor! Mal negocio es éste; si efectivamente es Juan Valjean, ha reincidido.

Está ahora en el tribunal de Arras, y tengo que ir de testigo; he sido ya citado.

—Basta Javert. Todos esos pormenores me importan muy poco. Estamos perdiendo tiempo, y tenemos muchos asuntos urgentes.

—¿No vais a marcharos? ¿No me habéis dicho que tenéis que ir a Arras para ese asunto dentro de ocho o diez días?...

—Mucho más pronto, señor.

—¿Qué día?

—Creo haberos dicho que mañana se veía la causa y que yo salía en la diligencia esta noche.

Magdalena hizo un movimiento imperceptible.

—¿Y cuánto tiempo durará ese asunto?

—Un día a lo más.

—Está bien —dijo el señor Magdalena.

Y despidió a Javert con un movimiento de mano.

Javert no se movió.

—Perdonad, señor —dijo.

—¿Qué queréis? —preguntó Magdalena.

—Aún tengo que recordaros una cosa.

—¿Cuál?

—Que debo ser destituido.

Magdalena se levantó.

—Javert, sois un hombre de honor y os aprecio. Exageráis vuestra falta. Por otra parte, esta es una ofensa que me concierne a mí solo. Merecéis ascender, no bajar. Os aconsejo que conservéis vuestro destino.

Después saludó profundamente, y se dirigió a la puerta.

Allí se volvió y con la vista siempre baja, dijo:

—Continuaré en mi cargo hasta que sea reemplazado.

Salió.

El señor Magdalena quedó pensativo, escuchando sus pasos firmes y seguros que se alejaban por el corredor.

Libro séptimo

● LA CASA DE CHAMPMATHIEU ●

I. SOR SIMPLICIA

No todos los incidentes que vamos a narrar se han sabido en M., a orillas del M.—. Pero lo poco que se ha traslucido de ellos ha dejado en la población tan hondos recuerdos, que quedaría una gran laguna en este libro si no los refiriésemos hasta en sus más pequeños pormenores.

En la tarde que siguió a la visita de Javert, el señor Magdalena fue a ver a Fantina, según tenía costumbre. Antes de entrar a verla, hizo llamar a la hermana Simplicia.

Magdalena llevó aparte a sor Simplicia, y la recomendó a Fantina con un acento singular, del cual la hermana se acordó después. Dejando en seguida a sor Simplicia se aproximó a Fantina, la cual esperaba diariamente su llegada como se espera un rayo de sol y de alegría, y decía a las beatas: "No vivo sino cuando el señor alcalde está aquí."

Aquel día tenía mucha fiebre. Así que cuando vio al señor Magdalena preguntó:

—¿Y Cosette?

El respondió sonriendo:

—Pronto.

Magdalena estuvo con Fantina como siempre. Pero permaneció una hora en vez de media, con gran placer de la joven. Hizo mil súplicas a todo el mundo para que nada faltase a la enferma, y pudo notarse que hubo un momento en que su fisonomía estuvo muy sombría. Pero se explicó esto cuando se supo que el médico, acercándose a su oído, le había dicho: "Pierde mucho."

Después entró en la alcaldía, y el mozo le vio examinar con atención un mapa itinerario de Francia que estaba colgado en su gabinete, y escribir algunos guarismos con lápiz en el papel.

II. Perspicacia de maese Scauflaire

De la oficina fue al extremo de la población, a casa de un flamenco, del maestro Scauflaer o Scauflaire, según lo escribían en francés, que alquilaba caballos y "carruajes a voluntad".

Cuando llegó a casa de Scauflaire le encontró ocupado en arreglar un arnés.

—Maestro Scauflaire —le preguntó— ¿tenéis un buen caballo?

—Señor —dijo el flamenco—, todos los que tengo son buenos: ¿qué llamáis un buen caballo?

—Quiero decir un caballo que pueda correr veinte leguas en un día.

—¡Diablo! —dijo el flamenco—, ¿veinte leguas?

—Sí.

—¿Con un cabriolé?

—Sí.

—¿Y cuánto tiempo ha de descansar después del viaje?

—Es preciso que vuelva a partir del día siguiente, si fuese necesario.

—¿Para andar lo mismo?

—Sí.

—¡Caramba! ¡Caramba! ¡Veinte leguas!

Magdalena sacó del bolsillo el papel en que había trazado con un lápiz algunos números, y lo enseñó al flamenco: tenía los números 5, 6, $8^{1/2}$.

—¿Véis? —le dijo—. Total, diecinueve leguas y media, es decir, unas veinte leguas.

—Señor alcalde —respondió el flamenco—, puedo complaceros. Tengo un caballito blanco, que debéis haber visto pasar alguna vez; un caballito del Bajo Boloñés. Es un rayo; quisieron hacerle caballo de silla, pero saltaba y tiraba a todo el mundo al suelo.

—¿Y hará el viaje?

—Correrá las veinte leguas al trote largo y en menos de ocho horas.

Magdalena levantó la cabeza, y dijo:

—El tilburí y el caballo estarán mañana a la puerta de mi casa a las cuatro y media de la mañana. ¡Ah! y vuestro caballo ¿tiene buenos brazos? —dijo Magdalena.

—Sí, señor. Le contendréis un poco en las bajadas. ¿Hay muchas cuestas por el camino que vais?

—No olvidéis que ha de estar en mi casa a las cuatro y media en punto —respondió Magdalena, y salió.

Hacía dos o tres minutos que había salido el alcalde, cuando volvió otra vez, con el mismo aire impasible y grave.

—Maese Scauflaire —dijo—, ¿cuánto creéis que valen el tilburí y el caballo que le ha de llevar?

—El tilburí y el caballo que ha de tirar de él, diréis —respondió el flamenco riendo.

—Bien. Lo mismo da.

—¿Queréis comprarlos?

—No. Pero quiero dejar una garantía para todo evento. A mi vuelta me entregaréis el importe. ¿Cuánto valen el tilburí y el caballo?

—Quinientos francos.

—Pues aquí están.

Magdalena puso un billete de banco sobre la mesa, y salió sin volver a entrar.

El flamenco llamó a su mujer y le contó lo que había pasado.

—¿A dónde irá el señor alcalde?

Celebraron consejo.

—Va a París —dijo la mujer.

—No lo creo —contestó el marido.

Mientras tanto Magdalena había vuelto a su casa, siguiendo el camino más largo, como si la puerta del presbiterio fuese para él una tentación que debiese evitar. Subió a su cuarto y se encerró, lo cual nada tenía de particular, porque solía acostarse muy temprano.

III. UNA TEMPESTAD BAJO UN CRÁNEO

El lector habrá adivinado sin duda que el señor Magdalena era Juan Valjean.

Ya en otra ocasión hemos sondeado algún tanto las profundidades de aquella conciencia; volvamos a sondearlas de nuevo. No lo haremos sin emoción, porque no hay nada más terrible que semejante estudio. La vista del espíritu no puede encontrar en ninguna parte más resplandores y más tinieblas que en el hombre; no puede fijarse en nada que sea más espantoso, más complicado, más misterioso, más infinito. Hay un espectáculo más grande que el del mar, y es el del cielo; hay un espectáculo más grande que el del cielo, y es el del interior del alma.

Establecido ya, contento por sentir su conciencia pesarosa de lo pasado, y por ver desmentida la primera mitad de su existencia por la segunda, vivió pacífico, seguro, con esperanzas, sin tener más que dos ideas: ocultar su nombre, y santificar su vida; huir de los hombres, y volver a acercarse a Dios.

Estas dos ideas estaban tan estrechamente unidas en su espíritu, que no formaban más que una sola, ambas igualmente absorbentes e imperiosas, y dominaban sus más pequeños actos. Casi siempre estaban de acuerdo para dictarle la senda que debía seguir; las dos le arrastraban hacia la oscuridad, le hacían benévolo y sencillo, le aconsejaban lo mismo. Pero algunas veces disentían; y entonces el hombre conocido por Magdalena no dudaba en sacrificar la primera a la segunda, su seguridad a su virtud.

Las dos ideas que dirigían a aquel hombre, cuyos dolores vamos relatando, no habían sostenido nunca lucha tan grave. El lo comprendió confusa, pero profundamente, desde las primeras palabras que pronunció Javert al entrar en su cuarto; y cuando oyó pronunciar el nombre que había sepultado bajo tan espesos velos, quedó sobrecogido de estupor, y como trastornado ante tan siniestro e inesperado golpe del destino.

Al oír a Javert, su primer pensamiento fue ir a Arras, denunciarse a sí mismo, sacar a Champmathieu de la cárcel y reemplazarle; esta idea fue para él dolorosa, punzante como incisión en carne viva; pero pasó, y se dijo: "¡Veremos, veremos!" Reprimió este primer movimiento de generosidad, y retrocedió ante el heroísmo.

En el primer momento el instinto de la conservación fue el que alcanzó la victoria; recogió sus ideas, ahogó sus emociones; consideró la presencia de Javert, conociendo la magnitud del peligro, difirió toda resolución con la firmeza del espanto; meditó sobre lo que debía hacer, y volvió a adquirir su calma del mismo modo que un gladiador vuelve a coger su escudo.

El resto del día lo pasó en el mismo estado, alimentando un torbellino por dentro, y aparentando una tranquilidad profunda por fuera; no hizo más que tomar lo que podemos llamar "medidas de conservación". Su cerebro lo veía todo confuso: todo se chocaba dentro de él; su turbación era tal, que no podía distinguir la forma de ninguna idea; no hubiera podido decir nada de sí mismo, sino que acababa de recibir un gran golpe.

Fue, como tenía de costumbre, a ver a Fantina, y prolongó su visita al lado de aquel lecho de dolor, por un instinto de bondad, diciéndose que debía obrar así, y recomendarla a las hermanas por si llegaba el caso de tener que ausentarse.

Comió con bastante apetito.

Examinó su situación y la creyó extraordinaria; tan extraordinaria, que en medio de su meditación, y por un impulso de temor casi inexplicable, se levantó de la silla y echó el cerrojo a la puerta.

Un momento después apagó la luz. Le estorbaba; creía que con ella podrían verle.

¿Y quién?

¡Ah! Lo que quería que no entrase había ya entrado; lo que quería cegar, le miraba fijamente: su conciencia.

Su conciencia, es decir, Dios.

—¿Dónde estoy? —¿Deliro? —¿Qué he oído? —¿Es cierto que he visto a Javert, y me ha dicho todo esto? —¿Quién puede ser ese Champmathieu? —¿Se parece a mí? —¿Es esto posible? —¡Cuando pienso en que ayer estaba tranquilo y tan lejos de dudar de nada! —¿Qué hacía yo ayer a estas horas? —¿Qué hay en este incidente? —¿Cuál será su desenlace? —¿Qué haré?

Estas preguntas eran su tormento.

Ardía su cabeza: dirigióse a la ventana y la abrió completamente; no había ni una estrella en el cielo. Volvió a sentarse a la mesa.

Así pasó la primera hora.

Principió por reconocer, que por más extraordinaria y crítica que fuese esta situación, era dueño absoluto de ella.

Con esto, lejos de disminuirse, se aumentó su estupor.

Independientemente del objeto severo y religioso que se proponía en sus acciones, todo lo que había hecho hasta aquel día no había tenido más fin que el de ahondar una fosa para enterrar en ella su nombre.

Su meditación iba aclarándose, y se iba explicando cada vez más su posición.

Le parecía que acababa de despertar de un sueño, y que iba resbalando por una pendiente en medio de la noche, de pie, tembloroso, retrocediendo en vano ante la orilla de un abismo. Veía claramente en la sombra a un desconocido, a un extraño, a quien el destino confundía con él y le empujaba hacia el precipicio en lugar suyo. Era preciso, para que se cerrara el abismo, que cayese alguien, él o el otro.

No había más remedio que ceder al destino.

La claridad llegó a ser completa en su cerebro, y conoció: Que su lugar estaba vacío en el presidio, y le esperaba todavía; que el robo de Gervasillo le arrastraba a él; que aquel lugar vacío le esperaría y le atraería inevitable y fatalmente hasta que le ocupase. Además, se dijo que en aquel momento había uno que le reemplazaba, y que mientras él estuviese representado en el presidio por Champmathieu, y en la sociedad por el señor Magdalena, no tenía nada que temer, con tal que no impidiese que cayera sobre la cabeza de Champmathieu esa piedra de infamia que, como la piedra del sepulcro, cae para no volverse a levantar.

Como todo esto era tan violento y tan extraño, se verificó en él uno de esos movimientos indescriptibles que sólo ocurren dos o tres veces en la vida de un hombre; especie de convulsión de la conciencia que remueve todas las dudas del corazón, que se compone de ironía, de alegría, de desesperación, y que se podría llamar "risa interior".

Encendió bruscamente la luz.

En verdad que no comprendo por qué he tenido miedo hace poco de entrar en casa de ese buen cura, contarle todo como a un confesor, y pedirle consejo, cuando estoy seguro de que me habría dicho esto mismo. Está decidido; dejemos correr los sucesos; dejemos obrar a Dios.

De este modo se hablaba en las profundidades de su conciencia, inclinado sobre lo que podría llamarse su propio abismo. Se levantó de la silla, y se puso a pasear por la habitación. "Vamos, —dijo—, no pensemos más en ello. ¡Ya he tomado una resolución!" Mas no sintió alegría ninguna.

Pero antes de pasar adelante, y para que seamos perfectamente comprendidos, insistamos en una observación necesaria.

Es cierto que el hombre se habla a sí mismo; no hay ningún ser pensador que no lo haya experimentado. Puede decirse que el misterio más grande y magnífico del Verbo, es el que realiza cuando en el interior del hombre va del pensamiento a la conciencia, y vuelve de la conciencia al pensamiento.

En tal sentido solamente deben entenderse las palabras empleadas con frecuencia en este capítulo, *dijo, exclamó:* se decía, se hablaba a sí mismo, sin que el silencio exterior se rompiese. Dentro de nosotros hay un gran tumulto; todo habla en nosotros excepto la boca. Las realidades del alma no dejan de ser realidades, porque dejan de ser realidades, porque sean invisibles e impalpables.

Y continuó preguntándose: se preguntó severamente qué era lo que había entendido al decirse: ¡he conseguido mi objeto! Reconoció que su vida tenía efectivamente un objeto. Pero, ¿cuál? ¿ocultar su nombre? ¿engañar a la policía? ¿Y para esto, para una cosa tan pequeña había hecho todo lo que había hecho? ¿No tenía acaso otro objeto, que era el grande, el verdadero; salvar, no su persona, sino su alma; ser bueno y honrado; ser un justo? ¿No era esto, sobre todo, no era esto únicamente lo que él había querido y el obispo le había mandado?

—Pues bien —dijo—: ¡tomemos esta resolución! Cumplamos con nuestro deber. Salvemos a ese hombre.

Pronunció estas palabras, sin notar que hablaba alto.

Tomó sus libros, los comprobó y los arregló; echó al fuego un paquete de recibos de comerciantes atrasados que le debían, y escribió y cerró una carta, en cuyo sobre hubiera podido leer cualquiera que hubiera estado allí: *Al señor Laffitte, banquero, calle de Artois — París.*

Sacó de un cajón una cartera que contenía algunos billetes de Banco, y el pasaporte de que se había servido aquel año para ir a las elecciones.

Así que terminó la carta para el señor Laffitte, la puso en el bolsillo con la cartera, y volvió a pasearse. Sus ideas no habían cambiado. Continuaba viendo claramente su deber escrito en luminosas letras que resplandecían ante sus ojos, y giraban con su mirada: —¡Anda! ¡Da tu nombre! ¡Denúnciate!

Veía también, y como si se moviesen delante de él con formas sensibles, las dos ideas que habían sido hasta entonces la regla de su vida; ocultar su nombre; santificar su alma. Por primera vez se le presentaban absolutamente distintas, y comprendía su diferencia. Reconocía que una de ellas era necesariamente buena, mientras que la otra podía llegar a ser mala; que ésta era el sacrificio, aquélla la personalidad; que una le decía:

el prójimo, y la otra le decía: yo; que una venía de la luz, y la otra de las tinieblas.

Ambas luchaban entre sí, y él lo veía.

Estaba lleno de espanto, pero creía que triunfaría la buena idea.

Conocía que había llegado al segundo momento decisivo de su conciencia y de su destino; que el obispo había marcado la primera fase de su nueva vida, y Champmathieu marcaría la segunda; después de la gran crisis, la gran prueba.

Se dijo que le era preciso cumplir su deber; que tal vez no sería más desgraciado después de cumplirle que después de haberle eludido; que si dejaba pasar los sucesos, si permanecía en M., a orillas del M., su consideración, su buen nombre, sus buenas obras, la deferencia y la veneración públicas, su caridad, sus riquezas, su popularidad, estarían cimentadas sobre un crimen; ¿y qué tranquilidad podrían dar cosas tan santas unidas a la maldad? Pero si realizaba su sacrificio, al presidio, al potro, a la cadena, al gorro verde, al trabajo sin descanso, a la vergüenza sin piedad, se uniría siempre una idea celestial.

Por fin se dijo que su destino era éste; que él no era dueño de arreglar lo que viene desarreglado de arriba, y que tenía que escoger en todo caso entre la virtud exterior unida a la abominación interior, o a la santidad interior unida a la fama exterior.

Su valor no desfallecía ante la lucha de tan lúgubres ideas; pero su cerebro se fatigaba; y a pesar suyo empezaba a pensar en otras cosas, en cosas indiferentes.

Sus sienes latían fuertemente; seguía paseando. Dieron las doce en el reloj de la parroquia, y después en el del Ayuntamiento.

Tuvo frío. Encendió un poco de lumbre pero no le ocurrió cerrar la ventana.

Después volvió a su estupor, y le fue preciso hacer un gran esfuerzo para recordar lo que estaba pensando antes de que diesen las doce. Al fin lo consiguió.

—¡Ah! sí —se dijo—, había tomado la resolución de denunciarme.

Entonces se acordó de Fantina.

—¡Ah! —exclamó—: ¿Y esta pobre mujer?

Aquí principió una nueva crisis.

Al presentarse bruscamente Fantina en su delirio como un rayo inesperado de luz, le pareció que todo cambiaba de aspecto en su derredor, y dijo:

"¡Ah! ¡Hasta ahora sólo me he tenido en cuenta a mí mismo! ¡Sólo he considerado mi interés particular, si me conviene callarme o denunciarme, ocultar mi persona o salvar mi alma, ser un magistrado despreciable y respetado, o un presidiario despreciado y venerable; es decir, que no he salido de mí! ¡Pero, Dios mío, todo esto no es más que egoísmo!

"Sí —pensó entonces—. ¡Esto es!"

"Ahora estoy en la verdad: tengo la solución. Me era preciso decidirme, y ya me he decidido. Esperemos. No vacilemos, no retrocedamos; porque así conviene, no a mi interés, sino al interés general. Soy Magdalena, me quedo Magdalena. ¡Desgraciado del que es Juan Valjean! Ese no soy yo. Yo no conozco a ese hombre; no sé quién es; si hay alguno que sea Juan Valjean ahora, que se arregle como pueda, a mí no me importa. Este es un nombre de fatalidad que flota en la noche; si se detiene y cae sobre una cabeza, tanto peor para ella."

Se miró entonces en el espejo que estaba encima de la chimenea, y dijo:

"¡Ah! Me consuela el tomar una resolución. Ya soy otro."

Dio algunos pasos después y se detuvo de repente.

"Vamos —dijo—, no debo dudar ante ninguna consecuencia de la resolución que he tomado. Hay todavía algunos hilos que me unen a ese Juan Valjean, y es necesario romperlos. En este mismo cuarto hay objetos que me acusarían, testigos mudos que deben desaparecer."

Metió la mano en el bolsillo, sacó una cartera, la abrió y cogió una llavecita. La introdujo en una cerradura cuyo agujero apenas se veía, por estar oculto entre las sombras más oscuras del dibujo del papel que cubría la pared. Abrióse un escondrijo, una especie de armarito colocado entre el ángulo de la pared y el cañón de la chimenea. Sólo había en aquel cajón unos andrajos; un saco azul, un pantalón viejo, un morral y un grueso palo de espino con contera en los dos extremos. Los que habían visto a Juan Valjean en la época en que pasó por D., en octubre de 1815, habrían conocido fácilmente aquellos harapos.

Los había conservado, lo mismo que los candeleros de plata, para tener siempre presente su punto de partida. Pero ocultaba lo que era del presidio, y dejaba ver lo que era del obispo.

Dirigió una mirada furtiva a la puerta, como si temiese que la abriese alguien, a pesar del cerrojo, y después, con un movimiento vivo y brusco, de una sola brazada, sin mirar siquiera aquellos objetos que había guardado tantos años con tanto cuidado y peligro, lo cogió todo, harapos, palo y morral, y lo arrojó al fuego.

De repente su vista se fijó en los dos candeleros de plata que con la llama relucían vagamente encima de la chimenea.

"¡Ah! —pensó—. Aún está allí Juan Valjean. Hay que destruir eso." Y cogió los candeleros.

Había aún bastante lumbre para poder quitarles la forma y hacer de ellos una barra, o algo parecido.

Se inclinó cerca de la chimenea, y se calentó un instante. "¡Qué buen calor!" —dijo.

Removió la lumbre con uno de los candeleros.

Un minuto más en esta disposición de ánimo y ambos hubieran ido al fuego.

En este momento le pareció oír dentro de sí una voz que gritaba: "¡Juan Valjean! ¡Juan Valjean!"

Sus cabellos se erizaron, y quedó como un hombre que oye una cosa terrible.

"Sí; acaba —decía la voz—. ¡Completa lo que haces! ¡destruye esos candeleros! ¡aniquila ese recuerdo! ¡olvida al obispo! ¡olvídalo todo! ¡pierde a Champmathieu! ¡todo va bien! ¡regocíjate!"

El sudor corría por su frente, dirigió a los candeleros una mirada extraviada. Pero la voz no había concluido, y continuó así:

"¡Juan Valjean! ¡A tu alrededor habrá muchas voces que harán gran ruido, que hablarán alto, que te bendecirán; y no habrá más que un ser que te maldiga en las tinieblas! Pues bien; escucha ¡infame! ¡Todas esas bendiciones caerán antes de llegar al cielo; sólo la maldición subirá hasta Dios!"

Dejó los candeleros en la chimenea, y volvió a aquel paseo monótono y lúgubre que había despertado súbitamente al cajero que dormía en la habitación inferior.

Hubo un momento en que pensó en el porvenir. ¡Denunciarse! ¡Entregarse! Se pintó con inmensa desesperación todo lo que tenía que abandonar y todo lo que tenía que volver a adquirir. Tenía que despedirse de aquella vida tan buena, tan pura, de todo, del honor, de la libertad.

¡A su edad y después de lo que había sido! ¡Si fuese aún joven! ¡Pero anciano y ser tuteado por todo el mundo, humillado por el carcelero, apaleado por el cabo de vara! ¡Llevar los pies desnudos en zapatos herrados; presentar por mañana y tarde su pierna al martillo de la ronda que examina los grillos! ¡Sufrir la curiosidad de los extraños, a quienes se diría: "*Éste es el famoso Juan Valjean, que fue alcalde de M. —a orillas del M.!*— ¡Y por la noche cubierto de sudor, abrumado de cansancio, con el gorro verde sobre los ojos, subir de dos en dos —bajo el látigo del cabo—, la escala del pontón flotante! ¡Oh, qué miseria! ¿Puede acaso el destino ser malo como un ser inteligente, y llegar a ser monstruoso como el corazón humano?

De modo que siempre venía a caer en el mismo dilema que formaba la base de su meditación: ¡Permanecer en el paraíso y ser un demonio, o entrar en el infierno y ser un ángel!

¿Qué hacer, gran Dios, qué hacer?

Seguía paseando y vacilando, lo mismo exterior que interiormente. Paseaba como un niño que empieza a andar solo.

En algunos momentos, luchando con su cansancio, hacía un esfuerzo para ordenar su inteligencia. Trataba de presentarse definitivamente y por última vez el problema sobre el cual, por decirlo así, había caído abrumado de fatiga. ¿Debía denunciarse? ¿Debía callar? No conseguía ver nada claro.

Había vuelto a ser presa de esta irresolución; no había adelantado nada desde el principio.

Así luchaba en medio de la angustia aquel desgraciado. Mil ochocientos años antes, el ser misterioso en que se resumen toda la santidad y todos los padecimientos de la humanidad, mientras que los olivos temblaban agitados por el viento de lo infinito, había apartado por algún tiempo de su mano el horroroso cáliz que se le presentaba lleno de sombra y de tinieblas en las profundidades cubiertas de estrellas.

IV. Formas que toma el dolor durante el sueño

Acababan de dar las tres de la mañana; hacía cinco horas que se estaba paseando, casi sin descanso, cuando se dejó caer en su silla.

Se durmió y soñó.

Este sueño, como casi todos, no se refería a su situación sino por algunas remotas conexiones funestas y dolorosas, que le hicieron gran impresión.

Se levantó y se puso a la ventana. No se veían estrellas en el cielo.

Desde la ventana se descubrían el patio de la casa y la calle. Un golpe seco y duro que resonó en el suelo le hizo bajar la vista, y vio debajo de sí dos estrellas rojas, cuyos rayos se extendían y desaparecían caprichosamente en la sombra.

En este momento llamaron a la puerta de su cuarto.

Tembló de pies a cabeza, y gritó con voz terrible: "¿Quién?"

Una voz respondió:

—¡Yo, señor alcalde!

Y conociendo la voz de la portera, dijo:

—¿Y qué? ¿Qué ocurre?

—Señor, van a dar las cinco de la mañana.

—¿Y qué me importa?

—Que está aquí el carruaje.

—¿Qué carruaje?

—El tilburí.

—¿Qué tilburí?

—¿No habéis mandado venir a esta hora un tilburí?

—No.

—Pues el cochero dice que viene en busca del señor alcalde.

—¿Qué cochero?

—El del señor Scauflaire.

—¡Scauflaire!

Este nombre le estremeció como un relámpago que le hubiese pasado cerca de la cara.

—¡Ah sí! —contestó—; ¡el señor Scauflaire!

—Decidle que está bien, que ahora bajo.

V. LAS ARMADURAS DE LAS RUEDAS

El servicio de correos de Arras a M., a orillas del M., se hacía aún en aquella época, como en tiempo del Imperio, en pequeños cabriolés de dos ruedas, forrados de cuero leonado por dentro, suspendidos en muelles, y con dos asientos, uno para el conductor y otro para un viajero. Las ruedas estaban armadas de esos largos palos ofensivos que aún se conservan en Alemania.

El correo salía de Arras todas las noches a la una, después que pasaba el de París, y llegaba a M., a orillas del M., un poco antes de las cinco de la mañana.

Aquella noche el correo que venía por el camino de Hesdin, al volver una calle, cuando entraba en el pueblo, chocó con un tilburí tirado por un caballo blanco que iba en dirección contraria, guiado sólo por un hombre envuelto en su capa. La rueda del tilburí recibió un golpe bastante grande. El conductor gritó para que el hombre se detuviese; pero el viajero no lo oyó, y siguió su camino al trote largo.

—¡Vaya una prisa que lleva el hombre! —dijo el conductor.

¿A dónde iba? No hubiera podido decirlo. ¿Por qué se apresuraba tanto? No lo sabía. Iba a la ventura delante de sí. ¿A dónde? A Arras, sin duda; pero también podría ir a otra parte.

¿A qué iba a Arras?

Pero si hemos de decir la verdad, mejor hubiera querido no ir a Arras.

Y sin embargo, iba.

Pensando en esto, arreaba al caballo, que corría con ese trote sentado que hace dos leguas y media por hora.

A medida que avanzaba en el camino sentía dentro de sí algo que le impulsaba a retroceder.

Al rayar el día estaba en campo raso. M. —a orillas del M.— se veía ya muy lejos a su espalda. Miró cómo blanqueaba el horizonte; miró sin ver cómo pasaban por delante de sus ojos las frías sombras de una madrugada de invierno.

El trote del caballo, los cascabeles de los arreos y las ruedas hacían un ruido lento y monótono, ruido que es agradable cuando uno está alegre, y lúgubre cuando está triste.

Era ya muy de día cuando llegó a Hesdin, y se detuvo delante de una posada para que descansase y tomase pienso el caballo.

El viajero no había bajado del tilburí. El mozo de la posada que traía la avena se bajó de repente y examinó la rueda izquierda.

—¿Vais muy lejos? —preguntó.

El viajero respondió sin salir de su meditación:

—¿Por qué?

—¡Venís de muy lejos?

—Cinco leguas de aquí.

—¡Ah!

—¿Por qué decís: ah?

El mozo se inclinó de nuevo, estuvo un momento callado mirando la rueda, y se enderezó diciendo:

—Es que traéis una rueda que ha corrido cinco leguas, pero que de seguro no correrá ni un cuarto de legua más.

—Amigo —dijo al mozo—, ¿hay aquí algún carretero?

—Sí, señor.

—Hacedme el favor de ir a buscarle.

—Vive a dos pasos de aquí. ¡Eh! ¡maestro Bourgaillard!

—¿Podéis componer esta rueda al momento?

—Sí, señor.

—¿Cuándo podré marcharme?

—Mañana.

—¡Mañana!

—Hay para trabajar un día entero. ¿Tenéis prisa?

—Mucha. Tengo que marchar dentro de una hora a lo más.

—Imposible, señor.

—Pagaré todo lo que queráis.

—Imposible.

—¡Siquiera en dos horas!

—Imposible por hoy. Hay que hacer dos rayos y un cubo. No podéis marchar hasta mañana.

Mientras discutía con el carretero, se habían detenido algunos transeúntes y entre ellos un muchacho en quien nadie había fijado la atención, y que se separó del grupo echando a correr.

En el momento en que el viajero, después de hacer la reflexión que acabamos de decir, se resolvía a retroceder, volvió el muchacho acompañado de una vieja.

—Señor —dijo la vieja—, este muchacho me ha dicho que queréis alquilar un cabriolé.

Respondió:

—Sí, buena mujer, quiero alquilar un cabriolé.

Y añadió apresuradamente:

—Pero no hay ninguno en el pueblo.

—Sí hay —dijo la vieja.

—¿Dónde? —preguntó el carretero.

—En mi casa —contestó la vieja.

El viajero se estremeció. La mano fatal le había cogido otra vez.

La vieja tenía en efecto bajo un cobertizo una especie de tartana.

Pagó lo que le pidieron; dejó el tilburí al carretero para que le compusiese hasta su vuelta; hizo enganchar el caballo blanco en la tartana, subió y siguió el camino que traía desde por la mañana.

Había perdido mucho tiempo en Hesdin, y quiso ganarlo. El caballo era animoso y tiraba como dos; pero era en el mes de febrero, había llovido, los caminos estaban muy malos, y además la tartana era mucho más pesada y dura que el tilburí.

Empleó cerca de cuatro horas desde Hesdin a Saint-Pol, cuatro horas para cinco leguas.

En Saint-Pol hizo desenganchar en la primera posada que encontró, y mandó llevar el caballo a la cuadra. Según había prometido a Scauflaire, estuvo cerca del pesebre mientras comió el caballo, pensando en cosas bien tristes y confusas.

El viajero volvió a la cuadra cerca de su caballo.

Una hora después había salido ya de Saint-Pol, y se dirigía a Tinques, que sólo dista cinco leguas de Arras.

¿Qué hacía en el camino? ¿En qué pensaba? Lo mismo que por la mañana miraba cómo pasaban los árboles, los tejados de las cabañas, los campos cultivados, la perspectiva del paisaje que variaba a cada recodo del camino. Esta es una contemplación que satisface muchas veces al alma, y la dispensa de pensar. ¿Qué puede haber más melancólico que ver muchos objetos por primera y última vez? Viajar es nacer y morir a cada instante. Tal vez en la región más vaga de su espíritu comparaba aquellos horizontes variables con la existencia del hombre.

El crepúsculo empezaba ya cuando los niños que salían de la escuela vieron entrar al viajero en Tinques. Debemos advertir que aquellos eran de los días más cortos del año. No se detuvo en Tinques. Cuando salía del pueblo, un caminero que estaba echando piedra a la carretera, alzó la cabeza, y dijo:

—¡Qué caballo tan cansado!

En efecto, la pobre bestia sólo podía ya ir al paso.

—¿Váis a Arras? —preguntó el peón.

—Sí.

—Pues si seguís así, ¡ya llegaréis a buena hora!

Detuvo el caballo, y preguntó:

—¿Cuánto hay de aquí a Arras?

—Unas siete leguas largas.

—¡Cómo! La guía de postas no marca más de cinco leguas y cuarto.

—Tengo que estar allí esta noche.

—Eso es diferente. Entonces id a la posada y tomad un caballo de refresco. Un muchacho os guiará por el camino.

Siguió el consejo del peón caminero, volvió atrás, y media hora después pasó por el mismo sitio, pero al trote largo de un buen caballo que había agregado al suyo. Un mozo de cuadra, que se llamaba Postillón, iba sentado en la delantera del carruaje.

En un vaivén se rompió el balancín.

—Señor —dijo el postillón—, se ha roto el balancín y no sé cómo enganchar los caballos; este camino es muy malo de noche; si queréis ir a dormir a Tinques, podremos estar mañana temprano en Arras.

—¿Tenéis una cuerda y una navaja? —respondió.

—Sí, señor.

Cortó una rama de árbol e hizo un balancín.

Había perdido veinte minutos; pero partió al galope.

El frío le penetraba; no había comido desde la víspera. Recordaba vagamente otro viaje nocturno por las llanuras que rodean a D., hacía ocho años. Le parecía que había sido ayer.

Sonó una hora en algún campanario lejano, y preguntó al muchacho:

—¿Qué hora es esta?

—Las siete; a las ocho estaremos en Arras. Sólo nos faltan tres leguas.

Entonces se hizo por primera vez una reflexión que extrañó no se le hubiera ocurrido antes; que era inútil todo el trabajo que se tomaba, pues no sabía la hora de la vista; que debía haberse informado; que era muy ridículo eso de ir adelante sin saber si el viaje sería útil.

El postillón arreaba al caballo. Habían pasado el río, y quedaba ya a su espalda Mont-Saint-Eloy. La noche se hacía cada vez más oscura.

VI. Sor Simplicia puesta a prueba

En aquel mismo momento Fantina estaba llena de alegría.

Había pasado mala noche. La tos continua, el aumento de fiebre y el delirio no la habían abandonado. Por la mañana, cuando la visitó el médico, estaba delirando. El doctor estaba alarmado, y había encargado que le avisasen cuando volviese el señor Magdalena.

La joven estuvo toda la mañana triste, habló poco, y se entretuvo en doblar la sábana, haciendo en voz baja unos cálculos que parecían de distancias. Sus ojos estaban hundidos y fijos. Parecían casi apagados; pero por momentos brillaban y resplandecían como estrellas. No parece sino que al aproximarse ciertas horas sombrías, la claridad del cielo inunda a los que se encuentran abandonados de la claridad de la tierra.

Cada vez que sor Simplicia le preguntaba cómo estaba, respondía con las mismas palabras:

—Bien. Quisiera ver al señor Magdalena.

Dieron las cinco. La religiosa oyó que decía en voz muy baja y lenta:

—¡Ya que me voy mañana, hace mal en no venir hoy!

Sor Simplicia estaba también admirada del retraso del señor Magdalena.

Fantina miraba al cielo de la cama. Parecía que quería recordar alguna cosa. De repente se puso a cantar con una voz débil como un soplo.

El reloj dio las seis, sin que al parecer lo oyese Fantina, que no prestaba atención a cosa alguna.

Sor Simplicia envió una criada a preguntar a la portera si había vuelto el señor alcalde, y si subiría pronto a la enfermería. La criada volvió después de algunos minutos.

Fantina seguía inmóvil como atendiendo sólo a sus ideas.

La criada dijo en voz muy baja a sor Simplicia que el señor Magdalena había salido por la mañana antes de las seis, a pesar del frío que hacía, en un tilburí tirado por un caballo blanco, que había salido solo.

Mientras las dos mujeres, con la espalda vuelta a la cama de Fantina, hablaban en voz baja, la hermana preguntando y la criada conjeturando, Fantina, con la viveza febril propia de ciertas enfermedades orgánicas, en que se combinan los movimientos libres de la salud con la espantosa debilidad de la muerte, se puso de rodillas en la cama, apoyando sus crispadas manos en la almohada, y escuchó, sacando la cabeza entre las cortinas. De repente exclamó:

—¿Estáis hablando del señor Magdalena? ¿Por qué habláis bajo? ¿Qué hace? ¿Por qué no viene?

La hermana dirigió a la joven su mirada tranquila y le dijo:

—El señor alcalde ha marchado fuera de la población.

Fantina se levantó, y se sentó sobre los talones. Sus ojos brillaron; una alegría inmensa cubrió aquella fisonomía dolorida.

—¡Ha marchado! —exclamó—. ¡Ha ido a buscar a Cosette!

Después levantó los brazos al cielo, y en su rostro se pintó una expresión inefable. Movía los labios; oraba en voz baja.

—Hija mía —dijo la religiosa—, descansad ahora y no habléis más.

Fantina cogió con sus manos húmedas la mano de la beata, que padecía sintiendo aquel sudor.

El señor alcalde ha ido muy lejos por mí; pero las diligencias van muy de prisa. Mañana estará aquí con Cosette. ¿Cuánto hay de aquí a Montfermeil?

La hermana, que no tenía idea alguna de las distancias, respondió:

—Creo que podrá estar de vuelta mañana.

—¡Mañana! ¡Mañana! —dijo Fantina—, ¡veré a mi Cosette, mañana! Ya veis, buena religiosa de Dios misericordioso, que no estoy mala. Estoy loca. Bailaría si quisiérais.

La hermana cerró las cortinas creyendo que se dormiría.

Entre siete y ocho llegó el médico. No oyendo ningún ruido, creyó que Fantina dormía, entró con cuidado, y se acercó de puntillas a la cama. Separó un poco las cortinas, y descubrió los grandes ojos de Fantina, que le miraban tranquilamente.

El médico llamó aparte a sor Simplicia, que le explicó todo, diciéndole que el señor Magdalena se había marchado por uno o dos días, y que en la duda, no habían creído conveniente desengañar a la enferma, que creía había ido a Montfermeil; además de que podía ser verdad.

El médico se sorprendió; estaba mejor; la opresión era menor; el pulso había tomado su primitiva fuerza. Una especie de nueva vida reanimaba aquel cuerpo desfallecido.

—Señor doctor —dijo la enferma—, ¿os ha dicho ya la hermana que el señor alcalde ha ido a buscar a mi cariñito?

VII. El viajero al llegar
al término de su viaje toma
sus precauciones para volverse

Eran cerca de las ocho de la noche cuando la tartana que hemos dejado en el camino entró por la puerta-cochera de la casa de Postas de Arras.

La posadera entró.

—¿Queréis comer o acostaros?

El viajero hizo un signo negativo.

—El mozo dice que vuestro caballo está muy cansado.

Aquí rompió el silencio.

—¿No podrá volver a viajar mañana por la mañana?

—¡Oh! Necesita por lo menos dos días de descanso.

—¿No es esta la casa de postas? —preguntó.

—Sí, señor.

La posadera le llevó al despacho, donde presentó su pasaporte, y preguntó si podría ir aquella noche a M. a orillas del M. en el correo; precisamente el asiento estaba desocupado, y le tomó. "Caballero —dijo el empleado—, no faltéis a la una en punto.

Después salió de la posada y empezó a andar por la población.

No había estado nunca en Arras; las calles estaban oscuras, iba a la ventura; pero se obstinaba en no preguntar a los transeúntes. Pasó el riachuelo Crinchón, y se encontró en un dédalo de callejuelas en que se perdió; pero viendo a un hombre con un farol, se decidió a preguntarle, no sin haber antes mirado a derecha e izquierda, como si temiera que alguien oyese su pregunta.

—Amigo —dijo—, ¿me haréis el favor de decir dónde está la audiencia?

—¡No sois de aquí? —respondió el transeúnte, que era un viejo—; pues bien, seguidme.

Por el camino el hombre continuó:

—Si es una causa lo que queréis ver, ya es tarde, pues suelen concluir a las seis.

Pero cuando llegaron a la plaza, el hombre le enseñó cuatro grandes ventanas iluminadas en la fachada de un vasto y tenebroso edificio.

—A fe que llegáis a tiempo —añadió—: tenéis fortuna. ¿Véis esas cuatro ventanas? Son de la sala del tribunal. Hay luz; por tanto, no deben de haber concluido. ¿Sois testigo?

Respondió: —No vengo a ninguna causa; sino que tengo sólo que hablar a un abogado.

—Eso es otra cosa —dijo el hombre—. Ahí está la puerta, donde está el centinela. No tenéis que hacer más que subir la escalera principal.

La oscuridad era tal, que el viajero no temió dirigirse al primer abogado que encontró.

Se acercó a algunos grupos y escuchó lo que decían. Habiendo muchas causas, el presidente había señalado para aquel día dos de las más sencillas y breves. Se había visto primero la de infanticidio, y entonces se veía la del presidiario, del reincidente, del "caballo de retorno". Aquel hombre había robado unas manzanas; pero esto no estaba bien probado; lo que estaba bien probado era que había sido presidiario en Tolón. Esto era lo que daba mal giro a su negocio. Habían terminado el interrogatorio y las declaraciones de los testigos; pero faltaban aún la acusación del ministerio público y la defensa del abogado, con lo cual llegarían las doce de la noche, tal vez antes de que se concluyera la vista. El acusado saldría probablemente condenado; el fiscal era muy elocuente, y no perdía ningún negocio de éstos: era un joven de talento que hacía versos.

Cerca de la puerta y de pie estaba un portero, a quien preguntó nuestro viajero:

—¿Se abrirá pronto la puerta?

—No se abrirá.

—¡Cómo! ¿No se volverá a abrir cuando continúe la vista? ¿No está suspendida?

—La vista continúa ya; pero la puerta no se abrirá.

—¿Por qué?

—Porque está llena la sala.

—¡Y qué! ¿No hay ni un solo sitio?

—Ni uno. La puerta está cerrada, y nadie puede entrar.

El portero añadió, después de un momento de silencio:

—Sólo hay dos o tres sitios detrás del señor presidente; pero allí sólo entran los funcionarios públicos.

Y diciendo esto volvió la espalda.

Nuestro hombre se retiró con la cabeza baja, atravesó la antecámara, y bajó la escalera lentamente como dudando en cada escalón.

De repente se desabrochó la levita, sacó su cartera, cogió un lápiz, arrancó una hoja y escribió rápidamente a la luz del farol estas palabras: —*El señor Magdalena, alcalde de M. —a orillas del M.—*. Después subió la escalera con precipitación, atravesó la multitud, se dirigió al portero, le dio el papel, y le dijo con voz de mando:

—Entregad esto al señor presidente.

El portero tomó el papel, le miró y obedeció.

VIII. ENTRADA DE FAVOR

El alcalde de M., a orillas del M., había adquirido, sin él saberlo cierta celebridad. Hacía siete años que su reputación de virtud se extendía por el Bajo Boloñés, y había pasado los límites de tan pequeña comarca, llegando a las dos o tres provincias próximas.

El magistrado de la audiencia de Douai que presidía el tribunal de Arras, conocía, como todo el mundo, aquel nombre tan profunda y universalmente respetado; y cuando el portero, abriendo discretamente la puerta que comunicaba con la sala de vista, se inclinó detrás del sillón del presidente y le dio el papel que acabamos de leer, añadiendo: *Este caballero desea asistir a la vista,* el presidente hizo un movimiento de deferencia, cogió la pluma, escribió algunas palabras en el mismo papel, y se lo dio al portero diciendo:

—Que entre.

—¿Queréis hacerme el honor de seguirme?

Era el portero que le había vuelto la espalda un instante antes, y que a la sazón le saludaba profundamente. Le dio el papel, él lo desdobló, y como estaba cerca de la lámpara, pudo leer: "El presidente del tribunal presenta sus respetos al señor Magdalena."

Restregó el papel entre sus manos, como si aquellas palabras tuviesen para él un sabor extraño y amargo, y siguió al portero.

El portero le había dejado solo. Había llegado el momento supremo. Trataba de recogerse en sí mismo y no podía conseguirlo.

Miró después a la pared, se miró a sí mismo, asombrándose de estar en aquel sitio y de ser él mismo.

No había comido hacía veinticuatro horas; estaba rendido del movimiento del carruaje; pero no lo sentía, le parecía que no sentía nada.

Pensaba en Fantina y en Cosette.

Sin dejar su meditación, se volvió y vio el botón de cobre de la puerta que le separaba de la sala.

Lanzó después, con cierta especie de autoridad, y al mismo tiempo de rebelión, un grito indescriptible, que quería decir: *¡Pardiez! ¿quién me obliga a mí?* Se volvió vivamente, vio la puerta por donde había entrado, se dirigió a ella, la abrió y saltó: Ya no estaba en aquel cuarto; estaba fuera.

Entonces, solo, de pie en aquella oscuridad, tembló de frío, y quizá también de otra cosa. Meditó.

Así pasó un cuarto de hora. Por fin inclinó la cabeza, suspiró con angustia, dejó caer los brazos y volvió atrás.

De rato en rato daba un paso y se acercaba a la puerta.

De pronto, sin saber cómo, se encontró cerca de la puerta, y cogió convulsivamente el botón; la puerta se abrió.

Estaba en la sala de la audiencia.

IX. Un sitio donde empiezan a formarse las convicciones

Dio un paso, cerró maquinalmente la puerta detrás de sí, y quedó de pie examinando lo que veía.

Era la sala un vasto recinto iluminado apenas; ya silencioso, ya lleno de un vago rumor; todo el aparato de un proceso criminal se desplegaba, con su mezquina y lúgubre gravedad, en medio de la multitud.

En toda aquella gran multitud, nadie hizo caso de él. Todas las miradas se fijaban en un punto único, en un banco de madera situado cerca de una puertecilla a la izquierda del presidente. En aquel banco, alumbrado por varias velas, había un hombre entre dos gendarmes.

Aquel era el acusado.

—¡Dios mío! ¿me convertiré yo en eso?

Aquel hombre parecía tener a lo menos sesenta años; había en su aspecto un no sé qué de rudeza, de estupidez y de espanto.

Al ruido de esta puerta, el presidente volvió la cabeza; y conociendo que el que acababa de entrar era el alcalde de M. —a orillas del M.— le saludó. El fiscal, que había visto al señor Magdalena en M. —a orillas del M.—, adonde las funciones de su ministerio le habían llamado alguna vez, le conoció y le saludó también. Él, apenas lo notó. Estaba sometido a una especie de alucinación: miraba solamente.

Tenía ante sus ojos (visión extraordinaria) la escena más horrible de su vida, representada por su fantasma.

En el momento en que entró, el defensor acababa su peroración.

El abogado había sentado que el robo de las manzanas no estaba suficientemente probado. —Su cliente, a quien como defensor persistía en llamar Champmathieu, no había sido visto al escalar la pared, ni al romper la rama. —Había sido cogido con esta rama (que el abogado llamaba con más gusto ramo), pero él decía que la había encontrado en el suelo y recogido. ¿Dónde estaba la prueba de lo contrario? —Sin duda esta rama había sido arrancada, robada después de un escalamiento, y arrojada por el ladrón atemorizado; sin duda había habido un ladrón, pero ¿qué probaba que este ladrón fuera Champmathieu? Una sola cosa. Que había sido presidiario. El abogado no negaba que esto parecía desgraciadamente bien probado: el acusado había residido en Faverolles; el acusado había sido podador; el nombre de Champmathieu podía muy bien tener por origen Juan Mathieu, todo esto era verdad; además, cuatro testigos reconocían sin duda alguna, positivamente en Champmathieu al presidiario Juan Valjean.

El abogado concluía suplicando al Jurado y al tribunal, que si creían probada la identidad de Juan Valjean, le aplicasen la corrección de policía que se aplica a los transgresores de un bando, y no el castigo terrible de un reincidente.

El fiscal contestó al defensor. Estuvo violento y florido, como están habitualmente los fiscales.

Felicitó al defensor por su "lealtad", se aprovechó de ella hábilmente y atacó al acusado por todas las concesiones que había hecho. El abogado parecía haber concedido que el acusado era Juan Valjean; y el fiscal tomó acta de estas palabras. Esta parte de la acusación era, pues, un hecho aceptado y no podía negarse.

Además de mil pruebas que no hay para qué repetir, le reconocen cuatro testigos: Javert, el íntegro inspector de policía Javert; y tres de sus antiguos compañeros de ignominia, los presidiarios Brevet, Chenildieu y Cochepaille. ¿Qué puede oponerse a esta unanimidad? ¡Y niega! ¡Qué endurecimiento! Señores jurados: haréis justicia, etc.

Mientras hablaba el fiscal, el acusado escuchaba con la boca abierta, con una especie de asombro no exento de admiración. Estaba indudablemente sorprendido de que un hombre pudiese hablar así.

El fiscal hizo notar al jurado esta actitud estúpida, calculada evidentemente, y que denotaba, no la imbecilidad sino la astucia, el hábito de engañar a la justicia; que ponía en evidencia "la profunda perversidad" de aquel hombre; y terminó reservándose para el asunto de Gervasillo, y pidiendo un severo castigo.

Por lo pronto este era, como hemos dicho, la cadena perpetua.

El defensor se levantó; empezó por cumplimentar al "ministerio público" por su "admirable palabra", y después contestó como pudo, pero débilmente: conocía que se hundía el terreno bajo sus pies.

X. El sistema de negativas

Llegó el momento de cerrar el debate. El presidente mandó levantar al acusado, y le hizo la pregunta de costumbre: "¿Tenéis algo que alegar en defensa vuestra?"

El hombre se puso en pie dando vueltas entre sus manos al gorro, como si no hubiese entendido la pregunta.

El presidente la repitió.

Entonces la oyó el acusado; pareció que la había comprendido. Hizo un movimiento como si despertase de un sueño; paseó la vista alrededor, miró al público, a los gendarmes, a su abogado, a los jurados, al tribunal; puso su monstruosa mano sobre la barandilla que había delante de su banquillo, miró de nuevo, y luego dirigiendo la vista al fiscal, empezó a hablar. Habló como un torrente; las palabras se escapaban de su boca, incoherentes, impetuosas, atropelladas, confusas, como si acudiesen en tropel a sus labios para salir de una vez.

Había hablado con voz alta, ronca, precipitada, dura, con una especie de sencillez irritada y salvaje. Una vez se interrumpió para saludar a alguien entre los espectadores. Las afirmaciones que lanzaba por decirlo así de su boca, salían como una especie de hipo violento, y acompañaba cada una con un gesto parecido al que hace un leñador al hender la madera. Así que acabó, el auditorio se echó a reír. El miró al público, vio que se reía, y no comprendiendo nada se echó a reír también.

Triste era aquel espectáculo.

El presidente, que era un hombre atento y benévolo habló a su vez.

—Vuestra situación exige que reflexionéis. Sobre vos pesan las más graves presunciones, y os pueden traer consecuencias capitales. Por interés vuestro os requiero por última vez para que os expliquéis claramente sobre estos dos hechos: Primero: ¿habéis escalado la cerca de Pierron, roto una rama, y robado manzanas, es decir, habéis cometido un robo con escalamiento? ¿Sí o no? Segundo: ¿sois el ex presidiario Juan Valjean? ¿Sí o no?

El acusado movió la cabeza como si hubiese comprendido y supiese lo que iba a responder.

—Acusado —dijo el fiscal con severa voz—, estad atento. No respondéis a nada de lo que os preguntan.

El acusado se había sentado; pero de repente se levantó cuando acabó de hablar el fiscal, y gritó:

—¡Sois muy malo! Esto es lo que quería decir, y no sabía cómo. Yo no he robado nada, soy un hombre que no puede comer todos los días. Venía de Ailly, iba por el camino después de una tempestad que había asolado el campo; los charcos se desbordaban y no se veían por encima de las arenas más que las puntas de la hierba; al lado del camino encontré una rama con manzanas en el suelo, y la recogí sin saber que me traería un castigo. Hace tres meses que estoy preso y que me interrogan. Después de esto no sé qué decir, se habla contra mí; se me dice: ¡responde! El gendarme, que es un buen muchacho, me da con el codo, y me dice por lo bajo: contesta. Yo no sé explicarme; no he hecho estudios; soy un pobre. Esto es lo que es injusto no conocer. No he robado; he cogido del suelo una cosa. Decís Juan Valjean, Juan Mathieu, yo no los conozco: serán aldeanos. He trabajado en casa del señor Baloup, en el *boulevard* del Hospital. Me llamo Champmathieu. Sois muy mal intencionados al decirme dónde he nacido. Yo lo ignoro; porque no todos tienen una casa para venir al mundo.

El fiscal había permanecido de pie, y dirigiéndose al presidente, le dijo:

—Señor presidente: Después de oír las negativas confusas y muy hábiles del acusado, que quiere pasar por idiota, pero que no lo conseguirá —se lo advertimos—, pedimos al tribunal se sirva mandar llamar de nuevo a los condenados Brevet, Cochepaille y Chenildieu, y al inspector de policía Javert, para interrogarles por última vez acerca de la identidad del acusado, y del presidiario Juan Valjean.

—Debo advertir al fiscal de S. M. —dijo el presidente—, que el inspector Javert, llamado por sus obligaciones a la capital de un distrito próximo, ha dejado esta ciudad así que hizo su declaración.

—Es cierto, señor presidente —dijo el fiscal—.

Véase en qué términos ha declarado: "No tengo necesidad de presunciones morales, ni de pruebas materiales que desmientan las negativas del acusado. Le conozco perfectamente. Este hombre no se llama Champmathieu: es un antiguo presidiario muy malo y muy temido, llamado Juan Valjean. Se le puso en libertad, al terminar su condena, con sentimiento. Ha sufrido diecinueve años de trabajos forzados por robo calificado. Cinco o seis veces trató de escapar. Además del robo de Gervasillo y de Pierron, sospecho que cometió otro en casa de su ilustrísima el difunto obispo de D. "Le he visto muchas veces cuando era ayudante de guarda-chusma del presidio de Tolón. Repito que le conozco perfectamente."

Esta declaración tan terminante produjo una viva impresión en el público y en el jurado. El fiscal concluyó insistiendo en que a falta de Javert fuesen oídos de nuevo e interrogados solemnemente los tres testigos Brevet, Cochepaille y Chenildieu.

El presidente dio una orden a un portero de estrados, y un momento después se abrió la puerta del cuarto de los testigos.

El presidiario Brevet llevaba el traje negro y gris de las prisiones centrales.

—Brevet —dijo el presidente—, habéis sufrido una pena infamante, y no podéis jurar.

Brevet miró al acusado, y después se volvió al tribunal.

—Sí, señor presidente. Yo le he conocido el primero, y persisto en ello. Este hombre es Juan Valjean, que entró en el presidio de Tolón en 1796, y salió en 1815.

—Id a vuestro asiento —dijo el presidente—. Acusado, seguid en pie.

Entró Chenildieu, presidiario perpetuo, como indicaba su chaqueta roja y su gorro verde. Sufría su pena en el presidio de Tolón, de donde había salido para declarar en esta causa.

El presidente le hizo las mismas preguntas que a Brevet.

Chenildieu soltó una carcajada.

—¡Vaya si le conozco! Hemos pasado cinco años atados a la misma cadena. ¿Te enfadas, antiguo camarada?

—Id a vuestro asiento —dijo el presidente.

El portero entró a Cochepaille, que era otro presidiario perpetuo, que venía del presidio vestido de rojo lo mismo que Chenildieu; era natural de Lourdes, un semi-oso, de los Pirineos.

El presidente trató de conmoverle con algunas palabras patéticas y graves, y le preguntó, como a los otros dos, si persistía en creer, sin duda alguna, que conocía a aquel hombre.

—Es Juan Valjean —dijo Cochepaille—. Se le llamaba también Juan Cabria, por lo fuerte que era.

Cada afirmación de estos tres hombres, evidentemente sinceros y de buena fe, había suscitado en el auditorio un murmullo de mal agüero para el acusado; murmullo que crecía y se prolongaba más tiempo, cada vez que una nueva declaración venía a dar fuerza a la precedente.

El presidente le preguntó:

—Acusado, ¿habéis oído? ¿Qué tenéis que decir?

Y respondió:

—Digo... que... ¡Magnífico!

En este momento hubo un movimiento al lado del presidente, y se oyó una voz que gritó:

—¡Brevet, Chenildieu, Cochepaille! ¡Mirad aquí!

Todos los que oyeron esta voz quedaron helados; tan lastimero, tan terrible era su acento. Todas las miradas se volvieron hacia el sitio de donde había salido. En el lugar destinado a los espectadores privilegiados había un hombre que acababa de levantarse, y atravesando la puertecilla de la baranda que le separaba del tribunal se había puesto en pie en medio de la sala. El presidente, el fiscal, el señor Bamatabois, veinte personas le conocieron y exclamaron a la vez:

—¡El señor Magdalena!

XI. Champmathieu cada vez más admirado

Era él en efecto. La lámpara del escribano iluminaba su rostro. Todas las cabezas se volvieron. La sensación fue indescriptible. Hubo en el auditorio un momento de duda.

Esta duda no duró más que algunos segundos. Antes que el presidente y el fiscal hubiesen dicho una palabra, antes que los gendarmes y los porteros hubiesen podido hacer un gesto, el hombre a quien todos llamaban aún el señor Magdalena, se había adelantado hacia los testigos Cochepaille, Brevet y Chenildieu, y les había dicho:

—¿No me conocéis?

Los tres quedaron suspensos e indicaron con un movimiento de cabeza que no le conocían. Cochepaille intimidado hizo el saludo militar. El señor Magdalena se volvió hacia los jurados, y dijo con voz tranquila:

—Señores jurados, mandad poner en libertad al acusado. Señor presidente, mandad que me prendan. El hombre a quien buscáis no es ése; soy yo. Yo soy Juan Valjean.

Ni una boca respiraba. A la primera conmoción de asombro había sucedido un silencio sepulcral. Sentíase en la sala ese terror religioso que sobrecoge a la multitud cuando va a verificarse alguna gran cosa.

Si hay un médico en el auditorio, nos unimos al señor presidente para rogarle que examine al señor Magdalena y le lleve a su casa.

El señor Magdalena no dejó acabar al fiscal. Le interrumpió con mansedumbre y autoridad.

A continuación ponemos las palabras que pronunció, tomadas literalmente, tales como fueron escritas en seguida por un testigo de aquella escena; tales como se conservan aún en el oído de todos los que las oyeron hace cuarenta años: "Os doy gracias, señor fiscal, pero no estoy loco. Vais a verlo. Estábais a punto de cometer un grave error: dejad a ese hombre; cumplo con mi deber al denunciarme, porque yo soy ese desgraciado criminal. Soy el único que veo claro aquí, y os digo la verdad. Dios juzga desde allá arriba lo que hago en este momento; esto me basta. Podéis prenderme pues que estoy aquí. Yo, mirando por mi propio interés, me he ocultado largo tiempo con otro nombre; he llegado a ser rico; me han hecho alcalde; he querido vivir entre los hombres honrados, mas parece que esto es ya imposible. Hay muchas cosas que no puedo decir ahora; no puedo contaros mi vida: algún día se sabrá. He robado al señor obispo, es verdad; he robado a Gervasillo, también es verdad.

Volviéndose después hacia los tres testigos, les dijo:

—Yo os conozco. Brevet, ¿os acordáis?...

Se interrumpió, dudó un momento, y dijo:

—¿Te acuerdas de aquellos tirantes de cuadros que tenías en el presidio?

Brevet hizo un movimiento de sorpresa y le miró de los pies a la cabeza asustado.

—Chenildieu —dijo después—, tú que te llamabas a ti mismo Niego a Dios, tienes el hombro derecho todo abrasado, porque te echaste un día sobre un brasero encendido para borrar las tres letras T. F. P. que aún se descubren bastante. Responde: ¿no es verdad?

—Es cierto —dijo Chenildieu.

Y dirigiéndose a Cochepaille, le dijo:

—Cochepaille, tú tienes cerca de la sangría del brazo izquierdo una fecha escrita en letras azules con pólvora quemada. Esta fecha es la del desembarco del emperador en Cannes, el 1o. de marzo de 1815. Levántate la manga.

Cochepaille se levantó la manga; todas las miradas se dirigieron a su brazo desnudo; un gendarme acercó una luz. Allí estaba la fecha.

El desgraciado se volvió hacia el auditorio y hacia los jueces con una sonrisa que aún mueve a compasión a los que la vieron cuando la recuerdan. Era la sonrisa del triunfo, pero también la sonrisa de la desesperación.

—Ya veis —dijo— que soy Juan Valjean.

No había ya en aquel recinto jueces, ni acusadores, ni gendarmes; no había más que ojos fijos y corazones conmovidos.

No se hizo ninguna pregunta; no intervino ninguna autoridad. Los espectáculos sublimes se apoderan del alma, y convierten a todos los que los presencian en meros espectadores.

Era evidente que tenían delante a Juan Valjean. Su aparición había bastado para aclarar aquel negocio tan oscuro algunos momentos antes.

—No quiero perturbar por más tiempo la audiencia —dijo Juan Valjean—. Me voy, pues que no me prenden. Tengo mucho que hacer. El señor fiscal sabe quién soy y a dónde voy, y me mandará prender cuando quiera.

Se dirigió a la puerta. Ni se elevó una voz, ni se extendió un brazo para detenerle. Todos se apartaron; Juan Valjean tenía en aquel momento esa superioridad que obliga a la multitud a retroceder delante de un hombre. Pasó por en medio de la gente con lentitud; no se sabe quién abrió la puerta; pero lo cierto es que estaba abierta cuando llegó a ella. Allí se volvió, y dijo:

—Señor fiscal, estoy a vuestra disposición.

Salió; la puerta se cerró como se había abierto; porque los que hacen alguna cosa grande están siempre seguros de encontrar alguien que les sirva entre la multitud.

Una hora después, el veredicto del jurado declaraba inocente a Champmathieu, que puesto en libertad inmediatamente, se fue estupefacto, creyendo que todos estaban locos, y no comprendiendo nada de lo que había visto.

Libro octavo

● REACCIÓN ●

I. DEL ESPEJO EN QUE VIÓ
EL SEÑOR MAGDALENA SUS CABELLOS

Principiaba a apuntar el día. Fantina había pasado una noche de fiebre y de insomnio, mecida por halagüeñas esperanzas; por la mañana se durmió. Sor Simplicia, que había pasado la noche en vela, aprovechó aquel sueño para preparar una nueva poción de quinina; y hacía algunos minutos que estaba en el laboratorio de la enfermería, con sus drogas y sus redomas, mirándolas muy de cerca a causa de esa ligera bruma que extiende el crepúsculo alrededor de los objetos. De pronto volvió la cabeza y dio un grito: el señor Magdalena había entrado silenciosamente, y estaba delante de ella.

—¡Sois vos, señor alcalde! —exclamó.

—¿Cómo está esa pobre mujer? —respondió él en voz baja.

—No está mal en este momento. Pero nos hemos visto apurados.

Y le refirió lo que había pasado; que Fantina estaba muy mal la víspera, pero que ya estaba mejor, porque creía que el señor alcalde había ido a buscar a su niña a Montfermeil.

—Está bien; habéis hecho bien en no desengañarla —dijo.

—Sí —respondió la hermana—, pero ahora que va a veros sin la niña, ¿qué le diremos?

El alcalde quedó un momento pensativo.

—Dios nos inspirará —dijo.

—Pero no se le podrá mentir —dijo la religiosa a media voz.

El señor Magdalena preguntó:

—¿Puedo verla?

—¿No se acordará de su niña al veros? —dijo la hermana, casi sin atreverse a hacer esta pregunta.

—Sin duda; pero se necesitan, a lo menos, dos o tres días para traérsela.

—Si no os viese hasta entonces —dijo tímidamente sor Simplicia— no sabría que estábais ya de vuelta, sería fácil hacerla aguardar con paciencia, y cuando llegase su hija creería que habíais venido con ella.

—No, hija, es preciso que la vea. Tal vez tenga yo prisa.

—En ese caso podéis entrar, está durmiendo.

Hizo en seguida algunas observaciones acerca de una puerta que cerraba mal, y cuyo ruido podía despertar a la enferma; después entró en el cuarto de Fantina, se acercó a la cama y descorrió las cortinas. Dormía.

El señor Magdalena quedó por algún tiempo inmóvil cerca de la cama, mirando alternativamente a la enferma y al crucifijo, lo mismo que dos meses antes, el día en que la vio por primera vez en el asilo.

Fantina abrió los ojos, le vio, y dijo tranquilamente y sonriéndose:

—¿Y Cosette?

II. Fantina feliz

Fantina no hizo ni un movimiento de sorpresa ni de alegría, porque en aquel momento era la misma alegría.

Y dirigió su mirada al crucifijo.

—Pero —añadió—, ¿dónde está Cosette? ¿Por qué no la habéis traído a mi cama para cuando yo despertase?

Por fortuna el médico, que estaba advertido, vino en su auxilio.

—Hija mía —dijo—, calmáos; vuestra niña está ahí.

—¡Oh! —exclamó—: traédmela.

—Aún no —dijo el médico—; en este momento no. Tenéis un poco de fiebre. La vista de vuestra hija os agitaría y os haría mal. Ante todo es preciso que os pongáis buena.

Ella le interrumpió bruscamente:

—¡Ya estoy buena! ¡Os digo que estoy buena! ¡Este médico no entiende! ¡Ah! ¡Quiero ver a mi hija! Lo quiero.

—Ya veis —dijo el médico—, como os arrebatáis. Mientras sigáis así, me opondré a que veáis a vuestra hija. No basta que la veáis; es preciso que viváis para ella. Cuando estéis mejor, os la traeré yo mismo.

La pobre madre bajó la cabeza.

—Señor doctor, os pido perdón; os pido perdón humildemente. Ya no tengo calentura, casi estoy curada; conozco que ya no tengo nada; pero voy a hacer como si estuviese mala, y a no moverme para contentar a las señoras que me cuidan, y cuando vean que estoy tranquila dirán: debemos traerle a su hija.

El señor Magdalena se había sentado en una silla cerca de la cama. Fantina se volvió hacia él, esforzándose por parecer tranquila, y hacer ver que era "buena" según decía en aquella debilidad del mal que hace al enfermo semejante a un niño, a fin de que, viéndola tan reposada no encontrasen dificultad en llevarle a Cosette.

—¿Habéis tenido buen viaje, señor alcalde? ¡Oh! ¡qué bueno habéis sido! ¡Haber ido a buscarla! Decidme sólo cómo está.

El señor Magdalena, tomándole la mano, añadió: Cosette es hermosa, está buena, la veréis pronto; pero tranquilizaos. Habláis con mucha viveza, y sacáis el brazo de la cama, lo cual os hace toser.

El señor Magdalena la tenía de la mano, mirándola con ansiedad; se conocía que había ido allí para decirle algo que hacía dudar a su espíritu. El médico había hecho su visita y se había retirado. Sor Simplicia solamente había quedado con los dos.

En medio de aquel silencio exclamó Fantina:

—¡La oigo, Dios mío, la oigo!

Y se echó a reír.

El señor Magdalena había soltado la mano de Fantina, y escuchaba sus palabras como quien escucha el viento, con los ojos bajos y el espíritu sumergido en profundas reflexiones. Pero de pronto levantó la cabeza porque Fantina había cesado de hablar. Fantina estaba horrorizada.

—¿Qué tenéis, Fantina? —dijo Magdalena.

Fantina no respondió; no separó su vista; pero le tocó en el brazo con una mano, y con la otra le indicó que mirase detrás de sí.

Se volvió y vio a Javert.

III. JAVERT CONTENTO

Véase lo que había pasado.

Acababan de dar las doce y media cuando el señor Magdalena salió de la sala del tribunal de Arras. Volvió a la posada precisamente en el momento oportuno para partir en el correo, cuyo asiento recordará el lector había tomado. Poco antes de las seis de la mañana llegó a M., a orillas del M., y su primer cuidado fue echar al correo la carta al señor Laffitte, y después ir a ver a Fantina.

Pero apenas hubo abandonado la sala de la audiencia, el fiscal, repuesto de la primera sorpresa, tomó la palabra para deplorar el acto de locura del respetable alcalde de M., a orillas del M.; declarar que sus convicciones no se habían modificado en nada por este incidente que se aclararía después, y pedir, mientras tanto, la condenación de Champmathieu, que era evidentemente el verdadero Juan Valjean. La insistencia del fiscal estaba visiblemente en contradicción con los sentimientos de todos, del público, del tribunal y del jurado. Al defensor le costó poco trabajo refutar su discurso, y sentar que, a consecuencia de las revelaciones del señor Magdalena, es decir, del verdadero Juan Valjean, el asunto había cambiado completamente, y el jurado no tenía delante más que a un inocente.

Pero como era necesario un Juan Valjean al fiscal, no teniendo ya a Champmathieu, se atuvo a Magdalena.

En seguida que fue puesto en libertad Champmathieu, el fiscal se encerró con el presidente, y conferenciaron "acerca de la necesidad de apoderarse de la persona del señor alcalde de M. a orillas del M."

Expidióse, pues, la orden de prisión, y el fiscal la envió a M. a orillas del M. con un propio a escape, encargando de ella al inspector Javert.

Javert era un carácter completo; no permitía ningún pliegue ni en su obligación, ni en su uniforme; metódico con los malhechores, rígido con los botones de su ropa.

Cuando llegó al cuarto de Fantina, alzó el picaporte y empujó la puerta con el cuidado de un enfermero o de un espía, y entró.

Propiamente hablando, no podemos decir que entró. Se quedó de pie junto a la puerta entreabierta, con el sombrero puesto, y la mano izquierda metida en el gabán que llevaba abotonado hasta la barba. En la sangría del brazo se veía el puño de plomo de su enorme bastón, que desapareció por detrás de su cuerpo.

Javert estaba en sus glorias en aquel momento. Creía, sin saber por qué, por una especie de intuición confusa de su importancia y de su triunfo, que personificaba la justicia, la luz y la verdad en el desempeño de su misión celeste de destruir el mal.

IV. La autoridad recobra sus derechos

Fantina no había visto a Javert desde el día en que el señor alcalde la había librado de sus manos. Su cerebro enfermo no se podía explicar nada; pero no dudó un momento que iba a buscarla. No pudo soportar la vista de aquella repugnante figura, sintióse perdida, y cubriéndose el rostro con las manos, exclamó angustiada:

—¡Señor Magdalena, salvadme!

Juan Valjean —desde ahora le llamaremos así—, que se había levantado, dijo a Fantina con voz tranquila y dulce:

—Tranquilizáos. No viene por vos.

Y después dirigiéndose a Javert, le dijo:

—Ya sé lo que queréis.

Javert, respondió:

—¡Vamos, pronto!

El tono en que pronunció estas palabras fue frenético y feroz. Javert no dijo ¡Vamos, pronto!, dijo: —¡vámpronto! La ortografía es insuficiente para expresar este tono; aquello no fue una palabra humana, fue un rugido.

No hizo lo que acostumbraba; no habló nada; no enseñó la orden de prisión. Juan Valjean era para él una especie de enemigo misterioso e impalpable; un combatiente tenebroso con quien luchaba hacía cinco años sin poder vencerle.

Javert se adelantó hasta el medio del cuarto, y gritó:

—¡Vamos! ¿Vendrás?

La desgraciada joven miró en derredor. No había nadie más que la religiosa y el alcalde. ¿A quién, pues, tuteaba Javert tan ignominiosamente? A ella sólo. ¡Tembló!

Vio al espía Javert coger por el cuello al señor alcalde; vio al señor alcalde bajar la cabeza. Creyó que dejaba de existir el mundo. Javert, en efecto, había cogido a Juan Valjean por el cuello.

Juan Valjean no trató de separar de su cuello la mano que le sujetaba. Sólo dijo:

—Tengo que pediros un favor...

—Y a mí, ¿qué me importa eso? Yo no escucho.

Valjean se volvió hacia él, y le dijo rápidamente y en voz baja:

—¡Concededme tres días! Tres días para ir a buscar la niña de esa desgraciada. Pagaré lo que sea; me acompañaréis si queréis.

—¿Quieres reírte? —dijo Javert—. ¡Vaya! ¡no te creía tan bestia! ¡Me pides tres días para escaparte! ¿Dices que es para ir a buscar a la hija de esa mujer? ¡Ah! ¡Bueno es eso! ¡Está bien!

Fantina se estremeció.

Miró fijamente a Fantina, y añadió cogiendo de nuevo la corbata, la camisa y el cuello de Juan Valjean:

—Te digo que no hay aquí señor Magdalena, ni señor alcalde. Sólo hay un ladrón, un bandido, un presidiario llamado Juan Valjean, y es éste que tengo agarrado. Eso es lo que hay.

Su cabeza chocó en la cabecera de la cama, y cayó sobre el pecho con la boca abierta, lo mismo que los ojos.

Estaba muerta.

Juan Valjean puso su mano sobre la de Javert que le tenía asido, la abrió como si fuera la de un niño, y le dijo:

—Habéis asesinado a esta mujer.

—¡Acabaremos! —exclamó Javert furioso.

Había en un rincón del cuarto una cama vieja de hierro en bastante mal estado, que servía para recostarse las religiosas en las noches de vela. Juan Valjean se dirigió a ella, rompió en un momento la cabecera, ya muy resentida, cosa fácil a fuerzas como las suyas, empuñó la barra maestra y miró a Javert, quien retrocedió hacia la puerta.

Juan Valjean, con la barra de hierro en la mano se acercó lentamente al lecho de Fantina, y cuando se volvió, dijo a Javert con una voz que apenas se oía:

—Os aconsejo no me distraigáis en estos momentos.

Lo cierto es que Javert temblaba.

Pensó llamar a la guardia que traía; pero Juan Valjean podía aprovecharse de aquel momento para huir. Quedóse, pues, de pie, cogió su bastón por la punta, y se apoyó en el quicio de la puerta sin separar la vista de Juan Valjean.

Juan Valjean cogió con las dos manos la cabeza de Fantina y la colocó en la almohada, lo mismo que lo hubiera hecho una madre con su hijo; después la ató el cordón de la camisa, y metió sus cabellos en la papalina; hecho esto la cerró los ojos.

El rostro de Fantina en aquel momento pareció iluminado por una luz extraña.

La muerte es la entrada en la gran luz.

La mano de Fantina caía fuera del lecho. Juan Valjean se arrodilló delante de ella, la levantó suavemente y la besó.

Después se puso en pie, y volviéndose hacia Javert, le dijo:

—Ahora estoy a vuestra disposición.

V. Una tumba a propósito

Javert llevó a Juan Valjean a la cárcel del pueblo.

La prisión del señor Magdalena produjo en M. —a orillas del M.— una sensación, o por mejor decir una conmoción extraordinaria. Sentimos no poder ocultar que al oír esta frase: *es un presidiario*, casi todo el mundo le abandonó. En menos de dos horas se olvidó todo el bien que había hecho; y no fue ya más que un presidiario. Justo es decir también que no se sabía lo que había pasado en Arras.

Sólo tres o cuatro personas de la población guardaron fielmente su memoria. La vieja portera que le había servido fue una de ellas.

—¡Dios mío! señor alcalde —dijo por fin—, yo os creía...

—En la cárcel —dijo Valjean acabando la frase—. En efecto, en ella estaba, pero he roto un hierro de la ventana, me he dejado caer desde lo alto de un tejado, y ya estoy aquí. Voy a subir a mi cuarto: avisad a sor Simplicia, que estará sin duda al lado de esa pobre mujer.

La vieja obedeció corriendo. Valjean no la hizo recomendación alguna; estaba seguro de que le guardaría mejor que se guardara él mismo.

No se sabe cómo consiguió entrar en el patio sin llamar para que abrieran la puerta cochera.

Subió la escalera de su cuarto: al llegar arriba dejó la palmatoria en el último escalón, abrió la puerta haciendo poco ruido, y fue a oscuras a cerrar la ventana y las maderas; después salió, cogió la luz y entró en el cuarto.

Cogió una hoja de papel y escribió: *Estas son las conteras de mi garrote, y los cuarenta sueldos robados a Gervasillo, de que he hablado en el tribunal;* y puso en este papel la moneda de plata y los dos pedazos de hierro de modo que fuese lo primero que se viese al entrar en el cuarto. Sacó de un armario una camisa vieja y la rompió envolviendo en sus pedazos los dos candeleros de plata.

Dieron dos golpes a la puerta.

—Entrad —dijo Juan Valjean. Era sor Simplicia.

Estaba pálida, tenía los ojos enrojecidos; la luz vacilaba en su mano.

—Hermana, enviaréis esto al señor cura —el papel estaba desdoblado. La joven le miró.

—Podéis leerlo —dijo él.

Sor Simplicia leyó: "Ruego al señor cura que cuide de todo lo que dejo aquí. Será preciso pagar las costas de mi causa, y el entierro de la mujer que ha muerto hoy. El resto se distribuirá entre los pobres."

—¿No deseáis ver por última vez a esa pobre desgraciada?

—No —contestó—, me persiguen; podrían prenderme en su cuarto, y esto turbaría su sueño.

Apenas acabó de decir estas palabras, se oyó un gran ruido en la escalera; un tumulto de pasos; la vieja portera decía con su más fuerte voz:

—Señor, os juro por el buen Dios que no ha entrado nadie aquí en todo el día ni en toda la noche, porque no me he separado de la puerta.

Un hombre respondió:

—Sin embargo, hay luz en ese cuarto.

Conocieron la voz de Javert. El cuarto estaba dispuesto de modo que al abrirse la puerta ocultaba el ángulo de la pared a la derecha. Juan Valjean apagó de un soplo la luz, y se ocultó en aquel ángulo.

Sor Simplicia cayó de rodillas cerca de la mesa.

Se abrió la puerta. Entró Javert.

Oíase el cuchicheo de muchos hombres, y las protestas de la portera en el pasillo.

La religiosa no levantó los ojos. Estaba orando.

La vela apagada estaba sobre la chimenea, y el pabilo derramaba aún alguna claridad. Javert vio a la hermana, y se detuvo suspenso.

—Perdonad —dijo Javert, y se retiró saludando profundamente.

Una hora después, un hombre, al través de los árboles y la bruma, se alejaba de M. —a orillas del M.— en la dirección de París.

Una palabra final sobre Fantina.

Todos tenemos una madre: la tierra. Fantina volvió a su madre.

Segunda parte

Cosette

Libro primero

• Waterloo •

I. Lo que se encuentra al venir de Nivelles

*E*n una hermosa mañana del mes de mayo del año 1861, un viajero —precisamente el que refiere esta historia— llegaba de Nivelles, y se dirigía hacia La Hulpe.

Allí, a la derecha y a orillas del camino, había una posada, una carreta de cuatro ruedas delante de la puerta, un gran haz de estacas, un arado, un montón de ramas secas cerca de un seto vivo, cal que humeaba en una especie de cuadro hecho en el suelo, y una escalera apoyada en un cobertizo cuyas paredes eran de paja.

El sol era magnífico; las ramas tenían ese suave estremecimiento del florido mes, que parece venir de los nidos más aún que del viento. Un pajarillo, probablemente enamorado, poblaba el aire con sus trinos desde un árbol frondoso.

Estaba en el campo de batalla de Waterloo.

II. Hougomont

Hougomont fue un sitio fúnebre; el principio del obstáculo, la primera resistencia que encontró en Waterloo ese gran talador de Europa que llamaban Napoleón; el primer nudo bajo el filo de su hacha.

Los ingleses estuvieron allí admirables. Las cuatro compañías de los guardias de Coocke hicieron allí frente, durante siete horas, al encarnizamiento de un ejército.

Los ingleses se parapetaron allí; los franceses penetraron, pero no pudieron sostenerse. Al lado de la capilla permanece aún de pie un ala del castillo, únicas ruinas que quedan de la morada de Hougomont. El castillo sirvió de torre, la capilla de blockhaus. Hubo un exterminio general. Los franceses, acosados a tiros por todas partes, desde lo alto de los graneros, detrás de las paredes, desde el fondo de las cuevas, por todas las ventanas, por todas las lumbreras, por todas las hendeduras de las piedras, reunieron y llevaron fajinas, y pusieron fuego a los muros y a los hombres; la metralla tuvo por réplica el incendio.

En estas ruinas existe aún la casa de la granja, que está habitada. La puerta de esta casa da al patio.

En este huerto abundan los troncos de árboles secos. Los cuervos vuelan de rama en rama, y en el fondo hay un bosque lleno de violetas.

III. El 18 de junio de 1815

Volvamos atrás —que es uno de los derechos del narrador—, y coloquémonos en el año de 1815, y aun un poco antes de la época en que empieza la acción referida en la primera parte de este libro.

Si no hubiera llovido en la noche del 17 al 18 de junio de 1815, el porvenir de Europa hubiera cambiado. Algunas gotas de agua más o menos hicieron decaer a Napoleón. Para que Waterloo fuese el fin de Austerlitz, la Providencia no necesitó más que un poco de lluvia; y una nube atravesando el cielo en sentido contrario a la estación, bastó para la destrucción de un mundo.

Napoleón era oficial de artillería, y se resentía de ello. Todos sus planes de batalla están hechos para el proyectil. Hacer converger la artillería sobre un punto dado, tal era su clave de victoria.

El 18 de junio de 1815 contaba con tanta más razón con la artillería, cuanto que la suya era más numerosa. Wellington sólo tenía ciento cincuenta y nueve bocas de fuego; Napoleón tenía doscientas cuarenta.

Su plan de batalla era, según confesión de todos, una obra maestra. Ir derecho al centro de la línea aliada, hacer un claro en el enemigo, dividirlo en dos, empujar la mitad británica hacia Hal y la mitad prusiana hacia Tongres, hacer de Wellington y de Blucher dos trozos, apoderarse de Mont-Saint-Jean, tomar a Bruselas, arrojar al alemán al Rhin, y al mar al inglés.

IV. A.

Los que quieran tener una idea exacta de la batalla de Waterloo, no tienen más que figurarse pintada en el suelo una A mayúscula. La pierna izquierda es el camino de Nivelles; la pierna derecha el camino de Genappe; el palo transversal de la A es el camino bajo de Ohain a Braine l'Alleud. El vértice de la A es Mont-Sain-Jean: allí está Wellington; la punta izquierda inferior es Hougomont: allí está Reille con Jerónimo Bonaparte; la punta derecha inferior es la Bella alianza: allí está Napoleón. Un poco más abajo del punto donde el palo transversal de la A encuentra y corta la pierna derecha, es la Haie-Sainte. En medio de este palo está precisamente el punto donde se dijo la palabra final de la batalla. Allí se ha colocado el león, símbolo involuntario del supremo heroísmo de la guardia imperial.

El triángulo comprendido en el vértice de la A entre las dos piernas y el palo transversal, es la llanura de Mont-Saint-Jean. La disputa de esta llanura fue toda la batalla.

Los dos generales habían estudiado con atención la llanura de Mont-Saint-Jean, llamada hoy llanura de Waterloo. Desde el año anterior Wellington, con una sagacidad previsora, la había examinado como para el caso de una gran batalla. En este terreno, y para este duelo, el 18 de junio, tenía Wellington la ventaja y Napoleón la desventaja. El ejército inglés estaba situado en una altura, y el ejército francés estaba abajo.

V. EL QUID OBSCURUM DE LAS BATALLAS

Todo el mundo conoce la primera fase de esta batalla; principio confuso, incierto, vacilante, amenazador para los dos ejércitos; pero más aún para los ingleses que para los franceses.

En esta jornada, desde las doce hasta las cuatro de la tarde, hay un oscuro intervalo; la parte media de esta batalla apenas se distingue, y participa de lo sombrío de la pelea; el crepúsculo se extiende sobre ella.

Sin embargo, por la tarde, en un momento dado, se presentaron claros y distintos los caracteres de la batalla.

VI. Las cuatro de la tarde

A eso de las cuatro, la situación del ejército inglés era grave. Los ingleses habían cortado los setos por varios lados alrededor de la llanura, hecho troneras entre los árboles, colocado una boca de cañón entre cada dos ramas, y aspillerado los matorrales. Su artillería estaba emboscada detrás de la maleza. Este trabajo púnico, autorizado incontestablemente por la guerra, que admite las estratagemas, estaba tan bien hecho, que Haxo, enviado por el emperador a las nueve de la mañana para reconocer las baterías enemigas, no había visto nada, y había vuelto a decir a Napoleón que no existía obstáculo alguno, excepto las dos barricadas que obstruían los caminos de Nivelles y de Genappe.

Fortificado y precavido así, el centro del ejército anglo-holandés estaba en buena posición.

A eso de las cuatro, la línea inglesa se movió hacia atrás. De pronto no se vio ya en la cresta de la meseta más que la artillería y los tiradores; el resto había desaparecido; los regimientos, arrojados por los obuses y las balas francesas, se replegaron al fondo, que aún hoy corta el sendero de la granja de Mont-Saint-Jean; hubo un movimiento retrógrado, desapareció el frente de batalla inglés, y Wellington retrocedió.

—Principio de retirada —exclamó Napoleón.

VII. Napoleón de buen humor

Napoleón, aunque enfermo e incomodado a caballo por un padecimiento local, no había estado nunca de tan buen humor como aquel día. Desde por la mañana su impenetrabilidad se sonreía. El 18 de junio de 1815, aquel alma profunda, cubierta de una máscara de mármol, centelleaba ciegamente. El hombre que había estado sombrío en Austerlitz estuvo alegre en Waterloo. Todos los predestinados célebres tienen estas contradicciones.

A las ocho llevaron el almuerzo al emperador, para el cual había invitado a muchos generales. Mientras almorzaban se estuvo refiriendo que Wellington había asistido la antevíspera al baile dado en Bruselas, en casa de la duquesa de Somerset, y Soult, rudo guerrero con aspecto de arzobispo, había dicho: "el baile es hoy". El emperador se había chanceado con Ney, que decía: "Wellington no será bastante necio para esperar a vuestra majestad". Tal era por otra parte, su costumbre; se chanceaba fácilmente, dice Fleury de Chaboulon. "El fondo de su carácter era un humor festivo", dice Gourgaud. "Decía con frecuencia chistes más bien caprichosos que ingeniosos", dice Benjamín Constant. Estas alegrías de gigante valen la pena de que se insista en ellas. Llamaba a sus granaderos "los gruñones", les pellizcaba las orejas, y les tiraba de los bigotes. "El emperador no cesaba de chancearse con nosotros", es frase de uno de ellos.

Seguro del éxito, había alentado con su sonrisa, al pasar por delante de él, a la compañía de zapadores del cuerpo designado por él mismo para hacerse fuerte en Mont-Saint-Jean tan pronto como fuera tomada la aldea.

VIII. El emperador hace una pregunta al guía Lacoste

Tenía razón; el plan de batalla que había concebido era, en efecto, admirable, como hemos probado.

IX. Lo inesperado

Eran tres mil quinientos, y formaban un frente de un cuarto de legua. Eran hombres gigantes montados en caballos colosales. Eran veintiséis escuadrones, y tenían detrás, para apoyarlos, la división de Lefebvre Desnouttes, los ciento seis gendarmes escogidos, los cazadores de la Guardia, mil ciento noventa y siete hombres, y los lanceros de la guardia, ochocientas lanzas. Llevaban casco sin crin, y coraza de hierro batido, pistolas en el arzón de la silla, y largo sable espada.

De pronto, ¡cosa trágica! A la izquierda de los ingleses, a nuestra derecha, la cabeza de la columna de coraceros se detuvo, lanzando un clamor horrible. Al llegar los coraceros al punto culminante de la cresta, desenfrenados, en toda su furia, y en su carrera de exterminio contra los cuadros y los cañones, acababan de ver entre ellos y los ingleses un foso, una zanja. Era la hondonada de Ohain.

Aquel instante fue espantoso. Allí estaba el barranco inesperado, abierto a pico bajo los pies de los caballos, con una profundidad de dos toesas entre sus dos declives; la segunda fila empujó hacia él a la primera, y la tercera a la segunda; los caballos se encabritaban, se echaban hacia atrás, caían sobre las grupas, deslizaban en el aire los cuatro pies, amontonando y arrojando a los jinetes; no había medio de retroceder, toda la columna no era más que un proyectil, la fuerza adquirida para destruir a los ingleses destruyó a los franceses; el barranco inexorable sólo lleno se entregaba; jinetes y caballos rodaron allí en revuelta y horrible confusión, aplastándose unos a otros, no formando más que una carne en aquel abismo; y cuando la zanja estuvo llena de hombres vivos, empezaron a andar por encima, y pasaron los demás. Casi una tercera parte de la brigada Dubois cayó en el abismo.

Este fue el principio de la pérdida de la batalla.

X. La meseta de Mont-Saint-Jean

Al mismo tiempo que el barranco, se había descubierto la batería.

Sesenta cañones y los trece cuadros fulminaron a boca de jarro a los coraceros. El intrépido general Delord saludó militarmente a la batería inglesa. Toda la artillería volante inglesa había entrado al galope en los cuadros. Los coraceros no tuvieron ni un momento de detención. El desastre del barranco los había diezmado, pero no desanimado. Eran de esos hombres que cuando disminuyen en número, crecen en valor.

Los coraceros, poco numerosos relativamente, y aminorados por la catástrofe del barranco, tenían en su contra casi todo el ejército inglés, pero se multiplicaban; cada hombre valía por diez. Sin embargo, algunos batallones hannoverianos tuvieron que replegarse. Wellington lo vio, y pensó en su caballería. Si Napoleón también en aquel momento hubiese pensado en su infantería, habría ganado la batalla. Este olvido fue su falta grave y fatal.

Ya no fue una batalla, fue una sombra, una furia, una ira vertiginosa en que se confundían las almas y el valor, un huracán de espadas flameantes.

Hubo doce asaltos. A Ney le mataron cuatro caballos que sucesivamente montó. La mitad de los coraceros quedó en la meseta. La lucha duró dos horas.

El ejército inglés tuvo pérdidas inmensas. Sin duda que si los coraceros no se hubiesen visto debilitados en su primer choque por el desastre de la cañada, habrían derrotado al centro, y decidido la victoria.

La situación de Wellington había empeorado. Esta extraña batalla se parecía a un duelo entre dos heridos encarnizados que van perdiendo toda su sangre, sin dejar por eso de combatir y resistirse mutuamente. ¿Cuál de los dos caerá primero?

La lucha de la meseta continuaba.

¿Hasta dónde fueron los coraceros? Nadie podría decirlo.

Wellington conocía que iba decayendo. La crisis se acercaba.

La carga dada por los coraceros no había tenido éxito, pues el centro inglés no había sido destruido.

Pero el decaimiento de los ingleses parecía irremediable. La hemorragia de aquel ejército era horrible. Kempt reclamaba refuerzo en el ala izquierda. "No lo hay —respondía Wellington—, ¡que muera en su puesto!" Casi al mismo tiempo, ¡coincidencia singular que pinta el agotamiento de fuerzas de los dos ejércitos! Ney pedía infantería a Napoleón, y Napoleón exclamaba: —¡Infantería! ¿De dónde quiere que la saque? ¿Quiere que la haga yo?"

Sin embargo, el ejército inglés era el enfermo de más peligro. Los furiosos embates de los grandes escuadrones de corazas de hierro y pechos de acero, habían triturado la infantería.

Todo el estado mayor de Wellington había sido diezmado, y la Inglaterra llevaba la peor parte de este sangriento equilibrio.

XI. Mal guía para Napoleón, bueno para Bulow

Sabida es la dolorosa equivocación de Napoleón; esperaba a Grouchy, y fue Blucher el que llegó; la muerte en vez de la vida.

Si la acción hubiera empezado dos horas antes, hubiese concluido a las cuatro, y Blucher habría llegado al campo de batalla encontrándola ya ganada por Napoleón. Tales son esos azares inmensos, proporcionados a un infinito que no está a nuestro alcance.

En efecto, Bulow no se había movido. Su vanguardia era muy débil y no podía hacer nada. Debía esperar el grueso del cuerpo de ejército y tenía orden de concentrarse antes de entrar en línea; pero a las cinco, viendo el peligro de Wellington, mandó Blucher a Bulow que atacase, y dijo esta frase notable: "Es preciso dar aire al ejército inglés."

XII. La guardia

Sabido es lo demás; la irrupción de un tercer ejército, la batalla dislocada, ochenta y seis bocas de fuego tronando de repente, Pirch I acudiendo con Bulow, la caballería de Zieten dirigida por Blucher en persona, los franceses rechazados, Marcognet barrido de la meseta de Ohain, Durutte desalojado, Papelotte, Douzelot y Quiot retrocediendo, Lobau acuchillado, otra batalla amenazando a la caída de la tarde a nuestros regimientos desmantelados, toda la línea inglesa volviendo a tomar la ofensiva y avanzando hacia nosotros, la gigantesca brecha abierta en el ejército francés, la metralla inglesa y la metralla prusiana ayudándose mutuamente, el exterminio, el desastre en el frente, el desastre en los flancos, la Guardia entrando en línea bajo aquel espantoso y general hundimiento.

Conociendo que iba a morir, gritó: ¡Viva el emperador! No hay nada en la historia más patético que esa agonía estallando en aclamaciones.

Wellington gritó: "¡De pie, guardias, y buena puntería!" El regimiento encarnado de guardias inglesas que se hallaba tendido detrás de los setos se levantó, y una nube de metralla acribilló la bandera tricolor ondeante alrededor de nuestras águilas; todos se precipitaron unos contra otros, y empezó la suprema carnicería.

El soldado en este cuerpo era tan héroe como el general. Ni un hombre tembló ante el suicidio.

XIII. La catástrofe

La derrota que tras sí dejó la Guardia fue fúnebre.

El ejército se replegó precipitadamente de todas partes a la vez: de Hougomont, de la Haie-Sante, de Papelotte y de Plancenoit. El grito ¡traición! fue seguido del grito ¡sálvese quien pueda! Un ejército que se desbanda es como un deshielo general. Todo se rinde, cede, estalla, flota, rueda, cae, choca, empuja, se precipita. Dispersión inaudita. Ney pide un caballo prestado, monta en él, y sin sombrero, sin corbata, sin espada, se lanza por la calzada de Bruselas deteniendo a la vez a los ingleses y a los franceses. Trata de detener al ejército, lo llama, lo insulta, quiere hacerse volver caras, pero en vano; las oleadas de los fugitivos pasan adelante. Los soldados huyen de él gritando: "¡Viva el mariscal Ney!" En vano hace Napoleón una muralla con lo que le queda de la guardia; en vano utiliza para el último esfuerzo sus escuadrones de servicio.

La caballería prusiana, recién venida, se lanza, vuela, acuchilla, raja, hiende, mata, extermina. Los tiros de la artillería ruedan impetuosamente; los cañones caen a tierra; los soldados del tren desenganchan los arcones y toman sus caballos para escaparse; furgones derribados boca arriba entorpecen el camino y sirven de ocasión para cometer asesinatos. Los fugitivos se destrozan, se oprimen, andan por encima de los muertos y de los vivos. Una muchedumbre vertiginosa llena los caminos, los senderos, los puentes, las llanuras, las colinas, los valles, los bosques, atestados por esa evasión de cuarenta mil hombres. Gritos, desesperación, sacos y fusiles arrojados en los campos de centeno; el paso abierto a sablazos; no se conoce ni a los camaradas ni a los oficiales, ni a los generales; por doquiera un espanto inexplicable; Zieten acuchillando a la Francia a su sabor; los leones convertidos en cabritos: tal fue esta fuga.

¡Ay! ¿quién huía de esta suerte? El gran ejército.

¿Acaso dejó de tener causa ese vértigo, ese terror, esa caída desde el más alto valor que ha admirado la historia? La sombra de una línea recta enorme se proyecta sobre Waterloo. Es la jornada del destino. Una fuerza superior al hombre prevaleció aquel día. De ahí el espanto de todos; de ahí todas esas grandes almas entregando su espada. Los que habían vencido a la Europa cayeron aterrados, no teniendo ya nada que hacer ni qué decir, sintiendo en la sombra una presencia terrible.

A la caída de la noche, en un campo cerca de Genappe, Bernard y Bertrand detuvieron y cogieron por el faldón de la levita a un hombre sombrío, pensativo, siniestro, que llevado hasta allí por la corriente de la derrota, acababa de echar pie a tierra, había pasado por el brazo la brida de su caballo, y con la mirada extraviada, regresaba solo a Waterloo. Era Napoleón que intentaba aún ir adelante, sonámbulo inmenso de aquel sueño desvanecido.

XIV. El último cuadro

Algunos cuadros de la Guardia, inmóviles en el torrente de la derrota, como rocas en un torrente de agua, permanecían firmes hasta la noche. Cuando llegó la noche, acompañada de la muerte, esperaron esta doble sombra y se dejaron envolver en ella a pie firme. Cada regimiento, aislado de los demás, y no teniendo ya lazo alguno con el ejército deshecho por todas partes, moría por su cuenta.

A la hora del crepúsculo a eso de las nueve de la noche, sólo quedaba uno en la parte baja de la meseta de Mont-Saint-Jean.

Mandábalo un oscuro oficial llamado Cambronne. A cada descarga disminuía el cuadro, y respondía. Contestaba a la metralla con la fusilería, estrechándose continuamente sus cuatro muros.

Oyeron cargar las piezas en la sombra crepuscular, vieron las mechas encendidas, que semejantes a los ojos del tigre en la oscuridad, formaban un círculo en torno de sus cabezas; todos los bota-fuegos de las baterías inglesas se acercaron a los cañones, y entonces, conmovido, teniendo el instante supremo suspendido encima de aquellos hombres, un general inglés, Colville, según unos, o Maitland, según otros, les gritó: "¡Rendíos, valientes franceses!" Cambronne contestó: "¡Mierda!"

XV. Cambronne

El respeto que exige el lector no debiera llegar hasta el punto de que no pueda la historia repetir la palabra quizá más sublime que ha dicho un francés. Eso equivaldría a prohibir a la historia consignar los rasgos sublimes.

Así, pues, si esa prohibición existe, nosotros de nuestra cuenta y riesgo la infringimos.

Entre aquellos gigantes, hubo un Titán, que fue Cambronne.

En efecto, decir esta palabra y morir en seguida, ¡qué cosa más grande! Porque querer morir es morir, y no fue culpa suya si ametrallado sobrevivió.

Fulminar con tal palabra al trueno que os mata, es vencer.

Es el insulto al rayo; es llegar a una grandeza esquiliana.

Al oír a Cambronne, el inglés respondió: "¡fuego!"

XVI. ¿Quot libras in duce?

La batalla de Waterloo es un enigma, tan oscuro para los que la ganaron como para el que la perdió. Para Napoleón fue un pánico; Blucher no vio en ella más que fuego; Wellington no comprendió nada, como lo prueban sus comunicaciones oficiales. Los boletines están confusos, los comentarios embrollados. Estos no hacen más que balbucear, aquéllos tartamudean. Jomini divide la batalla de Waterloo en cuatro momentos: Muffing la separa en tres peripecias; Charras sólo —aunque en algunos puntos tengamos diversa opinión que él— es el que apreció con certero golpe de vista los lineamientos característicos de aquella catástrofe del genio humano en lucha con el azar divino.

En este acontecimiento, que lleva impreso el sello de una necesidad sobrehumana, la parte de los hombres no entra para nada.

En la aurora de ese vasto sol, naciente de ideas, propio de nuestro siglo, tienen un esplendor magnífico Inglaterra y Alemania. Son majestuosas porque piensan. La elevación de nivel que traen a la civilización les es intrínseca, viene de ellas mismas, y no de un accidente. Lo que tienen de grandeza en el siglo XIX no reconoce a Waterloo por origen. Sólo los pueblos bárbaros tienen súbitas crecidas después de una victoria.

Hablemos, pues, de Waterloo fríamente por ambas partes. Demos al azar lo que es del azar, y a Dios lo que es de Dios. ¿Qué fue Waterloo? ¿Una victoria? No. Un escudo de armas.

Escudo ganado por Europa y pagado por Francia.

Wellington es la guerra clásica que toma su revancha. Bonaparte en su aurora la había encontrado en Italia y derrotado magníficamente. El viejo mochuelo huyó ante el buitre joven. La táctica antigua no sólo quedó derrotada, sino escandalizada.

XVII. ¿Fue bueno el resultado de Waterloo?

Existe una escuela liberal muy respetable, que no odia a Waterloo. Nosotros no pertenecemos a ella. Para nosotros, Waterloo no es más que la fecha estupefacta de la libertad; que un águila como ésta haya salido de un huevo como aquél, eso es ciertamente lo sorprendente e inesperado.

Waterloo, si se le considera desde el punto de vista culminante de la cuestión, es intencionalmente una victoria contrarrevolucionaria. Es Europa contra Francia, San Petersburgo, Berlín y Viena contra París, el *statu quo* contra la iniciativa, el 14 de julio de 1789 atacado al través del 20 de marzo de 1815; es el zafarrancho de las monarquías contra el indomable motín francés. Apagar de una vez el volcán de ese vasto pueblo en erupción durante veintiséis años; tal era el objeto. Solidaridad de los Brunswick, de los Nassau, de los Romanoff, de los Hohenzollern, de los Habsburgos con los Borbones. Waterloo lleva a la grupa el derecho divino.

No veamos en Waterloo sino lo que hay realmente en él. Y respecto de intenciones liberales no había ninguna. La contrarrevolución era involuntariamente liberal, lo mismo que Napoleón, por un fenómeno análogo, era revolucionario contra la voluntad.

XVIII. Recrudescencia del derecho divino

Terminada la dictadura, todo un sistema europeo se vino abajo.

El imperio se desmoronó en una sombra parecida a la del mundo romano expirante. Volvióse a ver el abismo como en tiempos de los bárbaros. Sólo que la barbarie de 1815, a la cual llamaremos por su apodo la contrarrevolución, tenía poco aliento, se cansó en breve y se detuvo. El imperio, confesémoslo de una vez, fue llorado, y llorado por ojos de héroes. Si la gloria consiste en la espada convertida en cetro, el imperio había sido la gloria misma. Había derramado por la tierra toda la luz que puede dar la tiranía, luz sombría; digamos más: luz oscura.

Comparada con la del día verdadero, es la oscuridad de la noche. Pero la desaparición de esta noche produjo el efecto de un eclipse.

Después de Waterloo, el fondo de Europa fue tenebroso. Durante mucho tiempo hubo un gran vacío causado por la ausencia de Napoleón.

Los reyes se colocaron en este vacío. La vieja Europa se aprovechó de él para reformarse. Hubo una Santa Alianza. Bella Alianza, había dicho de antemano el campo fatal de Waterloo.

En presencia y frente a frente de la antigua Europa rehecha, se bosquejaron los rasgos de una Francia nueva. El porvenir ridiculizado por el emperador, hizo su entrada solemne llevando en la frente la estrella de la libertad. Los ojos ardientes de las generaciones jóvenes se volvieron hacia él. Cosa singular, se enamoraron al mismo tiempo del porvenir, Libertad, y del pasado, Napoleón. La derrota había elevado al vencido; Bonaparte caído, parecía más alto que Napoleón de pie. Los que habían triunfado, tuvieron miedo.

Los reyes reinaron con cierto malestar mientras tuvieron la roca de Santa Elena en el horizonte.

El Congreso de Viena hizo sus tratados de 1815, y Europa llamó a esto la Restauración.

Esto fue Waterloo.

¿Pero qué importa a lo infinito?

XIX. El campo de batalla por la noche

Es una necesidad de este libro que volvamos a ese campo fatal de batalla.

El 18 de junio de 1815 era día de luna llena. Aquella claridad favoreció la feroz persecución de Blucher, denunció las huellas de los fugitivos, entregó aquellas masas desastrosas a la caballería prusiana, y ayudó a la matanza. La noche se complace algunas veces en ser testigo de esas horribles catástrofes.

Wellington fue a la aldea de Waterloo a redactar su parte para lord Bathurst.

Waterloo no hizo nada, y está situada a media legua de los sitios en que se dio la acción; Mont-Saint-Jean fue cañoneado, Hougomont fue quemado, Papelotte también, Plancenoit igualmente, la Haie-Sainte fue tomada por asalto, la Bella-Alianza vio el brazo de los dos vencedores. Sin embargo, estos nombres han quedado casi desconocidos, y Waterloo, que no hizo nada en la batalla, tuvo para sí todos los honores.

Recoger laureles y robar los zapatos a un muerto nos parece imposible que lo haga una misma mano.

Sin embargo, en la noche del 18 al 19 de junio se despojó a los muertos. Wellington fue rígido; dio orden de pasar por las armas a todo el que fuese cogido en flagrante delito, pero la rapiña es tenaz.

Los merodeadores robaban en uno de los extremos del campo de batalla, mientras estaban fusilando en el otro.

En esta llanura la luna era siniestra.

A eso de las doce vagaba un hombre, o mejor dicho, andaba arrastrándose por la parte del barranco de Ohain. Según toda apariencia, era uno de los que acabamos de caracterizar, ni inglés, ni francés, ni soldado, ni paisano, menos hombre que hiena; atraído por el olor de los muertos, teniendo el robo por victoria, y acudiendo a saquear a Waterloo. Llevaba una blusa que tenía algo de capote, e inquieto y atrevido, marchaba hacia adelante mientras miraba hacia atrás. ¿Quién era aquel hombre? Probablemente la noche le conocía más que el día.

En aquel momento tuvo una especie de sobresalto.

Sintió que lo agarraban por detrás.

Volvióse; era la mano abierta que había vuelto a cerrarse, y que le había cogido el faldón de su capote.

Un hombre honrado hubiese tenido miedo. Este se echó a reír.

—¡Calle! —dijo—; si es el muerto. Más me gusta un aparecido que un gendarme.

Sin embargo, la mano se fue aflojando y le soltó. El esfuerzo se agota pronto en la tumba.

—¡Hola! —dijo el vagabundo—, ¿estará vivo este muerto? Vamos a ver.

Inclinóse de nuevo, empezó a separar los obstáculos que le impedían llegar hasta la mano, y una vez separados, la cogió, empuñó el brazo, separó la cabeza, sacó el cuerpo, y algunos instantes después arrastraba en la oscuridad del camino a un hombre inanimado, o desmayado a lo menos.

Hecho lo cual, tentó el bolsillo del chaleco del oficial, en el que sintió un reloj y lo tomó. Después examinó el otro bolsillo y halló en él una bolsa, y la cogió. A este punto llegaba el socorro que estaba prestando al moribundo, cuando el oficial abrió los ojos.

—Gracias —dijo débilmente.

El oficial murmuró, aunque con voz agonizante:

—¿Quién ha ganado la batalla?

—Los ingleses —respondió el vagabundo.

—Me habéis salvado la vida. ¿Quién sois?

El vagabundo respondió rápidamente y en voz baja:

—Yo pertenecía como vos al ejército francés. Tengo que dejaros: si me cogiesen, me fusilarían. Os he salvado la vida. Ahora componeos como podáis.

—¿Cuál es vuestra graduación?

—Sargento.

—¿Cómo os llamáis?

—Thenardier.

—No olvidaré ese nombre —dijo el oficial—. Y vos conservad el mío. Me llamo Pontmercy.

Libro segundo

● EL NAVÍO "ORIÓN" ●

I. EL NÚMERO 24,601 SE CONVIERTE EN EL NÚMERO 9,430

Juan Valjean había sido capturado de nuevo.

El lector nos agradecerá que pasemos rápidamente por detalles dolorosos. Nos limitaremos, pues, a reproducir dos sueltos publicados por los periódicos de aquella época, pocos meses después de los sorprendentes acontecimientos ocurridos en M. —a orillas del M.

Tomamos el primero de *La Bandera Blanca*, fechado el 25 de julio de 1823.

"Un distrito del departamento del Pas-de-Calais acaba de ser teatro de un acontecimiento poco común. Un hombre extraño al departamento, y llamado M. Magdalena, había dado gran impulso de algunos años a esta parte, gracias a procedimientos nuevos, a una antigua industria local: la fabricación de azabaches y abalorios negros. En ella había hecho su fortuna, y si vale decir verdad, la del departamento. En justa retribución de sus servicios se le había nombrado alcalde. La policía ha descubierto que M. Magdalena no era sino un antiguo presidiario, escapado del presidio, condenado en 1796 por robo, y llamado Juan Valjean. Este ha sido enviado de nuevo al presidio. Parece que antes de su prisión había conseguido sacar de casa del señor Laffitte la cantidad de más de medio millón de francos que tenía colocada en dicha casa, y que por otra parte, según se dice, había ganado muy legítimamente en su comercio. No se ha podido saber dónde había ocultado esta suma Juan Valjean después de su entrada en el presidio de Tolón."

El segundo artículo, algo más minucioso, se publicó en el *Diario de París* de la misma fecha. Dice así:

"Acaba de comparecer ante el tribunal de Asisias del Var un antiguo licenciado de presidio, llamado Juan Valjean, en circunstancias propias para llamar la atención. Este criminal había conseguido engañar la vigilancia de la policía; había cambiado de nombre, y logrado hacerse nombrar alcalde de una de nuestras pequeñas poblaciones del Norte, donde había establecido un comercio de bastante consideración.

"Dícese que se aprovechó del intervalo de estos tres o cuatro días de libertad para retirar una suma considerable colocada por él en casa de uno de nuestros principales banqueros y cuyo importe se hace subir a seiscientos o setecientos mil francos.

"El bandido ha renunciado a defenderse".

Por lo demás —digámoslo de una vez para siempre— la prosperidad de M. —a orillas del M.— desapareció con el señor Magdalena; todo cuanto había previsto en su noche de vacilación y de fiebre se realizó; faltando él, faltó el alma de aquella población.

"El Estado mismo echó de ver que alguien había sido arruinado en alguna parte".

II. Donde se leerán dos
versos, que son tal vez del diablo

Antes de ir más lejos, bueno será referir con algunos pormenores un hecho singular que hacia la misma época pasó en Montfermeil, y que no deja de tener su coincidencia con ciertas conjeturas del ministerio público.

Las buenas mujeres afirman que no es raro encontrar, al morir el día, en los sitios apartados del bosque, un hombre negro, con facha de carretero o de leñador, calzado con zuecos; vestido con pantalón y sobretodo de lienzo, y fácil de conocer, porque en vez de gorra o de sombrero lleva dos cuernos inmensos en la cabeza. En efecto, esto debe servir de mucho para conocerle. Este hombre está habitualmente ocupado en hacer hoyos en la tierra.

Se hacen, pues, esfuerzos enormes; porque esos hoyos son generalmente muy hondos; se suda, se cava, se trabaja toda una noche, porque de noche es cuando se ejecuta todo esto, se empapa la camisa en sudor, se gasta toda la luz, se mella el azadón; y cuando se ha llegado, en fin, al fondo del hoyo, cuando se ha puesto la mano encima del "tesoro", ¿qué es lo que se encuentra? ¿qué es el tesoro del diablo? Un sueldo, a veces un escudo, una piedra, un esqueleto, un cadáver destilando sangre, en ocasiones un espectro doblado en cuatro como un pliego de papel en una cartera; otras veces nada.

III. DE CÓMO LA CADENA DE LA ARGOLLA DEBIÓ HABER SUFRIDO ALGUNA OPERACIÓN PREPARATORIA PARA ROMPERSE ASÍ DE UN MARTILLAZO

A fines de octubre del mismo año, 1823, los habitantes de Tolón vieron entrar en su puerto, de resultas de un temporal y para reparar algunas averías, al navío *Orión*, que fue después empleado en Brest como navío escuela, y que entonces formaba parte de la escuadra del Mediterráneo.

Este buque, averiado y todo como estaba, porque el mar lo había maltratado, hizo un gran efecto al entrar en la rada.

El *Orión* era un buque averiado hacía mucho tiempo. En sus navegaciones anteriores habíanse amontonado sobre su quilla espesas capas de mariscos, hasta el punto de hacerle perder la mitad de su andar; se le había puesto en seco el año anterior para rasparle los mariscos, y después había sido botado al agua de nuevo. Pero esta raspadura había alterado todos los pernos de la quilla. A la altura de las Baleares, la parte del buque bajo línea de flotación se había cansado y abierto, y como el forrado no se hacía entonces en cobre, el buque hacía agua. Sobrevino un violento vendaval de equinoccio, que desfondó a babor la roda y una portañola, y deterioró el porta-obenque de mesana; y a consecuencia de estas averías *El Orión* tuvo que regresar a Tolón.

Fondeó cerca del arsenal, y se trató de armarle y repararle. El casco no había sufrido nada a estribor, pero se habían desclavado algunos listones de los costados, según costumbre, para que el aire pudiese penetrar en la armazón.

Una mañana, la multitud que lo contemplaba, fue testigo de un accidente.

La tripulación estaba ocupada en envergar las velas. El gaviero encargado de tomar el mastelero de gavia por la parte de estribor, perdió el equilibrio.

Tenía el mar debajo, a una profundidad vertiginosa. El sacudimiento de su caída había impreso al estribo un violento movimiento de columpio. El hombre iba y venía agarrado a esta cuerda como la piedra de una honda.

Socorrerle era correr un riesgo horrible. Ninguno de los marineros, pescadores todos de la costa, que hacía poco habían entrado en el servicio, se atrevía a ello.

De pronto viose a un hombre que trepaba por el aparejo con la agilidad de un tigre. Este hombre iba vestido de encarnado, era un presidiario; llevaba un gorro verde, señal de condenado a cadena perpetua. Nadie notó en aquel instante la facilidad con que fue rota la cadena. Hasta después no lo recordaron.

En fin, el presidiario alzó los ojos al cielo y dio un paso hacia adelante. La multitud respiró.

Parecía una araña yendo a coger una mosca; sólo que allí la araña llevaba la vida y no la muerte. Diez mil miradas estaban fijas en el grupo. Ni un grito, ni una palabra, el mismo estremecimiento fruncía todas las cejas. Todas las bocas detenían su aliento, como si hubiesen temido añadir el menor soplo al viento que sacudía a aquellos dos infelices.

Entretanto, el presidiario había conseguido bajarse muy cerca del marinero. Ya era tiempo; un minuto más tarde, el hombre, cansado y desesperado, se habría dejado caer al abismo; el presidiario lo había atado sólidamente con la cuerda a que se sujetaba con una mano, mientras que trabajaba con la otra. En fin, se le vio subir sobre la verga, y tirar del marinero hasta que le tuvo también en ella; allí le sostuvo también un instante, para dejarle recobrar las fuerzas, después le cogió en sus brazos, y llevó andando sobre la verga hasta el tamborete, y de allí a la gavia, donde le dejó en manos de sus camaradas.

En este instante aplaudió la multitud; algunos de la chusma lloraban; las mujeres se abrazaban en el muelle, y oyóse gritar a todo el mundo con una especie de furor enternecido: ¡Perdón, perdón para ese hombre!

Este, mientras tanto, se había preparado a bajar inmediatamente para unirse a la cuadrilla a que pertenecía. Para llegar más pronto, dejóse deslizar y echó a correr por una antena baja. Todas las miradas le seguían. Por un momento se tuvo miedo; sea que estuviese cansado, sea que se marease, se creyó que vacilaba y que dudaba. De pronto la muchedumbre lanzó un grito; el presidiario acababa de caer al mar.

La caída era peligrosa. El hombre no había subido a la superficie. Había desaparecido en el mar sin dejar una huella, como si hubiese caído en una cuba de aceite. Se sondeó, y hasta se buscó en el fondo. Todo fue en vano. Se estuvo buscando hasta que fue de noche; pero no se halló ni aun el cuerpo.

Al día siguiente, el diario de Tolón imprimía estas líneas:

"17 de noviembre de 1823. —Un presidiario que se hallaba trabajando con su cuadrilla a bordo de *El Orión*, al acabar de socorrer ayer a un marinero, cayó al mar y se ahogó. Su cadáver no ha podido ser hallado. Se cree que habrá quedado enganchado en las estacas de la punta del arsenal. Este hombre estaba inscrito en el registro con el número 9430 y se llamaba Juan Valjean."

Libro tercero

● CUMPLIMIENTO DE LA ●
PROMESA HECHA A LA DIFUNTA

I. LA CUESTIÓN DEL AGUA DE MONTFERMEIL

Montfermeil está situado entre Liory y Chelles, en la orilla meridional de la elevada meseta que separa el Ourque del Marne. Hoy es una villa bastante poblada, adornada todo el año de casitas de campo construidas de yeso, y el domingo de alegres y honrados ciudadanos.

La única falta que tenía era que escaseaba el agua a causa de la elevación de la meseta.

Era preciso ir a buscarla bastante lejos.

Esto era lo que aterraba a la pobre criatura, a la pequeña Cosette, a quien el lector no habrá olvidado. Se recordará que Cosette era útil a los Thenardier de dos modos; se hacían pagar por la madre, y se hacían servir por la hija. Así, cuando la madre dejó enteramente de pagar, por las razones expuestas en los capítulos anteriores, los Thenardier se quedaron con Cosette. La pobre niña les servía de criada, y como tal, ella era la que iba a buscar agua cuando faltaba. Así es que, espantada con la idea de ir a la fuente por la noche, cuidaba de que no faltase nunca en casa.

II. DOS RETRATOS COMPLETOS

En este libro no se ha visto aún a los Thenardier más que de perfil; ha llegado el momento de dar la vuelta alrededor de este matrimonio, y mirarle por todas sus fases.

Thenardier acababa de cumplir los cincuenta años; su esposa frisaba en los cuarenta, que son los cincuenta de la mujer; de modo que entre la mujer y el marido se hallaba equilibrada la edad.

Los lectores han conservado tal vez desde su primera aparición, algún recuerdo de la mujer de Thenardier: alta, rubia, colorada, gruesa, membruda, cuadrada, enorme y ágil; ya hemos dicho que procedía de la raza de esas salvajes colosales que en las ferias levantan del suelo grandes piedras con los cabellos. Ella lo hacía todo en la casa: las camas, los cuartos, la colada, la cocina, la lluvia, el buen tiempo, el diablo. Por única criada tenía a Cosette, un ratoncillo al servicio de un elefante. Todo temblaba al sonido de su voz: los vidrios, los muebles y la gente. Su ancho rostro, acribillado de pecas rojas, parecía una espumadera. Tenía barbas. Era el ideal de un matón del mercado, vestido de mujer. Juraba como un carretero, y se jactaba de partir una nuez de un puñetazo.

Thenardier era un hombre pequeño, delgado, pálido, anguloso, huesudo, endeble, que parecía enfermizo, y se conservaba muy bien; aquí empezaba su trapacería. Se sonreía con precaución habitualmente, y era casi atento con todo el mundo, hasta con el mendigo a quien le negaba una limosna. Tenía la mirada de una zorra, y el aspecto de un letrado. Se parecía mucho a los retratos del abate Delille. Su coquetería consistía en beber con los trajineros; y nadie había podido emborracharle nunca. Fumaba en una pipa muy grande; llevaba una blusa, y debajo un frac negro muy viejo; tenía pretensiones de literato y de materialista. Pronunciaba con frecuencia ciertos nombres para apoyar todo lo que decía, como Voltaire, Raynal, Porny, y, cosa extraña, San Agustín. Afirmaba "tener sistema". Por lo demás, era un estafador, pero estafador por principios y reglas científicas, matiz que existe. Se recordará que pretendía haber servido; contaba con algún lujo que en Waterloo, siendo sargento en un 6o. o en un 9o. de ligeros cualquiera, solo contra un escuadrón de húsares de la Muerte, había cubierto con su cuerpo y salvado al través de la metralla, "a un general peligrosamente herido". De ahí provenían para el dintel de su puerta la flamante muestra, y para su bodegón en el país el nombre de "Taberna del Sargento de Waterloo". Era liberal clásico y bonapartista.

Era taimado, glotón, perezoso y hábil. No desdeñaba a sus criadas, y por lo cual su mujer no las tenía. Esta giganta era celosa. Le parecía que aquel hombrecillo delgado y amarillento debía ser objeto de la codicia universal.

Además de todo esto, Thenardier, hombre de astucia y de equilibrio, era un bribón del género templado. Esta especie es la peor, porque tiene mucho de hipócrita.

Además de todas sus cualidades, tenía Thenardier la de ser atento y penetrante, silencioso o charlatán, según la ocasión, y siempre con una inteligencia elevada.

Cualquier recién venido que entraba en el bodegón decía, al ver a la mujer de Thenardier: "Esa es el amo de la casa." Error. No era ni aún el ama: el amo y el ama era el marido. Ella hacía, él creaba. Dirigía todo por una especie de acción magnética invisible y continua. Una palabra le bastaba, algunas veces una señal; y el mastodonte obedecía. Thenardier era para su mujer, sin que ella pudiera explicarse la causa, una especie de ser particular y soberano.

Esta mujer era una criatura formidable que no amaba más que a sus hijas, y no tenía más que a su marido. Era madre, porque era mamífera. Por lo demás, su maternidad no pasaba de sus hijas, y como se verá más adelante, no se extendía a los varones. El, el hombre, no tenía más que un pensamiento: enriquecerse.

Este hombre y esta mujer eran la astucia y la rabia casadas; pareja repugnante y terrible.

Mientras el marido reflexionaba y combinaba, la mujer no pensaba en los acreedores ausentes, ni se inquietaba por lo pasado ni por el porvenir, viviendo sola y exclusivamente para el presente.

Tales eran estos dos seres. Cosette se hallaba entre ellos sufriendo su doble presión como una criatura que se viese a la vez triturada por una piedra de molino, y hecha trizas por unas tenazas.

La pobre niña sufría y callaba.

¿Qué pasa en las almas de esos seres que acaban de dejar el seno de Dios cuando se encuentran así, desde que nacen pequeñas y desnudas entre los hombres?

III. Vino a los hombres y agua a los caballos

Habían llegado cuatro nuevos viajeros.

Cosette pensaba tristemente; porque aun cuando no tenía más que ocho años, había padecido ya tanto, que pensaba con el aire lúgubre de una mujer de edad.

Tenía un párpado negro de un puñetazo que le había dado la Thenardier, por lo cual de vez en cuando decía ésta: "¡Qué fea está con su cardenal en el ojo!"

Cosette pensaba, pues, que estaba oscuro, muy oscuro, que había sido preciso llenar de pronto los jarros y las botellas en los cuartos de los viajeros recién llegados, y que no había ya agua en la fuente.

Lo que la tranquilizaba un poco era que en la casa de Thenardier no se bebía mucha agua. No faltaban personas que tenían sed, pero era de esa sed que se aplaca más con el vino que con el agua.

De pronto, uno de los mercaderes ambulantes hospedados en el bodegón, entró y dijo con voz dura:

—A mi caballo no le han dado de beber.

—Sí, por cierto —dijo la mujer de Thenardier.

—Os digo que no, buena mujer —contestó el mercader.

Cosette había salido de debajo de la mesa.

—¡Oh! sí, señor —dijo—; el caballo ha bebido, y ha bebido en el cubo que estaba lleno, yo misma le he dado de beber, y le he hablado.

—Bueno, bueno —replicó el mercader colérico—; que den de beber a mi caballo y concluyamos.

Señorita lechuza, vaya a dar de beber a ese caballo.

—Pero, señora —dijo Cosette, débilmente—, si no hay agua.

La Thenardier abrió de par en par la puerta de la calle.

—Pues bien, ve a buscarla. Además, mira tu, sapo, a la vuelta comprarás un pan al panadero. Ahí tienes una moneda de quince sueldos.

—¡No oyes que vayas! —gritó la Thenardier.

Cosette salió. La puerta volvió a cerrarse.

IV. Entrada de una muñeca en escena

Se recordará que la hilera de tiendas al aire libre que empezaba en la iglesia, llegaba hasta el bodegón de Thenardier.

La última de las barracas, situada precisamente frente a la puerta de los Thenardier, era una tienda de juguetes toda relumbrante de oropeles, de abalorios y de magníficas cosas de hoja de lata. En primera fila, y delante de todo, había puesto el tendero, sobre un fondo de servilletas blancas, una inmensa muñeca de cerca de dos pies de altura, vestida con un traje de crespón color de rosa, adornada de espigas de oro la cabeza, y con pelo verdadero y ojos de esmalte.

En el momento en que Cosette salió, con su cubo en la mano, por sombría y abrumada que estuviera, no pudo menos de alzar la vista hacia la prodigiosa muñeca, hacia *la señora*, como la llamaba. La pobre niña se quedó petrificada. No había visto aún tan de cerca como entonces la muñeca. Toda la tienda le parecía un palacio; la muñeca no era una muñeca, era una visión.

En esta adoración lo olvidó todo, hasta la comisión que le habían encargado. De pronto la bronca voz de la Thenardier la hizo volver en sí.

—¡Cómo, bribonzuela! ¿no te has ido todavía? ¡Espera! ¡Allá voy yo! ¡Ya te compondré! ¿Qué tienes tú que hacer ahí?

La Thenardier había echado una mirada hacia la calle, y había visto a Cosette en éxtasis.

Cosette echó a correr con su cubo con toda la velocidad que podía.

V. La niña enteramente sola

Como el bodegón de Thenardier se hallaba en la parte de la aldea que está cerca de la iglesia, tenía que ir Cosette por el agua a la fuente del bosque que estaba por el lado de Chelles.

Ya no miró una sola tienda de juguetes. Cuanto más andaba, más espesas se volvían las tinieblas.

Así pasó Cosette el laberinto de calles tortuosas y desiertas, en que termina por la parte de Chelles la aldea de Montfermeil.

Apenas hubo andado cien pasos cuando se detuvo, y volvió a rascarse la cabeza. A la sazón era la Thenardier la que se le aparecía; la repugnante Thenardier con su boca de hiena y sus ojos echando chispas de cólera. La niña arrojó una mirada lastimera hacia adelante y hacia atrás: ¿qué haría? ¿A dónde iría? Marchaba hacia adelante como desvanecida.

Al mismo tiempo que corría, tenía ganas de llorar. El estremecimiento nocturno de la selva la rodeaba enteramente.

Ya no pensaba, ya no veía. Así llegó a la fuente. Cosette no se tomó tiempo ni aún para respirar. Estaba muy oscuro, pero ella tenía costumbre de ir a aquella fuente. Buscó en la oscuridad con la mano izquierda una encina joven inclinada hacia el manantial, que ordinariamente le servía de punto de apoyo, encontró una rama, se agarró a ella, inclinóse y metió el cubo en el agua. Estaba en una situación de ánimo tan violenta, que se habían triplicado sus fuerzas. Mientras se hallaba inclinada así, no paró la atención en que el bolsillo de su delantal se vaciaba en la fuente. La moneda de quince sueldos cayó al agua. Cosette no la vio ni la oyó caer. Sacó el cubo casi lleno, y lo puso sobre la hierba.

Se dejó caer en la hierba, y allí se acurrucó.

Cerró los ojos, después los volvió a abrir, sin saber por qué, pero no podía obrar de otro modo. Un viento frío venía de la llanura.

El bosque estaba tenebroso, sin ninguno de esos estremecimientos agradables de las hojas, sin uno siquiera de esos vagos y frescos resplandores del verano. Por todas partes reinaba la lobreguez.

La oscuridad es vertiginosa; el hombre necesita claridad; el que se interna en las tinieblas se siente con el corazón oprimido. Cuando la mirada ve oscuro, el espíritu ve turbio.

Cosette, sin explicarse lo que le pasaba, sentía que se apoderaba de ella esa enormidad oscura de la naturaleza. No era ya sólo terror lo que experimentaba; era algo más terrible que el terror mismo. La pobre niña se estremecía.

Cogió el asa con las dos manos, y le costó trabajo levantarlo.

Así anduvo unos doce pasos, pero el cubo estaba lleno, pesaba mucho, y tuvo que dejarlo en tierra. Respiró un instante, después volvió a coger el asa, y echó a andar: esta vez anduvo un poco más. Pero se vio obligada a detenerse todavía. Después de algunos segundos de reposo, continuó su camino.

Pensaba con angustia que necesitaría más de una hora para volver a Montfermeil, y que la Thenardier le pegaría. Esta angustia iba unida al miedo de verse sola de noche en el bosque. Estaba abrumada de fatiga, y no había salido aún de la selva.

En este momento sintió de pronto que el cubo no pesaba ya nada. Una mano, que le pareció enorme, acababa de coger el asa y lo levantaba vigorosamente. Cosette alzó la cabeza y vio una gran forma negra, derecha y alta, que caminaba a su lado en la oscuridad. Era un hombre que había llegado detrás de ella, sin haber sido visto.

El hombre, sin decir una palabra, había cogido el asa del cubo que llevaba Cosette.

Hay instintos para todos los accidentes de la vida.

La niña no tuvo miedo.

VI. Capítulo que prueba tal
vez la inteligencia de Boulatruelle

En la tarde del mismo día de Navidad de 1823, estuvo paseando un hombre durante mucho tiempo por la parte más desierta del boulevard del Hospital de París.

Este hombre, así en sus vestidos como en toda su persona, realizaba el tipo de lo que se podría llamar un mendigo de buena sociedad, es decir, la extrema miseria combinada con la extrema limpieza. Es una mezcla bastante rara que inspira a los corazones inteligentes ese doble respeto que se siente hacia el que es muy pobre, y hacia el que es muy digno. Llevaba un sombrero redondo muy viejo y muy cepillado; una levita raída hasta el hilo, de paño grueso de color de ocre, color que en aquella época no tenía nada de extravagante; un chaleco con bolsillos de forma antigua; calzón negro, vuelto gris por las rodillas; medias de lana negra, y zapatos gordos con hebillas de cobre. Se hubiese dicho que era un preceptor antiguo de buena casa, recién llegado de la emigración.

Poca gente pasea por este boulevard, sobre todo en el invierno; pero aquel hombre, aunque sin afectación, parecía que en vez de buscarla huía de ella.

Un instante después se hallaba en el callejón sin salida de la *Planchette*, y entró en el *Plato de estaño,* donde estaba entonces la oficina del carruaje de Lagny. Este carruaje salía a las cuatro y media. Los caballos estaban enganchados, y los viajeros, llamados por el mayoral, subían apresuradamente la escalera de hierro del cupé.

El hombre preguntó:

—¿Tenéis un asiento?

—Uno solo, a mi lado, en el pescante —dijo el mayoral.

—Le tomo.

—Subid.

Sin embargo, antes de partir, echó el mayoral una mirada al equívoco traje del viajero, y a su pequeño paquete, e hizo que le pagase.

—¿Vais a Lagny? —preguntó.

—Sí —dijo el hombre, y pagó hasta Lagny.

Partieron.

A las seis de la noche estaban ya en Chelles. El mayoral se detuvo para dar descanso a los caballos, delante de la posada de Trajineros, establecida en los viejos edificios de la abadía real.

—Aquí me bajo —dijo el hombre.

Tomó su bastón y su paquete, y saltó del carruaje.

Un instante después había desaparecido.

No había entrado en la posada.

Cuando al cabo de algunos minutos el carruaje volvió a partir para Lagny, no le encontró en la calle mayor de Chelles.

La tierra no se lo había tragado, nuestro hombre había apresurado el paso en la oscuridad, por toda la calle Mayor de Chelles, y después había tomado a la izquierda, antes de llegar a la iglesia, el camino vecinal que va a Montfermeil, como quien conoce el país y ha estado ya en él.

Este hombre era el que acababa de encontrar a Cosette.

VII. COSETTE EN LA
OSCURIDAD AL LADO DEL DESCONOCIDO

Ya lo hemos dicho, Cosette no había tenido miedo.

El hombre le dirigió la palabra. Hablaba con una voz grave y casi baja.

—Hija mía, lo que llevas ahí es muy pesado para ti.

Cosette alzó la cabeza, y respondió:

—Sí, señor.

—Dame —continuó el hombre—, yo lo llevaré.

Cosette soltó el cubo. El hombre echó a andar junto a ella.

—En efecto, es muy pesado —dijo entre dientes y luego añadió—: "¿Qué edad tienes, pequeña?—"

—Ocho años, señor.

—¿Y vienes de muy lejos así?

—De la fuente que está en el bosque.

—¿Y vas muy lejos?

—A un cuarto de hora largo de aquí.

El hombre permaneció un momento sin hablar, después dijo bruscamente:

—¿No tienes madre?

—No lo sé —respondió la niña.

—¿Cómo te llamas? —dijo el hombre.

—Cosette.

El hombre sintió como un sacudimiento eléctrico.

—¿Dónde vives, niña?

—En Montfermeil, si sabéis.

—¿Es allí a donde vamos?

—Sí, señor.

Volvió a haber otra pausa, y luego continuó:

—¿Quién te ha enviado a esta hora a buscar agua al bosque?

—La señora Thenardier.

El hombre replicó con un tono que quería esforzarse por hacer indiferente, pero en el cual había un temblor singular:

—¿Quién es esa señora Thenardier?

—Es mi ama —dijo la niña—. Tiene una posada.

—¿Una posada? —dijo el hombre—. Pues bien, allá voy a parar esta noche. Llévame.

—Vamos allá —dijo la niña.

—¿No hay criada en casa de esa señora Thenardier?

—No, señor.

—¿Eres tú sola?

—Sí, señor. Es decir, hay dos niñas.

—¿Qué niñas?

—Ponina y Zelma. Son las señoritas de la señora Thenardier, como quien dice, sus hijas.

—¿Y qué hacen?

—¡Oh! —dijo la niña—, tienen muñecas muy bonitas, cosas en que hay oro y muchos juguetes. Juegan y se divierten.

—¿Todo el día?

—Sí, señor.

—¿Y tú?

—Yo trabajo.

—¿Todo el día?

—Sí, señor.

—¿Cómo te diviertes?

—Como puedo. ¡Señor!...

—¿Qué, hija mía?

—Ya estamos junto a la casa.

—¿Y bien?

—¿Queréis que tome yo el cubo ahora?

—¿Por qué?

—Porque si la señora ve que me lo han traído me pegará.

El hombre le devolvió el cubo. Un instante después estaban a la puerta del bodegón.

VIII. Inconvenientes de recibir en casa a un pobre, que tal vez es un rico

Cosette no pudo menos de echar una mirada oblicua hacia la muñeca grande que continuaba expuesta en la tienda de juguetes. Después llamó: abrióse la puerta, y apareció la Thenardier con una luz en la mano.

—¡Ah! ¿eres tú, bribonzuela? Gracias a Dios; no has echado poco tiempo: se habrá estado divirtiendo la holgazanota.

—Señora —dijo Cosette temblando—, aquí hay un señor que busca habitación.

La Thenardier reemplazó al momento su aire gruñón con un gesto amable, cambio visible muy propio de los posaderos, y buscó ávidamente con la vista al recién venido.

—¿Es el señor? —dijo.

—Sí, señora —respondió el hombre llevando la mano al sombrero.

—Entrad, buen hombre.

—Lo siento mucho, buen hombre, pero no hay habitación.

—Ponedme donde queráis —dijo el hombre—; en el granero, o en la cuadra. Pagaré como si ocupase un cuarto.

—Me daréis cuarenta sueldos.

—¿Cuarenta sueldos? Sea.

Entre tanto el hombre, después de haber dejado sobre un banco su paquete y su bastón, se había sentado junto a una mesa, en la que Cosette se apresuró a poner una botella de vino y un vaso.

El hombre, que apenas había llevado a los labios el vaso de vino que se había echado, contemplaba a la niña con atención extraña.

Todo su vestido consistía en un harapo, que hubiese dado lástima en verano, y que inspiraba horror en el invierno. La tela que vestía estaba llena de agujeros; no tenía ni un mal pañuelo de lana. Se le veía la piel por varias partes, y por doquiera se distinguían manchas azules o negras, que indicaban el sitio donde la Thenardier la había golpeado. Sus piernas desnudas eran delgadas y de un color encendido; el hundimiento de sus clavículas hacía saltar las lágrimas. Toda la persona de esta criatura, su aire, su actitud, el sonido de su voz, sus intervalos entre una y otra palabra, su mirada, su silencio, su menor gesto, expresaban y revelaban una sola idea: el miedo.

De pronto exclamó la Thenardier:

—A propósito, ¿y el pan?

—Señora, el panadero tenía cerrado.

—¿Por qué no llamaste?

—Llamé, señora.

—¿Y qué?

—No abrió.

—¿Has perdido acaso los quince sueldos? —aulló la Thenardier—, ¿o me los quieres robar?

—Perdonad, señora —dijo el hombre—; pero ahora mismo he visto caer una cosa del bolsillo del delantal de esa chica, y ha venido rodando hasta aquí. Quizá será la moneda.

Al mismo tiempo se bajó y pareció buscar en tierra un instante.

—Aquí está justamente —continuó levantándose.

Y dio una moneda de plata a la Thenardier.

—Sí, ésta es —dijo ella.

De pronto la Thenardier, que continuaba yendo y viniendo por la sala, advirtió que Cosette se distraía, y que en vez de trabajar miraba a las niñas que estaban jugando.

—¡Ah, ahora no me lo negarás! —exclamó—. ¡Es así como trabajas! ¡Ahora te haré yo trabajar a disciplinazos!

El desconocido, sin dejar su silla, se volvió hacia la Thenardier.

—Señora —dijo sonriéndose, con aire casi humilde—. ¡Bah! ¡dejadla jugar!

—Es preciso que trabaje, pues que come. Yo no la alimento por nada.

—¿Pero, qué es lo que hace?

—Está haciendo medias. Medias para mis niñas que no las tienen, vamos al decir, y que ahora mismo van con las piernas desnudas.

—¿Y cuánto puede valer el par de medias, después de hecho?

—Lo menos treinta sueldos.

—¿Le daríais por cinco francos? —replicó el hombre.

—Pero sería preciso pagar ahora mismo —dijo la mujer con voz breve y perentoria.

—Compro el par de medias —respondió el hombre, y añadió sacando del bolsillo una moneda de cinco francos y poniéndola sobre la mesa—, y lo pago.

Después volvióse hacia Cosette.

—Ahora tu trabajo es mío. Juega, hija mía.

—¿Es verdad, señora? ¿Puedo jugar?

—¡Juega! —dijo la Thenardier con voz terrible.

—¿Quién podrá ser ese hombre amarillo?

—He visto —respondió en tono soberano Thenardier—, he visto millonarios que tenían levitones así.

Una niña sin muñeca es casi tan desgraciada y enteramente tan imposible como una mujer sin hijos.

Cosette se había hecho, pues, una muñeca con el sable.

Se llegó, pues, a la mesa, y apoyó en ella los codos, diciendo:

—Señor... Ella no tiene nada, y es preciso que trabaje.

—¿No es vuestra esa niña?

—¡Oh, Dios mío! no señor; es una pobrecita que hemos recogido por caridad: una especie de imbécil. Debe de tener agua en la cabeza.

—¡Ah! —dijo el hombre, y volvió a quedarse pensativo.

—No era cosa mayor su madre —añadió la Thenardier—. Abandonaba a su hija.

A fuerza de instancias de la patrona, el hombre amarillo, el "millonario", consintió al fin en cenar.

—¿Qué quiere el señor?

—Pan y queso —dijo el hombre.

—Decididamente es un mendigo —dijo para sí la Thenardier.

De pronto cesó de cantar Cosette. Acababa de volverse y de ver la muñeca de las niñas de Thenardier, abandonada a causa del gato, y dejada en tierra a los pocos pasos de la mesa de cocina.

Entonces dejó caer el sable que sólo la satisfacía a medias, y luego paseó lentamente su mirada alrededor de la sala.

No había un momento que perder; salió de debajo de la mesa, arrastrándose sobre las rodillas y las manos, se cercioró otra vez de que nadie la acechaba, se llegó con presteza a la muñeca, y la cogió.

Nadie la había visto, excepto el viajero que comía lentamente su mezquina cena.

Esta alegría duró cerca de un cuarto de hora.

—¡Mira: hermana!

Las dos niñas se detuvieron estupefactas. ¡Cosette se había atrevido a tomar la muñeca!

Eponina se levantó y sin soltar el gato se llegó a su madre, y empezó a tirarla del vestido.

—Déjame —dijo la madre—. ¿Qué me quieres?

—Madre —dijo la niña—, ¡mira!

Y señalaba a Cosette con el dedo.

Esta, entregada al éxtasis de la posesión, no veía, ni oía nada.

Esta vez el orgullo lastimado exasperaba más su cólera.

Gritó con una voz enronquecida por la indignación:

—¡Cosette!

En este intermedio el viajero se había levantado.

—¿Qué es eso? —dijo a la Thenardier.

—¡Esa miserable —respondió la Thenardier— se ha permitido tocar a la muñeca de las niñas!

—¡Tanto ruido por eso! —dijo el hombre—. ¿Y qué importaba que jugase con esa muñeca?

—¡La ha tocado con sus manos sucias! —prosiguió la Thenardier—, ¡con sus horribles manos!

El hombre se fue derecho a la puerta de la calle, la abrió y salió.

Apenas hubo salido, aprovechóse la Thenardier de su ausencia para dar a Cosette un puntapié por debajo de la mesa, que la hizo poner el grito en el cielo.

La puerta volvió a abrirse, y entró otra vez el hombre, llevaba en la mano la fabulosa muñeca de que hemos hablado, y que todos los chiquillos de la aldea habían contemplado con admiración desde por la mañana, y la puso de pie delante de Cosette, diciendo:

—Toma, para ti.

Cosette ya no lloraba ni gritaba; parecía que ya no se atrevía a respirar.

Thenardier acercóse a su mujer, y le dijo en voz baja:

—Esa máquina cuesta lo menos treinta francos. No hagamos tonterías; de rodillas delante de ese hombre.

—Vamos, Cosette —dijo la Thenardier con una voz que quería dulcificar, y que se componía de esa miel agria de las mujeres malas—, ¿no tomas tu muñeca?

Cosette se aventuró a salir de su agujero.

—Querida Cosette —continuó Thenardier con aire cariñoso—; el señor te da una muñeca. Tómala. Es tuya.

—¡Pardiez! —dijo la Thenardier—, sí, es tuya, pues que el señor te la da.

—¿De veras, señor? —replicó Cosette—, ¿es verdad? ¿es mía la señora?

De pronto volvióse y cogió la muñeca con violencia.

—La llamaré Catalina —dijo.

—¡Maldito viejo! ¿qué capricho le habrá dado? ¡Venir a incomodarnos aquí! ¡querer que juegue ese monstruo! ¡darle muñecas! ¡dar muñecas de cuarenta francos a una perra, que yo daría por cuarenta sueldos! Y si le apurasen puede ser que la llamara vuestra majestad como a la duquesa de Berry. ¿Tiene esto sentido común? ¿Está loco o rabioso, ese misterioso viejo?

—¿Por qué? Es muy sencillo —replicaba el marido—. A ti te divierte que la chica trabaje, y a él le divierte que juegue. Está en su derecho. Un viajero hace lo que quiere cuando paga. Si ese viejo en un filántropo, ¿qué te importa? Si es un imbécil, tampoco te interesa. ¿A qué te metes en nada, puesto que tiene dinero?

Así transcurrieron algunas horas.

En aquel momento dieron las dos de la mañana; la Thenardier se declaró vencida, y dijo a su marido:

—Me voy a acostar. Haz de él lo que quieras.

En fin, Thenardier se quitó su gorro, se acercó suavemente, y se aventuró a decir:

—¿El señor no va a descansar?

—¡Calla! —dijo el desconocido—, tenéis razón, ¿dónde esta vuestra cuadra?

—Señor —dijo Thenardier con una sonrisa—, voy a conduciros.

—¿Qué significa esto? —dijo el viajero.

—Es nuestra cámara nupcial —dijo el posadero—. Mi esposa y yo dormimos ahora en otra. Aquí no se entra sino tres o cuatro veces al año.

—Lo mismo me habría importado que me dieseis la cuadra —dijo el hombre bruscamente.

Thenardier hizo como que no oía esta reflexión poco halagüeña.

El posadero se retiró a su cuarto. Su mujer estaba acostada; pero no dormía. Cuando oyó entrar a su marido, se volvió y le dijo:

—¿Sabes que mañana pongo a Cosette en medio del arroyo?

Thenardier respondió fríamente:

—Muy a pechos lo has tomado.

No volvieron a hablar una palabra, y pocos momentos después habían apagado la luz.

Cuando Thenardier salió, sentóse en una silla, y permaneció algún tiempo pensativo. Después se quitó los zapatos, tomó una de las dos velas, apagó la otra, abrió la puerta y salió del cuarto, mirando a su alrededor como quien busca algo. Pasó un corredor y llegó a la escalera. Allí oyó un ruido muy leve, parecido a la respiración de un niño.

Acercóse el hombre y la estuvo examinando.

Cosette dormía profundamente, y estaba vestida. En invierno no se desnudaba para tener menos frío. Tenía abrazada la muñeca, cuyos grandes ojos abiertos brillaban en la oscuridad. De vez en cuando exhalaba un hondo suspiro, como si fuese a despertarse, y estrechaba la muñeca en sus brazos casi convulsivamente. Al lado de su cama no había más que un zueco.

Iba a retirarse, cuando reparó en la chimenea, una de esas vastas chimeneas de posada, donde siempre hay muy poco fuego, cuando lo hay, y que da frío verlas.

Había, sí, dos zapatitos de niña, de forma bella, y desiguales en grandor; el desconocido recordó la graciosa e inmemorial costumbre de los niños, que ponen su calzado en la chimenea la noche de Navidad, esperando allí en las tinieblas algún brillante regalo de una buena hada. Eponina y Azelma no habían faltado a esta costumbre y cada una había puesto uno de sus zapatos en la chimenea.

El viajero se inclinó hacia ellos.

El hada, es decir, la madre, había hecho su visita, y se veía brillar en cada zapato una magnífica moneda de diez sueldos nuevecita.

Miró, y vio que era un zueco.

Era el zueco de Cosette.

El viajero buscó en el bolsillo de su chaleco, inclinóse, y puso en el zueco de Cosette un luis de oro.

Después volvióse de puntillas a su habitación.

IX. Thenardier maniobrando

Al día siguiente, lo menos dos horas antes de que amaneciese, Thenardier, sentado junto a una mesa en la sala baja del bodegón, con una pluma en la mano, y alumbrado por la luz de una vela, componía la cuenta del viajero del levitón amarillo.

Después de un buen cuarto de hora, y de haber hecho algunas raspaduras, Thenardier produjo la obra maestra:

Cuenta del señor del Núm. 1

Cena	3 francos
Cuarto	10
Bujías	5
Fuego	4
Servicio	1
	23 francos

—No querrá pagar —murmuró la señora Thenardier—.

Thenardier se sonrió fríamente, y dijo:

—Pagará.

Un momento después añadió:

—¡Yo, sin embargo, debo mil quinientos francos!

—¡Ah! —continuó la mujer—: no olvides que hoy pongo a Cosette a la puerta: ¡Monstruo! ¡me come el corazón con su muñeca!

—Entregarás al hombre esta cuenta.

Después salió.

Apenas había puesto el pie fuera de la sala cuando entró el viajero.

El hombre amarillo llevaba en la mano su bastón y su paquete.

—¡Cómo! ¡tan pronto levantado! —dijo la Thenardier—, ¿acaso el señor nos deja?

—Sí, señora, me voy.

—El señor —continuó ésta—, ¿no tenía negocios en Montfermeil?

—No; paso por aquí y nada más. Señora —añade—: ¿qué debo?

La Thenardier, sin responder, le entregó la cuenta doblada.

—¡Veintitrés francos!

Miró a la bodegonera, y replicó:

—¿Veintitrés francos?

El viajero puso sobre la mesa cinco monedas de cinco francos.

En este momento Thenardier se adelantó en medio de la sala, y dijo:

—El señor no debe más que veintiséis sueldos.

—¡Veintiséis sueldos! —dijo la mujer.

¡En cuanto a la niña, necesito hablar un poco con el señor. Déjanos solos!

Apenas estuvieron solos, Thenardier ofreció una silla al viajero. Este se sentó; Thenardier permaneció de pie, y su rostro tomó una expresión de bondad y de sencillez.

—Señor —dijo—, mirad, voy a deciros: yo adoro a esa niña. No quiero dar la niña.

—¿A quién no queréis dar? —preguntó el viajero.

—Ya lo oís, a nuestra pequeña Cosette. ¿No queríais llevárosla? Pues bien, hablo francamente; tan cierto como sois un hombre honrado, no puedo consentir en ello.

La tenemos como a hija nuestra. No podemos renunciar a oír su charla infantil en nuestra casa.

—Señor Thenardier, para venir a cinco leguas de París no se saca pasaporte. Si me llevo a Cosette me la llevaré, y nada más. Rompo el hilo que tiene en el pie, y se va. ¿Os conviene? ¿Sí, o no?

Reunió sus ideas, pesó todo esto en un segundo. Thenardier era uno de esos hombres que juzgan una situación de una ojeada. Calculó que era el momento de ir derecho y pronto al asunto.

—Señor —dijo—, necesito mil quinientos francos.

El viajero tomó del bolsillo de uno de los lados una cartera vieja de cuero negro, la abrió y sacó de ella tres billetes de banco que puso sobre la mesa. Después apoyó su ancho pulgar sobre estos billetes, y dijo al bodegonero:

—Haced venir a Cosette.

Por orden de su marido la señora Thenardier había ido a buscarla. Cosa inaudita, no le dio ningún porrazo, ni le dijo una sola injuria.

—Cosette —dijo casi con dulzura—, ven ahora mismo.

Un instante después entraba Cosette en la sala baja.

El desconocido tomó el paquete que había llevado, y lo desató. Este paquete contenía un vestido de lana, un delantal, una almilla de fustán, un jubón, un pañuelo, medias de lana, zapatos, un vestido completo para niña de siete años: todo de color negro.

—Hija mía —dijo el hombre—, toma esto, y ve a vestirte en seguida.

El día aparecía cuando los habitantes de Montfermeil, que empezaban a abrir sus puertas, vieron pasar por la calle de París a un hombre vestido pobremente, que llevaba de la mano a una niña vestida de luto con una muñeca color de rosa en los brazos. Se dirigían por la parte de Livry.

X. De cómo el que busca
lo mejor puede hallar lo peor

La Thenardier según su costumbre, había dejado que su marido hiciese lo que quisiera. Esperaba grandes acontecimientos.

—¡Nada más que eso! —dijo la mujer.

Era la primera vez, desde su casamiento, que se atrevía a criticar un acto de su marido.

El golpe fue certero.

Dobló los tres billetes de banco, se los guardó en el bolsillo y salió apresuradamente; pero equivocó el camino, y tomó primero a la derecha. Algunos vecinos de quienes se informó, le hicieron reparar su error; habían visto a la Alondra y al hombre tomar la dirección de Livry. Siguió esta indicación, marchando apresuradamente y hablando consigo mismo.

—Ese hombre es evidentemente un millonario vestido de amarillo, y yo soy un animal.

Algunos transeúntes le dijeron que el hombre y la niña que buscaba se habían encaminado hacia los bosques por la parte de Gagny. Apresuró, pues, el paso por esta dirección.

—¡Debía haber tomado mi fusil! —exclamó.

Y continuó su camino, andando apresuradamente, y casi con aire de certeza, con la sagacidad de la zorra olfateando una bandada de perdices.

La maleza era baja: Thenardier conoció que el hombre y Cosette estaban allí sentados.

El bodegonero tomó por detrás de la maleza, y apareció bruscamente delante de los que buscaba.

—Perdonad, señor —dijo respirando apenas—, pero aquí tenéis vuestros mil quinientos francos.

Al hablar así devolvió al viajero los tres billetes de banco.

El hombre alzó los ojos.

—¿Qué significa esto?

Thenardier respondió respetuosamente:

—Señor, esto significa que me vuelvo a quedar con Cosette.

—¿Volvéis a que-da-ros con Cosette?

—Sí, señor, la vuelvo a tomar. Voy a deciros. Lo he pensado bien. Yo, francamente, no tengo derecho a dárosla. Soy un hombre honrado, ya lo veis. Esa niña no es mía, es de su madre. Su madre me la confió, y no puedo entregarla más que a ella. Me diréis: pero la madre ha muerto. Bueno. En ese caso, sólo puedo entregar la niña a una persona que me traiga un papel firmado por la madre, en el que se me mande entregar la niña a esa persona.

—Tenéis razón; leed.

Tomó el papel Thenardier, y leyó:

"M, —a orillas del M." 25 de marzo de 1823.

Señor Thenardier.

"Entregaréis a Cosette al dador." Se os pagarán todas esas deudillas. Tengo el honor de enviaros mis respetos.

"FANTINA".

—¿Conocéis esta firma? —continuó el hombre.

En efecto, era la firma de Fantina. Thenardier la reconoció.

—Podéis guardar ese papel para descargo vuestro.

—Señor —dijo—, está bien pues que sois la persona enviada por la madre. Pero es preciso todo lo que se me debe, que no es poco.

Habíais recibido cien francos de más; se os quedaban a deber por consiguiente treinta y cinco francos; y por ellos os acabo de dar mil quinientos.

—¿Quién es este diablo de hombre? —dijo para sí.

Sin embargo no se dio por vencido.

—Quiero saber a dónde va —dijo y se puso a seguirles a cierta distancia.

De vez en cuando volvíase el hombre y miraba si le seguían. De pronto vio a Thenardier y entró bruscamente con Cosette en una espesura donde los dos podían ocultarse.

El bodegonero se puso a seguirle. Así anduvieron doscientos o trescientos pasos. De pronto el hombre volvió la cara atrás y vio al bodegonero; pero esta vez le miró con aire tan sombrío que Thenardier juzgó "infantil" ir más adelante y se volvió a su casa.

XI. Vuelve a aparecer el número 9,430 y Cosette lo gana a la lotería

Juan Valjean no había muerto.

Al caer al mar o por mejor decir, al arrojarse a él, estaba, como se ha visto, sin cadena ni grillos.

Luego, como todos esos fugitivos que tratan de burlar la vigilancia de la ley y la fatalidad social, siguió un itinerario oscuro y tortuoso.

Así llegó a París, y le acabamos de ver en Montfermeil.

El día había sido extraño y de muchas emociones para Cosette; habían comido detrás de los vallados pan y queso, comprados en bodegones fuera del camino; habían cambiado de carruaje muchas veces, y habían andado varios trozos de camino a pie. No se quejaba, pero estaba cansada, y Juan Valjean advirtió en su mano que la pobre niña tiraba de él al andar; entonces la tomó a cuestas; Cosette, sin soltar a Catalina, colocó su cabeza sobre el hombro de Juan Valjean, y se durmió.

Libro cuarto

● La casa de Gorbeau ●

I. Maese Gorbeau

El paseante solitario que hace cuarenta años se aventuraba a ir por los barrios perdidos de la Salpetriere, y a subir por el boulevard hasta la barrera de Italia, llegaba a sitios donde se hubiese podido decir que desaparecía París.

Allí, junto a una herrería, y entre dos tapias de jardín, se veía en aquel tiempo una casa que, a la primera ojeada, parecía pequeña como una choza, y que en realidad era grande como una catedral. La fachada que daba a la vía pública correspondía a la parte lateral del edificio, y de ahí su exigüidad aparente. Casi toda la casa estaba oculta. Sólo se veían la puerta y una ventana.

Esta casa no tenía más que un piso.

Los carteros llamaban a este edificio el número 50-52; pero en el barrio era conocido con el nombre de casa de Gorbeau.

El sitio era lúgubre; por las ideas fúnebres que despertaba.

Por lo demás, el barrio, que parecía más bien aviejado que antiguo, propendía ya desde aquella época a transformarse, y era preciso que se apresurase a verle el que quisiera examinar su estado; porque cada día desaparecía algún detalle de este conjunto.

II. Nido para búho y curruca

Delante de la casa de Gorbeau fue donde se detuvo Juan Valjean. Como las aves bravías, había elegido aquel sitio desierto para hacer de él su nido.

Buscó en el bolsillo del levitón y sacó una especie de llave maestra; abrió la puerta, entró, la cerró luego con cuidado, y subió la escalera con Cosette en brazos.

En un rincón había una estufa encendida, cuyas ascuas se veían. El reverbero del boulevard alumbraba vagamente esta pobre habitación. En frente de la puerta había un gabinete con una cama de tijera. Juan Valjean puso a la niña en este lecho, colocándola en él sin despertarla.

La niña, con esa confianza tranquila que sólo pertenece a la fuerza extrema, y a la extrema debilidad, se había dormido sin saber con quién estaba, y continuaba durmiendo sin saber dónde se hallaba.

—¡Sí, señora! —gritó Cosette despertándose sobresaltada—; ¡allá voy! ¡allá voy!

Y se arrojó de la cama, con los párpados medio cerrados aún con la pesadez del sueño, extendiendo los brazos hacia el rincón de la pared.

Abrió del todo los ojos, y vio el rostro risueño de Juan Valjean.

—¡Ah! ¡calla! ¡es verdad! —dijo la niña—. Buenos días, señor.

Cosette vio a Catalina al pie de su cama, se apoderó de ella, y mientras jugaba, hacía cien preguntas a Juan Valjean.

—Juega —dijo Juan Valjean.

III. DOS DESGRACIAS
ENTRELAZADAS PRODUCEN FELICIDAD

Al día siguiente, al amanecer, hallábase otra vez Juan Valjean junto al lecho de Cosette. Allí esperaba, inmóvil, mirándola despertar.

En su alma entraba una cosa nueva.

Juan Valjean no había amado nunca. Hacía veinticinco años que estaba solo en el mundo. Jamás había sido padre, amante, marido, ni amigo.

Cuando vio a Cosette, cuando la hubo recogido y libertado, sintió que se estremecían sus entrañas. Todo lo que en ellas había de apasionado y de afectuoso se despertó en él, y fue parar a esta niña.

Era la segunda aparición cándida que encontraba. El obispo había hecho levantarse en su horizonte el alba de la virtud; Cosette hacía salir en él el alba del amor.

Los primeros días pasaron en este deslumbramiento.

Cosette, por su parte, se volvía también otra, ¡aunque sin saberlo el pobre ser! Era tan pequeña cuando la dejó su madre, que ya no se acordaba de ella.

Pasaron las semanas. Los dos seres llevaban en aquel miserable desván una existencia feliz.

Desde el amanecer poníase Cosette a reír, a charlar y a cantar. Los niños tienen su canto de la mañana como los pájaros.

Cosette no vestía ya harapos; vestía de luto. Salía de la miseria y entraba en la vida.

Juan Valjean se había puesto a enseñarla a leer.

Enseñar a leer a Cosette y dejarla jugar; tal era poco más o menos toda la vida de Juan Valjean. Y luego le hablaba de su madre, y le hacía rezar.

Cosette le llamaba *padre*, y no sabía llamarle con otro nombre.

IV. Las observaciones de la inquilina principal

Juan Valjean tenía la prudencia de no salir nunca de día. Todas las tardes, al oscurecer, se paseaba una o dos horas algunas veces solo, otras con Cosette, buscando las calles de árboles apartadas de los boulevares más solitarios, y entrando en las iglesias a la caída de la noche. Iba con mucho gusto a San Medardo, que era la iglesia más inmediata.

Vivían sobriamente, teniendo siempre un poco de fuego, pero como personas muy necesitadas.

La inquilina principal, vieja ceñuda, y que miraba al prójimo con toda la intención de los envidiosos, examinaba mucho a Juan Valjean sin que éste lo sospechase.

V. Una moneda de cinco
francos que cae al suelo y hace ruido

Había cerca de San Medardo un pobre que se sentaba sobre el brocal de un pozo de vecindad cegado, y a quien Juan Valjean daba limosna con frecuencia. No había vez que pasara por delante de aquel hombre que no le diera algún sueldo, y en ocasiones entraba en conversación con él. Los envidiosos de aquel pobre decían que era *de la policía.*

Era un viejo de setenta y cinco años, que había sido pertiguero y siempre estaba murmurando oraciones.

Una noche que Juan Valjean pasaba por allí, y que no llevaba consigo a Cosette, vio al mendigo en su puesto ordinario, debajo del farol que acababan de encender. El hombre, como siempre, parecía rezar, y estaba todo encorvado; Juan Valjean se llegó a él y le puso en la mano la limosna de costumbre. El mendigo levantó bruscamente los ojos, miró con fijeza a Juan Valjean, y después bajó rápidamente la cabeza. Este movimiento fue como un relámpago; Juan Valjean se estremeció.

Apenas se atrevía a confesarse a sí mismo que el rostro que había creído ver era el de Javert.

Algunos días después, serían las ocho de la noche, estaba en su cuarto y hacía deletrear a Cosette en voz alta, cuando oyó abrir y después volver a cerrar la puerta de la casa. Esto le pareció singular.

Oyó que subían la escalera; en rigor podía ser la vieja que se había puesto mala y habría ido a la botica.

Había enviado a Cosette a que se acostase, diciéndole en voz baja: "Acuéstate muy quedito"; y mientras la besaba en la frente, los pasos se habían detenido.

Pasaron algunos minutos y la luz desapareció.

Al amanecer, cuando estaba casi aletargado de cansancio, fue despertado por el ruido de una puerta que se abría en alguna boardilla del fondo del corredor; y después oyó los mismos pasos del hombre que la víspera había subido la escalera. Los pasos se acercaban.

El corredor estaba demasiado oscuro todavía para que se pudiese distinguir su rostro; pero cuando el hombre llegó a la escalera, un rayo de luz de la parte de afuera hizo resaltar su perfil, y Juan Valjean lo vio de espaldas completamente. El hombre era de alta estatura, con un levitón largo, y un palo debajo del brazo. Era la facha formidable de Javert.

Al anochecer bajó y miró con atención el boulevard por todos lados. No vio a nadie; el boulevard parecía absolutamente desierto. Es verdad que detrás de los árboles podía ocultarse cualquiera.

Volvió a subir.

—Ven —dijo a Cosette.

La tomó de la mano, y ambos salieron.

Libro quinto

● A CAZA DE ESPERA, JAURÍA MUDA ●

I. Los rodeos de la estrategia

Debemos hacer aquí una observación, necesaria para comprender las páginas que siguen inmediatamente, y otras más lejanas.

En cuanto al autor, desconoce el nuevo París; escribe con el París antiguo ante los ojos, como ante una cara ilusión; porque es un consuelo creer que existe detrás de él algo de lo que veía cuando estaba en su patria, y que no todo ha desaparecido.

Juan Valjean había abandonado en seguida el boulevard y se había perdido por las calles, trazando las líneas más quebradas que podía, y volviendo atrás muchas veces para asegurarse de que nadie le seguía.

La luna, aún muy próxima al horizonte, marcaba en las calles grandes espacios de sombra y luz. Juan Valjean podía deslizarse a lo largo de las casas y de las paredes por el lado oscuro, y observar al lado iluminado.

Cosette andaba sin preguntar nada. Los padecimientos de los seis primeros años de su vida habían dado cierta pasividad a su naturaleza.

Juan Valjean no sabía más que Cosette a dónde iba, y ponía su confianza en Dios, así como Cosette la ponía en él. Le parecía que tenía agarrado de la mano algo más grande que una niña: creía sentir un ser invisible que le guiaba. No llevaba ninguna idea meditada, ningún plan, ningún proyecto.

Se había decidido a no volver a la casa de Gorbeau. Como el animal arrojado de su caverna, buscaba un agujero en donde pasar la noche, esperando encontrar un lugar para alojarse.

Algunos instantes después, el instinto de que hemos hablado antes hizo que se volviera y vio claramente, gracias al farol del comisario que les vendía, a tres hombres que le seguían bastante cerca, pasar sucesivamente debajo del farol por el lado oscuro de la calle.

—Ven, hija —dijo a Cosette, y dejó precipitadamente la calle de Pontoise.

La luna alumbraba claramente la encrucijada. Juan Valjean se escondió en el hueco de una puerta, calculando que si aquellos hombres le seguían aún no podría menos de verlos cuando atravesasen aquella claridad.

En efecto, no habían pasado tres minutos cuando aparecieron los hombres. Entonces eran cuatro; todos altos, vestidos de largos levitones oscuros con sombrero redondo y gruesos bastones en la mano.

Se detuvieron en medio de la encrucijada, y formaron un grupo como gente que se consulta. Parecían indecisos.

En el momento en que el primero se volvió, la luna le iluminó el rostro. Juan Valjean conoció a Javert.

II. Donde se verá cuán útil es que pasen carruajes por el puente de Austerlitz

Cesó la incertidumbre para Juan Valjean; pero afortunadamente duraba para aquellos hombres. Se aprovechó de su vacilación que fue tiempo perdido para ellos y ganado para él.

Redobló el paso.

Llegó al puente de Austerlitz.

En aquella época se pagaba aún peaje.

Entró al cuarto del guarda y pagó un sueldo.

—Son dos sueldos —dijo el inválido del puente—. Lleváis un niño que puede andar. Pagad por dos.

Pagó, disgustado de que su paso hubiese dado lugar a una observación. La fuga debe deslizarse inadvertida.

Al mismo tiempo que él, pasaba el Sena en la misma dirección una voluminosa carreta. Esto le sirvió de mucho porque pudo atravesar todo el puente a su sombra.

Entre los dos almacenes cargados de tapias se abría la callejuela del Camino verde de San Antonio.

Desde el sitio en que estaba veía en toda su longitud el puente de Austerlitz.

Cuatro sombras acababan de entrar en el puente.

Le pareció, pues, que debía entrar en aquella callejuela silenciosa, y entró.

III. Véase el plano de París en 1727

Al cabo de trescientos pasos llegó a un punto en que se bifurcaba la calle en otras dos, una hacia la derecha y otra hacia la izquierda. Juan Valjean tenía, pues, delante de sí dos caminos como los dos brazos de una Y. ¿Cuál debería escoger?

No dudó: tomó la derecha.

¿Por qué?

Porque la izquierda conducía al arrabal, es decir a los lugares habitados, y la derecha al campo, es decir, a los lugares desiertos.

Pero iba despacio. El paso de Cosette acortaba el suyo. Volvió a tomarla en brazos. Cosette apoyaba la cabeza en sus hombros y no hablaba una palabra.

De rato en rato se volvía y miraba, cuidando de permanecer siempre en el lado oscuro de la calle, que seguía recta delante de él.

Pero llegó a una pared.

Allí era preciso decidirse de nuevo; tomar la derecha o la izquierda.

Miró a la izquierda. La calle estaba abierta por este lado y a unos doscientos pasos terminaba en otra de que era afluente. Por aquel lado estaba la salvación.

Pero precisamente cuando Juan Valjean iba a volver hacia la izquierda para entrar en la calle que estaba al fin de la callejuela, vio en la esquina a que se dirigía, una especie de estatua negra, inmóvil.

Indudablemente era un hombre que acababa de ser apostado allí, y que le esperaba impidiéndole el paso.

Juan Valjean retrocedió.

¿Qué hacer?

No era ya tiempo de retroceder.

Lo que había visto moverse en la sombra a alguna distancia detrás de él, era sin duda Javert con su escolta; Javert, que estaría ya en el principio de la calle, a cuyo extremo se hallaba.

Juan Valjean se sentía cogido en una red, cuyas mallas se apretaban lentamente. Miró al cielo con desesperación.

IV. TENTATIVAS DE EVASIÓN

Para comprender lo que sigue, es preciso formarse una idea exacta de la calle Droit-Mur y en particular del ángulo que se dejaba a la izquierda cuando se salía de la calle Polonceau para entrar en ésta.

V. AVENTURA QUE SERÍA
IMPOSIBLE CON EL ALUMBRADO DE GAS

En este momento principió a oírse a alguna distancia un ruido sordo y acompasado. Juan Valjean aventuró una mirada por fuera de la esquina de la calle. Un pelotón de siete u ocho soldados acababa de desembocar en la calle Polonceau. Vio brillar las bayonetas que se dirigían hacia él.

Al paso que llevaban, y con las paradas que hacían, tenían que emplear un cuarto de hora para llegar al sitio en donde estaba Juan Valjean. Fue aquel un momento horrible.

Sólo había una cosa posible.

Juan Valjean midió con la vista la pared, por encima de la cual veía el tilo. Tenía unos dieciocho pies de altura.

La dificultad era Cosette, que no sabía escalar una pared. Juan Valjean no pensó siquiera en abandonarla: pero subir con ella era imposible.

Necesitaba una cuerda. No la tenía. ¿Y dónde había de encontrar una cuerda a media noche y en la calle de Polonceau?

La mirada desesperada de Juan Valjean encontró el brazo del farol del callejón Genrot.

El torniquete en que se arrollaba esta cuerda estaba sujeto a la pared debajo del farol en un hueco con tapa de hierro, cuya llave tenía el farolero, y la cuerda estaba también protegida por un tubo de metal.

Juan Valjean, con la energía de una lucha suprema, atravesó la calle de un salto, hizo saltar la cerradura del cajoncito con la punta de la navaja, y volvió en seguida a donde estaba Cosette. Ya tenía cuerda.

Oíase cada vez más claramente el ruido de la patrulla que se aproximaba.

—Padre —dijo en voz muy baja—, tengo miedo. ¿Quién viene?

—¡Chist! —respondió el desgraciado—, es la Thenardier.

Cosette se estremeció.

—No hables.

Entonces sin precipitación, pero sin perder tiempo, con una precisión firme y breve, se quitó la corbata, la pasó alrededor del cuerpo de Cosette por debajo de los sobacos, se quitó los zapatos y las medias, y les arrojó por encima de la tapia. Menos de medio minuto tardó en ponerse de rodillas sobre la tapia.

De pronto oyó la voz de Juan Valjean que le decía por lo bajo:

—Arrímate a la pared. —Ella obedeció.

—No hables una palabra, ni tengas miedo.

Cosette sintió que se elevaba sobre el suelo.

Antes que tuviese tiempo de volver en sí, estaba en lo alto de la tapia.

Juan Valjean la cogió, se la puso a cuestas, asiéndole sus dos manos con la izquierda, se echó boca abajo, y se arrastró por lo alto de la pared hasta el ángulo rebajado.

Oyóse la voz tonante de Javert.

—Registrad el callejón. La calle Droit-Mur está guardada, y la callejuela Picpus también. Aseguro que está en el callejón.

Los soldados se precipitaron en el callejón Genrot.

Juan Valjean se deslizó a lo largo del tejado; sosteniendo a Cosette, llegó al tilo y saltó a tierra; Cosette no había chistado, ya fuese de valor o de miedo. Tenía las manos un poco desolladas.

VI. Principio de un enigma

Juan Valjean se encontró en una especie de jardín muy grande y de singular aspecto; en uno de esos tristes jardines que parecen hechos para ser mirados una noche de invierno.

El primer cuidado de Juan Valjean fue buscar sus zapatos y calzarse, y después entrar en el cobertizo con Cosette. El que huye no se cree nunca bastante oculto.

Al cabo de un cuarto de hora pareció que esta especie de ruido tumultuoso principiaba a alejarse. Juan Valjean no respiraba.

Había puesto suavemente su mano sobre la boca de Cosette.

De pronto, en medio de esta calma profunda, se dejó oír un nuevo ruido; un ruido celestial, divino, inefable, tan dulce como horrible era el otro.

Este cántico salía del sombrío edificio que dominaba el jardín.

No sabían lo que era, no sabían dónde estaban; pero conocían ambos, el hombre y la niña, el penitente y la inocente, que debían estar arrodillados.

Todo había vuelto al silencio. Nada se oía en la calle, nada en el jardín. Todo había desaparecido, así lo que amenazaba, como lo que inspiraba confianza.

VII. Continúa el enigma

Habíase ya levantado la brisa matutina, lo que indicaba que debían de ser ya la una o las dos de la mañana. La pobre Cosette no decía nada. Se había sentado a su lado, y había inclinado la cabeza sobre él. Juan Valjean creía que estaba dormida.

—¿Está ahí todavía?

—¿Quién? —dijo Juan Valjean.

—La señora Thenardier.

—¡Ah! —dijo—. ¡Se ha marchado! Ya no temo nada.

La niña respiró como si le quitaran un peso del pecho.

—Pues bien, espérame un instante. Vuelvo.

Encontró varias puertas, pero estaban cerradas. En todas las ventanas había reja.

Todas daban a una gran sala cubierta de grandes losas, cortadas por arcos y pilares; nada se distinguía más que una luz y muchas sombras.

La sala estaba llena de esa bruma propia de los sitios poco iluminados, que aumentan el horror.

Llegó anhelante a la ruina. Se le doblaban las rodillas; el sudor le corría por todo el cuerpo.

El frío, la ansiedad, la inquietud, las emociones de aquella noche, le producían una verdadera fiebre, y todas estas ideas se chocaban en su cerebro.

Se acercó a Cosette: Cosette dormía.

VIII. Se duplica el enigma

La niña había recostado la cabeza en una piedra y se había dormido.

Valjean se sentó a su lado y se puso a contemplarla; poco a poco, a medida que la miraba se iba calmando, iba adquiriendo la plena posesión de su espíritu.

Conocía claramente que en su vida, mientras ella viviese, mientras ella estuviese con él, no experimentaría ninguna necesidad, ni ningún temor más que por ella.

Miró y vio que había alguien en el jardín.

Hacía un momento temblaba, porque el jardín estaba desierto; ahora temblaba, porque había alguien.

Cogió, pues, suavemente a Cosette que seguía dormida, y la llevó detrás de un montón de muebles viejos en el rincón más apartado del cobertizo. Cosette no se movió.

Desde allí observó los movimientos del ser que andaba por el melonar y extrañó sobre todo que el ruido del cencerro seguía todos los movimientos del hombre.

—¡Dios mío! —dijo.

Y la llamó en voz baja.

—¡Cosette! La niña no abrió los ojos.

La sacudió bruscamente.

No se despertó.

—¡Estará muerta! —se dijo, y se levantó. Temblaba de pies a cabeza.

Juan Valjean recordó que el sueño puede ser mortal en una noche fría al aire libre.

Era preciso que antes de un cuarto de hora Cosette tuviera lumbre y cama.

IX. El hombre y el cencerro

Juan Valjean se dirigió al hombre que estaba en el jardín, después se había sacado del bolsillo del chaleco el paquete de dinero que llevaba.

El hombre tenía la cabeza inclinada y no le vio acercarse. Juan Valjean se puso a su lado en cuatro pasos, y dijo:

—¡Cien francos!

El hombre dio un salto y levantó la vista.

—¡Cien francos, si me dais asilo por esta noche! —dijo Juan Valjean. La luna iluminaba su asustado semblante.

—¡Calla! ¡sois vos, señor Magdalena! —dijo el hombre.

—¡Ah! ¡Dios mío! ¿Cómo estáis aquí, señor Magdalena? ¿Por dónde habéis entrado? ¡Jesús! ¿Venís del cielo?

—¿Quién sois? ¿Qué casa es ésta? —preguntó Juan Valjean.

Entonces se volvió, e iluminó su perfil un rayo de luna. Juan Valjean conoció al tío Fauchelevent.

—¡Ah! —dijo Juan Valjean—, ¿sois vos? Sí os conozco.

—¿Y que campanilla es ésa que lleváis en la rodilla?

—¡Ah! —dijo Fauchelevent—, es para que eviten mi presencia.

—En esta casa no hay mas que mujeres; hay muchas jóvenes, y parece que mi presencia es peligrosa. El cencerro las avisa, y cuando me acerco se alejan.

—¿Pues qué casa es ésta?

—Pues bien; este es el convento del pequeño Picpus.

—Pero volvamos al caso —dijo Fauchelevent—: ¿cómo demonios habéis entrado aquí, señor Magdalena?

—Tío Fauchelevent, os he salvado la vida.

—Yo he sido el primero que lo he recordado —respondió Fauchelevent.

—Pues bien; hoy podéis hacer por mí lo que yo hice en otra ocasión por vos.

—¿Qué queréis que haga? —preguntó.

—Ya os lo explicaré. ¿Tenéis una habitación?

—Tengo una choza aislada, allá detrás de las ruinas del antiguo convento, en un rincón, oculto a todo el mundo. Allí hay tres habitaciones.

—Bueno —dijo Valjean—. Ahora tengo que pediros dos cosas.

—¿Cuáles son, señor alcalde?

—La primera es que no digáis a nadie lo que sabéis de mí, la segunda que no tratéis de saber más. ¿Está bien? Ahora venid conmigo. Vamos por la niña.

—¡Ah! —dijo Fauchelevent—. ¿Hay una niña?

Media hora después Cosette, iluminada por la llama de una buena lumbre, dormía en la cama del jardinero.

X. Donde se explica cómo Javert había espiado en vano

Los sucesos que acabamos de describir en orden inverso, por decirlo así, habían ocurrido en las condiciones más sencillas.

Javert fue llamado a París para que auxiliase a la policía en la persecución, y el celoso inspector ayudó en efecto mucho a perseguir a Juan Valjean.

Algún tiempo después la Prefectura del Sena-y-Oise pasó a la Prefectura de París una nota sobre el robo de una niña, verificado, según se decía, con circunstancias particulares, en el pueblo de Montfermeil. Decía esta nota, que una niña de siete a ocho años que había sido entregada por su madre a un posadero del país, había sido robada por un desconocido; la niña respondía al nombre de Cosette, y era hija de una tal Fantina, que había muerto en el hospital, no se sabía cuándo ni dónde. Esta nota pasó por mano de Javert, y le hizo reflexionar.

Javert, sin decir una palabra a nadie, tomó el carruaje del Plato de Estaño, callejón de Planchette, e hizo un viaje a Montfermeil.

En los primeros días, los Thenardier, desesperados, habían charlado. De aquí provino la nota de la policía.

Esta fue la historia que oyó Javert cuando llegó a Montfermeil. Ante la figura del abuelo se desvaneció la idea de Juan Valjean.

Javert, sin embargo, introdujo algunas preguntas a guisa de sondas en la historia de Thenardier.

—¿Quién era y cómo se llamaba el abuelo?

Thenardier respondió con sencillez: "Es un rico labrador. He visto su pasaporte; y creo que se llama Guillermo Lambert."

Lambert es un buen nombre, muy tranquilizador, Javert volvió a París.

—Juan Valjean es indudable que ha muerto —se dijo—: soy un necio.

Principiaba ya a olvidar esta historia, cuando en marzo de 1824 oyó hablar de un extraño personaje que vivía en la parroquia de San Medardo, y era conocido por "el mendigo que daba limosna".

"El individuo sospechoso" se llegó en efecto a Javert disfrazado, y le dio limosna; en este momento, Javert levantó la vista, y la misma impresión que produjo en Juan Valjean la vista de Javert, recibió Javert al conocer a Juan Valjean.

Siguió a su hombre hasta la casa de Gorbeau, e hizo "cantar a la vieja", lo que no era difícil.

Al día siguiente Juan Valjean se marchó de la casa.

Javert había seguido a Juan Valjean de árbol en árbol, después de esquina en esquina, y no le había perdido de vista un solo instante, ni aun en los momentos en que Juan Valjean se creía en mayor seguridad. Pero, ¿por qué no le detenía? Porque dudaba aún.

Solamente al llegar a la calle Pontoise, y a favor de la viva luz que salía de una taberna, fue cuando conoció sin duda alguna a Juan Valjean.

Javert gozaba en aquel momento. Las mallas de su red estaban sólidamente unidas. Tenía la seguridad del triunfo; ya no tenía que hacer más que cerrar la mano.

Iba de tal modo escoltado, que era imposible la idea de la resistencia, cualesquiera que fuesen la energía, vigor y desesperación de Juan Valjean.

Javert se adelantó pues, lentamente, mirando y registrando al paso todos los rincones de la calle, como los bolsillos de un ladrón.

Cuando llegó al centro de la red no halló al pájaro.

Calcúlese su desesperación.

Sea como fuese, en el momento en que Javert conoció que se le escapaba Juan Valjean, no se aturdió. Estando seguro de que el presidiario escapado no podía hallarse muy lejos, puso vigías, organizó ratoneras y emboscadas, y dio una batida por el barrio toda la noche.

Al despuntar el día dejó dos hombres inteligentes en observación, y volvió a París a la Prefectura de policía, avergonzado como un polizonte a quien hubiera preso un ladrón.

Libro sexto

● El pequeño Picpus ●

I. Callejuela Picpus, número 62

Nada había más semejante, hace medio siglo, a cualquier puerta-cochera, que la puerta-cochera del número 62 de la callejuela de Picpus. Esta puerta, habitualmente entreabierta del modo más halagüeño, dejaba ver dos cosas nada fúnebres: un patio rodeado de tapias cubiertas de vides, y la fisonomía de un portero que estaba ocioso. Por encima de la pared del fondo se descubrían grandes árboles. Cuando un rayo de sol iluminaba el patio, cuando un vaso de vino iluminaba el portero, era difícil pasar por delante del número 62 de la calle de Picpus sin adquirir una idea alegre.

Lo que se veía era el interior de un claustro.

Era el interior de esa casa triste y severa que se llamaba el convento de las Bernardas de la Adoración perpetua. Aquel palco era el locutorio. La voz que había hablado primero era la voz de la tornera, que estaba siempre sentada, inmóvil y silenciosa, del otro lado de la pared, cerca de la abertura cuadrada, defendida por la verja de hierro, y por la placa de mil agujeros como por una doble visera.

La oscuridad provenía de que el locutorio tenía una ventana del lado del mundo, y no tenía ninguna del lado del convento. Los ojos profanos no debían ver nada de aquel lugar sagrado.

Pero más allá de esta sombra había algo; había una luz; una vida en aquella muerte. Aunque aquel convento era el más resguardado de todos, vamos a tratar de penetrar en él y a hacer entrar al lector y a decirle, sin olvidar la discreción, cosas que los narradores no han visto, y por consiguiente nadie ha contado.

II. La regla de Martín Vargas

Este convento, que en 1824 existía desde hacía ya muchos años en la callejuela de Picpus, era una comunidad de Bernardas de la regla de Martín Vargas.

Las Bernardas Benedictinas de Martín Vargas practicaban la adoración perpetua, como las Benedictinas llamadas señoras del Santo Sacramento, las cuales al principio de este siglo tenían en París dos casas, una en el Temple, y otra en la calle nueva de Santa Genoveva.

Pero volvamos a la severa regla española de Martín Vargas. Las Bernardas Benedictinas de esta regla comen de viernes todo el año, ayunan toda la Cuaresma y otros muchos días especiales se levantan en el primer sueño, desde la una hasta las tres para leer el breviario y cantar maitines se acuestan entre sábanas de jerga en todas las estaciones, y sobre paja, no usan baños, ni encienden nunca lumbre, se disciplinan todos los viernes, observan la regla del silencio, no se hablan más que en las horas de recreo, que son muy cortas, y llevan camisas de buriel seis meses, desde el 14 de septiembre, que es la exaltación de la Santa Cruz, hasta la Pascua.

Sólo un hombre puede entrar en el convento: el arzobispo diocesano.

Otro puede entrar también, que es el jardinero, pero siempre es un viejo; y con objeto de que esté constantemente solo en el jardín, y de que las religiosas puedan evitar su presencia, lleva una campanilla o cascabel en la rodilla.

Todas turnan en lo que llaman el desagravio. El desagravio es la oración por todos los pecados, por todas las faltas, por todos los desórdenes, por todas las violaciones, por todas las iniquidades, por todos los crímenes que se cometen en la superficie de la Tierra.

El desagravio es un acto que absorbe toda el alma. La hermana que le practica no se volvería aunque cayera un rayo a su espalda.

Además, hay siempre otra monja de rodillas delante del Santísimo Sacramento. Esta estación dura una hora, y se relevan como soldados que están de centinela.

Nunca dicen mío; porque no tienen nada suyo, ni deben tener afecto a nada.

Les está prohibido encerrarse y tener un mi cuarto, una mi celda. Viven en celdas abiertas.

Estas monjas no estaban alegres, rosadas, frescas, como lo están las de otras muchas órdenes. Estaban pálidas y graves. Desde 1823 a 1830 se volvieron tres locas.

III. Rigores

Las jóvenes deben ser dos años por lo menos postulantes; con frecuencia cuatro; y otros cuatro novicias. Es muy raro que pueda pronunciarse el voto definitivo antes de los veintitrés o veinticuatro años. Las Bernardas Benedictinas de Martín Vargas no admitían viudas en su orden.

Las monjas se entregan en sus celdas a maceraciones desconocidas, de que no deben hablar nunca.

Las educandas, a excepción de la austeridad, se conformaban con todas las prácticas del convento. Hubo alguna joven que habiendo vuelto al mundo, aun muchos años después de casada, no pudo perder la costumbre de decir en alta voz cada vez que llamaban a la puerta: Por siempre... Las educandas, lo mismo que las monjas, sólo veían a su familia en el locutorio. ¡Ni sus madres podían abrazarlas!

IV. Alegrías

Sin embargo, estas niñas habían llenado la casa de encantadores recuerdos.

A ciertas horas la infancia brillaba en aquella clausura. Sonaba la hora del recreo; abríase una puerta, y los pájaros decían: ¡Bueno! Ya están aquí las niñas. Un torrente de juventud inundaba aquel jardín cortado por una cruz como una mortaja. Fisonomías radiantes, frentes blancas, ojos inocentes llenos de alegre luz, auroras de toda especie se esparcían por aquellas tinieblas.

Las niñas loqueaban bajo la vista de las religiosas; la mirada de la impecabilidad no incomodaba a la inocencia. Gracias a estas niñas entre tantas horas de austeridad, había una de desahogo. Las pequeñas saltaban y las grandes bailaban.

V. Distracciones

Encima de la puerta del refectorio estaba escrita en gruesas letras negras la siguiente oración, que llamaban el *Pater-Noster blanco*, y tenía la virtud de guiar las almas vía recta al paraíso.

Un gran crucifijo colgado de la pared completaba la decoración del refectorio, cuya única puerta, según creemos haber dicho, daba al jardín. Dos mesas estrechas, con dos bancos a lo largo cada una, formaban dos líneas paralelas desde uno a otro extremo del refectorio. Las paredes eran blancas, las mesas negras; colores ambos de luto, que son el único adorno de los conventos. Las comidas eran frugales, y aun el régimen de las niñas muy severo. Un solo plato de carne y legumbres mezcladas, o de pescado salado, era todo el lujo. Este plato ordinario, reservado solamente a las educandas, era una excepción de la regla. Las niñas comían y callaban bajo la inspección de la madre que estaba de semana, la cual de tiempo en tiempo abría y cerraba ruidosamente un libro de madera cuando alguna mosca trataba de volar o de zumbar contra la regla. El silencio era sazonado con algún trozo de la vida de los santos, leído en alta voz desde una cátedra con atril, situada debajo del crucifijo.

Una vez, estando de visita el arzobispo, una de las educandas, la señorita Bouchard, que tenía algunas relaciones de parentesco con los Montmorency, apostó a que le pediría un día de asueto, petición extraordinaria en una comunidad tan austera. La apuesta fue aceptada, pero ninguna de las que habían apostado lo creía. Llegado el momento, cuando pasaba el obispo por delante de las educandas, la señorita Bouchard, con indescriptible asombro de sus compañeras, salió de la fila, y dijo: "Monseñor, un día de asueto." La señorita Bouchard era fresca y alta, y tenía la cara de rosa más bonita del mundo. El arzobispo se sonrió, y dijo: "¡Cómo, hija mía, *un día de asueto! Tres días si quieres: te concedo tres días.*" La priora nada podía hacer: había hablado el arzobispo. Hubo escándalo en el convento, y gran alegría en el colegio. Júzguese del efecto.

VI. El convento pequeño

Había en el recinto del pequeño Picpus tres edificios completamente distintos; el convento grande, que habitaban las religiosas; el colegio, en donde estaban las educandas, y el convento pequeño. Este era un departamento con jardín, donde vivían en común todas las religiosas de varias órdenes, restos de los claustros destruidos por la revolución; reunión de todos los hábitos negros, grises y blancos, de todas las comunidades y de todas las variedades posibles; era lo que podría llamarse, si se nos permitiera una extraña combinación de palabras, un convento-arlequín.

La iglesia de la casa, construida de manera que separaba el convento grande del colegio, era común al colegio, al convento grande y al pequeño; y en ella se admitía también al público por una especie de entrada de lazareto que daba a la calle. Pero estaba todo dispuesto de manera que ninguna de las que vivían en el claustro pudiese ver un rostro de afuera.

La iglesia recibía la luz del jardín. Cuando las monjas asistían a las funciones en que su regla mandaba el silencio, el público sólo notaba su presencia por el choque de las tablillas de los sitiales, que levantaban y bajaban con ruido.

VII. Algunos perfiles de esta sombra

En los seis años que median desde 1819 a 1825 había sido priora del pequeño Picpus la señorita de Blemeur, que en religión se llamaba la madre Inocente.

Había además, entre las más hermosas, una encantadora joven, de veintitrés años, que era de la isla de Borbón, descendiente del caballero Roze, que se llamó en el mundo señorita Roze, y en el claustro, madre Asunción.

VIII. Post corda lapides

Después de haber trazado la figura moral del convento, no es inútil hablar en breves palabras de la configuración material; el lector tiene ya alguna idea de ella.

IX. Un siglo bajo una toca

Ya que estamos dando pormenores de lo que era en otro tiempo el convento del pequeño Picpus, y que hemos tenido el atrevimiento de abrir una ventana en este discreto asilo, el lector nos permitirá aún una corta digresión, ajena al fondo de ese libro, pero característica y útil, para demostrar que aún el claustro tiene sus tipos originales.

Había en el convento pequeño una mujer centenaria que había ido allí de la abadía de Fontevrault. Antes de la revolución había vivido en el mundo.

Tenía en un armario cerrado con llave un objeto misterioso, a que profesaba mucho afecto. Cuando murió la pobre mujer, corrieron todos al armario más de prisa tal vez de lo que convenía, y le abrieron. Encontraron el objeto envuelto en un triple lienzo como una patena bendita. Era un plato de porcelana, cuyas figuras representaban unos amores que huían perseguidos por unos mancebos de botica armados de enormes jeringas. La persecución abundaba en gestos y en cómicas posturas. Uno de los amores estaba ya calado. Lucha, agita sus alas y trata de volar; pero su matador ríe satánicamente. Moralidad: el amor vencido por el cólico. Este plato muy curioso por lo demás, y que tiene quizá el método de haber dado una idea a Moliere, existía aún en septiembre de 1845, y estaba de venta en casa de un prendero en el boulevard Beaumarchais. Esta buena vieja no quería recibir ninguna visita de fuera del convento, "porque —decía— el locutorio es muy triste".

X. Origen de la adoración perpetua

El locutorio casi sepulcral de que acabamos de hablar, es un hecho local, que no tiene igual severidad en los demás conventos. En el de la calle del Temple, que era de otra orden, es verdad, los postiguillos negros estaban reemplazados por cortinas oscuras, y el mismo locutorio era un salón bien entablado, cuyas ventanas tenían cortinillas de muselina blanca, y cuyas paredes admitían toda clase de cuadros; un retrato de un benedictino con la cara descubierta, floreros, y hasta una cabeza de turco.

Ya hemos dicho que el convento del Temple estaba ocupado por las Benedictinas de la Adoración perpetua, distintas de las que dependían del Cister.

Esta orden de la Adoración perpetua no es muy antigua; cuenta sólo unos doscientos años.

XI. Fin del pequeño Picpus

El convento del pequeño Picpus estaba agonizando desde el principio de la Restauración, como parte de la muerte general de la orden, que va desapareciendo con todas las demás, desde el siglo XVIII. La contemplación es, lo mismo que la oración, una necesidad humana; pero se transformará como todo lo que ha tocado la revolución, y se convertirá de hostil al progreso, en favorable.

La casa del pequeño Picpus se despoblaba rápidamente. En 1840, el convento pequeño y el colegio habían desaparecido; no habitaban ya sus claustros ni viejas, ni jóvenes; unas habían muerto, otras se habían ido.

La idea religiosa ha pasado una gran crisis en nuestro siglo. Se olvidan muchas cosas; y es bien hecho, con tal que al olvidarlas se aprendan otras nuevas. El corazón humano repugna el vacío. Es bueno hacer algunas demoliciones, pero a condición de que las sigan nuevas construcciones.

Mientras tanto, estudiemos las cosas que ya no existen. Es necesario conocerlas, aunque no sea más que para evitarlas. Las falsificaciones de lo pasado toman falsos nombres, y se apropian a sí mismas el del porvenir; lo pasado es un viajero que puede falsificar el pasaporte; estemos prevenidos, desconfiemos. Lo pasado tiene una fisonomía: la superstición, una máscara: la hipocresía. Denunciemos la fisonomía, y arranquemos la máscara.

En cuanto a los conventos, nos presentan una cuestión compleja: la civilización los condena; la libertad los protege.

Libro séptimo

● PARÉNTESIS ●

I. El convento como idea abstracta

Este libro es un drama, cuyo primer personaje es el infinito.
El hombre es el segundo.

En este supuesto, habiendo encontrado un convento en nuestro camino, hemos debido penetrar en él. ¿Por qué? Porque el convento, tan propio del Oriente como del Occidente; de la antigüedad, como de la época moderna; del paganismo, del budismo y del mahometismo, como del cristianismo, es uno de esos aparatos de óptica que el hombre dirige al infinito.

II. El convento como hecho histórico

El monaquismo está condenado por el triple juicio de la historia, de la razón y de la verdad. Las comunidades monásticas son, respecto de la gran comunidad social, lo que la verruga al cuerpo humano.

Los claustros han concluido su misión. Útiles para la primera educación de la civilización moderna, han sido un obstáculo para su crecimiento, y son perjudiciales a su desarrollo.

En nuestros tiempos, estos dos pueblos ilustres empiezan a curarse, gracias sólo a la sana y vigorosa higiene de 1789.

El convento, el antiguo convento de monjas especialmente, como existía aún al principio del siglo en Italia, en Austria y en España, es una de las más sombrías concreciones de la edad media.

El convento español es fúnebre sobre todos.

La España romana era más católica que la misma Roma; el convento español era el convento católico por excelencia; los castigos impuestos a las desdichadas que alguna vez faltaban a sus votos eran terribles: el *in pace* venía a sepultarlas.

Hoy, los defensores de lo pasado, no pudiendo negar estas cosas, han tomado el partido de sonreírse.

El autor de este libro ha visto con sus propios ojos, a ocho leguas de Bruselas, un recuerdo de la edad media que todo el mundo puede tocar en la abadía de Villiers: el agujero de una sima, en medio del prado que fue patio del convento; y a orillas del Dyle, cuatro calabozos de piedra, mitad bajo tierra y mitad bajo el agua. Eran los *in pace*.

III. Bajo qué condiciones
PUEDE RESPETARSE LO PASADO

El monaquismo, tal como existía en España, y tal como existe en el Tíbet, es una especie de tisis para la civilización; detiene la vida; de un golpe despuebla sin más ni más. Claustración es lo mismo que castración. El monaquismo ha sido el azote de Europa.

Aplican a lo pasado un barniz que llaman orden social, derecho divino, moral, familia, respeto a los antepasados, antigua autoridad, santa tradición, legitimidad, religión, y van gritando: "¡Mirad, tomad esto, hombres honrados!" Esta lógica era ya conocida de los antiguos.

Supersticiones, hipocresía, devoción fingida, preocupaciones, estas larvas, por más larvas que sean, quieren vivir tenazmente; tienen uñas y dientes en su sombra, y es preciso destruirlas cuerpo a cuerpo, y hacerles la guerra sin tregua, porque una de las fatalidades de la humanidad es vivir condenada a la lucha eterna con fantasmas. Es muy difícil coger a la sombra por el cuello y derribarla.

IV. El convento bajo el
PUNTO DE VISTA DE LOS PRINCIPIOS

Unos cuantos hombres se reúnen para vivir en comunidad. ¿En virtud de qué derecho? En virtud del derecho de asociación.

Viven encerrados. ¿En virtud de qué derecho? En virtud del derecho que tiene todo hombre para abrir o cerrar su puerta.

No salen nunca. ¿En virtud de qué derecho? En virtud del derecho que tiene el hombre para ir y venir libremente, lo que implica el derecho de quedarse en su casa.

Todos están encorvados bajo la igualdad del nombre de bautismo. Han disuelto la familia carnal, y constituido en su comunidad una familia espiritual. Sus parientes son todos los hombres; socorren a los pobres, cuidan a los enfermos; eligen aquellos a quienes han de prestar obediencia y unos a otros se llaman hermanos.

Aquí me interrumpís diciendo:

—¡Pero ese es el convento ideal!

Basta que sea el convento posible, para que sea el que debe considerar.

Pero estos hombres o estas mujeres que viven encerradas entre cuatro paredes, que se visten de tosca bayeta, que son iguales, que se llaman hermanos, ¿hacen algo más?

—Sí.

—¿Qué?

—Dirigen su mirada a la sombra ilimitada; se ponen de rodillas, juntan las manos.

—¿Qué significa esto?

V. LA ORACIÓN

—Oran.

—¿A quién?

—A Dios.

—Orar a Dios: ¿qué quiere decir esta palabra?

Pues bien, orar es poner mentalmente el infinito de aquí abajo en contacto con el infinito de arriba.

No quitemos nada al espíritu humano; porque suprimir siempre es malo. Lo necesario es reformar y transformar. Ciertas facultades del hombre se dirigen hacia lo desconocido: el pensamiento, la meditación, la oración. Lo desconocido es un océano. ¿Y cuál es la brújula de este océano? La conciencia. El pensamiento, la meditación y la oración son fulgores misteriosos. Respetémoslos. ¿A dónde van estas irradiaciones majestuosas del alma? A la sombra, es decir, a la luz.

La grandeza de la democracia consiste en no negar nada, en no renegar de nada de la humanidad. Cerca del derecho del hombre a lo menos a su lado, coloca el derecho del alma.

Nuestra síntesis se contiene en esta frase: Destruir el fanatismo, venerar lo infinito: tal es la ley.

VI. Bondad absoluta en la oración

En cuanto al modo de orar, creemos que todos son buenos, si son sinceros. Cerrad el libro en que leáis, y penetrad en el infinito.

VII. Precauciones que
deben tomarse al condenar

La historia y la filosofía tienen deberes eternos, pero sencillos, que cumplir: combatir a Caifás, pontífice; a Dracón, juez; a Trimalción, legislador; a Tiberio, emperador. Esto es claro, directo, explícito, y no ofrece la menor oscuridad. Pero el derecho de vivir aparte, aun con sus inconvenientes y sus abusos, debe ser reconocido y respetado. El cenobitismo es un problema humano.

Cuando se habla de los conventos, de esos lugares de error, pero de inocencia; de extravío, pero de buena voluntad; de ignorancia, pero de sacrificio; de suplicio, pero de martirio, es preciso casi siempre decir sí y no.

Un convento es una contradicción. Tiene por objeto la salvación por medio del sacrificio; es el supremo egoísmo que da por resultado la suprema abnegación.

La divisa del monaquismo parece ser: abdicar para reinar.

VIII. La fe, la ley

Digamos aún algunas palabras.

Culpamos a una religión cuando está saturada de intrigas, despreciamos lo espiritual cuando se opone a lo temporal; pero honramos en todas partes al hombre que medita.

Saludamos al que se arrodilla.

La fe es necesaria al hombre. ¡Desgraciado el que no la tenga!

El hombre no está desocupado cuando se extasía; porque hay trabajo visible y trabajo invisible.

Contemplar es trabajar; pensar es hacer. Los brazos cruzados trabajan; las manos juntas hacen. La mirada que se dirige al cielo es una obra.

La vida del claustro, tan austera y tan monótona, según hemos hecho ver en algunas pinceladas, no es la vida, porque no es la libertad; no es la tumba, porque no es la plenitud; es el lugar extraño desde donde se descubre, como desde lo alto de una montaña, a un lado el abismo en que vivimos, y a otro el abismo en que caeremos; es el estrecho y brumoso límite que separa dos mundos, iluminado y oscurecido por los dos a la vez; el punto en que se confunden el rayo debilitado de la vida y el rayo sombrío de la muerte; es la penumbra de la tumba.

Libro octavo

● LOS CEMENTERIOS ●
TOMAN LO QUE LES DAN

I. DONDE SE TRATA DE CÓMO SE PUEDE ENTRAR EN UN CONVENTO

En esta casa había "caído del cielo" Juan Valjean, según decía Fauchelevent.

Acostada ya Cosette, Juan Valjean y Fauchelevent habían cenado, como hemos dicho, un pedazo de queso y una copa de vino al amor de una buena leña; y como la única cama que había estaba ocupada por Cosette, se habían echado cada uno en un haz de paja. Juan Valjean, antes de cerrar los ojos, había dicho: "Es preciso que me quede aquí"; y estas palabras habían estado dando vueltas toda la noche en el cerebro de Fauchelevent.

A decir verdad, ni uno ni otro habían dormido.

Juan Valjean, viéndose descubierto por Javert, comprendía, que tanto Cosette como él estaban perdidos si volvían a entrar en las calles de París. Ya que el nuevo golpe de viento que le había impelido le había arrojado a aquel claustro, ya no tenía más que un pensamiento: quedarse allí.

Lo incomprensible había sentado sus reales en la cabaña de Fauchelevent que andaba a tientas en medio de suposiciones y sólo veía claro que el señor Magdalena le había salvado la vida. Esta certidumbre única le bastaba, y era para él razón suficiente. Díjose a sí mismo: "Ahora me toca a mí." Y añadió en su conciencia: "El señor Magdalena no deliberó tanto cuando se metió debajo de la carreta para salvarme." Decidió, pues, que salvaría al señor Magdalena.

Pero quedarse en el convento ¡qué dificultad! Ante esta tentativa, casi irrealizable, no retrocedió Fauchelevent.

Al amanecer, después de haber meditado mucho tiempo, el tío Fauchelevent abrió los ojos y vio al señor Magdalena, que sentado en su haz de paja, miraba cómo dormía Cosette. Fauchelevent se incorporó, y le dijo:

—Y ahora que estáis aquí, ¿cómo os váis a componer para entrar?

Estas palabras resumían la cuestión, y sacaron a Juan Valjean de su meditación.

Los dos hombres celebraron una especie de consejo.

—Tenéis que principiar —dijo Fauchelevent— por no poner los pies fuera de este cuarto, ni la niña ni vos. Un paso en el jardín nos perdería.

—Es cierto.

—Señor Magdalena —continuó Fauchelevent—, habéis llegado en un momento muy bueno, quiero decir muy malo; hay una monja enferma de peligro, lo cual será causa de que no se paseen mucho por este lado. Parece que se muere; están rezando las cuarenta horas; toda la comunidad está suspensa, y no piensa más que en esto.

—¿Pues entonces?... —dijo Juan Valjean.

Este "pues entonces" significaba: me parece que podemos permanecer aquí ocultos. A lo cual respondió Fauchelevent:

—Pero quedan las niñas.

Cuando Fauchelevent abrió la boca para explicar lo que acababa de decir, se oyó una campanada.

—La religiosa ha muerto —dijo—. Ese es el clamor.

En cuanto a las niñas, ya conocéis que han de jugar. Son unos demonios esos querubines. Os descubrirían enseguida, y gritarían: ¡un hombre! Pero hoy no hay cuidado, porque no hay recreo.

Juan Valjean seguía meditando cada vez más profundamente. "Este convento podrá ser nuestra salvación", murmuró. Después elevó la voz, y dijo:

—Sí; lo difícil es quedarse.

—No —dijo Fauchelevent—; lo difícil es salir.

Oyóse en este momento un toque bastante complicado de otra campana.

—¡Ah! —dijo Fauchelevent—, llaman a las madres vocales al capítulo; siempre que muere alguna celebran capítulo. Ha muerto al amanecer: es la hora a que se suele morir. Pero ¿no podéis salir por donde habéis entrado?

—¡Imposible! —dijo—. Tío Fauchelevent, suponed que he caído del cielo.

—Vamos, otro toque. Este es para decir al portero que vaya a la municipalidad para que avise al médico de los muertos para que vengan a ver el cadáver. ¡Qué prisa han tenido esta vez para avisar al médico! ¿Qué será esto? Vuestra niña duerme. ¿Cómo se llama?

—Cosette.

—¿Es hija vuestra? O lo que es igual, ¿sois su abuelo?

—Sí.

—A ella le será fácil salir de aquí. Buscad un medio de que salga, como Cosette, en un cesto y bajo una tapa.

Se oyó un tercer toque.

—El médico de los muertos se va —dijo Fauchelevent—. Habrá mirado y habrá dicho: "está muerta, bueno". Así que el médico ha dado el pasaporte para el paraíso, la administración de pompas fúnebres envía un ataúd. ¡Pero qué de acontecimientos han sucedido desde ayer! Ha muerto la madre Crucifixión. El señor Magdalena ha...

—Está enterrado —dijo Juan Valjean, sonriendo tristemente.

Fauchelevent dio un salto al oír esta palabra.

—¡Diablo! realmente si os quedáis aquí, es como si os enterrasen.

Oyóse en esto un cuarto toque. Fauchelevent cogió precipitadamente del clavo la rodillera con el cencerro, y se la puso en la pierna.

—Esta vez el toque es para mí. Me llama la madre priora.

Y salió de la choza diciendo: "¡ya van, ya van!"

Unos minutos después, el tío Fauchelevent, cuya campanilla ponía en fuga a las religiosas, llamaba suavemente a una puerta; una dulce voz respondió: "Por siempre, por siempre", es decir, *entrad*.

II. Fauchelevent en presencia de la dificultad

El jardinero hizo un saludo tímido, y se paró en el umbral de la celda.

—¡Ah! ¿sois vos, tío Fauvent?

Tal era la abreviación adoptada en el convento.

Fauchelevent repitió su saludo.

—Tío Fauvent, os he llamado.

—Aquí estoy, reverenda madre.

—Tengo que hablaros.

—Y yo por mi parte —dijo Fauchelevent.

—¡Ah! ¿tenéis que comunicarme algo?

—Una súplica.

—Pues bien, hablad.

Habló largamente de su edad, de sus enfermedades, del peso de los años contándolos dobles, de las exigencias crecientes del trabajo, de la extensión del jardín, de las noches que pasaba, como la última, por ejemplo, en que había tenido que cubrir con estera los melones para evitar el efecto de la luna y concluyó por decir: que tenía un hermano (la priora hizo un movimiento); un hermano no joven (segundo movimiento de la priora, pero movimiento de tranquilidad); que si se permitía podría ir a vivir con él y ayudarle; que era un excelente jardinero; que la comunidad podría aprovecharse de sus buenos servicios, más útiles que los suyos; que de otra manera, si no se admitía a su hermano, él, que era el mayor y se sentía cascado e inútil para el trabajo, se vería obligado a irse; y que su hermano tenía una niña que llevaría consigo, y se educaría en Dios en la casa, y podría ¿quién sabe? ser monja un día.

Cuando hubo acabado, la priora interrumpió el paso de las cuentas del rosario por entre los dedos, y le dijo:

—¿Podríais haceros de aquí a la noche con una barra fuerte de hierro?

—¿Para qué?

—Para que sirva de palanca.

—Sí, reverenda madre —respondió Fauchelevent.

La priora, sin contestar una palabra, se levantó y entró en el cuarto contiguo, que era la sala del capítulo en que estaban reunidas probablemente las madres vocales.

Fauchelevent quedó solo.

III. LA MADRE INOCENTE

Pasó próximamente un cuarto de hora. La priora volvió y se sentó en la silla.

Los dos interlocutores parecían meditabundos.

—Tío Fauvent, ¿conocéis bien la capilla?

—Tengo en ella una especie de nicho para oír misa y asistir a los oficios.

—¿Habéis entrado en el coro alguna vez?

—Dos o tres veces.

—Se trata de levantar una piedra.

—¿Pesada?

—La losa del suelo que está junto al altar.

—¿La que cierra la bóveda?

—Sí.

—Es una obra para la cual serían necesarios dos hombres.

—La madre Ascensión, que es fuerte como un hombre, os ayudará.

—Una mujer nunca es un hombre.

—Y una mujer no es un hombre. ¡Mi hermano sí que es fuerte!

—Cuando esté abierta la bóveda...

—La volveré a cerrar.

—Pero antes...

—¿Sabéis que esta mañana ha muerto una madre?

—No.

—Ha sido la madre Crucifixión, una bendita.

—¡Ah! sí, ahora oigo el clamor, reverenda madre.

—Las madres la han llevado al depósito de los muertos que da a la iglesia.

La priora murmuró de nuevo como rezando, y después dijo alzando la voz:

—La madre Crucifixión en vida hacía muchas conversiones; después de la muerte hará milagros.

—¡Los hará! —contestó Fauchelevent haciéndose firme en el terreno, y esforzándose para no volver a tropezar.

La priora continuó:

—Tío Fauvent: la madre Crucifixión será sepultada en el ataúd en que ha dormido veinte años.

—Es justo.

—Es una continuación del sueño.

—¿La encerraré en ese ataúd y la clavaré?

—Sí.

—¿Y dejaremos a un lado la caja de las pompas fúnebres?

—Debemos obedecer a los muertos. El deseo supremo de la madre Crucifixión ha sido ser enterrada en la cripta, debajo del altar de la capilla, no ir a tierra profana; morar muerta en el mismo sitio en que ha rezado en vida. Así nos lo ha pedido, es decir, nos lo ha mandado.

—Pero eso está prohibido.

—Prohibido por los hombres; mandado por Dios.

La priora continuó:

—El derecho del monasterio a la sepultura no es dudoso para nadie. No pueden negarle más que los fanáticos y los extraviados. Vivimos en unos tiempos de horrible confusión. Se ignora lo que se debe saber, y se sabe lo que se debería ignorar. Dominan la ignorancia y la impiedad.

La priora tomó aliento, y volviéndose a Fauchelevent, le dijo:

—Tío Fauvent, ¿está dicho?

—Está dicho, reverenda madre.

—¿Puedo contar con vos?

—Obedeceré.

—Está bien.

—Estoy consagrado enteramente al convento.

—Pues estamos arreglados. Cerraréis el ataúd, las hermanas lo llevarán a la capilla; rezarán el oficio de difuntos, y después volverán al claustro. A las once y media vendréis con vuestra barra de hierro y todo se hará en el mayor secreto.

—¿Reverenda madre?

—¿Qué?

—Si alguna vez tuviéreis que hacer cosas como ésta, mi hermano es muy fuerte. ¡Es un atleta!

—Lo haréis lo más pronto posible.

—Yo no puedo ir muy de prisa. Estoy delicado; por eso me vendría bien un auxiliar. Cojeo.

—El ser cojo no es una desgracia; es quizá una bendición.

—Reverenda madre, ¿todo está arreglado así?

—No.

—Pues ¿qué falta?

—Falta la caja vacía.

Esto produjo una pausa. Fauchelevent meditaba: la priora meditaba.

—Tío Fauvent, ¿qué haremos del ataúd?

—Reverenda madre, echaré tierra en la caja, y hará el mismo efecto que si llevara dentro un cuerpo.

—Tenéis razón. La tierra y el hombre son una misma cosa. De modo, que ¿arreglaréis el ataúd vacío?

—Lo haré.

—Tío Fauvent, estoy contenta de vos. Mañana, después del entierro, traedme a vuestro hermano, y decidle que le acompañe la niña.

IV. DE CÓMO PARECE QUE JUAN VALJEAN HABÍA LEÍDO A AGUSTÍN CASTILLEJO

Los pasos de un cojo son como las miradas de un tuerto; no llegan pronto al punto al que se dirigen. Además, Fauchelevent estaba perplejo. Empleó cerca de un cuarto de hora en llegar a la barraca del jardín. Cosette había despertado, Juan Valjean la había sentado cerca de la lumbre.

—¿Y qué?

—Todo está arreglado, y nada está arreglado —contestó Fauchelevent—. —Tengo ya permiso para entraros; pero antes es preciso que salgáis. Aquí está el atasco de la carreta. En cuanto a la niña, es fácil.

—¿La llevaréis?

—¿Se callará?

—Yo respondo.

—Pero, ¿y vos, señor Magdalena?

—¿Qué es eso del ataúd vacío? —preguntó Juan Valjean.

Fauchelevent respondió:

—El ataúd de la administración.

—¿Qué ataúd? y ¿qué administración?

—Cuando muere una monja, viene el médico del ayuntamiento, y dice: Ha muerto una monja. El gobierno envía un ataúd; y al día siguiente un carro fúnebre y sepultureros, cogen el ataúd y le llevan al cementerio. Vendrán los sepultureros y levantarán la caja y no habrá nada dentro.

—¡Pues meted cualquier cosa!

—¿Un muerto? No le tengo.

—No.

—¿Pues qué?

—Yo —dijo Juan Valjean. Se trata de salir de aquí sin ser visto; pues este es un medio. Pero antes instruidme. ¿Cómo se hace todo? ¿Dónde está este ataúd?

—¿El que está vacío?

—Sí.

—Allá en lo que se llama la sala de los muertos. Está sobre dos caballetes y bajo el paño mortuorio.

—Podéis ir a encerrarme en el ataúd a las dos.

Fauchelevent retrocedió chasqueando los dedos.

—¡Pero eso es imposible!

—¡Bah! —¡Coger un martillo y clavar unos clavos en una tabla!

Por lo demás, un ataúd con un hombre vivo es una estratagema de presidiario, pero también de emperador.

Fauchelevent, un poco tranquilizado, preguntó:

—Pero, ¿cómo habéis de respirar?

—Ya respiraré.

—Buscaréis una barrena, haréis algunos agujeritos alrededor de la boca, y clavaréis sin apretar la tapa.

Luego añadió:

—Tío Fauchelevent, es preciso decidirse; o ser descubierto aquí, o salir en el carro.

Juan Valjean replicó:

—Lo único que me inquieta es lo que sucederá en el cementerio.

—Pues eso es justamente lo que a mí me tiene sin cuidado —dijo Fauchelevent.

Juan Valjean le tendió la mano, y Fauchelevent se precipitó hacia ella con tierna efusión.

—Está convenido, tío Fauchelevent. Todo saldrá bien.

V. DE CÓMO NO BASTA SER
BORRACHO PARA SER INMORTAL

Al día siguiente, cuando declinaba el sol, los pocos paseantes del boulevard del Maire se quitaban el sombrero al paso de un carro fúnebre antiguo, adornado de calaveras, tibias y lágrimas.

Detrás iba un viejo con traje de pueblo y cojeando. El entierro se dirigía al cementerio Vaugirard.

Aún no se había puesto el sol cuando el carro fúnebre del manto blanco y la cruz negra entró en la alameda del cementerio Vaugirard. El cojo que le seguía, era Fauchelevent.

El entierro de la madre Crucifixión en la cripta debajo del altar, la salida de Cosette y la entrada de Juan Valjean en la sala de los muertos se habían ejecutado sin obstáculo, y nada había salido mal.

Digamos, como de paso, que el entierro de la madre Crucifixión debajo del altar es para nosotros una cosa muy venial.

Paróse el carro: había llegado a la verja. Como era preciso enseñar la licencia para el entierro, el encargado de la pompa fúnebre se adelantó y habló un momento con el portero. Durante este coloquio, que produjo una detención de dos o tres minutos, apareció un desconocido y fue a colocarse detrás del carro, al lado de Fauchelevent; parecía un trabajador; llevaba una blusa con grandes bolsillos, y un azadón bajo el brazo.

—¿Quién sois? —le preguntó.

El hombre respondió:

—El enterrador.

—El enterrador es el tío Mestienne.

—Era.

—¡Cómo era!

—Ha muerto.

—¿Conque murió el tío Mestienne? —dijo.

—¿Seremos amigos? —dijo trémulamente Fauchelevent.

—Ya lo somos. Vos sois provinciano, y yo soy parisiense.

—Dos no son amigos hasta que beben juntos.

—Primero es la obligación.

—Estoy perdido —pensó Fauchelevent.

—Vamos a beber —le dijo.

Aquí es preciso hacer una observación. Fauchelevent, por más inquieto que estuviese, convidaba a beber pero no se había fijado en un punto: ¿quién había de pagar?

El carro avanzaba. Fauchelevent, en el colmo de la inquietud, miraba a todos lados y gruesas gotas de sudor le caían de la frente.

—Pero —continuó el enterrador—, no se puede servir a dos señores; y tengo que elegir entre la pluma y el azadón. El azadón me destroza la mano.

El carro fúnebre se detuvo.

VI. Entre cuatro tablas

¿Quién estaba en el ataúd? —Juan Valjean.

Sintió que cogían bruscamente la caja, y oyó un áspero rozamiento en las tablas; conoció que ataban una cuerda al ataúd para bajarle a la fosa.

Oyó una voz glacial y solemne sobre su cabeza, y escuchó cómo pasaban tan lentamente, que podía oírlas, palabras en latín que no comprendió.

Oyó sobre la tapa del ataúd como el débil ruido de algunas gotas de agua. Era probablemente agua bendita.

Entonces se dijo: ya va a acabar esto. Tengamos un poco de paciencia. Ahora se irá el cura: Fauchelevent se llevará a beber a Mestienne; me dejarán; después vendrá Fauchelevent solo, y saldré de aquí. Todo será cosa de una hora.

VII. Donde verá el lector el origen de la frase: Guarda la cédula

Veamos qué era lo que había pasado por encima del ataúd en que yacía Juan Valjean.

—¡Yo pago!

El enterrador le miró asombrado, y le respondió:

—¿El qué?

Fauchelevent repitió:

—¡Yo pago!

—¿El qué?

—El vino.

—¿Qué vino?

—El de Argenteuil.

En este momento, al llenar la pala se encorvaba, y dejaba ver entreabierto el bolsillo de la blusa.

Sin que el enterrador, ocupado sólo en llenar la pala, lo notara, le metió la mano en el bolsillo por detrás, y sacó la cosa blanca que contenía.

—A propósito, novato; ¿tenéis vuestra cédula?

El enterrador se quedó parado.

—¿Qué cédula?

—¿Tenéis la cédula?

—¡Ah! ¡mi cédula! —dijo el enterrador. Y la buscó en el bolsillo. Después de registrar un bolsillo registró el otro; después pasó a los del chaleco; miró el primero, y luego el segundo.

—No —dijo—; no tengo la cédula. La habré olvidado.

—Quince francos de multa —dijo Fauchelevent.

—¡Ay, Jesús Dios-mío! —exclamó—. ¡Quince francos de multa!

—Tres napoleones —dijo Fauchelevent.

El enterrador dejó caer la pala.

Voy a daros un consejo de amigo. ¿Dónde vivís?

—A dos pasos de la barrera: un cuarto de hora de aquí; en la calle de Vaugirard, número 87.

—Pues tenéis tiempo, levantando bien los pies, para salir en seguida.

—Es verdad.

—Una vez fuera de la verja corréis a vuestra casa, cogéis la cédula, volvéis, el guarda os abrirá y como traéis la cédula, no hay multa. Enterráis al muerto, y yo me quedo guardándole para que no se escape.

Así que hubo desaparecido en la maleza. Fauchelevent escuchó sus pasos que se alejaban después se inclinó hacia la fosa, y dijo en voz baja:

—¡Señor Magdalena!

Nadie respondió.

Fauchelevent tembló. Se dejó caer en la fosa más bien que bajó, se echó sobre el ataúd y gritó:

—¿Estáis ahí?

Fauchelevent, privado casi de respiración por el temblor que sentía, sacó el escoplo y el martillo, e hizo saltar la tapa de la caja. El rostro de Juan Valjean apareció en el crepúsculo, pálido y con los ojos cerrados.

Juan Valjean yacía pálido e inmóvil.

Fauchelevent murmuró con una voz baja como un soplo:

—¡Está muerto!

Entonces el pobre hombre se puso a sollozar y a hablar. El monólogo existe en la naturaleza; las grandes emociones nos hacen hablar alto.

Y se mesaba los cabellos.

Juan Valjean tenía los ojos abiertos y le miraba.

—Me he dormido —dijo Juan Valjean. Y se sentó.

Fauchelevent cayó de rodillas.

—¡Santa Virgen! —exclamó—. ¡Me dáis un susto!

Después se levantó y dijo: —gracias, señor Magdalena.

Juan Valjean estaba sólo desmayado. El aire libre le volvió el conocimiento.

—Salgamos pronto de aquí —dijo Fauchelevent.

Metió la mano en el bolsillo y sacó una calabacita de que se había provisto.

—¡Lo primero un trago! —dijo.

Fauchelevent cogió la pala y Juan Valjean el azadón, y enterraron el ataúd vacío.

Cuando estuvo llena la fosa, dijo Fauchelevent:

—Vámonos. Yo llevo la pala, llevad el azadón.

Cerraba ya la noche.

Se fueron por el mismo camino que había llevado el carro fúnebre. Cuando llegaron a la verja, cerrada ya, y al cuarto del guarda, Fauchelevent, que llevaba en la mano la cédula del enterrador, la echó en la caja, el guarda tiró de la cuerda, se abrió la puerta y salieron.

—¡Qué bien va todo! ¡Habéis tenido una idea magnífica, señor Magdalena! —dijo Fauchelevent.

VIII. Interrogatorio de felices resultados

Una hora después, en la oscuridad de la noche, dos hombres y una niña se presentaron en el número 62 de la calle de Picpus. El más viejo de los dos cogió el llamador y llamó. Eran Fauchelevent, Juan Valjean y Cosette.

Sólo cuando después de estas veinticuatro horas había vuelto a ver a Juan Valjean, había arrojado tal grito de alegría, que cualquier hombre pensativo hubiera adivinado en él la salida de un abismo.

Así se resolvió el doble y difícil problema: Salir y entrar.

La priora, con el rosario en la mano, les esperaba ya. A su lado estaba de pie con el velo echado una madre vocal. Una discreta vela alumbraba, o por mejor decir, hacía que alumbraba el locutorio.

La priora examinó a Juan Valjean. Nada escudriña tanto como unos ojos bajos.

Después le preguntó:

—¿Sois el hermano?

—Sí, reverenda madre —respondió Fauchelevent.

—¿Cómo os llamáis?

Fauchelevent respondió:

—Último Fauchelevent.

—¿De dónde sois?

Fauchelevent respondió:

—De Picquigny, cerca de Amiens.

—¿Qué edad tenéis?

Fauchelevent respondió:

—Cincuenta años.

Juan Valjean no había pronunciado una sola palabra.

La priora miró a Cosette con atención, y dijo a media voz a la madre vocal:

—Será fea.

—Tío Fauvent, buscaréis otra rodillera con campanilla. Ahora hacen falta dos.

Rompióse el silencio, llegaron a decir en voz baja: "Es un ayudante del jardinero."

Las madres vocales añadían: "Es un hermano de tío Fauvent."

Juan Valjean se había ya instalado formalmente: tenía su rodillera de cuero y su campanilla; era ya una cosa oficial: se llamaba Último Fauchelevent.

La causa más eficaz de su admisión había sido esta observación de la priora sobre Cosette: "Será fea."

Así que la priora dijo este pronóstico, se hizo amiga de Cosette, y la admitió en el Colegio como educanda de caridad.

La aventura que hemos referido engrandeció al buen viejo Fauchelevent, que consiguió un triple triunfo: cerca de Juan Valjean, a quien salvó y dio asilo; cerca del enterrador Gribier, que se decía: me ha librado de pagar la multa cerca del convento, que gracias a él, conservando el cuerpo de la madre Crucifixión había podido eludir el pago del tributo al César, y cumplir la voluntad de la difunta.

En cuanto al convento, su gratitud para con Fauchelevent fue muy grande; de modo que llegó a ser el mejor de los criados, y el mejor de los jardineros.

IX. Clausura

Cosette continuó guardando silencio en el convento.

Creíase sencillamente hija de Juan Valjean; y como por otra parte nada sabía, nada podía contar, y en todo caso no hubiera descubierto nada. Hemos dicho ya que nada enseña el silencio a los niños como la desgracia, y Cosette había padecido tanto, que todo lo temía, hasta su voz y su respiración.

Cosette al entrar de educanda, tuvo que tomar el traje de las colegialas de la casa.

Las monjas no adoptaron el nombre de Último, y llamaron a Juan Valjean *el otro Fauvent*.

Juan Valjean, por lo demás, hizo muy bien en estarse quieto y no moverse, porque Javert vigiló el barrio por espacio de mucho más de un mes.

Empezó, pues, para él, una vida muy grata.

Juan Valjean trabajaba todos los días en el jardín, y era muy útil. Había sido en su juventud podador, y no extrañaba la jardinería. El lector recordará que conocía todo género de recetas y de secretos de cultivo, y sacó de ellas partido. Casi todos los árboles del jardín eran silvestres, los injertó y obtuvo excelentes frutas.

Cosette tenía licencia para pasar todos los días una hora a su lado.

En las horas de recreo Juan Valjean miraba desde lejos cómo jugaba y reía Cosette, y distinguía su risa de las risas de las demás.

Porque Cosette reía ya.

La figura de la niña hasta se había cambiado en cierto modo. Había perdido lo sombrío. La risa es el sol; disipa las nubes de la fisonomía.

Pero Dios tiene sus caminos: el convento contribuía, como Cosette, a mantener y completar en Juan Valjean la obra del obispo.

Todo lo que le rodeaba, aquel jardín pacífico, aquellas flores embalsamadas, aquellas niñas dando gritos de alegría, aquellas mujeres graves y sencillas, aquel claustro silencioso, le penetraban lentamente, y poco a poco su alma iba adquiriendo el silencio del claustro, el perfume de las flores, la paz del jardín, la ingenuidad de las monjas y la alegría de las niñas. Además, recordaba que precisamente dos casas de Dios le habían acogido en los momentos críticos de su vida; la primera cuando todas las puertas se le cerraban y le rechazaba la sociedad humana; la segunda, cuando la sociedad humana volvía a perseguirle, y el presidio volvía a solicitarle; sin la primera, hubiera caído en el crimen; sin la segunda, en el suplicio. Su corazón se deshacía en agradecimiento, y amaba cada día más. Muchos años pasaron así; Cosette iba creciendo.

Tercera parte

Mario

Libro primero

● París estudiado en su átomo ●

I. Párvulos

*P*arís tiene un hijo, y la selva un pájaro. El pájaro se llama gorrión; y el hijo pilluelo.

Asociad estas dos ideas que contienen, la una todo el foco de luz, la otra toda la aurora; haced que se choquen estas dos chispas, París y la infancia, y resulta un pequeño ser: *Homuncio*, como diría Plauto.

Esto consiste en que tiene en el alma una perla, la inocencia; y las perlas no se disuelven en el fango. Mientras el hombre es niño. Dios quiere que sea inocente.

Si se preguntase a esta gran ciudad: ¿Quién es ése? Respondería: Es mi hijo.

II. Señas particulares

El pilluelo de París es el hijo enano de una giganta.

No exageramos; este querubín del arroyo tiene alguna vez camisa, pero no tiene, aun entonces, más que una; tiene alguna vez zapatos, pero no suelen tener suela; tiene alguna vez casa, y la ama, porque en ella encuentra a su madre; pero prefiere la calle, porque en ella encuentra la libertad.

Tiene su monstruo fabuloso, con escamas en el vientre sin ser un lagarto, con pústulas en el dorso, sin ser un sapo, que vive en los agujeros de los hornos viejos de cal, y de los pozos secos; negro velludo, viscoso, que se arrastra, ya lenta, ya rápidamente; que no grita, pero que mira; tan terrible, que nadie le ha visto nunca. Este monstruo se llama la salamandra. Buscar salamandras entre las piedras es un placer extraordinario, y no menor es el de levantar el empedrado y ver las correderas. Cada región de París es célebre por los descubrimientos interesantes que en ella pueden hacerse. En los almacenes de las Ursulinas hay tijeretas; en el panteón, ciempiés; en los hoyos del campo de Marte, renacuajos.

III. Se divierte

Por la noche, el *homuncio*, gracias a algunos sueldos que siempre halla medio de proporcionarse, entra en un teatro. Así que atraviesa aquel umbral mágico se transfigura: era el pilluelo, se convierte en un tití.

Dad a un ser lo inútil, y quitadle lo necesario, y tendréis el pilluelo.

El pilluelo no carece de cierta intuición literaria. Su tendencia, lo decimos con todo el dolor debido, no sería el gusto clásico: es por naturaleza poco académico.

El pilluelo de París es Rabelais en pequeño.

No está contento con sus pantalones; si no tienen bolsillo de reloj.

IV. Puede ser útil

París empieza en el papanatas, y concluye en el pilluelo; dos seres que no puede tener ninguna otra ciudad; la aceptación pasiva que se satisface con mirar, y la iniciativa inagotable; Prudhomme y Fouiliou. Sólo París tiene estos tipos en su historia natural. El papanatas representa la monarquía; el pilluelo, la anarquía.

Preocupaciones, ignominia, opresión, iniquidad, despotismo, injusticia, fanatismo, tiranía, ¡guardaos del pilluelo indiferente!

Este niño crecerá.

La fortuna trabaja para este pequeño ser, y entendemos por fortuna la aventura.

V. Sus fronteras

El pilluelo ama la ciudad y ama también la soledad; tiene mucho de sabio, *urbis amator,* como Fusco; *ruris amator*, como Flaco.

El andar errante soñando, es emplear muy bien el tiempo para un filósofo, particularmente en esa especie de campiña bastarda bastante fea, pero extraña y compuesta de dos naturalezas, que rodea algunas grandes ciudades, y entre ellas a París. Contemplar los alrededores es contemplar un anfibio.

De aquí los paseos sin objeto en apariencia, del soñador; por estos lugares de poco atractivo y designados siempre por el transeúnte con el epíteto: *tristes.*

El que ha andado errante como nosotros por esas soledades contiguas a nuestros arrabales, que podrían llamarse los limbos de París, ha descubierto aquí y allá, en el rincón más abandonado, en el momento más inesperado, detrás de un seto poco poblado o en el ángulo de una lúgubre pared, niños agrupados confusamente, fétidos, llenos de lodo y de polvo, harapientos, despeluznados, que juegan al chito, coronados de florecillas: son los niños de familias pobres escapados.

VI. Un poco de historia

En la época casi contemporánea en que pasa la acción de este libro, no había, como hoy, un agente de policía en cada bocacalle (beneficio que no es esta la ocasión de discutir); los muchachos vagabundos abundaban en París. Los estadistas dan por término medio doscientos sesenta niños sin asilo, recogidos entonces anualmente por las rondas de policía en los terrenos abiertos, en las casas en construcción y bajo los arcos de los puentes. Uno de estos nidos, que se hizo famoso, ha producido "las golondrinas del puente de Arcole". Pero este es el más desastroso de los síntomas sociales; porque todos los crímenes del hombre empiezan en la vagancia de sus primeros años.

Digamos de paso, que este abandono de niños no encontraba gran oposición en la antigua monarquía. Algunas costumbres de Egipto, y de Bohemia en las bajas regiones eran cosa que convenía a las altas esferas y a los poderosos. El odio a la enseñanza de los hijos del pueblo era un dogma. ¿De qué sirven "las medias luces"? Tal era la consigna. El niño vagabundo era el corolario del niño ignorante.

En tiempo de Luis XV desaparecían los niños de París; la policía los arrebataba, no se sabe para qué misterioso destino.

Sucedía alguna vez que los exentos que perseguían a los niños, cogían alguno que tenía padres. Los padres desesperados acudían a los exentos. Intervenía entonces el tribunal, y mandaba ahorcar ¿a quién? ¿a los exentos? No; a los padres.

VII. De cómo un pilluelo ocupa un lugar en las clasificaciones de la India

La pillería parisiense es casi una casta. Pudiera decirse: El pilluelo nace.

Esta palabra pilluelo (gamin) se imprimió por primera vez, y pasó del lenguaje popular al literario en 1834. Apareció en un opúsculo titulado: Claudio Gueux (Claudio el Mendigo). El escándalo fue grande; pero la palabra pasó, y se aceptó.

Los elementos que constituyen la consideración de los pilluelos entre sí son muy diversos.

Da importancia al pilluelo cierta audacia en materia de religión: ser espíritu fuerte es lo que conviene.

La asistencia a las ejecuciones constituye para él un deber. Enseña la guillotina y se ríe: La llama de varios modos: —Fin de la cena: —Soplamocos: —La tía de lo azul (del cielo): —El último bocado, etcétera. Para no perder nada del espectáculo, escala las paredes, se iza a los balcones, gatea a los árboles, se cuelga de las rejas, se abraza a las chimeneas. El pilluelo nace pizarrero, así como nace marino.

Los puños no son pequeños elementos de respeto; una de las cosas que el pilluelo dice con más gusto es: "Yo soy muy fuerte: ¡bah!" Ser zurdo es envidiable. Ser bizco, es cosa superior.

VIII. Donde se leerá una buena ocurrencia del último rey

En el verano se metamorfosea en rana; y por la tarde, cuando cae la noche, delante de los puentes de Austerlitz y de Jena, desde lo alto de los montones de carbón y de las barcas de las lavanderas, se arroja de cabeza al Sena, infringiendo asombrosamente todas las leyes del pudor y de la policía.

El pilluelo, en el estado perfecto, conoce a todos los agentes de policía de París, y sabe, siempre que encuentra alguno, darle su nombre, porque tiene los nombres en la punta de la uña. Estudia sus costumbres, y tiene notas particulares sobre cada uno; lee como en un libro abierto en las almas de la policía; así os podrá decir inmediatamente y sin tropezar: Fulano es un *traidor,* zutano es *muy malo:* éste es *grande,* aquél *ridículo* (y todas estas palabras: traidor, malo, grande, ridículo, tienen en sus labios una acepción particular). —Este se figura que el Puente Nuevo es suyo, y prohíbe a *la gente* pasearse por la cornisa fuera del parapeto; el otro tiene la costumbre de tirar de las orejas *a las personas,* etcétera.

IX. El viejo espíritu de los galos

Este tipo de muchachos existía en Poquelin (Moliere), hijo de los mercados; le hay también en Beaumarchais. Esta pillería es una sombra del espíritu galo.

El pilluelo de París es respetuoso, irónico e insolente. Tiene feos dientes porque está mal alimentado y su estómago padece; y buenos ojos porque es agudo.

En una palabra, el pilluelo es un ser que se divierte, porque es desgraciado.

X. Ecce París, ecce homo

Para resumirlo ahora todo, diremos, que el pilluelo de París hoy, como el *groeculas* de Roma en otro tiempo, es el pueblo niño que tiene en la frente las arrugas del mundo viejo.

El pilluelo es una gracia de la nación, y al mismo tiempo una enfermedad; enfermedad que es preciso curar con la luz.

El pilluelo representa a París, y París representa el mundo. Porque París es un total: es la cúpula del género humano. Esta prodigiosa ciudad es un resumen de todas las costumbres vivas y muertas.

XI. Burlarse es reinar

París no tiene límites: ninguna otra ciudad ha ejercido esa dominación que escarnece alguna vez a los que subyuga. "Agradaros, ¡oh! atenienses", exclamaba Alejandro: París hace algo más que la ley, hace la moda; hace más que la moda, hace la rutina. Hace el tonto cuando quiere y alguna vez tiene este lujo; pero entonces todo el Universo hace el tonto con él. París vuelve después en sí, se restrega los ojos, y dice. ¡Qué estúpido soy! y suelta una carcajada a la faz del género humano. ¡Qué admirable es esa ciudad!

París es grandioso: tiene un magnífico 14 de julio que da libertad al mundo; obliga a repetir a todas las naciones el juramento del juego de pelota; su noche del 4 de agosto destruye en tres horas mil años de feudalismo; hace de su lógica el músculo de la voluntad unánime; se multiplica bajo todas las formas de lo sublime.

Así es París. Las columnas de humo de sus chimeneas son las ideas del Universo. París será, si se quiere, un montón de barro y de piedras; pero por encima de todo, es un ser moral; es más que grande, es inmenso. ¿Por qué? Porque es audaz.

La audacia: sólo a este precio se obtiene el progreso.

Todas las conquistas sublimes son más o menos el premio del atrevimiento.

XII. El porvenir latente en el pueblo

En cuanto al pueblo parisiense, aun cuando sea un hombre hecho, siempre es el pilluelo; pintar al niño es pintar la ciudad; por esto hemos estudiado esta águila en el libre pajarillo.

En los arrabales es donde principalmente se presenta la raza parisiense: allí conserva su pureza de sangre; allí está su verdadera fisonomía; allí el pueblo trabaja y padece, y el padecimiento y el trabajo son las dos figuras del hombre. Allí hay cantidades inmensas de seres desconocidos en que hormiguean los tipos más extraños.

XIII. EL NIÑO GAVROCHE

Unos ocho o nueve años después de los acontecimientos que hemos referido en la segunda parte de esta historia, se veía en el boulevard del Temple, y en las regiones del Chateau d'Eau, un muchachito de once a doce años, que hubiera realizado perfectamente el ideal del pilluelo que hemos bosquejado más arriba, si con la sonrisa propia de su edad en los labios, no hubiera tenido el corazón absolutamente vacío y opaco. Este niño estaba envuelto en un pantalón de hombre, que no era de su padre, y en una camisa de mujer, que tampoco era de su madre. Algunas personas caritativas le habían socorrido con harapos; y sin embargo, tenía un padre y una madre; pero su padre no pensaba en él, ni su madre le amaba. Era uno de esos muchachos dignos de lástima entre todos los que tienen padre y madre y son huérfanos.

Este muchacho no se encontraba en ninguna parte tan bien como en la calle. El empedrado era para él menos duro que el corazón de su madre.

Sus padres le habían arrojado al mundo de un puntapié.

Había empezado por sí mismo a volar.

Sin embargo, por más abandonado que estuviese este niño, algunas veces, cada dos o tres meses, decía: "¡Calla! ¡voy a ver a mamá!" Y entonces dejaba el boulevard, el Circo, la Puerta de San Martín; bajaba al muelle, pasaba los puentes, entraba en el arrabal, llegaba a la Salpetriere y se paraba precisamente en el número 50-52, que el lector conoce ya, en la casa de Gorbeau.

Llegaba allí, encontraba la miseria, y lo que es más triste, no veía ni una sonrisa; el frío en el hogar, el frío en los corazones. Cuando entraba le preguntaban:

—¿De dónde vienes?

Y respondía:

—De la calle.

Cuando se iba le preguntaban:

—¿A dónde vas?

Y respondía:

—A la calle.

Hemos olvidado decir que en el boulevard del Temple se llamaba este niño el pequeño Gavroche.

El cuarto que los Jondrette habitaban en la casa de Gorbeau estaba al extremo del corredor. El contiguo estaba ocupado por un joven muy pobre que se llamaba Mario.

Digamos ahora quién era este Mario.

Libro segundo

● EL NOBLE DE LA CLASE MEDIA ●

I. NOVENTA AÑOS Y TREINTA Y DOS DIENTES

En las calles de Boucherat, de Normandía y de Saintonge, existen aún algunos vecinos antiguos que han conservado el recuerdo de un buen hombre, llamado el señor Gillenormand, y que hablan de él con placer. Este señor era viejo cuando ellos eran jóvenes.

El señor Gillenormand, que vivía aún en 1831, con la misma altivez que un marqués vive con su marquesado, había cumplido noventa años y andaba derecho, hablaba alto, bebía vino puro, comía, dormía y roncaba. Conservaba los treinta y dos dientes; y sólo se ponía anteojos para leer.

II. A TAL AMO TAL CASA

Vivía en el Marais, calle de las hijas del Calvario número 6.

La casa era suya; y ha sido ya demolida y reedificada, su número habrá cambiado también en la revolución de números por que pasan las calles de París.

El señor Gillenormand ocupaba una antigua y grande habitación del primer piso, situada entre la calle y los jardines, y adornada hasta el techo de tapices de Gobelinos y de Beauvais que representaban asuntos pastoriles.

Decía con autoridad: "La revolución francesa es una gavilla de forajidos."

III. Lucas-Espíritu

A la edad de dieciséis años, una noche en la ópera había tenido el honor de que le dirigiesen sus anteojos a un tiempo dos bellezas, entonces ya maduras, célebres y cantadas por Voltaire: la Camargo y la Sallé. Cogido entre dos fuegos, había hecho una retirada heroica hacia una bailarina llamada Nahemy, que tenía dieciséis años como él, arisca como un gato, y de quien estaba enamorado. Tenía muchos recuerdos.

Se escandalizaba de todos los nombres que oía sonar en la política y en el poder, creyéndolos bajos y vulgares.

Llamaba alegremente a todas las cosas por su nombre, bueno o malo, y no se cuidaba de que hubiera delante señoras. Decía muchas groserías, obscenidades y porquerías, con cierta tranquilidad e indiferencia, que eran casi elegantes. Así se hacía en su siglo.

IV. Aspirante a centenario

Había ganado premios en su niñez en el colegio de Moulins, que era su patria, y había sido coronado por mano del duque de Nivernais, a quien llamaba el duque de Nevers.

El señor Gillenormand adoraba a los Borbones, y odiaba a 1793; refería sin cesar de qué manera se había salvado en el Terror, y cómo había necesitado mucho espíritu y mucho humor para que no le cortasen la cabeza. Si algún joven hacía delante de él el elogio de la República, se ponía azul, y se irritaba hasta el desmayo. Algunas veces, aludiendo a su edad de noventa años, decía: "Creo que no veré dos veces el noventa y tres." Otras decía, que pensaba vivir cien años.

V. Vasco y Nicolasita

Tenía sus teorías; y una de ellas era ésta: "Cuando un hombre se ena-
mora apasionadamente de las mujeres, y tiene una mujer propia de quien
se cuida poco, fea, de mal genio, legítima, llena de derechos, que cita en
seguida el Código, celosa, no hay más que un medio de librarse de ella y
de vivir en paz; y es poner el bolsillo a su disposición. Esta abdicación le
hace libre.

"Mientras su marido la desprecia, ella tiene la satisfacción de arruinar
a su marido." El señor Gillenormand se había aplicado a sí mismo esta
teoría, que había concluido por ser en la práctica su historia. Su segunda
mujer había administrado de tal modo sus bienes, que el día feliz en que
se quedó viudo, sólo tenía lo justamente necesario para vivir, colocándolo
todo a renta vitalicia; es decir, unos quince mil francos de renta, cuyas tres
cuartas partes debían extinguirse con él. No dudó, pues, importándole
poco el cuidado de dejar una herencia.

VI. Donde el lector vislumbrará a la Magnon y a sus dos hijos

En el señor Gillenormand el dolor se traducía en cólera; estaba furioso por estar desesperado. Tenía todas las preocupaciones y se tomaba
todas las licencias imaginables.

Un día le llevaron a su casa en una borrica, lo mismo que se lleva un
cesto de ostras, un robusto niño recién nacido, desgañitándose, muy bien
envuelto en mantillas; le daba por suyo una criada echada de su casa seis
meses antes. El señor Guillenormand tenía entonces ochenta años justos.

Ya hemos dicho que había tenido dos mujeres; la primera, le dio una
hija que permaneció soltera, y la segunda, otra que murió a los treinta
años, y se había casado por amor, por casualidad o por otra causa, con
un soldado de fortuna, que había servido en los ejércitos de la República
y del Imperio, ganando la cruz en Austerlitz, y recibiendo el grado de coronel en Waterloo. "Es la deshonra de mi familia", decía el viejo Gillenormand. Tomaba mucho tabaco y tenía una gracia particular para sacudirse
la chorrera de encaje con el revés de la mano. Creía muy poco en Dios.

VII. Regla: No recibir a
nadie mas que por la noche

Tal era el señor Lucas-Espíritu Gillenormand, que aún no había perdido sus cabellos, más grises que blancos, y estaba siempre peinado en forma de orejas de perro.

En suma; a pesar de todo esto, era venerable. Tenía algo del siglo XVIII: era frívolo y grande.

VIII. Las dos no forman pareja

Las dos hijas del señor Gillenormand, de que acabamos de hablar, habían nacido con dieciséis años de intervalo. En su juventud se habían parecido muy poco, y habían sido lo mismo por su carácter que por su fisonomía, lo menos hermanas que pudieran ser. La menor era un alma bellísima, amante de todo lo que era luz, pensando siempre en flores, versos y música, sumida en los espacios gloriosos, entusiasta, etérea, unida desde la infancia en el ideal a una vaga figura heroica.

La mayor no se había casado.

En el momento que ésta sale a la escena en la historia que vamos escribiendo, era una virtud vieja, una mojiganga incombustible, una de las narices más agudas, y uno de los talentos más obtusos que pueden encontrarse. Señal característica: fuera del estrecho círculo de su familia, nadie había sabido nunca su nombre de pila. Se la conocía por la *señorita Gillenormand mayor*.

Había además en la casa, entre esta solterona y este viejo, un joven siempre tembloroso y mudo delante del señor Gillenormand, el cual no le hablaba nunca sino con voz severa, y algunas veces con el bastón levantado: "¡Aquí, caballerito! Bergante, pillo, acérquese usted. Responda usted, tunante. ¡Que le vea yo a usted, galopín...!" —le decía.

Le idolatraba.

Era su nieto. Ya nos encontraremos con este joven.

Libro tercero

● EL ABUELO Y EL NIETO ●

I. UNA TERTULIA ANTIGUA

Cuando el señor Gillenormand vivía en la calle de Servandoni, frecuentaba varias reuniones muy buenas y muy nobles, en las cuales era recibido, aunque él no era noble. Como tenía dos clases, de talento, primera, el que poseía realmente, y segunda, el que le prestaban, era bastante buscado y agasajado. No iba a ninguna parte sino con la condición de dominar. Hay personas que quieren a cualquier costa tener influencia, y que hablen de ellos; donde no pueden ser oráculos, son bufones. Era en todas partes oráculo.

Hacia 1817 pasaba invariablemente dos tardes por semana en una casa próxima, en la calle de Ferou, en casa de la señora baronesa de T., digna y respetable mujer, cuyo marido había sido, en tiempo de Luis XVI, embajador de Francia en Berlín.

Algunos amigos se reunían dos veces por semana alrededor de su chimenea de viuda, y formaban una tertulia realista pura.

Acogíanse allí con transportes de alegría las canciones picarescas, en que se llamaba *Nicolás a Napoleón*.

El señor Gillenormand iba casi siempre a la tertulia acompañado de su hija, aquella alta señorita que a la sazón pasaba de los cuarenta años y representaba cincuenta, y de un guapo niño de siete años, blanco, sonrosado, fresco, de alegres e inocentes ojos, que al entrar en la sala oía siempre murmurar a su alrededor estas frases: "¡Qué hermoso es! ¡Qué lástima! ¡Pobre niño!" Este niño era el mismo de quien hemos hablado no hace mucho. Se le llamaba "pobre niño" porque su padre era "un bandido del Loira".

Este bandido del Loira era el yerno del señor Gillenormand, de quien hemos dicho ya que había sido calificado por éste como *deshonra de su familia*.

II. Un espectro rojo de aquel tiempo

Todo el que hubiera pasado en aquella época por la pequeña aldea de Vernon, y se hubiera detenido un momento en aquel hermoso puente monumental, que será substituido en breve probablemente por algún feo puente de hierro, habría podido observar dirigiendo su vista desde lo alto del parapeto, a un hombre de unos cincuenta años, con gorra de badana, vestido de un pantalón y una especie de casaca de burdo paño gris, en la cual llevaba cosida una cosa amarilla que en su tiempo había sido una cinta roja, calzado con almadreñas, tostado por el sol; de modo que tenía la cara casi negra, y el pelo casi blanco, con una gran cicatriz que se corría desde la frente hasta la mejilla; encorvado, doblado, envejecido antes de tiempo.

El hombre de la casaquilla y las almadreñas vivía en 1817 en el más pequeño de estos cercados, y en la más humilde de todas estas casas.

A fuerza de trabajo, de perseverancia, de cuidado y de cubos de agua, había conseguido crear, después del Creador, y había inventado algunos tulipanes y ciertas dalias que parecían haber sido olvidadas por la naturaleza.

El que hubiera leído por aquel tiempo las memorias militares, las biografías, el *Monitor* y los boletines del gran ejército, habría echado de ver un nombre repetido con frecuencia, el de Jorge Pontmercy. Muy joven aún, este Jorge Pontmercy era soldado en el regimiento de Saintonge. Pontmercy peleó en España, en Worms, en Neustadt, en Turkheim, en Alcey, en Maguncia, donde fue uno de los doscientos que formaban la retaguardia de Honchard.

En 1805 perteneció a la división Malher, que se apoderó de Günzburgo contra el archiduque Fernando. En Wettingen recibió en sus brazos, en medio de una lluvia de balas al coronel Maupetit, herido mortalmente, a la cabeza del 9o. de dragones; y se distinguió en Austerlitz en aquella admirable marcha escalonada, hecha bajo el fuego enemigo.

En Waterloo era jefe de un escuadrón de coraceros en la brigada Dubois. Él fue quien cogió la bandera del batallón de Luxemburgo y la colocó a los pies del emperador, todo cubierto de sangre, pues había recibido al apoderarse de ella un sablazo en la cara. El emperador lleno de satisfacción le dijo: "Eres coronel, barón y oficial de la legión de honor." Pontmercy respondió: "Señor, os lo agradezco por mi viuda." Una hora después caía en el barranco de Ohain ¿Quién era este Jorge Pontmercy? Era el bandido del Loira.

Ya conocemos algo de su historia. Después de Waterloo, Pontmercy fue sacado, como hemos dicho y del barranco, consiguió unirse al ejército y fue arrastrándose de hospital en hospital ambulante hasta los acantonamientos del Loira.

El señor Gillenormand no tenía relaciones con su yerno. El coronel era para él "un bandido", y él era para el coronel un "necio". El abuelo no hablaba nunca del coronel sino para hacer alguna alusión burlesca a su "baronía". Habían convenido expresamente en que Pontmercy no trataría nunca de ver ni hablar a su hijo, so pena de ver a éste expulsado de la casa y desheredado; los Gillenormand miraban a Pontmercy como un apestado. Querían educar al niño a su manera. El coronel obró mal quizá al aceptar estas condiciones; pero pasó por ellas creyendo obrar bien, y sacrificarse a sí mismo.

Mientras Mario iba creciendo en esta atmósfera, cada dos o tres meses se escapaba el coronel, iba furtivamente a París como un perseguido por la justicia que ha roto sus cadenas, y se apostaba en San Sulpicio, a la hora en que la señorita Gillenormand llevaba a Mario a misa y allí temblando de que se volviese la tía, oculto detrás de un pilar, inmóvil, sin atreverse apenas a respirar, estaba mirando a su hijo. Aquel hombre, lleno de cicatrices, tenía miedo de una vieja soltera.

Dos veces al año, el 1o. de enero y el día de San Jorge, escribía Mario a su padre cartas obligadas que le dictaba su tía, y que parecían copiadas de algún formulario; esto era lo único que toleraba el señor Gillenormand; el padre respondió en cartas muy tiernas, que el abuelo se guardaba en el bolsillo sin leerlas.

III. Requiescant

La tertulia de la señora T. era todo lo que Mario Pontmercy conocía del mundo aquel, era el único agujero por donde podía mirar la vida. El agujero era sombrío, y recibió por él más frío que calor, más tinieblas que luz.

Este niño, que era la alegría y la luz, al entrar en aquel mundo extraño, adquirió en poco tiempo tristeza, y lo que es más opuesto a sus años, gravedad.

En casa de la señora T., como la tertulia se componía de lo más superior, dominaba un gusto exquisito y altivo bajo una urbanidad escogida. Las costumbres llevaban consigo toda clase de refinamientos involuntarios, que eran el antiguo regimiento encerrado, pero vivo.

Pero, ¿y qué hacían en la tertulia de la señora T.? Eran ultras.

Ser ultra es ir más allá; es hacer la guerra al cetro en nombre del trono, y a la mitra en nombre del altar; es maltratar lo que se arrastra; es arrojarse en el tiro de caballos para que vayan más de prisa; es censurar a la hoguera porque quema poco a los herejes; es reprender al idólatra por su poca idolatría; es insultar por exceso de respeto; es hallar en el papa poco papismo, en el rey poco realismo, y mucha luz en la noche; es estar descontento del alabastro, de la nieve, del cisne y de la azucena en nombre de la blancura; es ser partidario de las cosas hasta el punto de ser su enemigo; es llevar el pro hasta el contra.

El espíritu ultra caracteriza especialmente la primera fase de la Restauración.

Los ultras caracterizaron la primera época del realismo; la congregación caracterizó la segunda. A la pasión sucedió la habilidad. Dejemos aquí este bosquejo.

Mario Pontmercy hizo, como todos los niños, algunos estudios. Cuando salió de las manos de su tía Gillenormand, su abuelo le entregó a un digno profesor de la más pura inocencia clásica, y aquella joven alma que empezaba a abrirse, pasó de una mojigata a un pedante. Mario pasó los años de colegio, y entró en la escuela de Derecho. Era realista fanático y austero. Amaba muy poco a su abuelo, cuya alegría y cuyo cinismo le incomodaban, y era sombrío respecto de su padre.

Por lo demás, era un joven entusiasta y frío, noble, generoso, altivo, religioso, exaltado, digno hasta la dureza, puro hasta ser insociable.

VI. Fin del bandido

La conclusión de los estudios clásicos de Mario coincidió con la salida del mundo del señor Gillenormand. El viejo se despidió del arrabal de San Germán y de las reuniones de la señora T., y fue a establecerse en el Marais, en su casa de la calle de las Hijas del Calvario, donde tenía por criados, además del portero, a la doncella Nicolasita, que había sucedido a la Magnon y al Vasco finchado y cansino, de que hemos hablado algunas páginas antes.

—Mario —dijo el señor Gillenormand—, mañana partirás para Vernon.

—¿Para qué? —dijo Mario.

—Para ver a tu padre.

Mario se estremeció. En todo había pensado excepto en que podría llegar un día en que tuviese que ver a su padre.

Mario, además de sus motivos de antipatía política, estaba convencido de que su padre, el acuchillador, como le llamaba el señor Gillenormand en los días de mayor amabilidad, no le amaba; esto era evidente, porque le había abandonado y entregado a otros. Creyendo que no era amado, no amaba. Nada más sencillo, se decía.

Se quedó tan estupefacto, que no preguntó nada al señor Gillenormand. El abuelo añadió:

—Parece que está malo; te llama.

Y después de un rato de silencioagregó: "Marcharás mañana por la mañana."

Al día siguiente al anochecer, llegaba Mario a Vernon. Principiaban a encenderse las luces; preguntó al primer transeúnte: "¿La casa del señor Pontmercy?" Porque en su interior era de las mismas ideas que la Restauración, y no reconocía en su padre el grado de coronel, ni la baronía.

Indicándole la casa: llamó; abrióle una mujer con una lamparilla en la mano.

—¿El señor Pontmercy? —dijo Mario.

La mujer permaneció inmóvil.

—¿Es aquí? —preguntó Mario.

La mujer hizo con la cabeza un signo afirmativo.

—¿Puedo hablarle?

La mujer hizo un signo negativo.

—¡Es que soy su hijo! —dijo Mario—. Me espera.

—Ya no os espera —dijo la mujer.

Mario echó entonces de ver que estaba llorando.

La mujer le señaló con el dedo la puerta de una sala baja, donde entró.

En aquella sala, iluminada por una vela de sebo colocada sobre la chimenea, había tres hombres; uno de pie, otro de rodillas y otro en camisa y echado cuan largo era sobre los ladrillos. El que estaba en el suelo era el coronel.

Los otros dos eran un médico y un sacerdote que oraba.

El coronel había sido atacado hacía tres días de una fiebre cerebral; al principio de la enfermedad tuvo un fatal presentimiento, y escribió al señor Gillenormand para llamar a su hijo. El mal había aumentado, y el mismo día de la llegada de Mario a Vernon, el coronel había tenido un acceso de delirio; se había levantado del lecho a pesar de la oposición de la criada, gritando:

—¡Mi hijo no viene! ¡voy a buscarle!

Y habiendo salido de su cuarto cayó en los ladrillos de la antecámara. Acababa de expirar.

Habían sido llamados el médico y el cura; pero uno y otro habían llegado demasiado tarde. También el hijo llegó tarde.

La tristeza que experimentó fue la misma que hubiera sentido ante cualquier otro muerto. Y sin embargo, en aquella sala se respiraba el dolor, un dolor punzante. La criada sollozaba en un rincón, el cura rezaba y se le oía sollozar, el médico se secaba las lágrimas; el cadáver lloraba también.

Al mismo tiempo sentía como un remordimiento, y se reconvenía por obrar así. Pero, ¿era esto culpa suya? ¡No amaba a su padre! ¿Y qué?

El coronel no dejaba nada. La venta de sus muebles apenas alcanzaba para pagar el entierro. La criada encontró un pedazo de papel que entregó a Mario; en él estaba escrito lo siguiente por el mismo coronel:

"Para mi hijo: El emperador me hizo barón en el campo de batalla de Waterloo. La Restauración me niega este título que he comprado con mi sangre; mi hijo lo tomará y lo llevará. No hay que decir que será digno de él." A la vuelta, el coronel había añadido: "En esta misma batalla de Waterloo, un sargento me salvó la vida: se llama Thenardier. Creo que últimamente tenía una posada en un pueblo de los alrededores de París, en Chelles o en Montfermeil. Si mi hijo le encuentra, haga por él todo el bien que pueda."

Mario cogió este papel y le guardó, no por amor a su padre, sino por ese vago respeto a la muerte, que tan imperiosamente vive en el corazón del hombre.

Nada quedó del coronel. El señor Gillenormand hizo vender a un prendero su espada y su uniforme. Los vecinos echaron a perder el jardín y cogieron las flores más raras; las demás plantas se convirtieron en maleza, y murieron.

Mario permaneció sólo cuarenta y ocho horas en Vernon. Después del entierro volvió a París y se entregó de nuevo al estudio del derecho, sin pensar más en su padre, que si no hubiera existido nunca. El coronel fue enterrado en dos días y olvidado en tres.

Mario llevaba una gasa en el sombrero. A esto se redujo todo.

V. Donde se verá cuán útil es ir
a misa para hacerse revolucionario

Mario había conservado los hábitos religiosos de la infancia. Un domingo que fue a misa a San Sulpicio, a la misma capilla de la Virgen a que le llevaba su tía cuando era pequeño, estaba distraído y más pensativo que de ordinario y se había colocado detrás de un pilar, y arrodillado, sin advertirlo, sobre una silla de terciopelo de Utrecht, en cuyo respaldo estaba escrito este nombre: *señor Mabeuf, mayordomo*. Apenas empezó la misa se presentó un anciano, y le dijo:

—Caballero, ese es mi sitio.

Mario se apartó en seguida y el viejo ocupó su silla.

Cuando acabó la misa, Mario permaneció pensativo a algunos pasos; el viejo se acercó otra vez, y le dijo:

—Os pido perdón de haberos distraído antes y de distraeros aún un momento; pero tal vez me habréis creído impertinente, y debo daros una explicación.

—Es inútil, caballero —dijo Mario.

—¡Oh! —contestó el viejo—, no quiero que forméis mala idea de mí. Este sitio es mío. Me parece que desde él es mejor la misa. ¿Y por qué? Voy a decíroslo.

"A este mismo sitio he visto venir por espacio de diez años, cada dos o tres meses, regularmente, a un pobre padre, que no tenía otro medio ni otra ocasión de ver a su hijo, porque se lo impedían cuestiones de familia. Venía a la hora en que sabía que traían a su hijo a misa. ¡Cuánto le quería el pobre hombre! Tenía un suegro y una tía rica, y parientes que amenazaban desheredar al hijo si le veía; y se sacrificaba, porque su hijo fuese algún día rico y feliz. Le separaban de ellos las opiniones políticas.

"Vivía en Vernon, donde tengo un hermano cura, y se llamaba una cosa como Pontmarie o Montpercy... Tenía una gran cicatriz de un sablazo."

—Pontmercy —dijo Mario, poniéndose pálido.

—Precisamente, Pontmercy. ¿Le habéis conocido?

—Caballero —dijo Mario—, era mi padre.

El viejo mayordomo juntó las manos, y exclamó:

—¡Ah, sois su hijo! Sí, ahora debía de ser ya un hombre. Pues bien, podéis decir que habéis tenido un padre que os ha querido mucho.

Mario ofreció el brazo al anciano y le acompañó hasta su casa.

Al día siguiente dijo al señor Gillenormand:

—Hemos arreglado entre algunos amigos una partida de caza. ¿Me dejáis ir por tres días?

—¡Por cuatro! —respondió el abuelo—. Anda, diviértete.

VI. Donde se verán las consecuencias de haber encontrado un mayordomo

Más adelante veremos a dónde fue Mario.

El joven estuvo tres días ausente, después volvió a París, se fue derecho a la biblioteca de Jurisprudencia, y pidió la colección del *Monitor*.

Leyó el *Monitor*, leyó la historia de la República y del Imperio, el *Memorial de Santa Elena,* todas las memorias, todos los periódicos, todos los boletines, todas las proclamas, todo lo devoró.

Un cambio extraordinario se estaba verificando en sus ideas. Las fases de este cambio fueron muchas y sucesivas; y como esta es la historia de muchos talentos de nuestra época, creemos útil seguir estas fases paso a paso, e indicarlas todas.

La historia en que había fijado la vista le deslumbraba.

El primer efecto fue un deslumbramiento.

La República, el Imperio, no habían sido para él hasta entonces más que palabras monstruosas.

Entonces conoció que hasta aquel momento no había comprendido, ni a su patria, ni a su padre. No había conocido, ni a una, ni a otro; había tenido una especie de venda voluntaria ante los ojos. Ahora veía; y por un lado admiraba, y por otro adoraba.

Como sucede cuando se posee una clave, todo se abría para él; se explicaba lo que había aborrecido, y penetraba en lo que había condenado. Veía claramente el sentido providencial, divino y humano, de las grandes cosas que le habían enseñado a detestar, y de los grandes hombres, a quienes le habían enseñado a maldecir. Cuando pensaba en sus antiguas ideas, que eran de ayer, y sin embargo, le parecían muy viejas, se indignaba y se sonreía. De la rehabilitación de su padre había pasado naturalmente a la rehabilitación de Napoleón.

Estaba enajenado, tembloroso, anhelante; mas de pronto, sin saber él mismo lo que por el pasaba, ni a quién obedecía, se levantó, extendió ambos brazos fuera de la ventana, miró fijamente a la sombra, al silencio, al infinito tenebroso, a la inmensidad eterna, y gritó:

—¡Viva el emperador!

Cuando en esta misteriosa metamorfosis hubo perdido completamente la antigua piel de borbónico y de ultra; cuando se despojó del traje de aristócrata y de realista; cuando fue completamente revolucionario, profundamente demócrata y casi republicano, se dirigió a casa de un grabador de la calle de Orfevres, y mandó hacer cien tarjetas con esta inscripción: *El barón Mario Pontmercy*.

Por otra consecuencia natural, a medida que se aproximaba a su padre, a su memoria, a las cosas porque el coronel había peleado veinticinco años, se alejaba de su abuelo. Ya hemos dicho que hacía algún tiempo no le agradaba el genio del señor Gillenormand.

Mario hacía de cuando en cuando algunas escapatorias.

—Pero, ¿a dónde va? —preguntaba la tía.

En uno de estos viajes, siempre cortos, fue a Montfermeil para cumplir la indicación que su padre le había dejado hecha, y buscó al antiguo sargento de Waterloo, al posadero Thenardier. Thenardier había quebrado; la posada estaba cerrada, y nadie sabía qué había sido de él. Mario, a causa de estas investigaciones, estuvo cuatro días fuera de casa.

—Decididamente —dijo el abuelo—, se extravía.

Habíase notado que llevaba bajo la camisa, sobre el pecho, algo que pendía de una cinta negra que colgaba del cuello.

VII. Algún amorcillo

Hemos hablado de un lancero.

Era un sobrino tercero que tenía el señor Gillenormand, por parte de padre, y que llevaba, lejos de la familia y del hogar doméstico, la vida de guarnición. El teniente Teódulo Gillenormand tenía todas las condiciones necesarias para ser lo que se llama un lindo oficial.

Mario acababa de pedir a su abuelo permiso para hacer un viaje, diciendo que pensaba partir aquella misma noche."¡Anda!", le había respondido el abuelo, y el señor Gillenormand había añadido aparte, arqueando las cejas: "¡Duerme fuera con reincidencia!." La señorita Gillenormand había subido a su cuarto muy azorada y había dejado escapar en las escaleras esta exclamación: "¡Es mucho!" y esta interrogación: "¿Pero a dónde va?"

—¡Tú aquí, Teódulo! —exclamó.

—De paso, tía.

—Pero ¡abrázame! ¡ven!

—¡Ya está! —dijo Teódulo.

Y la abrazó. La tía Gillenormand fue a su tocador y le abrió.

—Para ir de la antigua guarnición a la nueva tenemos que pasar por París, y me he dicho: Voy a ver a mi tía.

—Pues aquí tienes por la molestia.

Y le puso diez luises en la mano.

Mario, con la frente entre ambas manos, estaba arrodillado en la hierba, sobre una tumba. Había deshojado el ramo. En el extremo de la fosa en una alturita que indicaba la cabecera, había una cruz de madera, negra, con este nombre en letras blancas: El coronel barón de Pontmercy. Oíase sollozar a Mario.

La muchacha era una tumba.

VIII. Mármol contra granito

Allí era donde había ido Mario la primera vez que se ausentó de París. Allí iba cada vez que el señor Gillenormand decía: Pasa la noche fuera.

Mario volvió de Vernon tres días después muy temprano, llegó a casa de su abuelo, y cansado de las dos noches que había pasado en la diligencia, conociendo la necesidad de reparar su insomnio con una hora de escuela de natación, subió rápidamente a su cuarto, y sin emplear más tiempo que el necesario para quitarse el levitón de viaje y el cordón negro que llevaba al cuello, se fue al baño.

El señor Gillenormand se levantó de madrugada como todos los viejos fuertes, le oyó entrar, y se apresuró a subir lo más pronto que le permitieron sus viejas piernas la escalera del cuarto de Mario, con objeto de abrazarle, y de preguntarle al mismo tiempo, para vislumbrar de dónde venía.

Pero el joven había empleado menos tiempo en bajar que el octogenario en subir, y cuando el abuelo Gillenormand entró en la boardilla, ya Mario había salido. La cama estaba hecha, y sobre ella estaban tendidos el levitón y el cordón negro.

—¡Victoria! —exclamó—, ¡vamos a penetrar el misterio! ¡Vamos a saber el fin del fin; vamos a palpar los libertinajes de nuestro hombre reservado! ¡Ya tenemos aquí la novela! Tengo el retrato.

En efecto, del cordón pendía una cajita de tafilete negro, muy semejante a un medallón.

—Veámosle, padre —dijo la vieja solterona.

La caja se abrió apretando un resorte, pero no encontraron en ella más que un papel cuidadosamente doblado.

—¡Ah! ¡Leámosle! —dijo la tía.

Se puso los anteojos, desdoblaron el papel, y leyeron esto:

—"Para mi hijo: —El emperador me hizo barón en el campo de batalla de Waterloo. La Restauración me niega este título que he comprado con mi sangre; mi hijo lo tomará y lo llevará. No hay que decir que será digno de él."

Lo que el padre y la hija experimentaron entonces no puede decirse. Se quedaron helados como por el soplo de una calavera.

Pasó una hora larga en el más profundo silencio.

Al cabo de esta hora, la tía Gillenormand dijo:

—¡Estamos lucidos!...

Algunos momentos después apareció Mario.

—¡Vaya, vaya, vaya, vaya, vaya! Ahora eres barón. Te felicito. ¿Qué quiere decir esto?

Mario se ruborizó ligeramente, y respondió:

—Esto quiere decir que soy hijo de mi padre.

El señor Gillenormand dejó de reírse, y dijo con dureza:

—Tu padre soy yo.

—Mi padre —dijo Mario con los ojos bajos y gravemente— era un hombre modesto y heroico, que sirvió gloriosamente a la República y a Francia; que fue grande en la historia más grande que han hecho los hombres; que vivió un cuarto de siglo en el campo de batalla, por el día bajo la metralla y las balas y de noche entre la nieve, en el lodo, bajo la lluvia; que tomó dos banderas; que recibió veinte heridas; que ha muerto en el olvido y en el abandono, y que no ha cometido en su vida más que dos faltas, amar demasiado a dos ingratos: a su país y a mí.

—¡Mario! —exclamó—, ¡abominable criatura! ¡yo no sé lo que era tu padre!

"¡Todos eran bandidos que han servido a Robespierre! ¡Todos forajidos que han servido a Bu-o-na-parte! ¡Todos traidores, que han vendido! ¡vendido! ¡vendido a su rey legítimo! ¡Todos cobardes, que han huido ante los prusianos y los ingleses en Waterloo!"

Su padre acababa de ser pisoteado y humillado en su presencia; pero ¿por quién? Por su abuelo. ¿Cómo vengar al uno sin ultrajar al otro?

Levantó los ojos, miró fijamente a su abuelo, y gritó con voz tonante:

—¡Abajo los Borbones! ¡Abajo ese cerdo de Luis XVIII!

A la segunda vez, se inclinó ante su hija, que asistía a esta escena con el estupor de una oveja, y le dijo sonriéndose, con una sonrisa casi tranquila:

—Un barón como este caballero y un plebeyo como yo no pueden vivir bajo un mismo techo.

Y después, enderezándose, pálido, tembloroso, temible, con la frente ensanchada por la terrible radiación de la cólera, extendió el brazo hacia Mario, y le gritó:

—¡Vete!

Mario salió de la casa.

Al día siguiente, el señor Gillenormand dijo a su hija:

—Enviaréis cada seis meses sesenta doblones a este bebedor de sangre, y no me volveréis a hablar de él.

Mario se había ido sin decir ni saber a dónde, con treinta francos, su reloj, y algunas ropas en un saco de noche. Subió a un cabriolé de plaza, le tomó por horas, y se dirigió a la ventura al barrio latino.

¿Qué iba a ser de Mario?

Libro cuarto

● LOS AMIGOS DEL A B C ●

I. UN GRUPO QUE HA ESTADO A PUNTO DE SER HISTÓRICO

En aquella época, indiferente en apariencia, corría vagamente cierto estremecimiento revolucionario. El soplo que salía de las profundidades de 1789 y 92 estaba en el aire.

Los realistas se hacían liberales; los liberales se hacían demócratas. Ahora escribimos la historia; y aquellos eran los aspectos de aquel tiempo, porque las opiniones tienen sus fases. El realismo volteriano, variedad caprichosa, tuvo un contrapeso no menos extraño, el liberalismo bonapartista.

Otros grupos políticos eran más serios.

Las opiniones avanzadas tenían doble fondo. Un principio de misterio amenazaba el "orden establecido" que era sospechoso y receloso; signo altamente revolucionario.

No había entonces en Francia esas vastas organizaciones ocultas, como el tugenbund alemán y el carbonarismo italiano; pero se iban ya ramificando algunos agujeros oscuros. La Cougourde se bosquejaba en Aix; y había en París, entre otras asociaciones de este género, la sociedad de los amigos del A B C.

La mayor parte de los amigos del A B C eran estudiantes en cordial inteligencia con algunos obreros. Véanse algunos nombres de los principales, que pertenecen en algún modo a la historia: Enjolras, Combeferre, Juan Prouvaire, Feuilly, Courfeyrac, Bahorel, Lesgle o Laigle, Joly, Grantaire.

Estos jóvenes formaban una especie de familia a fuerza de amistad.

II. Oración fúnebre de Blondeau, por Bossuet

Una tarde, que tenía, como va a verse, alguna coincidencia con los sucesos que hemos contado más arriba, Laigle de Meaux estaba sensualmente recostado en las jambas de la puerta del café Musain. Tenía el aspecto de una cariátide en vacaciones. No llevaba consigo más que sus ensueños, y estaba mirando a la plaza de San Miguel. Estar recostado es una manera de estar echado de pie, que no es impropia de los soñadores.

La meditación no se opone a que pase un cabriolé, ni a que el que meditaba se fije en él. Laigle le observó. Iba dentro, al lado del cochero, un joven, y delante del joven un grueso saco de noche. El saco mostraba a los transeúntes este nombre escrito en gruesas letras negras en un papel cosido a la tela: MARIO PONTMERCY.

—¡Eh! —dijo.

—¿Sois el señor Mario Pontmercy?

—Efectivamente.

—Os buscaba —volvió a decir Laigle de Meaux.

¿Dónde vivís?

—En este cabriolé —dijo Mario.

—Señal de opulencia —respondió Laigle con tranquilidad—. Os felicito. Tenéis una habitación de nueve mil francos por año.

En este momento salió Courfeyrac del café.

—Caballero —dijo Courfeyrac—, venid a mi casa.

Courfeyrac subió al cabriolé.

—Cochero —dijo—, hostería de la Puerta de Santiago.

Y la misma tarde, Mario se instaló en un cuarto de la hostería de la Puerta de Santiago al lado de Courfeyrac.

III. Admiración de Mario

En pocos días se hizo Mario amigo de Courfeyrac; la juventud es la estación de las soldaduras prontas y de las cicatrizaciones rápidas. Mario, al lado de Courfeyrac, respiraba libremente, cosa que era bastante nueva para él. Courfeyrac no le había hecho ninguna pregunta, ni había pensado siquiera en esto. A cierta edad, las fisonomías lo dicen todo en seguida, y la palabra es inútil.

Al día siguiente, Courfeyrac llevó a Mario al café Musain, y le dijo al oído sonriéndose:

—Es preciso que os dé entrada en la revolución.

Le condujo a la sala de los amigos del A B C, y le presentó a los demás compañeros, diciendo sólo esta palabra, que Mario no comprendió:

—Un discípulo.

Mario había caído en un avispero de talentos, pero, aunque silencioso y grave, no era el menos alado, ni el menos armado. Oía hablar de filosofía, de literatura, de arte, de historia y de religión, de una manera inaudita. Vislumbraba aspectos extraños, y como no los ponía en perspectiva, no estaba seguro de no ver el caos. Al abandonar las opiniones de su abuelo por las de su padre había creído haber adquirido ideas fijas; pero ahora sospechaba con inquietud, y sin atreverse a afirmarlo, que no las tenía. El prisma por el cual lo veía todo empezaba de nuevo a moverse. Cierta oscilación conmovía todos los horizontes de su cerebro, produciendo en él una extraña confusión casi dolorosa.

Mario se asombraba vagamente.

IV. La sala interior del café Musain

Una de las conversaciones que tuvieron estos jóvenes, conversaciones a las cuales asistía Mario, tomando parte en ellas alguna vez, había producido una verdadera sacudida en su ánimo.

Pasaban estas escenas en la sala del café Musain. Casi todos los amigos del A B C estaban reunidos allí aquella noche.

En aquella sala no se admitía a ninguna mujer, más que a Luisita, la fregatriz de la vajilla del café, que la atravesaba de tiempo en tiempo para ir del fregadero al "laboratorio".

Grantaire, completamente borracho, ensordecía el rincón de que se había apoderado, razonando y desrazonando a grito herido:

—Tengo sed, mortales —decía—, estoy soñando; sueño que el tonel de Heidelberg tiene un ataque de apoplejía, y que yo soy una sanguijuela de la docena de las que le van a aplicar.

—¡Silencio, R mayúscula! —dijo Bossuet que discutía un punto de derecho con otros, y que estaba metido hasta medio cuerpo en una frase del caló forense, cuyo fin era éste:

—En cuanto a mí, aunque apenas soy legista, y a lo más puedo pasar por procurador de afición, sostengo, que conforme a la costumbre de Normandía, el día de San Miguel, y cada año, debería pagarse un equivalente al señor, salvo los demás derechos, por todos y cada uno, tanto propietarios como herederos, por todas las enfiteusis, arrendamientos, alodios, contratos periciales, hipotecarios e hipotecables...

En el rincón opuesto a Grantaire, estaban Joly y Bahorel jugando al dominó, y hablando de amor.

—Eres feliz —decía Joly—. Tienes una querida que siempre está riendo.

—Pues es un defecto —respondió Bahorel—; las queridas hacen muy mal en reír, porque así nos animan a engañarlas. El verlas alegres quita el remordimiento; pero si uno las ve tristes, le parece cargo de conciencia el dejarlas.

Era invierno, dos leños chispeaban en la chimenea. Courfeyrac, ante aquella tentación no pudo resistir. Arrugó la pobre Carta Touquet y la echó al fuego. El papel hizo llama; Combeferre miró filosóficamente cómo se quemaba la obra maestra de Luis XVIII, y se contentó con decir:

—La Carta convertida en humo.

Y los sarcasmos, los chistes, las agudezas, esa cosa francesa que se llama el *entrain*, esa cosa inglesa que se llama el *humour*, el bueno y el mal gusto, las buenas y las malas razones, la loca chispa del diálogo, creciendo a cada momento, y cruzándose por todos los puntos de la sala, formaban sobre las cabezas una especie de alegre bombardeo.

V. Ensánchase el horizonte

El choque de los ingenios jóvenes ofrece la particularidad admirable de que no se puede nunca prever la chispa, ni adivinar el relámpago. ¿Qué va a brotar en un momento dado? Nadie lo sabe. La carcajada parte de la ternura; la gravedad sale de un momento de burla. Los impulsos provienen de la primera palabra que se oye. La vena de cada uno es soberana. Un chiste basta para abrir la puerta de lo inesperado. Estas conversaciones son, pues, entretenimientos de bruscos cambios, en que la perspectiva varía de repente. La casualidad es el maquinista de estas discusiones.

En medio del ruido, Bossuet terminó un apóstrofe dirigido a Combeferre con esta fecha:

18 de junio de 1815: Waterloo.

Al oír este nombre Waterloo, Mario, apoyando los codos en una mesa, y cerca de un vaso de agua, se quitó el puño de la barba y principió a mirar fijamente al auditorio.

Es el número fatal de Bonaparte. Poned a Luis delante, y al brumario detrás y tendréis todo el destino del hombre, con la particularidad significativa de que el principio es pisoteado por el fin.

—Tú quieres decir el crimen por la expiación.

Esta palabra *crimen* pasaba el límite de lo que podía aceptar Mario.

Se levantó y fue lentamente hacia el mapa de Francia que había en la pared.

—Córcega: isla pequeña, que ha hecho grande a Francia.

Estas palabras fueron como un soplo de aire helado. Todos se interrumpieron. Conocióse que iba a empezar algo.

—No permita Dios que yo deprima a Francia. Pero no es deprimirla unirla a Napoleón.

—Seamos justos, amigos. ¡Qué brillante destino de un pueblo, ser el Imperio de semejante emperador, cuando el pueblo es Francia, y asocia su genio al genio del gran hombre! ¿Qué hay más grande?

—Ser libre —dijo Combeferre.

VI. Res augusta

Aquella noche produjo en Mario una conmoción profunda, y una oscuridad triste en su alma. Experimentó lo que tal vez experimenta la tierra en el momento en que abre su seno el hierro para depositar en ella el grano de trigo, sólo siente la herida; el movimiento del germen y el placer del fruto vienen después.

Mario se quedó sombrío. ¿Debía abandonar una fe, cuando acababa de adquirirla? Se dijo que no; se aseguró que no debía dudar; pero a pesar suyo, dudaba.

Todo lo veía escarpado en derredor suyo. Ya no estaba de acuerdo, ni con su abuelo, ni con sus amigos; era temerario para el uno, retrógrado para los otros; se vio, pues, doblemente aislado por el lado de la vejez, y por el de la juventud. Dejó de ir al café Musain.

Libro quinto

● EXCELENCIA DE LA DESGRACIA ●

I. Mario indigente

La vida empezó a ser muy áspera para Mario. Comerse la ropa y el reloj no era nada. Se vio reducido a esa situación inexplicable, que se llama *comerse los codos,* cosa horrible, que quiere decir, días sin pan, noches sin sueño y sin luz, hogar sin fuego, semanas sin trabajo, porvenir sin esperanza; la levita rota por los codos, el sombrero viejo que hace reír a las jóvenes, la puerta que se encuentra cerrada de noche porque no se paga a la patrona, la insolencia del portero y del bodegonero, la burla de los vecinos, las humillaciones, la dignidad ultrajada, el trabajo de cualquier clase aceptado, los disgustos, la amargura, el abatimiento. Mario aprendió a devorar todo esto, y a no tener que devorar muchas veces más que estas cosas.

¡Prueba terrible y admirable en que los débiles salen infames, y los fuertes sublimes, crisol en que el destino arroja al hombre cuando quiere hacer de él un ser despreciable, o un semidiós!

Aún estaba de luto por su padre cuando se verificó en él la revolución que hemos descrito; desde entonces no había abandonado el traje negro; pero el traje le abandonó a él. Llegó un día en que no tuvo frac; aún podía durarle el pantalón. ¿Qué hacer? Courfeyrac, a quien había hecho algunos favores, le dio un frac viejo. Mario hizo que se lo volviera del revés por treinta francos un portero cualquiera, y se encontró con un frac nuevo. Pero era verde, y Mario desde entonces no salió sino después de caer la noche; con lo cual hacía que su traje pareciese negro. Quería vestirse siempre de luto, y se vestía con las sombras de la noche.

Al través de todo esto se recibió de abogado. Se creía que vivía en casa de Courfeyrac, casa que era decente, y en la cual un cierto número de libros de Derecho sostenidos y completados por algunos volúmenes de novelas descabaladas, figuraban la biblioteca que exigen los reglamentos. Se hacía dirigir las cartas a casa de Courfeyrac.

Cuando Mario fue abogado, dio parte a su abuelo en una carta fría, pero llena de sumisión y de respeto. El señor Gillenormand cogió la carta temblando, la leyó, y la tiró hecha cuatro pedazos al cesto.

II. Mario pobre

Con la miseria sucede lo que con todo: llega a hacerse posible; concluye por tomar una forma y arreglarse. Se vegeta, es decir, se desarrolla uno de cierto modo miserable, pero suficiente para vivir. Véase cómo se había arreglado la existencia de Mario.

Había salido ya de la gran estrechura; el desfiladero se ensanchaba un poco delante de él. A fuerza de trabajo, de valor, de perseverancia y de voluntad, había conseguido sacar de su trabajo unos setecientos francos por año. Había aprendido el alemán y el inglés; y gracias a Courfeyrac que le había puesto en contacto con su amigo el librero, desempeñaba en la literatura librera el modesto papel de *utilidad*.

Hacía prospectos, traducía de los periódicos, anotaba ediciones, compilaba biografías, etcétera, producto neto, fuese bueno o malo al año, setecientos francos. Con esto vivía. ¿Cómo? No enteramente mal.

Para llegar Mario a esta situación floreciente le habían sido necesarios algunos años; años muy rudos, difíciles unos de atravesar, otros de subir, pero no había decaído ni un solo día. Todo lo había padecido en materia de desnudez; todo lo había hecho, excepto contraer deudas.

Al lado del nombre de su padre se había grabado otro nombre en su corazón: el nombre de Thenardier.

Nadie había podido darle noticias de Thenardier; creían que se había ido al extranjero.

III. Mario hombre

En esta época tenía Mario veinte años, y hacía tres que había abandonado a su abuelo. Habían quedado ambos en los mismos términos de una y otra parte, sin tratar de aproximarse ni de verse. Además, ¿para qué se habían de ver? ¿para chocar? ¿Quién habría hecho conocer la razón al otro?

Pero digamos aquí, que Mario se había equivocado al juzgar el corazón de su abuelo.

Mario se engañaba. Hay padres que no quieren a sus hijos, pero no hay ni un abuelo que no adore a su nieto. Tenía sus horas de abatimiento. Le faltaba Mario; y los viejos tienen tanta necesidad de afectos como de sol. Para ellos el afecto es también calor.

Además, el día en que su abuelo le había expulsado, no era más que un niño, pero ahora era hombre y lo conocía. La miseria, repetimos, había sido buena para él. La pobreza en la juventud, cuando puede salir adelante, tiene una cosa magnífica: la propiedad de dirigir toda la voluntad hacia el esfuerzo, y toda el alma hacia la aspiración. La pobreza pone de manifiesto la vida material en toda su desnudez, y la hace horrible. De aquí provienen esos inexplicables impulsos hacia la vida ideal. El joven rico tiene cien distracciones brillantes y groseras: las carreras de caballos, la caza, los perros, el tabaco, el juego, los banquetes y todo lo demás; ocupaciones de las regiones bajas del alma, a costa de las regiones más altas y delicadas. El joven pobre encuentra gran dificultad en ganar su pan; come, y cuando ha comido, no le queda más que el ensueño de la meditación.

Por otra parte, ¿es desgraciado? No. La miseria de un joven no es nunca miserable. Cualquier joven, por pobre que sea, con su salud, su fuerza, su paso vivo, sus ojos brillantes, su sangre que circula ardorosa, sus cabellos negros, sus mejillas frescas, sus labios sonrosados, sus dientes blancos, su aliento puro, dará siempre envidia a un viejo, aunque sea emperador.

Es firme, sereno, dulce, pacífico, atento, grave, satisfecho con poco, benévolo, y bendice a Dios que le ha dado dos riquezas de que carecen muchos ricos: el trabajo que le hace libre y la inteligencia que le hace digno.

Esto era lo que había pasado en Mario, que, para decirlo todo, se había dedicado bastante a la contemplación.

Había planteado de este modo el problema de la vida: dar el menor tiempo posible al trabajo material para dar el mayor tiempo posible al trabajo impalpable; en otros términos, dedicar algunas horas a la vida real, y el resto al infinito. No advertía, creyendo no carecer de nada, que la contemplación comprendida de esta manera, concluye por ser una de las formas de la pereza; que se había satisfecho con dominar las primeras necesidades de la vida, y que descansaba demasiado pronto.

Mario tenía dos amigos: uno joven, Courfeyrac, y otro viejo, el señor Mabeuf; se inclinaba al viejo, porque le debía, en primer lugar, la revolución que en su interior se había realizado, y en segundo lugar, haber conocido y amado a su padre.

Como hemos de encontrar más adelante al señor Mabeuf, no estará de más que digamos sobre él algunas palabras.

IV. El señor Mabeuf

El día en que el señor Mabeuf decía a Mario: "ciertamente, yo apruebo las opiniones políticas", explicaba el verdadero estado de su ánimo. Todas las opiniones políticas le eran indiferentes; todas las aprobaba sin distinción con tal que le dejasen tranquilo, del mismo modo que los griegos llamaban a las furias, "las bellas, las buenas, las graciosas", las *Euménides*.

Tenía, como todo el mundo, su terminación en *ista* sin la cual nadie hubiera podido vivir en aquel tiempo, pero no era ni realista, ni bonapartista, ni carlista, ni orleanista, ni anarquista: era librista.

El señor Mabeuf había simpatizado con Mario, porque siendo Mario joven y afable, templaba su ancianidad sin asustar su timidez. La juventud con afabilidad produce en los viejos el efecto del sol sin viento. Cuando Mario estaba saturado de gloria militar, de pólvora de cañón, de marchas y contramarchas, y de todas aquellas prodigiosas batallas en que su padre había dado y recibido tantos sablazos, se iba a ver al señor Mabeuf, y éste le hablaba de los héroes bajo el punto de vista de las flores.

El señor Mabeuf tenía inocentes placeres, que eran poco costosos e inesperados; la menor casualidad se los proporcionaba.

V. La pobreza es buena vecina de la miseria

Mario tenía simpatía hacia aquel cándido anciano que se veía cogido lentamente por la indigencia, y que se iba asustando poco a poco, pero sin entristecerse aún. Mario encontraba a Courfeyrac y buscaba al señor Mabeuf, pero muy raramente; una o dos veces al mes a lo más.

El mayor placer de Mario era dar largos paseos solo por los boulevares exteriores, o por el campo de Marte, o por las calles de árboles, menos frecuentadas del Luxemburgo.

En uno de aquellos paseos había descubierto el caserón de Gorbeau, y habiéndole tentado el aislamiento y el bajo precio, se instaló en él. No se le conocía allí más que por el señor Mario.

Algunos de los antiguos generales o compañeros de su padre le invitaron, cuando le conocieron, a que fuese a visitarlos; y Mario no había rehusado, porque aquellas visitas eran otras tantas ocasiones de hablar de su padre. Así, iba de tiempo en tiempo a casa del conde Pajol, a casa del general Bellavesne, a casa del general Fririón, y a los Inválidos. Allí se tocaba y se bailaba, y en aquellas noches, Mario se ponía el frac nuevo; pero no iba nunca a estas reuniones ni a estos bailes, sino los días en que helaba mucho, porque no podía pagar un coche, y no quería llevar las botas sino como un espejo.

Hacia mediados de este año de 1831, la vieja que servía a Mario le contó que iban a despedir a sus vecinos, a la miserable familia Jondrette. Mario, que pasaba casi todo el día fuera de casa, apenas sabía si tenía vecinos.

—¿Y por qué los despiden?

—Porque no pagan el alquiler. Deben dos plazos.

—¿Y cuánto es?

—Veinte francos —dijo la vieja.

Mario tenía treinta francos ahorrados en un cajón.

—Tomad —dijo a la vieja—, ahí tenéis veinticinco. Pagad por esa pobre gente, dadles cinco francos, y no digáis que lo hago yo.

VI. El sustituto

La casualidad hizo que el regimiento de que era teniente Teódulo fuese de guarnición a París, lo cual dio ocasión a que se ocurriese una segunda idea a su tía Gillenormand. Había ideado la primera vez hacer vigilar a Mario por Teódulo, y ahora armó un complot para hacer a Teódulo sucesor de Mario.

Una mañana que el señor Gillenormand estaba leyendo alguna cosa, como La Quotidienne, entró su hija, y le dijo con la voz más dulce, porque se trataba de su favorito:

—Padre mío, Teódulo va a venir hoy por la mañana a presentaros sus respetos.

—¿Qué Teódulo?

—Vuestro sobrino.

—¡Ah! —dijo el abuelo.

Y siguió leyendo sin pensar más en el sobrino, que no era para él sino un Teódulo cualquiera; no tardó mucho en tener mal humor, lo que le sucedía casi siempre que leía.

La señorita Gillenormand dijo en voz alta a su padre:

—Teódulo, vuestro sobrino.

Y en voz baja al teniente:

—Aprueba todo lo que diga.

Y se retiró.

El teniente, poco acostumbrado a encuentros tan venerables, balbuceó con alguna timidez:

—Buenos días, tío —e hizo un saludo mixto.

—¡Ah! ¿sois vos? Está bien. Sentáos —dijo el abuelo.

Y dicho esto, olvidó completamente al lancero.

Teódulo se sentó y el señor Gillenormand se levantó y se puso a pasear de un lado a otro de la sala con las manos en los bolsillos, hablando alto, y dando tormento con sus viejos dedos irritados a los dos relojes que llevaba en los dos bolsillos del calzón.

—¡Ese montón de mocosos! ¡y eso se convoca en la plaza del Panteón! ¡Por vida de los chicos! ¡Galopines que estaban ayer mamando! ¡Si les apretaran la nariz, aún saldría leche! ¡Y eso va a deliberar mañana a medio día! ¿A dónde vamos? ¿a dónde vamos? Es claro que vamos a un abismo; ¡esto nos lleva a los descamisados! ¡La artillería ciudadana! ¡Deliberar sobre la artillería ciudadana! ¡Ir a charlar a mediodía acerca de las pedorretas de la guardia nacional! ¿Y con quién se van a encontrar allí? Véase a dónde conduce el jacobinismo. Apuesto todo lo que se quiera, un millón contra cualquier cosa, a que no habrá allí mas que perseguidos por la justicia y presidiarios cumplidos. Los republicanos y los presidiarios no son mas que una nariz y un pañuelo. Cornet decía: ¿A dónde quieres que vaya, traidor? Y Fouché respondía: A donde quieras, imbécil. Estos son los republicanos.

—¡Es verdad! —dijo Teódulo.

El señor Gillenormand interrumpió un gesto que había empezado, se volvió, miró fijamente al lancero frunciendo el ceño y le dijo:

—Sois un imbécil.

Libro sexto

● LA CONJUNCIÓN ●
DE DOS ESTRELLAS

I. EL APODO: MANERA DE
FORMAR NOMBRES DE FAMILIA

Por aquella época era Mario un hermoso joven de mediana estatura, de cabellos muy espesos y negros, frente ancha e inteligente, las ventanas de la nariz abiertas con cierta expresión apasionada, aspecto sincero y tranquilo, y sobre todo un no sé qué en el rostro que denotaba a la par altivez, reflexión e inocencia.

En el tiempo de su mayor miseria, observaba que las jóvenes se volvían a mirarle cuando pasaba, lo cual era causa de que huyese o se ocultase con la muerte en el alma. Creía que le miraban por sus vestidos viejos, y que se reían de ellos; la verdad es que le miraban por su gracia, y que aun había alguna que soñaba con ella.

Había, sin embargo, en la inmensa creación, dos mujeres de quienes Mario no huía, y contra las cuales no tomaba precaución ninguna. Verdad es que hubiera sido extremada su admiración si le hubieran dicho que eran mujeres. Una era la vieja barbuda que barría su cuarto, y de la cual decía Courfeyrac:

—Viendo que su criada se deja la barba, Mario no se deja la suya.

La otra mujer era una joven, a la cual veía frecuentemente, pero sin mirarla nunca.

Desde hacía más de un año, Mario observaba en una calle de árboles desierta de Luxemburgo, la que costea el parapeto o muro del Vivero, a un hombre y a una niña, casi siempre sentados uno al lado del otro en el mismo banco, en el extremo más solitario del pesco, por el lado de la calle del Oeste.

El hombre podría tener sesenta años; parecía triste: toda su persona presentaba el aspecto robusto y fatigado de los militares retirados.

La primera vez que la joven que le acompañaba fue a sentarse con él en el banco que parecía habían adoptado, era una muchacha de trece o catorce años, flaca, hasta el punto de ser casi fea, encogida, insignificante, y que tal vez prometía tener bastante buenos ojos.

Parecían ser padre e hija.

Mario examinó durante dos o tres días a aquel viejo, que no era todavía un anciano, y a aquella niña, que no era todavía una joven; y después no puso más atención en ellos. Estos, por su parte, parecía que ni aun le veían.

Mario continuó así, viéndoles casi todos los días a la misma hora durante el primer año. El hombre le agradaba, pero la muchacha le parecía un poco tosca y muy sin gracia.

II. Lux facta est

El segundo año, precisamente en el punto de esta historia a que ha llegado el lector, sucedió que la costumbre de pasear por el Luxemburgo se interrumpió, sin que el mismo Mario supiera por qué, y estuvo cerca de seis meses sin poner los pies en aquel paseo. Por fin, un día volvió allá; era una serena mañana de estío, y Mario estaba alegre como se suele estar cuando hace buen tiempo.

Fuese en derechura "a su paseo", y cuando estuvo en la extremidad, divisó, siempre en el mismo banco, la consabida pareja. Solamente que cuando se acercó, vio que el hombre continuaba siendo el mismo, pero le pareció que la joven no era la misma. La persona que ahora veía era una hermosa y alta criatura con las formas más encantadoras de la mujer, en ese momento preciso en que se combinan todavía con las gracias más cándidas de la niña; momento fugaz y puro que sólo pueden traducir estas dos palabras: quince años.

Cuando Mario pasó cerca de ella no pudo ver sus ojos que tenía constantemente bajos. Sólo vio sus largas pestañas de color castaño llenas de sombra y de pudor.

En el primer momento, Mario creyó que era otra hija del mismo hombre, hermana, sin duda, de la primera. Pero cuando la costumbre le condujo por segunda vez cerca del banco y la hubo examinado con atención, conoció que era la misma. En seis meses la niña se había hecho joven: esto era todo.

No era ya la colegiala con su sombrero anticuado, su traje de merino, sus zapatos rusos y sus manos encarnadas. El buen gusto se había desarrollado en ella a la par de la belleza. Era una señorita bien puesta, con cierta elegancia sencilla y rica sin pretensión.

Por lo que hace al hombre, era siempre el mismo.

La segunda vez que Mario llegó cerca de ella, la joven alzó los párpados; miró a Mario con indiferencia.

III. Efecto de primavera

Un día el aire estaba tibio: el Luxemburgo inundado de sombra y de sol; el cielo puro como si los ángeles lo hubiesen lavado por la mañana; los pajarillos cantaban alegremente posados en el ramaje de los castaños.

Mario había abierto toda su alma a la naturaleza; en nada pensaba, vivía y respiraba. Pasó cerca de aquel banco; la joven alzó los ojos y sus dos miradas se encontraron.

¿Qué había esta vez en la mirada de la joven? Mario no hubiera podido decirlo. No había nada y lo había todo. Fue un relámpago extraño.

Ella bajó los ojos: él continuó su camino.

Lo que acababa de ver no era la mirada ingenua y sencilla de un niño; era una sima misteriosa que se había entreabierto, y luego bruscamente cerrado.

Hay un día en que toda joven mira así. ¡Desgraciado del que se encuentra cerca!

Es raro que a donde quiera que caiga esta mirada no haga nacer una profunda meditación. Todas las clases de pureza y todas las especies de candor se encuentran reunidas en este rayo celeste y fatal, que tiene, aún más que las miradas mejor elaboradas de las coquetas, el mágico poder de hacer brotar súbitamente en el fondo del alma esa flor sombría, llena de perfumes y de venenos, que se llama amor.

IV. PRINCIPIO DE UNA GRANDE ENFERMEDAD

Al día siguiente a la hora acostumbrada, Mario sacó de su armario su frac nuevo, su pantalón nuevo, su sombrero nuevo y sus botas nuevas. Revistióse de esta panoplia completa, calzóse guantes, lujo prodigioso, y se fue al Luxemburgo.

Llegado que hubo Mario al Luxemburgo, dio la vuelta al estanque; miró los cisnes, luego permaneció largo rato contemplando una estatua, que tenía la cabeza completamente negra de moho, y a la cual le faltaba una cadera.

Al desembocar en el paseo, divisó al otro extremo "en su banco" al señor Blanco y a la joven. Abotonóse hasta arriba el frac, le estiró por el pecho y espalda para que no hiciera arrugas, examinó con cierta complacencia los reflejos lustrosos de su pantalón, y se fue derecho al banco.

A medida que se acercaba, iba acortando el paso. Llegado que hubo a cierta distancia del banco, mucho antes de llegar al fin de la calle, se detuvo, y él mismo no pudo saber cómo fue, pero ello es que se volvió en dirección opuesta a la que llevaba. La joven apenas pudo verle de lejos y notar el buen aire que tenía con su vestido nuevo. Sin embargo, él caminaba muy derecho para tener buena facha en el caso de que le mirara alguien que estuviese detrás.

Algunos segundos después pasaba por delante del banco, tieso y firme, encarnado hasta las orejas, sin atreverse a mirar ni a derecha ni a izquierda, con la mano metida entre los botones del frac, como un hombre de Estado. En el momento que pasó bajo el cañón de la plaza, comenzó a latirle fuertemente el corazón.

Ella vestía, como la víspera, su traje de damasco, y su sombrero de crespón. Mario oyó una voz inefable que debía ser "su voz". Hablaba tranquilamente.

Pasó el banco, llegó hasta la extremidad de la calle que estaba muy cercana, después volvió y cruzó nuevamente por delante de la joven. Esta vez estaba muy pálido.

Permaneció, pues, algunos minutos, con la cabeza baja, haciendo dibujos en la arena con una varita que tenía en la mano. Después volvióse bruscamente al lado opuesto al señor Blanco y su hija y se fue a su casa.

V. Caen varios rayos sobre la tía Bougon

Al día siguiente, la tía Bougon, pues así llamaba Courfeyrac a la portera inquilina principal, y criada del caserón Gorbeau (en realidad se llamaba la tía Bougon, como ya hemos dicho, pero el tarambana de Courfeyrac nada respetaba); la tía Bougon, decimos, observó estupefacta que el señorito Mario salía otra vez con su vestido nuevo.

Volvió al Luxemburgo, pero no pasó del banco que estaba a la mitad del paseo. Sentóse allí, como la víspera, considerando de lejos y viendo distintamente el sombrero blanco, el traje negro, y sobre todo la claridad azulada. No se movió de aquel punto, y no volvió a su casa hasta que cerraron las puertas de Luxemburgo.

Al día siguiente, era el tercero, la tía Bougon quedó estupefacta otra vez; Mario salió con su vestido nuevo. "¡Tres días seguidos!", exclamó la portera.

Así pasaron quince días. Mario iba al Luxemburgo, no para pasearse, sino para sentarse siempre en el mismo sitio, y sin saber por qué, luego que llegaba allí no se movía.

VI. Prisionero

Uno de los últimos días de la segunda semana, Mario estaba, como de costumbre, sentado en su banco, teniendo en la mano un libro abierto del cual hacía dos horas que no había vuelto una hoja. De repente se estremeció; al final de la calle se verificaba un acontecimiento: el señor Blanco y su hija acababan de levantarse; la hija habíase apoyado en el brazo del padre, y ambos se dirigían lentamente hacia el medio del paseo donde se encontraba Mario. Este cerró su libro, luego lo abrió y procuró leer: temblaba; la aureola venía recta a él.

—¡Ah, Dios mío! —pensaba—, no me darán tiempo para tomar una postura conveniente.

En tanto, continuaban avanzando el hombre de cabellos blancos y la joven. Parecíale que aquello duraba siglos, cuando en realidad sólo habían pasado algunos segundos.

—¿Qué vendrán a hacer? —se preguntaba—. ¡Cómo! ¿Va a pasar por aquí? ¿Sus pies van a pisar esa arena, en esta calle, a dos pasos de mí?

Estaba completamente trastornado; hubiera querido en aquel instante ser hermoso; tener una condecoración. Oía aproximarse el ruido dulce y mesurado de sus pasos. Imaginábase que el señor Blanco le dirigía miradas irritadas. "¿Irá a hablarme este caballero?", —pensaba. Bajó la cabeza; cuando la levantó estaban pegando con él. La joven pasó, y al pasar le miró. Le miró fijamente con cierta dulzura pensativa que hizo estremecerse a Mario de la cabeza a los pies.

Sentía arder una hoguera en su cerebro. Ella se había acercado a él: ¡qué alegría! Y luego, ¡cómo le había mirado!

La siguió con la vista hasta que desapareció. Estaba perdidamente enamorado.

VII. Aventuras de la letra U en el terreno de las suposiciones

El aislamiento, el desapego de todo, el orgullo, la independencia, la inclinación a las bellezas naturales, la falta de actividad cotidiana y material, la vida retraída, las luchas secretas de la castidad, y el éxtasis benévolo ante la creación entera, habían preparado a Mario para ser poseído de ese espíritu que se llama la pasión. El culto que tributaba a su padre había llegado poco a poco a ser una religión, y como toda religión se había retirado al fondo de su alma. Faltaba algo en primer término, y vino el amor.

Un mes largo pasó, durante el cual Mario fue todos los días a Luxemburgo.

Había acabado por atreverse, y se aproximaba al banco. Sin embargo, no pasaba por delante, obedeciendo a la vez al instinto de timidez y al de prudencia de los enamorados. Juzgaba útil no llamar "la atención del padre".

Hablando lo más natural y lo más tranquilamente del mundo con el hombre de los cabellos blancos, apoyaba sobre Mario los rayos misteriosos de una mirada virginal y apasionada. Antigua o inmemorial habilidad que Eva sabía desde el primer día de su vida. Su boca contestaba al uno, y su mirada respondía al otro.

Preciso es creer, sin embargo, que el señor Blanco había llegado al fin a notar algo, porque frecuentemente al ver a Mario se levantaba y se ponía a pasear.

Una tarde, al anochecer, había hallado en el banco que "el señor Blanco" y su hija acababan de abandonar un pañuelo sencillo y sin bordado, pero blanco, fino, y que le pareció que exhalaba inefables perfumes. Apoderóse de él con transporte, aquel pañuelo estaba marcado con las letras U. F.

—¡Úrsula! pensó; ¡qué delicioso nombre!

—¡Aspiró en él toda su alma! —exclamaba.

Los días que siguieron a este hallazgo, Mario se presentó en el Luxemburgo besando el pañuelo, y estrechándolo contra su corazón. La hermosa joven nada de aquella pantomima comprendía y así lo daba a entender por medio de señas imperceptibles.

—¡Oh, pudor! —decía Mario.

VIII. Hasta los inválidos pueden ser dichosos

Ya que hemos pronunciado la palabra pudor, y pues que nada ocultamos, debemos decir que una vez, sin embargo, al través de sus éxtasis experimentó Mario de parte de "su Úrsula" un agravio muy serio.

Una fresca brisa de mayo agitaba las copas de los plátanos.

De pronto una ráfaga de viento, levantó su vestido, mostrando al descubierto una pierna de forma exquisita. Mario la vio, y aquel espectáculo le exasperó y le puso furioso.

IX. Eclipse

Acabamos de ver cómo Mario había descubierto, o creído descubrir, que ella se llamaba Úrsula.

Mario en tres o cuatro semanas devoró aquella felicidad, deseó otra, y quiso saber dónde vivía.

Había cometido una primera falta; caer en la emboscada del banco del gladiador. Había cometido la segunda: no permanecer en el Luxemburgo cuando iba solo el señor Blanco. Cometió la tercera, que fue inmensa: siguió a "Úrsula".

Vivía en la calle del Oeste, en el sitio menos frecuentado, en una casa nueva de tres pisos, de modesta apariencia.

Al día siguiente, el señor Blanco y su hija sólo dieron un pequeño paseo en el Luxemburgo: todavía era muy de día cuando se marcharon. Mario los siguió a la calle del Oeste como acostumbraba. Al llegar a la puerta-cochera, el señor Blanco hizo pasar primero a su hija; luego se detuvo antes de atravesar el umbral, se volvió y miró fijamente a Mario.

Al día siguiente ya no fueron al Luxemburgo, y Mario esperó en balde todo el día.

Al día siguiente tampoco fueron al Luxemburgo.

Así pasaron ocho días. El señor Blanco y su hija no volvieron a aparecer por el Luxemburgo.

Al octavo día, cuando llegó bajo las ventanas, no había luz en éstas.

Mario llamó a la puerta-cochera, entró y dijo al portero:

—¿El señor del piso tercero?

—Se ha mudado —contestó el portero.

Mario vaciló, y dijo débilmente:

—¿Cuándo?

—Ayer.

—¿Dónde vive ahora?

—No lo sé.

—¿No ha dejado las señas de su nueva casa?

—No. —Y el portero, levantando la nariz, conoció a Mario.

—¡Calla! —dijo—, sois vos: ¿conque decididamente sois policía?

Libro séptimo

● EL PATRÓN MINETTE ●

I. LAS MINAS Y LOS MINEROS

Las sociedades humanas tienen todas lo que en los teatros se llama *el foso*. El suelo social está minado por todas partes, ya en favor del bien, ya en favor del mal. Estas obras se superponen unas a otras. Hay las minas superiores y las minas inferiores.

Hay bajo el edificio social, la complicada maravilla de los sótanos de todo edificio grande, excavaciones de todas clases. Allí están la mina religiosa, la mina filosófica, la mina política, la mina económica y la mina revolucionaria. Unos cavan con la pica de la idea, otros con el número, otros con la cólera. Se llaman y se responden desde una catacumba a la otra. Las utopías caminan por bajo de tierra en las galerías, y se ramifican en todos sentidos. Encuéntranse a veces y fraternizan.

La sociedad apenas sospecha esta excavación, que dejándole la superficie, le cambian las entrañas.

¿Qué sale de todas estas profundas simas? El porvenir.

La escala descendiente es extraña; cada uno de sus escalones corresponde a un piso en que la filosofía puede asentar el pie, y donde se encuentra a uno de esos obreros, algunas veces divinos, otras veces deformes.

II. El bajo fondo

Allí el desinterés desaparece. El demonio se bosqueja vagamente. La máxima es: cada cual para sí. El yo ciego aulla, busca, tantea y roe. El ugolino social se halla en este caso.

Los seres feroces que vagan por esas profundidades, casi bestias, casi fantasmas, no se ocupan en el progreso universal; ignoran la idea y la palabra; no se cuidan más que de la satisfacción del apetito individual. Casi carecen de conciencia, y hay en su interior una especie de tabla rasa aterradora.

Ha llegado el momento de entrever otras profundidades: las profundidades repugnantes.

Existe bajo la sociedad, insistimos en ello, y existirá hasta el día en que la ignorancia sea destruida, la gran caverna del mal.

Esta cueva es la última de todas y la enemiga de todas. Es el odio sin excepción. Destruid la cueva Ignorancia, y habréis destruido la sima Crimen.

III. Babet, traga-mar, SUENA-DINERO Y MONTPARNASE

Desde 1830 a 1865, gobernaba el fondo de París una cuadrilla de bandidos, llamados Traga-mar, Suena-dinero, Babet y Montparnase.

Traga-mar era un hércules decaído. Tenía seis pies de estatura, pecho de mármol, piernas de acero, la respiración de caverna, el tono de un coloso y el cráneo de un pájaro.

Sus músculos solicitaban el trabajo, su estupidez lo rechazaba. Era una gran fuerza perezosa. Era asesino por dejadez: se le suponía criollo. Babet era flaco y sabio. Era transparente, pero impenetrable. Sus huesos se trasparentaban, pero no su pupila.

Decíase químico. Su industria consistía en vender al aire libre bustos de yeso, y retratos "del jefe del Estado". Además era sacamuelas.

¿Quién era Suena-dinero? Era la noche. Esperaba para presentarse que el cielo se hubiera cubierto de negro. Por la noche salía de un agujero, a donde volvía antes de amanecer. ¿Dónde estaba ese agujero? Nadie lo sabía. Siempre en la más completa oscuridad, nunca hablaba a sus cómplices sino volviendo la espalda. ¿Se llamaba Suena-dinero? No. El solía decir: Yo me llamo Nadie. En cuanto aparecía una luz, se ponía una careta. Era ventrílocuo. Babet decía: "Suena-dinero es un nocturno a dos voces." Suena-dinero era un ser vago, errante, terrible.

Montparnase era un ser lúgubre: era casi un niño. Tenía menos de veinte años, linda cara, labios parecidos a las cerezas, hermosos cabellos negros, y la claridad de la primavera en los ojos; tenía todos los vicios, y aspiraba a todos los crímenes. La digestión le daba apetito para lo peor. Era el pilluelo convertido en ladrón, y el ladrón convertido en bandido. Era garboso, afeminado, gracioso, robusto, blando, feroz. Llevaba el ala del sombrero levantada hacia la izquierda, para dejar bien al descubierto el mechón de pelo rizado según la moda de 1829. Vivía de robar violentamente.

IV. Composición de la compañía

Estos cuatro hombres no eran cuatro hombres; eran una especie de ladrón misterioso de cuatro cabezas que trabajaba en grande sobre París; eran el pólipo monstruoso del mal, que habitaba la cripta de la sociedad.

Gracias a sus ramificaciones y a la red subyacente de las relaciones, Babet, Traga-mar, Suena-dinero y Montparnase tenían la empresa general de los crímenes del departamento del Sena.

Cuando un crimen andaba en busca de brazos, se subarrendaban cómplices. Tenían una compañía de actores de tinieblas a disposición de todas las tragedias de las cavernas. Reuníanse habitualmente al caer la noche.

Estos seres, poco pródigos de sus caras, no eran de esos que se ven pasar por las calles.

Tienen siempre las mismas facultades. Del truhán al vago la raza se mantiene pura. Adivinan el dinero en los bolsillos, y huelen los relojes en los chalecos. El oro y la plata tienen para ellos olor. Hay hacendados crédulos, de quienes se puede decir están predestinados a ser robados.

¿Qué hay que hacer para desterrar estas larvas? Luz, luz, a torrentes. No hay un murciélago que resista al alba. Iluminad la sociedad en sus mayores profundidades.

Libro octavo

● EL MAL POBRE ●

I. DE CÓMO MARIO, BUSCANDO UNA JOYA DE SOMBRERO, ENCUENTRA UN HOMBRE CON GORRA

Pasó el verano y después el otoño, y llegó el invierno. Ni el señor Blanco, ni la joven habían vuelto a poner los pies en el Luxemburgo. Mario no tenía más que un pensamiento, volver a ver aquel dulce y adorable rostro, y le buscaba sin cesar y en todas partes, pero no hallaba nada.

Había caído en una negra tristeza; todo había concluido para él.

Una vez, confiando en un hermoso sol de septiembre, Mario se dejó llevar al baile de Sceaux por Courfeyrac, Bossuet y Grantaire, creyendo, ¡qué delirio! que tal vez la encontraría allí. Como era de esperar, no vio a quien buscaba.

Mario dejó a sus amigos en el baile, y se volvió a pie, solo, cansado, febril, con los ojos turbados y tristes en la noche.

Dióse entonces a vivir más solitario, extraviado, humillado, entregado sólo a su angustia interior, yendo y viniendo en su dolor como el lobo en la trampa, y buscando en todas partes el ser ausente, perdido de amor.

II. HALLAZGO

Mario seguía viviendo en la casa de Gorbeau, donde no hacía caso de nadie.

En esta época no había ya en aquella casa más vecinos que él y aquellos Jondrette, por quienes había pagado una vez el alquiler, sin que nunca hubiese hablado al padre, a la madre ni a las hijas.

Mario subía lentamente el boulevard hacia la barrera con objeto de llegar a la calle de Santiago: iba pensativo con la cabeza baja.

De repente sintió un empujón en la bruma: se volvió, y vio dos jóvenes cubiertas de harapos, la una alta y delgada, la otra menor, que pasaban rápidamente sofocadas, asustadas, y como huyendo; venían a su encuentro, no le habían visto y le habían tropezado al pasar.

Se metieron por entre los árboles del boulevard que estaban detrás de Mario, y formaron por algún tiempo, en la obscuridad, una sombra blanquecina que desapareció al fin.

Mario se detuvo un momento.

Iba ya a continuar su camino, cuando vio en el suelo, a sus pies, un paquetito gris; se bajó y lo cogió. Era como un sobre, y parecía que contenía papeles.

III. Cuadrifronte

Por la noche, cuando se desnudaba para acostarse, encontró en el bolsillo de la levita el paquete que había recogido en el boulevard. Ya se había olvidado de él.

Rompió el sobre.

No estaba pegado, y contenía cuatro cartas, sin cerrar tampoco.

Todas tenían señas.

Después de haber leído estas cuatro cartas, no se encontró Mario mucho más enterado que antes.

Mario las volvió al sobre, las tiró a un rincón, y se acostó.

A las siete de la mañana del día siguiente, cuando acababa de levantarse y desayunarse, iba a ponerse a trabajar cuando llamaron suavemente a la puerta.

Dieron un segundo golpe tan suave como el primero.

—Adelante —dijo Mario.

Abrióse la puerta.

—¿Qué queréis tía Bougon?

Una voz, que no era la de la tía Bougon, respondió:

—Perdón, caballero...

Era una voz sorda, cascada, ahogada, áspera; una voz de viejo enronquecido por el aguardiente y los licores.

Mario se volvió con presteza, y vio a una joven.

IV. Una rosa en la miseria

En efecto, una muchacha se hallaba de pie en el hueco que dejaba la puerta entreabierta. Era una criatura flaca, descolorida, descarnada; no tenía más que una mala camisa y un vestido sobre su helada y temblorosa desnudez.

Mario se había levantado, y consideraba con cierto estupor a aquel ser, casi semejante a las formas de la visión que atraviesa la imaginación en los sueños.

—¿Qué queréis, señorita? —preguntó.

La joven contestó con su voz de presidiario borracho:

—Traigo una carta para vos, señor Mario.

La abrió y leyó:

"Mi amable y joven vecino:

"He sabido vuestras bondades para conmigo, que habéis pagado mi alquiler hace seis meses. Os bendigo, joven. Mi hija mayor os dirá que estamos sin un pedazo de pan hace dos días cuatro personas, y mi mujer enferma. Si mi corazón no me engaña, creo deber esperar de la generosidad del vuestro, que se humanizará a la vista de este espectáculo, y que os subyugará el deseo de serme propicio, dignándonos prodigarme algún socorro.

"Soy con la distinguida consideración que se debe a los bienhechores de la humanidad, vuestro

Jondrette.

"P. D.— Mi hija esperará vuestras órdenes, querido señor Mario."

Todo quedó para él iluminado de repente.

Aquella carta venía de donde venían las otras cuatro. Era la misma letra, el mismo estilo. La misma ortografía, el mismo papel, el mismo olor a tabaco.

Ahora veía claramente todo. Comprendía que su vecino Jondrette tenía por industria, en su miseria, explotar la caridad de las personas benéficas, cuyas señas se proporcionaba, que escribía bajo nombres supuestos a personas que juzgaba ricas y caritativas, cartas que sus hijas llevaban de su cuenta y riesgo, porque aquel padre había llegado al extremo de arriesgar a sus hijas, jugaba una partida con el destino, y sus hijas eran la puesta.

Sin embargo, mientras Mario fijaba en ella una mirada admirada y dolorosa, la joven iba y venía por la boardilla con una audacia de espectro. Movíase en todos sentidos sin cuidarse para nada de su desnudez. A veces su camisa rota y desgarrada le caía hasta la cintura. Movía las sillas, desarreglaba los objetos de tocador colocados sobre la cómoda, tocaba los vestidos de Mario, y rebuscaba lo que había por los rincones.

—¡Calla! —exclamó—: ¡tenéis un espejo!

Mario estaba pensativo, y la dejaba hacer.

Aproximóse a la mesa.

—¡Ah! —exclamó—. Yo también sé leer y escribir.

Luego consideró a Mario, tomó un aire extraño, y dijo:

—¿Sabéis, señor Mario, que sois un guapo mozo?

Aproximóse a él, púsole una mano sobre el hombro, y añadió:

—Vos no habéis reparado en mí; pero yo os conozco, señor Mario.

—Señorita —dijo con su fría gravedad—, tengo un paquete que creo os pertenece. Permitid que os lo devuelva.

Y le alargó el sobre que contenía las cuatro cartas.

Palmoteó ella de contento, y exclamó:

—Lo habíamos buscado por todas partes.

"¿Luego erais vos con quien tropezamos al pasar ayer noche? No se veía nada. Le dije a mi hermana: ¿Es ese caballero? Y mi hermana me dijo: Creo que sí, que es un señor."

Mientras hablaba, había desplegado la súplica dirigida "al señor benéfico de la iglesia de Santiago de Haut-Pas".

—¡Calla! —dijo—, ésta para ese viejo que va a misa. Y ésta es la hora. Voy a llevársela. Tal vez nos dará algo, con lo que podremos almorzar.

Esto hizo recordar a Mario lo que aquella desgraciada había ido a buscar a su casa.

Mario a fuerza de buscar y rebuscar en sus bolsillos, había conseguido reunir cinco francos y dieciséis sueldos. Era todo cuanto en el mundo tenía. "Mi comida de hoy —pensó— héla aquí: mañana ya veremos". Y guardando los dieciséis sueldos, dio los cinco francos a la joven.

Esta cogió la moneda.

—¡Bueno! —exclamó—, ¡ya salió el sol!

Recogió su camisa sobre sus hombros; hizo un profundo saludo a Mario, después una señal familiar con la mano, y se encaminó hacia la puerta diciendo:

—Buenos días, caballero; voy a buscar a mi viejo.

V. El ventanillo de la providencia

Hacía cinco años que Mario vivía en la pobreza, en la desnudez, en la indigencia; pero entonces advirtió que aún no había conocido la verdadera miseria. La verdadera miseria era la que acababa de ver.

Cuando el hombre ha llegado al último extremo, llega también a los últimos recursos. Desgraciados los seres sin defensa que le rodean. El trabajo, el salario, el pan, el fuego, el valor, la buena voluntad, todo le falta a la vez.

La salud, la juventud, el honor, las santas y pudorosas delicadezas de la carne, todavía nueva, el corazón, la virginidad, el pudor, esa epidermis del alma son siniestramente manoseados por ese tiento incierto que busca recursos, que encuentra el oprobio y se acomoda con él.

Mario, sin saber casi lo que hacía, examinaba la pared; algunas veces la meditación examina, observa y escudriña, como lo haría el pensamiento. De pronto se levantó: acababa de observar hacia lo alto, cerca del techo, un agujero triangular, resultado de tres listones que dejaba un hueco entre sí.

Aquel agujero formaba una especie de trampilla. Permitido era mirar como a traición el infortunio para socorrerlo.

Escaló la cómoda, aproximó la vista a la abertura, y miró.

VI. El hombre fiera en su cueva

Las ciudades como los bosques tienen sus antros, donde se oculta todo lo que aquéllas tienen de más malo y de más temible.

El tugurio en que su mirada se hundía en aquel momento era abyecto, sucio, fétido, infecto, tenebroso y sórdido. Por todo mueblaje, una silla de paja, una mesa coja, algunos viejos tiestos, y en dos rincones dos tarimas indescriptibles.

Lo que hacía aún más horrible aquel desván era su magnitud. Tenía cabos, ángulos, agujeros negros, camaranchones, bahías y promontorios.

Cerca de la mesa, sobre la cual Mario divisaba pluma, tinta y papel, estaba sentado un hombre de sesenta años próximamente; pequeño, flaco, lívido, huraño, de aire astuto, cruel e inquieto: un bribón horrible.

Si Lavater hubiera considerado aquel rostro, hubiera hallado allí al buitre, mezclado con el procurador; el ave de rapiña y el curial redomado, afeándose y completándose uno con otro, el curial haciendo innoble al ave de rapiña, y ésta haciendo horrible al leguleyo.

Aquel hombre tenía una larga barba gris. Estaba vestido con una camisa de mujer, que dejaba ver su pecho velludo, y sus desnudos brazos erizados de pelos grises. Bajo la camisa se veía un pantalón enlodado, y botas, por las cuales asomaban los dedos de los pies.

Una mujer gorda, que lo mismo podría tener cuarenta años que ciento, estaba acurrucada cerca de la chimenea sobre sus desnudos talones.

Tampoco ella tenía más traje que una camisa y un vestido de punto, remendado con pedazos de paño viejo. Un delantal de gruesa tela ocultaba la mitad del vestido. Aunque aquella mujer estaba doblada y recogida, se conocía que era muy alta. Era una especie de gigante al lado de su marido. Tenía espantosos cabellos rubios tirando a rojos entrecanos, que removía de cuando en cuando con sus enormes y relucientes manos de uñas chatas.

El hombre masculló sin dejar de escribir: "¡Canalla! ¡canalla! y todo ¡canalla!", este variante al epifonema de Salomón, arrancó un suspiro a la mujer:

—Cálmate, amiguito —dijo—. No te pongas malo, querido. Tienes demasiada bondad con escribir a esa gente, marido mío.

VII. Estrategia y táctica

Mario, con el corazón oprimido, iba a bajarse de la especie de observatorio que se había improvisado, cuando un ruido atrajo su atención y le obligó a permanecer en el sitio que estaba.

La puerta del desván acababa de abrirse bruscamente. La hija mayor apareció en el umbral.

Entró, cerró la puerta tras sí, se detuvo para tomar aliento, porque iba muy fatigada, y luego gritó con expresión de triunfo y de alegría:

—¡Viene!

El padre volvió los ojos, la madre la cabeza, la chica no se movió.

—¿Quién? —preguntó el padre.

—El señor.

—¿El filántropo?

—Sí.

—Viene en un coche de alquiler.

—¡En coche! ¡Es Rothschild! —El padre se levantó.

—¿Conque estás segura? Pero si viene en coche, ¿cómo es que has llegado antes que él? ¿Le has dado a lo menos bien las señas?. ¿Y qué te hace suponer qué vendrá?

—Que acabo de ver al coche que llegaba por la calle del Petit-Banquier. Por esto es por lo que he corrido.

—¿Cómo sabes que es el mismo coche?

—¡Toma! Porque había mirado el número.

—¿Cuál es el número?

—Cuatrocientos cuarenta.

—Bien, eres una chica de talento.

—¿Estás segura, segura de que viene?

—Viene pisándome los talones.

VIII. El rayo de sol en la cueva

La hija mayor se acercó y puso su mano sobre la de su padre.

—Tienta —le dijo—, verás qué frío tengo.

—¡Bah! —respondió el padre—; más tengo yo.

La madre gritó impetuosamente:

—Siempre lo tuyo es mejor o mayor que lo de los demás; hasta en lo malo.

—¡Silencio! —dijo el hombre.

La madre, mirada de cierto modo, se calló.

Hubo en la cueva un momento de silencio.

En aquel momento dieron un ligero golpe a la puerta; el hombre se precipitó hacia ella, y la abrió, exclamando con profundos saludos y sonrisas de adoración:

—Entrad, señor, dignáos entrar, mi respetable bienhechor, así como vuestra encantadora hija.

Un hombre de edad madura y una joven aparecieron en la puerta del desván.

Mario no había dejado su puesto. Lo que sintió en aquel momento no puede expresarse en ninguna lengua humana. Era Ella.

Era ella, efectivamente. Mario apenas la distinguía al través del luminoso vapor que se había esparcido súbitamente sobre sus ojos.

Mario se estremeció. ¡Cómo! ¡Era ella! Las palpitaciones de su corazón le turbaban la vista. Sentíase próximo a prorrumpir en llanto. ¡Cómo! ¡La volvía a ver, después de haberla buscado tanto tiempo! Le parecía que había perdido su alma, y que acaba de encontrarla.

IX. JONDRETTE CASI LLORA

A tal punto estaba obscuro el chiribitil, que las personas que venían de fuera experimentaban al entrar en él lo mismo que hubieran sentido al entrar en una cueva. Los dos recién venidos avanzaron con cierta vacilación, distinguiendo apenas formas vagas en torno suyo, en tanto que eran perfectamente vistos y examinados por los habitantes del desván, acostumbrados a aquel crepúsculo.

El señor Blanco se aproximó con su mirada buena y triste, y dijo a Jondrette padre:

—Señor, en ese paquete hallaréis algunas prendas nuevas; medias y cobertores de lana.

—¡Hein! ¿No lo decía yo? trapos, pero no dinero. Todos son lo mismo. A propósito, ¿cómo estaba firmada la carta para este babieca?

—Fabantou —respondió la hija.

Aquí Jondrette creyó evidentemente llegado el momento de "apoderarse" del filántropo. Exclamó, pues, con un acento que participaba a la vez de la charla del titiritero de las ferias, y de la humildad del mendigo en las carreteras: "Discípulo de Talma, señor, he sido discípulo de Talma. La fortuna me ha sonreído en otro tiempo. ¡Ah! ahora ha llegado su turno a la desgracia; ya lo véis, mi bienhechor, no tengo ni pan ni fuego. ¡Mis pobres hijas no tienen fuego! ¡Mi única silla, sin asiento! ¡Un vidrio roto! ¡Y con el tiempo que hace...! ¡Mi esposa, en la cama enferma!"

—¡Pobre mujer! —dijo el señor Blanco.

—¡Mi hija herida! —añadió Jondrette.

—¡Ya lo véis, señor, tengo por todo vestido una camisa de mi mujer y desgarrada en el rigor del invierno! No puedo salir porque no tengo ropa.

"Mañana es el 4 de febrero, el día fatal, el último plazo que me ha concedido mi casero, y si esta noche no le pago, mañana, mi hija mayor, yo, mi esposa con su calentura, mi hija menor con su herida, todos cuatro seremos arrojados de aquí y echados a la calle al boulevard, sin abrigo, en medio de la lluvia y de la nieve. Mirad, señor: ¡debo cuatro trimestres! un año, es decir, ¡sesenta francos!"

El señor Blanco sacó cinco francos de su bolsillo, y los echó sobre la mesa. Entre tanto se había quitado un gran sobretodo obscuro que llevaba sobre su levita azul, y lo había echado sobre la espalda de la silla.

—Señor Fabantou —dijo—, no traigo aquí más que esos cinco francos, pero voy a llevar a mi hija a casa, y volveré esta noche: ¿no es esta noche cuando debéis pagar?

—Sí, mi respetable bienhechor. A las ocho debo estar en casa del propietario.

—Vendré a las seis, y os traeré los sesenta francos.

—Míralo bien, mujer.

El señor Blanco había cogido el brazo de su hermosa hija, y se volvió hacia la puerta.

—Hasta la noche, amigos míos —dijo.

—Señor —dijo—, olvidáis vuestro gabán.

—No lo olvido, lo dejo.

Permitid que os acompañe hasta vuestro carruaje.

—Si salís —dijo el señor Blanco—, ponéos ese abrigo. Verdaderamente hace mucho frío.

Jondrette no se lo hizo repetir dos veces. Enjaretóse rápidamente el sobretodo obscuro.

Y todos tres salieron del desván; Jondrette precediendo a los dos visitantes.

X. Tarifa de los carruajes de alquiler: dos francos por hora

Mario no había perdido nada de toda esta escena, y en realidad, sin embargo, nada había visto. Sus ojos habían estado constantemente fijos en la joven, su corazón se había, por decirlo así, apoderado de ella, y la había rodeado toda entera desde su primer paso en el desván.

En tanto que la joven abría el paquete, desplegaba las prendas y los cobertores, preguntaba a la madré enferma con bondad y a la muchacha herida con enternecimiento.

Cuando la joven salió, él sólo tuvo un pensamiento; seguirla, no perder sus huellas, no dejarla hasta saber dónde vivía, no volverla a perder, a lo menos después de haberla hallado tan milagrosamente. Saltó de la cómoda y cogió su sombrero.

Bajó a escape, y llegó al boulevard a tiempo para ver a un coche de alquiler volver la esquina de la calle Petit Banquier y entrar en París.

En aquel momento, ¡casualidad inaudita y maravillosa!, Mario vio un cabriolé de alquiler que pasaba vacío por el boulevard.

Mario hizo seña al cochero de que parara, y le gritó:

—¡Por horas!

El cochero se detuvo, guiñó el ojo, y extendió hacia Mario su mano izquierda, frotando suavemente el índice y el pulgar.

—¿Qué hay? —dijo Mario.

—Paga anticipada —dijo el cochero.

Mario se acordó que no llevaba consigo mas que dieciséis sueldos.

—¿Cuánto? —preguntó.

—Cuarenta sueldos.

—Al volver, pagaré.

El cochero por toda respuesta silbó la canción de la Palisse, y aplicó un latigazo al caballo.

Habría podido reflexionar que el señor Blanco había prometido volver por la noche, y que sólo de él dependía manejarse mejor aquella vez para seguirle; pero en su contemplación apenas lo había oído.

XI. Ofertas de servicio de la miseria al dolor

Mario subió la escalera de la boardilla a paso lento; cuando iba a entrar en su celda, vio detrás de sí a la Jondrette mayor que le seguía.

Mario entró en su cuarto y empujó la puerta tras de sí. No se cerraba, y volviéndose vio una mano que mantenía la puerta entreabierta.

—¿Qué hay? —preguntó—, ¿quién está ahí?

Era la Jondrette.

Ella levantó hacia él su vista apagada, donde parecía encenderse vagamente una especie de claridad y le dijo:

—Señor Mario, parece que estáis triste: ¿qué tenéis?

—¡Yo! —dijo Mario.

—Sí, vos.

—No tengo nada.

Pues bien, confiadme lo que tenéis, iré a hablar a las personas, algunas veces, alguien que hable a las personas basta para que se sepan las cosas, y todo se arregle. Servíos de mí.

—Pues bien —replicó—; ¿tú has traído aquí a ese caballero anciano con su hija?

—Sí.

—¿Sabes dónde viven?

—No.

—Averígualo. ¿Puedes o no? —dijo Mario.

—Tendréis las señas de esa hermosa señorita, pero ¿qué me daréis?

—Todo lo que quieras.

—¿Todo lo que yo quiera?

—Sí.

—Tendréis esas señas.

Mario se encontró solo.

—Te digo que estoy seguro de ello, y que la he conocido —escuchó decir a Jondrette.

—¿Quién era aquella joven? —pensó.

Saltó más bien que subió sobre la cómoda, y volvió a su puesto cerca del pequeño agujero del tabique.

Desde allí volvió a ver el interior de la cueva de Jondrette.

XII. Empleo de la moneda de cinco francos del señor Blanco

Nada había cambiado en el aspecto de la familia, como no fuese la mujer y las hijas, que habían sacado del paquete y se habían puesto medias y camisetas de lana. Dos cobertores nuevos estaban tendidos sobre las dos camas.

La mujer que parecía tímida, y como herida de estupor ante su marido, se atrevió a preguntarle:

—Pero, ¿de veras? ¿Estás seguro?

—¡Seguro! Hace ya ocho años, pero ¡le conozco! ¡Oh, sí, le conozco! ¡le conocí en seguida! ¡Cómo! ¿no te ha saltado a la vista?

—No.

—Vosotras idos de aquí. Es raro que no te haya saltado a la vista. —Las hijas se levantaron para obedecer.

—Estaréis aquí las dos a las cinco en punto: os necesito.

Mario redobló su atención.

—¿Quieres que te diga una cosa? La señorita...

—Y bien, ¿qué? —replicó la mujer—, ¿la señorita?

Pero Jondrette se había inclinado y había hablado bajo a su mujer.

—¡Es ella!

—¿Esa? —dijo la mujer.

—¡Imposible! —exclamó.

—¡Te digo que es ella! Ya verás.

—¿Y quieres que te diga otra cosa?

—¿Qué? —preguntó ella.

Jondrette respondió en voz baja y breve.

—Que mi fortuna está hecha.

—¿Qué quieres decir? —preguntó la mujer. Si vas a hablar de asuntos, no es menester que nos oigan.

—¡Bah! ¿quién nos ha de oír? ¿el vecino? Le he visto salir hace poco.

Mario oyó lo siguiente:

—Escucha: el Creso está cogido, o como si lo estuviera; es cosa hecha, todo está arreglado. He visto a algunos amigos; él vendrá a las seis, ¡Traerá sesenta francos! ¡canalla!

"Ahora —dijo—, voy a salir: tengo aún que ver a algunos de los buenos."

"¿Sabes —añadió— no es mala chiripa que no me haya conocido? Si me hubiese conocido no volvería: ¡Se nos escapaba! ¡Ah! me olvidaba decirte que tengas preparada una estufa de carbón."

Y arrojó a su mujer en el delantal el napoleón que le había dejado el "filántropo".

—No vayas a gastarlo todo.

—¿Por qué?

—Porque yo, por mi parte, tendré que comprar algo.

XIII. SOLUS CUM SOLO, IN LOCO REMOTO, NON COGITABUNTUR ORARE PATER NOSTER

Por más soñador que fuese Mario, ya hemos dicho que era de naturaleza firme y enérgica. Los hábitos de recogimiento solitario, desarrollando en él la simpatía y la compasión, habían disminuido tal vez la facultad de irritarse; pero habían dejado intacta la facultad de indignarse.

—¡Es preciso aplastar a esos miserables! —dijo.

¿Pero qué hacer? ¿Advertir a las personas amenazadas? ¿Dónde encontrarlas? No sabía sus señas.

No había más que una cosa que hacer.

Dirigióse hacia el arrabal de San Marcelo, y preguntó en la primera tienda que encontró dónde había un comisario de policía.

Indicáronle la calle de Pontoise, y el número 14.

Mario se encaminó allá.

XIV. DONDE UN AGENTE DE POLICÍA DA DOS CACHORRILLOS* A UN ABOGADO

Al llegar al número 14 de la calle de Pontoise subió al piso principal, y preguntó por el comisario de policía.

—El señor comisario de policía no está —contestó un ordenanza de la oficina—; pero hay un inspector que le reemplaza. ¿Queréis hablarle? ¿Es cosa urgente?

—Sí —dijo Mario.

El ordenanza le introdujo en el gabinete del comisario.

—¿Qué queréis? —dijo a Mario sin añadir: caballero.

—Ver al comisario de policía.

—Está ausente: yo le reemplazo.

---

*El original dice: "deux coups de poing", que traducido literalmente quiere decir: "dos puñetazos". Excusado es advertir que es uno de tantos retruécanos como se encuentran a cada paso.

—Es para un asunto muy secreto.

—Entonces, hablad.

—Y muy urgente.

—Entonces, hablad pronto.

Aquel hombre tranquilo y brusco era a la vez temible y tranquilizador: inspiraba temor y confianza. Mario le refirió la aventura.

Esto debía verificarse a las seis de la tarde en el punto más desierto del boulevard del Hospital, en la casa números 50 y 52.

Al oír este número, el inspector levantó la cabeza, y dijo fríamente:

—¿Es, pues, en el cuarto del extremo del corredor?

—Precisamente —dijo Mario, y añadió—: ¿Por ventura conocéis la casa?

—Probablemente.

Volvió a guardar silencio; luego continuó:

—¿Tenéis miedo?

—¿De qué? —dijo Mario.

—De esos hombres.

—Ni más ni menos que vos —replicó rudamente Mario—. ¡Bueno!, pero ¿qué pensáis hacer?

El inspector se limitó a contestarle:

—Los inquilinos de esa casa tienen llave-ganzúa para entrar por la noche en sus cuartos. Vos debéis tener una.

—Sí —dijo Mario.

—¿La lleváis por casualidad?

—Sí.

—Dádmela —dijo el inspector.

Mario sacó su llave del bolsillo, y se la dio al inspector.

—Tomad esto. Volved a vuestra casa. Ocultáis en vuestro cuarto de modo que crean que habéis salido. Están cargados, cada uno con dos balas. Observaréis, pues que hay un agujero en la pared, como me habéis dicho. Esa gente irá; dejadla obrar, y cuando juzguéis la cosa a punto, y que es tiempo de prenderlos, tiraréis un pistoletazo: no antes. Lo demás es cosa mía.

—Descuidad —respondió Mario.

XV. Jondrette hace sus compras

Algunos momentos después, hacia las tres, Courfeyrac pasaba por casualidad por la calle de Mouffetard en compañía de Bossuet. La nieve redoblaba y llenaba el espacio: Bossuet iba diciendo a Courfeyrac:

—Mira —dijo Bossuet—, mira a Mario.

—Ya le he visto —dijo Courfeyrac—. No le hablemos.

—¿Por qué?

—¡Va ocupado!

Jondrette caminaba delante de él sin sospechar que le iban vigilando.

Mario se ocultó detrás de la esquina misma de la calle del Petit-Banquier, que estaba, como siempre, desierta, y no siguió a Jondrette. Hizo bien, porque llegado que hubo a la tapia baja donde Mario había oído al hombre cabelludo y al hombre barbudo, Jondrette se volvió, se aseguró que nadie le seguía ni veía, y luego saltó la tapia y desapareció.

Mario creyó que sería prudente aprovechar la ausencia de Jondrette para entrar en la casa; además, la hora se acercaba.

Mario llegó a grandes pasos a los números 50 y 52, en ocasión en que todavía estaba la puerta abierta. Subió la escalera de puntillas, y se deslizó a lo largo de la pared del corredor hasta su cuarto.

XVI. Donde se volverá a hallar la canción de música inglesa que estaba de moda en 1832

Mario se sentó en su cama. Podían ser las cinco y media; media hora solamente le separaba de lo que iba a suceder. Oía latir sus arterias, como se oye el movimiento del volante de un reloj en la oscuridad.

Ya no nevaba; la luna, cada vez más clara, se desprendía de las nubes, y su luz, mezclada con el reflejo blanquecino de la nieve que había caído, daba a la habitación un aspecto crepuscular.

En el tugurio de los Jondrette había luz. Mario veía brillar el agujero de la medianería con una claridad rojiza que le parecía sangrienta.

Transcurrieron algunos minutos. Mario oyó la puerta de la calle girar sobre sus goznes; un paso pesado y rápido subió la escalera y recorrió el corredor, levantó el pestillo de la puerta con ruido: era Jondrette que entraba.

Eleváronse al momento muchas voces. Toda la familia estaba en el desván. Solamente que en ausencia del dueño callaban todos, como callan los loboznos en ausencia del lobo.

—Soy yo —dijo.

Luego añadió bajando la voz:

—La ratonera está abierta. Los gatos están ahí.

Bajó todavía más la voz, y dijo:

—Pon esto al fuego.

—¿Qué hora es?

—Las seis darán pronto, porque la media hace ya un rato que dio en San Medardo.

—¿Diablo! —dijo Jondrette—, es menester que las chivas vayan a ponerse en acecho; venid aquí vosotras, y escuchad.

XVII. Empleo del Napoleón de Mario

Mario creyó que había llegado el momento de volver a ocupar su puesto en su observatorio. En un abrir y cerrar de ojos, y con la agilidad de sus pocos años, se halló junto al agujero de la medianería. Miró.

El interior de la habitación de los Jondrette ofrecía un aspecto singular, y Mario se explicó la extraña claridad que en ella había observado.

Era la estufa que la Jondrette había preparado por la mañana. El carbón estaba hecho ascua, y la estufa roja; una llama azulada vagaba oscilante sobre el fuego, y ayudaba a distinguir la forma del corta-fríos comprado por Jondrette en la calle de Pierre Lombard, el cual se enrojecía hundido entre las ascuas.

Recordando cuanto hemos dicho sobre el caserón de Gorbeau, se vendrá en conocimiento de que la cueva de Jondrette se hallaba admirablemente situada para servir de teatro a un hecho violento y sombrío, y de manto a un crimen. Era el cuarto más retirado de la casa, más aislada del boulevard, más desierto de París. Parecía hecho a propósito para las sorpresas criminales: de tal modo, que si éstas no existiesen, allí se hubieran podido inventar.

Jondrette había encendido su pipa; estaba sentado sobre la silla desfondada, y fumaba. Su mujer le hablaba por lo bajo.

De pronto Jondrette alzó la voz:

—A propósito: ¡ahora caigo! Con el tiempo que hace, vendrá en coche. Enciende la linterna, cógela y baja. Quédate detrás de la puerta: en el momento en que oigas pararse el carruaje, la abrirás; subirá y le alumbrarás por la escalera y el corredor; y mientras entra aquí, bajarás a todo escape, pagarás al cochero, y despedirás el carruaje.

Mario por su parte sacó el cachorrillo que tenía en el bolsillo derecho y lo montó.

El cachorrillo, al ser montado, produjo un pequeño ruido claro y seco. Jondrette se estremeció, y medio se levantó de la silla.

—¿Quién anda ahí? —gritó.

Mario contuvo su respiración: Jondrette escuchó un momento y luego se echó a reír, diciendo:

—¡Qué bestia soy! es el tabique que cruje.

Mario conservó el cachorrillo en la mano.

XVIII. Las dos sillas de Mario se encuentran frente a frente

De pronto la lejana y melancólica vibración de una campana conmovió los vidrios. Daban las seis en San Medardo.

—Entrad, mi bienhechor —repitió Jondrette, levantándose precipitadamente.

Apareció a la puerta el señor Blanco.

Tenía un aire de serenidad que le hacía singularmente venerable.

Puso sobre la mesa cuatro luises y dijo:

—Señor Fabantou, aquí tenéis para el alquiler y para vuestras primeras necesidades. Después ya veremos.

—Dios os lo pague, mi generoso bienhechor —dijo Jondrette, y acercándose rápidamente a su mujer, añadió:

—Despide el coche.

En tanto el señor Blanco se había sentado.

Jondrette tomó posesión de la otra silla enfrente del señor Blanco.

Mario por su parte sentía una emoción de horror, pero ningún temor. Apretaba la culata de la pistola y se sentía tranquilo. Detendré a ese miserable cuando quiera, pensaba.

Sentía también que la policía andaba por allí emboscada en alguna parte, esperando la señal convenida y pronta a tenderle los brazos.

Esperaba además que de aquel violento encuentro entre Jondrette y el señor Blanco brotaría alguna luz que iluminase todo lo que tenía interés en conocer.

XIX. Mirar bien a lo oscuro

Apenas se sentó el señor Blanco, volvió la vista hacia las tarimas que estaban vacías.

—¿Cómo está la pobre niña herida? —preguntó.

—Mal —respondió Jondrette con una sonrisa de triste reconocimiento—: muy mal, mi digno señor.

—La señora Fabantou parece algo mejor que esta mañana —replicó el señor Blanco.

—Está muriéndose, señor —dijo Jondrette—; pero ¡qué queréis! es tan animosa esa mujer; no es mujer, es una mula.

En tanto que Jondrette hablaba con una especie de desorden aparente, que en nada debilitaba la expresión reflexiva y sagaz de su fisonomía, Mario alzó los ojos y vio en el fondo del cuarto un bulto, que hasta entonces no había visto. Acababa de entrar un hombre, pero tan silenciosamente, que no se habían oído sonar los goznes de la puerta.

—¿Quién es ese hombre? —dijo el señor Blanco.

—¿Ese? —exclamó Jondrette—, es un vecino: no hagáis caso.

—Perdonad ¿de qué me hablábais, señor Fabantou?

—Os decía, mi venerable protector —contestó Jondrette apoyando los codos en la mesa, y fijando en el señor Blanco miradas tiernas, semejantes a las de la serpiente boa—, os decía que tenía un cuadro de venta.

Hizo la puerta un ligero ruido. Otro hombre acababa de entrar, y de sentarse en la cama detrás de la Jondrette.

—No tengáis cuidado —dijo Jondrette—: son personas de casa. Decía, pues, que me quedaba un cuadro precioso... Vedle, caballero, vedle.

Se levantó, se dirigió a la pared, en cuya parte estaba colocado el bastidor de que hemos hablado, y le volvió conservándole apoyado en la pared misma.

—¿Qué es eso? —preguntó el señor Blanco.

Jondrette exclamó:

—¡Una obra maestra! Un cuadro de gran precio, mi bienhechor; lo quiero tanto como a mis hijas: despierta mis recuerdos... pero yo no me desdigo de lo dicho: soy tan desgraciado, que me desharé de él...

Había ya allí cuatro hombres, tres sentados en la cama, uno en pie cerca de la puerta, todos cuatro con los brazos desnudos, inmóviles, y el rostro tiznado de negro.

Jondrette observó que la mirada del señor Blanco se fijaba en aquellos hombres.

—Son amigos, vecinos —dijo—. Están tiznados porque trabajan en carbón, son fumistas. No hagáis caso de ellos, mi bienhechor, pero compradme mi cuadro.

—Eso no es más que una muestra de taberna y valdrá unos tres francos.

—¿Tenéis ahí vuestra cartera? Me contentaré con mil escudos.

El señor Blanco se levantó, apoyó la espalda en la pared y paseó rápidamente su mirada por el cuadro. Tenía a Jondrette a su izquierda del lado de la ventana, y la Jondrette y los cuatro hombres a la derecha por el lado de la puerta. Los cuatro hombres no pestañeaban y ni aun parecían verle; Jondrette había comenzado de nuevo su arenga con acento tan plañidero, miradas tan vagas y entonación tan lastimera, que el señor Blanco podía creer muy bien que la miseria había vuelto loco a aquel hombre.

—Si no me compráis mi cuadro, mi querido bienhechor —decía Jondrette— no tengo recurso ninguno ni me queda otro remedio más que tirarme al río.

De repente su apagada pupila se iluminó con un horrible fulgor, aquel hombrecillo se enderezó y apareció espantable; dio un paso hacia el señor Blanco, y le gritó con voz tonante:

—No se trata de nada de esto: ¿me conocéis?

XX. LA EMBOSCADA

La puerta del desván acababa de abrirse bruscamente, y dejaba ver tres hombres con blusas de tela azul, cubiertas las caras con máscaras de papel negro.

Parece que Jondrette esperaba la llegada de estos hombres. Empeñóse un diálogo rápido entre él y el hombre del garrote: el flaco.

—¿Está todo pronto? —dijo Jondrette.

—Sí —contestó el flaco.

Aquel anciano, tan firme y tan valiente, ante tal peligro, parecía ser de esas naturalezas que son valerosas, de la misma manera que son buenas, fácil y sencillamente. El padre de la mujer a quien amamos no es nunca un extraño para nosotros, Mario se sintió orgulloso de aquel desconocido.

Tres de los hombres de quienes Jondrette había dicho *son fumistas*, habían cogido en el montón de hierro, el uno unas grandes tijeras para cortar metales, el otro la barra de una romana, y el tercero un martillo y se habían colocado delante de la puerta sin decir una palabra. El viejo se había quedado en la cama, y solamente había abierto los ojos. La Jondrette se había sentado a su lado.

Jondrette se volvió de nuevo hacia el señor Blanco, y repitió su pregunta, acompañándola con esa risa baja, contenida y terrible que le era peculiar: "¿No me conocéis?"

El señor Blanco le miró a la cara, y respondió:

—No.

—No me llamo Fabantou, ni me llamo Jondrette, me llamo Thenardier! ¡Soy el posadero de Montfermeil! ¡Oís bien! ¡Thenardier! ¿Me conocéis ahora?

—Tampoco.

En el momento en que Jondrette había dicho: *Me llamo Thenardier,* Mario se había estremecido, y había tenido que apoyarse en la pared, como si hubiese sentido el frío de una espada que le atravesase el corazón.

¡Era aquel el Thenardier, el posadero de Montfermeil, a quien había buscado en vano durante largo tiempo! ¡Lo hallaba al fin! ¿pero cómo? El salvador de su padre era un bandido; aquel hombre por el que Mario hubiera querido sacrificarse, era un monstruo. Aquel libertador del coronel Pontmercy estaba a punto de cometer un atentado, cuya forma no veía aún Mario distintamente, pero que se parecía a un asesinato. Y un asesinato de quién ¡gran Dios! ¡Qué fatalidad!

¿Qué hacer? ¿qué partido elegir? Faltar a los más imperiosos recuerdos, a tantos y tantos compromisos como consigo mismo había contraído, al más santo deber, el texto más venerado por él! ¡Faltar al testamento de su padre, o dejar que se consumase un crimen!

Entre tanto, Thenardier, a quien ya no nombraremos de otro modo, se paseaba a lo largo y a lo ancho por delante de la mesa en una especie de extravío y de triunfo frenético.

—¡Ah! —gritaba—; ¡al fin os encuentro, señor filántropo, señor millonario raído! ¡señor dador de muñecas! ¡viejo maricón! ¡Ah! ¡no me conocéis! ¡no sois vos quien fue a Montfermeil, a mi posada, hace ocho años la noche de Navidad de 1823! ¡No sois vos quien se llevó de mi casa la hija de la Fantina, la Alondra! ¡No sois vos quien llevaba un carrik amarillo, no! ¡y un paquete lleno de trapos en la mano, como el de esta mañana! ¡Mira, mujer! ¡parece que es su manía llevar a las casas paquetes de medias de lana! ¡el viejo caritativo! ¡Bah! ¿Sois gorrero, señor millonario?

—Pardiez —continuó—, en otro tiempo os burlásteis de mí; sois causa de todas mis desgracias. Por mil quinientos francos habéis adquirido una muchacha que yo tenía, y que seguramente era de gente rica, que me había producido ya mucho dinero, y a costa de la cual debía vivir toda mi vida.

"¡Y me trae cuatro malos luises! ¡Canalla! ¡Ni aun ha tenido valor para llegar a los cien francos! ¡Y cómo creía en todas mis simplezas! ¡Bah! me divertía, y al mismo tiempo me decía: ¡Anda, majadero! ya te cogí: esta mañana te lamía las manos, pero esta noche te arrancaré el corazón."

Thenardier calló. Se ahogaba. Su pecho mezquino y angosto hipaba como el fuelle de una fragua.

El señor Blanco no le interrumpió, pero le dijo cuando acabó:

—No sé qué queréis decir. Os equivocáis. Soy un hombre pobre, y nada más lejano de mí que ser millonario. No os conozco: me tomáis por otro.

"Perdonad —respondió el señor Blanco con un acento tan político, que tenía en tal momento algo de extraño y de poderoso—: ya veo que sois un bandido."

—¡Bandido! sí, ya se que nos llaman así los señores ricos. ¡Calla! es verdad, he quebrado, me oculto, no tengo pan, no tengo un cuarto, ¡soy un bandido! Tres días hace que no como, soy un bandido.

"¡Y sabed también esto, señor filántropo! ¡Yo no soy un hombre oscuro, no! Yo no soy un hombre cuyo nombre se ignora, que va a robar chicos a las casas. Yo soy un antiguo soldado francés. ¡Yo debiera estar condecorado! ¡Yo estuve en Waterloo, y salvé en la batalla a un general llamado el conde de Pontmercy!"

"¡Mil rayos! Soy un soldado de Waterloo. Y ahora que he tenido la bondad de deciros todo esto, acabemos. Necesito dinero, muchísimo dinero, ¡u os extermino con mil demonios!"

Mario había cobrado algún imperio sobre sus angustias, y escuchaba. La última posibilidad de duda acababa de desvanecerse. Era aquel efectivamente el Thenardier del testamento. Mario se estremeció al oír la reconvención de ingratitud dirigida a su padre, y que él estaba a punto de justificar tan fatalmente.

Cuando Thenardier cobró aliento fijó sobre el señor Blanco sus sangrientas pupilas, y le dijo en voz baja y breve:

—¿Qué tienes que decir antes que te trinquen?

El señor Blanco callaba. En medio de aquel silencio, una voz cascada lanzó desde el corredor este sarcasmo lúgubre:

—Si hace falta partir leña, aquí estoy yo.

Era el hombre de la maza que se divertía.

Al mismo tiempo apareció en la puerta una enorme cara erizada y terrosa, sonriendo espantosamente, y enseñando, no dientes, sino garfios.

Era la cara del hombre de la maza.

—¿Por qué te has quitado la máscara? —le gritó Thenardier enfurecido.

—Para reír —replicó aquel hombre.

En su apóstrofe al de la maza, volvía la espalda al señor Blanco.

Este aprovechó el momento, rechazó con el pie la silla, la mesa con la mano, y de un salto, con prodigiosa agilidad, antes que Thenardier hubiera tenido tiempo de volverse, estaba en la ventana. Abrirla, escalarla, y meter una pierna por ella fue obra de un momento. Ya tenía la mitad del cuerpo fuera, cuando seis robustos puños le cogieron y le volvieron a meter enérgicamente en el antro. Eran los tres "fumistas" que se habían lanzado sobre él. Al mismo tiempo la Thenardier le había cogido por los cabellos.

Al pataleo que se armó acudieron los otros bandidos del corredor. El viejo que estaba en la cama y parecía borracho, se bajó de ella, y llegó vacilante con un martillo de picapedrero en la mano.

Mario no pudo resistir a este espectáculo.

—Padre mío —pensó— ¡perdóname! —Y su dedo buscó el gatillo de la pistola. Iba ya a salir el tiro, cuando la voz de Thenardier gritó:

—¡No le hagáis daño!

Aquella tentativa desesperada de la víctima, en vez de exasperar a Thenardier, le había calmado. Había dos hombres en él, el hombre feroz y el hombre diestro.

—¡No le hagáis mal! —repitió, y sin sospecharlo siquiera, por primer triunfo detuvo la pistola de Mario, pronta a dispararse, y paralizó la acción del joven, para el cual desapareció la urgencia, no viendo inconveniente ante esta nueva fase, en esperar todavía.

—Tú —díjola el marido—, no te mezcles en eso. Vas a romperte el pañuelo.

La Thenardier obedeció como la loba obedece al lobo, con un gruñido.

—Vosotros —añadió Thenardier—, registradle.

—Atadle al banquillo —dijo.

Cuando fue echado el último nudo, Thenardier cogió una silla y fue a sentarse casi en frente del señor Blanco. Thenardier se había transformado en algunos instantes, su fisonomía había pasado de la violencia desenfrenada a la dulzura tranquila y astuta.

—Apartáos un poco, y dejadme hablar con este caballero.

Todos se retiraron hacia la puerta, y continuó:

—Caballero, habéis hecho mal en querer saltar por la ventana, porque habríais podido romperos una pierna. Ahora, si lo permitís, vamos a hablar tranquilamente.

El silencio que había guardado el prisionero, esa precaución que llegaba hasta a olvidarse del cuidado de su vida, esa resistencia opuesta al primer movimiento de la naturaleza que es gritar, todo esto, preciso es decirlo, desde que había sido observado y consignado, importunaba a Mario y le admiraba penosamente.

—Podemos entendernos —continuó Themardier—; arreglemos esto amistosamente. Hice mal en incomodarme hace poco; no sé dónde tenía la cabeza; he ido demasiado lejos y he dicho mil locuras. Por ejemplo, porque sois millonario, os he dicho que exigía dinero, mucho dinero, enorme cantidad de dinero. Esto no sería razonable; tenéis la suerte de ser rico, pero tendréis vuestras obligaciones, ¿quién no tiene las suyas? No quiero arruinaros; al fin y al cabo yo no soy un desollador.

Mirad, yo cedo algo y hago un sacrificio por mi parte. Necesito solamente doscientos mil francos.

—Os prevengo que no admitiré la excusa de no saber escribir.

Un inquisidor general hubiera podido envidiar aquella sonrisa.

Thenardier empujó la mesa cerca del señor Blanco, y sacó tintero, pluma y papel del cajón, que dejó entreabierto, y en el cual relucía la ancha hoja del cuchillo.

Colocó el papel delante del señor Blanco.

—Escribid —dijo. El prisionero habló, por fin.

—¿Cómo queréis que escriba si estoy atado?

—Es cierto, perdonad —dijo Thenardier—, tenéis mucha razón.

Y volviéndose hacia el Colmenero, añadió:

—Desatad el brazo derecho del señor.

Ahora dignáos escribir.

—Ya dicto. Poned: "Ven al momento; necesito absolutamente de ti. La persona que te entregará esta carta está encargada de conducirte a donde yo estoy. Te espero. Ven con confianza."

—¡Ah! borrad *ven con confianza*.

—Firmad: ¿cuál es vuestro nombre?

—Urbano Fabre —dijo el prisionero, con serena decisión.

El prisionero permaneció un momento pensativo, luego cogió la pluma y escribió:

—Señorita Fabre, casa del señor Urbano Fabre, calle Saint-Dominique d'Enfer, número 17.

—¡Mujer! —gritó.

La Thenardier acudió.

—Toma esta carta.

De pronto, Thenardier apostrofó a éste:

—Señor Fabre: escuchad lo que voy a deciros: "Mi mujer va a volver; no os impacientéis. Creo que la Alondra es verdaderamente vuestra hija, y me parece muy natural que la conservéis. Pero oíd lo que voy a deciros: con vuestra carta, mi mujer irá a buscarla. He dicho a mi mujer que se vistiese, como habéis visto, para que vuestra hija consienta en seguirla sin dificultad.

"Si hacéis que me prendan, mi camarada dará el golpe de gracia a la Alondra, y todo habrá concluido."

"Cuando mi esposa haya vuelto y me haya dicho: la Alondra está en camino, os soltaremos, y podréis ir a dormir a vuestra casa. Ya veis que no tenemos malas intenciones."

En medio de aquel silencio se oyó el ruido de la puerta de la calle, que se abría y luego se cerraba.

El prisionero hizo un movimiento en sus ligaduras.

—Aquí está la ciudadana —dijo Thenardier.

—¡Señas falsas!

—¿Señas falsas? —repitió Thenardier.

La mujer replicó:

—Nadie; en la calle de Saint-Dominique, número 17, no vive ningún Urbano Fabre. Nadie da razón de él.

En la calle de Saint-Dominique no hay ningún señor Fabre; ¡y a escape, y propina al cochero, y todo! He hablado al portero y a la portera, que es una buena mujer, y no le conocen.

Mario respiró: ella, Úrsula o la Alondra, aquella a quien no sabía cómo llamar, estaba salvada.

—¿Señas falsas? ¿Qué es, pues, lo que esperabas?

—¡Ganar tiempo! —gritó el prisionero con voz tonante.

Y en el mismo instante sacudió sus ataduras; estaban cortadas. El prisionero sólo estaba sujeto a la cama por una pierna.

Antes que los siete hombres hubiesen tenido tiempo de comprender la situación y de lanzarse sobre él, el señor Blanco se inclinó hacia la chimenea, extendió la mano hacia la estufa, luego se levantó, y Thenardier, su mujer y los bandidos, rechazados por el asombro al fondo de la cueva, le vieron estupefactos levantar por encima de su cabeza el cortafríos hecho ascua, del cual se desprendía una claridad siniestra, casi libre y en formidable actitud.

Los bandidos habían vuelto de su primera sorpresa.

Sin embargo, el prisionero alzó la voz:

—¡Sois unos miserables, pero mi vida no vale la pena de ser tan defendida! En cuanto a imaginaros que me haréis hablar, que me haréis escribir lo que yo no quiero escribir, que me haréis decir lo que yo no quiero decir...

Se levantó la manga del brazo izquierdo y añadió:

—Mirad.

Al mismo tiempo alargó el brazo, y puso sobre la carne desnuda el cortafríos ardiendo que tenía en la mano derecha cogido por el mango de madera.

Oyóse el chirrido de la carne quemada, esparcióse por el desván el olor propio de los cuartos de tormento.

—¡Miserables! —dijo—: no tengáis más miedo de mí que el que yo tengo de vosotros.

Y arrancando el cortafríos de la herida, lo lanzó por la ventana que había quedado abierta: el horrible instrumento abrasado desapareció girando en la obscuridad, cayendo a lo lejos, y yendo a apagarse en la nieve.

El prisionero añadió:

—Haced de mí lo que queráis.

Estaba ya desarmado.

—¡Sujetadle! —gritó Thenardier.

—No hay más que una cosa que hacer.

—Abrirle en canal.

—Eso.

Eran el marido y la mujer que celebraban consejo.

Thenardier marchó lentamente hacia la mesa, abrió el cajón, y cogió el cuchillo.

Mario atormentaba la culata de la pistola. ¡Perplejidad inaudita!

De repente se estremeció.

A sus pies, sobre la cómoda, un rayo de clara luna iluminaba y parecía mostrarle una hoja de papel. En aquella hoja leyó esta línea escrita en gruesos caracteres aquella misma mañana por la mayor de las hijas de Thenardier.

—LOS CORCHETES ESTÁN AQUÍ.

Se arrodilló sobre la cómoda, alargó el brazo, cogió el papel, arrancó suavemente un yesón del tabique, lo envolvió en el papel, y arrojó el todo por el agujero en medio de la zahurda.

—¡Algo han tirado! —gritó la Thenardier.

—¿Qué es eso? —dijo el marido. La mujer se había lanzado y había recogido el yeso envuelto en el papel que entregó a su marido.

Thenardier desenvolvió rápidamente el papel, y se acercó a la luz.

—Es la letra de Eponina. ¡Diablo!

—¡Pronto! ¡la escala! Dejemos el tocino en la ratonera, y abandonemos el campo.

—¿Por dónde? —preguntó el Colmenero.

—Por la ventana —respondió Thenardier.

El prisionero no ponía atención en lo que pasaba en torno suyo. Parecía soñar o rezar.

—Pues bien —dijo un bandido— echemos a la suerte quién pasará el primero.

—¿Queréis mi sombrero? —gritó una voz desde el umbral de la puerta.

Todos se volvieron: era Javert.

Tenía el sombrero en la mano, y lo alargaba sonriendo.

XXI. De cómo se debería
comenzar por prender a las víctimas

Javert, al anochecer había apostado a su gente, y él mismo se había emboscado detrás de los árboles en la calle de la Barrera de los Gobelinos, que daba frente al caserón de Gorbeau por el otro lado del boulevard. Había empezado por abrir "su bolsillo" para meter en él a las dos muchachas encargadas de vigilar las inmediaciones de la caverna. Pero sólo había "enjaulado" a Azelma.

Por fin, se había impacientado, y, *seguro de que allí había un nido*, seguro de estar "de suerte", habiendo conocido a muchos de los bandidos que habían entrado, acabó por decidirse a subir sin esperar el pistoletazo.

Javert se puso su sombrero, dio dos pasos por el cuarto con los brazos cruzados, el bastón debajo del brazo y el espadín en la vaina.

—¡Alto ahí! —dijo—; no saldréis por la ventana, sino por la puerta.

El Colmenero sacó una pistola que llevaba oculta bajo la blusa, y la puso en la mano de Thenardier.

Thenardier cogió la pistola y apuntó a Javert.

—No tires: te va a fallar.

Thenardier apretó el gatillo: el tiro no salió.

—¡Cuando yo te lo decía! —exclamó Javert.

—Entrad ya —dijo.

Una escuadra de municipales sable en mano, y de agentes armados; de rompe-cabezas y garrotes se precipitó en la habitación, y ató a los bandidos a la voz de Javert. Aquella multitud de hombres apenas iluminados por una vela, llenaba de sombra el antro:

—¡Esposas a todos! —gritó Javert.

Los seis bandidos atados estaban de pie; conservaban aún sus caras de espectros: tres tiznados de negro, tres enmascarados.

En aquel momento, vio al prisionero de los bandidos, el cual, desde la entrada de los agentes de policía no había pronunciado una palabra, y se mantenía con la cabeza baja.

—Desatad al señor —dijo Javert—, y que nadie salga.

—Que se acerque el caballero a quien estos señores habían atado.

Los agentes miraron en derredor.

—Y bien —preguntó Javert— ¿dónde está?

El prisionero de los bandidos, el señor Blanco, el señor Urbano Fabre, el padre de la Úrsula o de la Alondra, había desaparecido.

—¡Diablo! —dijo Javert entre dientes—; éste debía de ser el mejor de todos.

XXII. El niño que lloraba en la parte segunda

Al día siguiente de cuando se verificaron estos acontecimientos en la casa del boulevar del Hospital, un chico, que parecía venir del lado del puente de Austerlitz, subía por la travesía de la derecha, en dirección a la barrera de Fontainebleau. Era noche obscura. Aquel chico era pálido, flaco; iba vestido de remiendos, con un pantalón de lienzo en el mes de febrero, y cantaba a grito pelado.

En la esquina de la calle del Petit-Banquier, una vieja encorvada rebuscaba en un montón de basura, a la luz del reverbero. El chico la empujó al pasar, y luego retrocedió, exclamando:

—¡Calla! ¡y yo que había tomado esto por un enorme perro!

La vieja, sofocada de indignación, se levantó, y el resplandor de la linterna dio de lleno en su cara lívida, angulosa y arrugada, con patas de gallo que le bajaban hasta casi los ángulos de la boca. Había llegado delante de los números 50-52, y hallado cerrada la puerta, había comenzado a descargar sobre ella golpes y taconazos resonantes y heroicos, que revelaban más bien los zapatos de hombre que llevaba que los pies de niño que tenía.

—¡Cómo! ¿Eres tú, Satanás?

—¡Calla! es la vieja —dijo el muchacho—. Buenas noches, tía Bougoncha. Vengo a ver a mis progenitores.

—No hay nadie, carátula.

—¡Bah! —replicó el chico—, ¿dónde está mi padre?

—En la cárcel de la Fuerza.

—¡Calla! ¿y mi madre?

—En la de San Lázaro.

—Muy bien. ¿Y mis hermanas?

—En las Magdalenas.

El chico se rascó la oreja, miró a la tía Bougoncha, y dijo:

—¡Ah!

Después giró sobre sus talones, y a los pocos momentos la vieja, que había quedado en el umbral de la puerta, le oyó que cantaba con voz clara y juvenil, perdiéndose entre los álamos negros, que se estremecían al soplo del cierzo de invierno:

> *Mambrú se fue a la guerra,*
> *montado en una perra;*
> *Mambrú se fue a la guerra,*
> *no sé cuándo vendrá.*
> *Si vendrá por la Pascua,*
> *o por la Trinidad.*

PARTE CUARTA

EL IDILIO DE LA CALLE PLUMET Y LA EPOPEYA DE LA CALLE DE SAN DIONISIO

Libro primero

● ALGUNAS PÁGINAS DE HISTORIA ●

I. BIEN CORTADO

Los años de 1831 y 1832 que siguieron inmediatamente a la revolución de julio, son uno de los momentos más particulares y más notables de la historia. Estos dos años, en medio de los que les preceden y les siguen, aparecen como dos montañas: tienen la grandeza revolucionaria; en ellos se descubren precipicios. Las masas sociales, las hiladas mismas del edificio de la civilización, el grupo sólido de los intereses sobrepuestos y adherentes, los perfiles seculares de la antigua formación francesa, aparecen y desaparecen a cada instante al través de las nubes tempestuosas de los sistemas, de las pasiones y de las teorías.

Y véase entonces lo que se presenta a los filósofos políticos.

Al mismo tiempo que los hombres cansados piden el reposo, los hechos consumados piden garantías. Las garantías para los hechos son como el reposo para los hombres.

Esto es lo que Inglaterra pedía a los Estuardos después del Protectorado; lo que Francia pedía a los Borbones después del Imperio.

Estas garantías son una necesidad de los tiempos, y es preciso concederlas. Los principales las "otorgan", pero en realidad les da la fuerza de las cosas: verdad útil y profunda que ignoraron los Estuardos en 1662, y que los Borbones no vislumbraron aún en 1814.

Error capital que llevó a esta familia a poner mano en las garantías "otorgadas" en 1814, en las concesiones, como ella las llamaba; y cierto que era triste cosa ver que llamaba sus concesiones a lo que eran nuestras conquistas; que llamaba nuestras usurpaciones, a lo que eran nuestros derechos.

La Restauración, cuando creyó llegada la hora, cuando se creyó victoriosa de Bonaparte, y arraigada en el país, es decir, cuando se creyó fuerte y profunda, tomó bruscamente su partido y se arriesgó a dar un golpe.

Una mañana se levantó poniéndose en frente de Francia, y elevando la voz, negó el título colectivo y el título individual; a la nación, la soberanía, y al ciudadano, la libertad en otros términos, negó a la nación lo que le hacía nación, y al ciudadano lo que le hacía ciudadano.

Esta es la esencia de estos actos célebres, que se llaman los Derechos de Julio.

La Restauración cayó.

En tiempo de la Restauración, la nación se había acostumbrado a la discusión tranquila, cosa que no había tenido en tiempo de la República, y a la grandeza en la paz, cosa que no había tenido durante el Imperio.

El espectáculo de Francia, libre y fuerte, había sido un estímulo para los demás pueblos de Europa; la revolución había tenido la palabra en tiempo de Robespierre, el cañón en tiempo de Bonaparte, pero en tiempo de Luis XVIII y Carlos X tuvo a su vez la palabra y la inteligencia. Cesó el viento, y se encendió de nuevo la antorcha: vióse brillar en las serenas cimas la luz del pensamiento; espectáculo magnífico, útil y agradable.

Vióse trabajar por espacio de quince años en plena paz, en medio de la plaza pública, a esos grandes principios, tan antiguos para el pensador, y tan nuevos para el hombre de Estado; la igualdad ante la ley, la libertad de la conciencia, la libertad de la palabra, la libertad de la prensa, la accesibilidad de todas las clases a todos los cargos. Esto duró hasta 1830.

La caída de los Borbones tuvo mucha grandeza, no por parte suya, sino por parte de la nación.

Se fueron, esto es lo mejor que puede decirse: depusieron la corona, y no conservaron la aureola; fueron dignos, pero no augustos; faltaron en cierto modo a la majestad de su desgracia.

La revolución de Julio tuvo inmediatamente amigos y enemigos en el mundo entero. Unos se precipitaron hacia ella con entusiasmo y alegría; otros le volvieron la espalda: cada uno según su naturaleza.

La revolución de Julio es el triunfo del derecho derrocando el hecho: una cosa llena de esplendor.

El derecho derrocando el hecho: de aquí proviene el esplendor de la revolución de 1830, y de aquí también su mansedumbre; el derecho que triunfa no tiene necesidad de ser violento.

El derecho es lo justo y lo verdadero.

Esta lucha del derecho y del hecho existe desde el principio de las sociedades; el trabajo de los sabios tiene por objeto terminar el duelo, amalgamar la idea con la realidad humana, hacer penetrar pacíficamente el derecho en el hecho.

II. Mal cosido

Pero uno es el trabajo de los sabios, y otro el de los hábiles.

La revolución de 1830 se había detenido muy pronto.

Tan luego como se calmó al llegar al puerto la tempestad revolucionaria, los hábiles se apoderaron del buque náufrago.

Los hábiles en nuestro siglo, se han conferido a sí mismos la calificación de hombres de Estado, si bien esta palabra hombre de Estado ha concluido por pertenecer algo al caló. No se olvide que allí donde no hay más que habilidad, hay, necesariamente, pequeñez. Decir, pues, los hábiles, equivale a decir: las medianías.

Del mismo modo que decir los hombres de Estado, equivale algunas veces a decir: los traidores.

Los hábiles aparentan no comprender esta objeción, y continúan su maniobra.

Este es pues, el arte sublime; hacer que un acontecimiento suene algo a catástrofe, para que los que se aprovechen de él tiemblen también; sazonar con un poco de miedo un paso de hecho; aumentar la curva de la transición hasta el retardar del progreso, endulzar la obra, denunciar y disminuir los preparativos del entusiasmo; cortar los ángulos y las uñas; acolchar el triunfo; arropar el derecho; rodear al gigante-pueblo de franela, y meterle en cama en seguida, imponer dieta a este exceso de salud, tratar a Hércules como convaleciente; desleír el acontecimiento en el expediente; ofrecer a los ánimos sedientos del ideal, este néctar con tisana, tomar sus precauciones contra el éxito demasiado grande; guarnecer la revolución con una pantalla.

Por lo demás, debemos ser justos aun respecto del egoísmo, el estado a que aspiraba después de la conmoción de 1830, esa parte de la nación de que vamos hablando, no era la inercia, que se complica con la indiferencia y la pereza, y que es algo vergonzosa; no era el sueño, que supone un olvido momentáneo, accesible a los ensueños; era un descanso, los ensueños; era un descanso, un alto.

Era preciso, pues, a esta parte de la clase media, como a los hombres de Estado, un hombre que representase esta palabra: ¡Alto!

Este hombre se "encontró enteramente". Se llamaba Luis Felipe de Orleans.

Los 221 hicieron rey a Luis Felipe; Lafayette se encargó de la consagración y llamó a la nueva monarquía la *mejor de las repúblicas*. El *Hotel de Ville* de París reemplazó a la catedral de Reims.

III. LUIS FELIPE

Luis Felipe era un hombre raro.

Hijo de un hombre a quien la historia juzgará seguramente con circunstancias atenuantes, pero tan digno de aprecio, como su padre de censura, tenía todas las virtudes privadas, y algunas públicas; era cuidadoso de sus bienes, de su persona, de sus negocios, conociendo el valor de un minuto y no siempre el de un año; sobrio, sereno, pacífico, sufrido, buen hombre y buen príncipe. Dormía con su mujer, y tenía en su palacio lacayos, encargados de enseñar el lecho conyugal a los ciudadanos; había alhajado su alcoba con un lujo regular, útil después de la antigua ostentación ilegítima de la rama mayor; sabía todas las lenguas de Europa, y lo que es más notable, sabía y hablaba el idioma de todos los intereses.

Luis Felipe será colocado entre los hombres eminentes de su siglo.

Sus modales eran del antiguo régimen, y sus costumbres del moderno; mezcla del noble y del ciudadano que convenía a 1830, Luis Felipe era la transición reinante, había conservado la antigua pronunciación y la antigua ortografía que ponía al servicio de las opiniones modernas.

No tenía corte, salía con su paraguas bajo el brazo, y este paraguas ha sido por mucho tiempo parte de su aureola. Entendía un poco de albañilería, un poco de jardinería y un poco de medicina; sangraba a un postillón que se caía del caballo, y no iba nunca sin su lanceta, lo mismo que Enrique III sin su puñal.

Luis Felipe fue un rey a la luz del día. En su reinado, la prensa fue libre, la tribuna libre, la conciencia y la palabra libres. Las leyes de septiembre eran lúcidas. Pero aún conociendo el poder desgastador de la luz sobre los privilegios, dejó su trono expuesto a la luz. La historia, al juzgarle, tendrá en cuenta esta lealtad.

IV. GRIETAS EN LOS CIMIENTOS

Luis Felipe había adquirido la autoridad real sin violencia, sin acción directa por su parte, por un giro revolucionario, evidentemente muy distinto del fin real de la revolución, pero en el cual el duque de Orleans no había tenido ninguna iniciativa personal. Había nacido príncipe, y se creía erigido rey. No se dio a sí mismo este poder; no lo tomó; se lo ofrecieron y lo aceptó, convencido, equivocadamente a nuestro juicio, pero convencido de todos modos, de que el ofrecimiento era con arreglo a derecho, y de que la aceptación era un deber. De aquí nació una posesión de buena fe. Ahora bien, digamos en conciencia, que estando Luis Felipe de buena fe en su posesión y la revolución de buena fe en su ataque, la cantidad de espanto que se desprende de las luchas sociales no recae sobre el rey ni sobre la democracia.

El gobierno de 1830 principió en seguida una vida muy dura; nació ayer, y tuvo que combatir hoy.

Apenas instalado, sentía ya por todas partes, vagos movimientos de tracción sobre el aparato de julio, tan recientemente armado, y tan poco sólido.

La resistencia nació al día siguiente: quizá había nacido ya la víspera.

Cada mes creció la hostilidad, y pasó de sorda a patente.

La revolución de julio, poco aceptada fuera de Francia por los reyes, había sido interpretada en Francia de muy diversos modos, según hemos dicho.

Hay en las revoluciones nadadores contra la corriente, y son los partidos viejos.

Los antiguos partidos legitimistas no por esto dejaron de atacar la revolución de 1830, con todas las violencias que produce el falso raciocinio. Los errores son excelentes proyectiles. La hirieron sabiamente por donde era vulnerable: en el flaco de su coraza, por falta de lógica, atacaban a la revolución en su realismo, y gritaban: Eres Revolución, ¿por qué quieres a este rey? Las facciones son ciegos que apuntan bien.

Los republicanos daban este mismo grito; pero en ellos era lógico. Lo que era ceguedad para los legitimistas, era lucidez de los demócratas. La revolución de 1830 había hecho bancarrota para el pueblo, y la democracia indignada la reprendía.

La monarquía de Julio se encabritaba, por más realista que fuese, metida en varas con los gabinetes de Europa. Impulsada en Francia por el progreso, impulsaba en Europa a las monarquías, seres tardígrados. Era remolcada y remolcaba.

Mientras tanto, en el interior, pauperismo, proletariado, salario, educación, penalidad, prostitución, consumo, repartición, cambio, moneda, crédito, derecho al capital, derecho al trabajo; todas estas cuestiones se multiplicaban por encima de la sociedad: terrible peso.

Los pensadores meditaban, mientras que el suelo, es decir, el pueblo, atravesado por las corrientes revolucionarias, temblaba bajo sus plantas con una especie de vagas sacudidas epilépticas.

Estos hombres dejaban a los partidos políticos la cuestión de los derechos, y trataban de la cuestión de la felicidad.

Se proponían extraer de la sociedad el bienestar del hombre.

Elevaban las cuestiones materiales, las cuestiones de agricultura, de industria, de comercio, casi hasta la dignidad de una religión.

Estos hombres que se agrupan bajo nombres diferentes, pero que pueden ser designados todos por el título genérico de socialistas, trataban de horadar esta roca, y de hacer salir de ella el surtidor de agua viva de la felicidad humana.

Todos los problemas que los socialistas se proponían, prescindiendo de las visiones cosmogónicas, los delirios y el misticismo, pueden reducirse a dos principales:

Primer problema:

Producción de la riqueza.

Segundo problema:

Repartición de la riqueza.

El primer problema implica la cuestión del trabajo.

El segundo, la cuestión del salario.

En el primer problema se trata del empleo de las fuerzas.

En el segundo, de la distribución de los goces.

Del buen empleo de las fuerzas resulta el poder público.

De la buena distribución de los goces resulta la felicidad individual.

Por buena distribución debe entenderse, no la distribución igual, sino la distribución equitativa. La primera igualdad es la equidad.

De estas dos cosas combinadas, poderío público en el exterior, felicidad individual en lo interior, nace la prosperidad social.

Y prosperidad social quiere decir: el hombre feliz, el ciudadano libre, la nación grande.

El comunismo y la ley agraria creen resolver el segundo problema. Se engañan; su repartición mata la producción; la distribución igual mata la emulación, y por consiguiente el trabajo; es una repartición hecha por el carnicero, que mata lo que divide. Es, pues, imposible detenerse en estas falsas soluciones: matar la riqueza, no es repartirla.

Los dos problemas exigen una solución común para estar bien resueltos; las dos soluciones deben estar combinadas de manera que forman una sola.

V. HECHOS DE DONDE SALE
LA HISTORIA, IGNORADOS POR LA HISTORIA

Hacia fines de abril todo se había agravado. La fermentación se convertía en ebullición. Desde 1830 había habido, aquí y allá, pequeñas conmociones parciales, prontamente reprimidas, pero que renacían en seguida, señal de una vasta conflagración subyacente. Alguna cosa terrible se estaba formando. Entreveíanse los lineamientos aún poco marcados y mal iluminados de una revolución posible. La Francia miraba a París y París miraba al barrio de San Antonio.

El barrio de San Antonio, sordamente caldeado, entraba en ebullición.

Allí el gobierno era, pura y simplemente, el objeto de la cuestión: discutíase públicamente *la cosa, para combatir o permanecer tranquilos.*

Algunas veces se subía al primer piso, a un cuarto cerrado, y allí pasaban escenas masónicas. Se hacían prestar a los iniciados juramentos *para socorrerle como a los padres de familia.* Esta era la fórmula.

De tiempo en tiempo, algunos hombres vestidos "decentemente y con buenos trajes" venían "causando embarazo", y con aire de "mando" daban apretones de manos a "los más importantes", y se iban. Nunca estaban más de diez minutos. Se cambiaban en voz baja palabras significativas:

—El complot está maduro; la cosa está a punto.

Las reuniones eran algunas veces periódicas, y a ciertas de ellas sólo asistían ocho o diez, siempre los mismos. En otras entraba el que quería, y la sala se llenaba de tal modo, que tenían que estar de pie. Unos asistían por entusiasmo y pasión; otros porque *era su camino para ir al trabajo.* Lo mismo que en la revolución, había en estas tabernas mujeres patriotas que abrazaban a los neófitos.

Las cosas que se premeditaban tomaban poco a poco una extraña notoriedad.

Un día, a la puerta de un licorista del mercado Lenoir, un hombre que tenía la barba corrida y acento italiano, se subió a un guardacantón, y leyó en alta voz un escrito singular, que parecía emanar de un poder oculto.

—"...Nuestras doctrinas son perseguidas; nuestras proclamas se hacen pedazos; nuestros carteleros son acechados y llevados a la cárcel... La baja que acaba de verificarse en los algodones nos ha traído a muchos partidarios del justo medio... El porvenir de los pueblos se elabora en nuestras obscuras filas... Esta es la cuestión clara: acción o reacción, revolución o contra-revolución. Porque en nuestra época no se cree en la inercia ni en la inmovilidad. Por el pueblo o contra el pueblo; esta es la cuestión y no hay otra... El día que no os convengamos ya, rechazadnos, pero hasta entonces ayudadnos a marchar."

Todo esto se hacía en medio del día.

Los agentes de policía entraron de repente a las cinco de la mañana en casa de un tal Pardon, que perteneció después a la sección de la Barricada-Merry, y murió en la insurrección de abril de 1834, y le encontraron de pie cerca de su cama, con cartuchos que estaba haciendo, aún en la mano.

Esta fermentación era pública, y casi podía decirse, tranquila. La insurrección inminente preparaba la tempestad con calma en frente del gobierno. Ninguna singularidad faltaba a esta crisis, aún subterránea, pero ya perceptible.

Por lo demás, la fiebre revolucionaria iba ganando terreno. Ningún punto de París ni de Francia estaba ya libre de ella. La arteria latía en todas partes.

Las sociedades parisienses tenían ramificaciones en las principales ciudades. Lyon, Nantes, Lila, Marsella, tenían su sociedad de los Derechos del Hombre, la Carbonaria y los Hombres libres. Aix tenía una sociedad revolucionaria, que se llamaba la Cougourde. Ya hemos escrito otra vez esta palabra.

En París, el arrabal de San Marcelo no estaba menos conmovido que el de San Antonio, y las Escuelas no se mostraban menos entusiastas que los arrabales.

El ejército estaba minado al mismo tiempo que la población, como lo probaron después los movimientos de Belfort, de Lunneville y de Epinal. Se contaba con los regimientos 52°, 5°, 8°, 37°, y con el 20° ligero. En Borgoña y en las ciudades del Mediodía se plantaba *el árbol de la libertad,* es decir, un mástil con un gorro rojo.

Tal era la situación.

VI. Enjolras y sus tenientes

Hacia esta época, Enjolras, previendo los sucesos posibles, hizo una especie de recuento misterioso.

Todos estaban en conciliábulo en el café Musain; y Enjolras, mezclando con sus palabras algunas metáforas medio enigmáticas, pero significativas, dijo lo siguiente:

"Conviene saber dónde estamos y con quién se puede contar. Si se quieren combatientes, es preciso hacerlos. Tener con qué herir, no puede estorbarnos. Los que andan por un camino tienen más peligro de recibir una cornada cuando hay bueyes en él, que cuando no los hay. Contemos, pues, el rebaño. ¿Cuántos somos? No se trata de dejar esto para mañana. Las revoluciones deben estar siempre de prisa, porque el progreso no tiene tiempo que perder. Desconfiemos de lo inesperado y no nos dejemos coger desprevenidos; se trata de repasar las costuras que hemos hecho, y ver si están firmes; y este negocio debe quedar concluido hoy."

Libro segundo

● EPONINA ●

I. EL CAMPO DE LA ALONDRA

Mario había asistido al inesperado desenlace de la emboscada que había dado a conocer a Javert; pero apenas hubo abandonado éste la casa, llevando sus presos en tres coches de alquiler, salió también. No eran más que las nueve de la noche, y se dirigió a casa de Courfeyrac.

—Vengo a dormir contigo.

Courfeyrac sacó un colchón de los dos que tenía en su cama, le extendió en el suelo, y dijo:

—Ahí tienes.

Al día siguiente, a las siete de la mañana, Mario volvió a la casa, pagó el alquiler y lo que debía a la tía Bougón, hizo cargar en un carretón de mano sus libros, la cama, la mesa, la cómoda y sus dos sillas, y se fue sin dejar las señas de su nueva casa; de tal modo, que cuando Javert volvió por la mañana para preguntar a Mario sobre los sucesos de la víspera, no encontró más que a la tía Bougón, que le respondió: "¡Se ha mudado!"

Javert creyó que el joven, cuyo fiambre había olvidado, había tenido miedo y se había fugado, o no había vuelto quizá aún a su casa en el momento de la emboscada; hizo, sin embargo, algunos esfuerzos para encontrarle, pero no lo consiguió.

Pasó un mes y después otro. Mario seguía en casa de Courfeyrac: había sabido por un pasante de abogado, visitante habitual de la Sala de los Pasos Perdidos, que Thenardier estaba incomunicado, por lo que daba todos los lunes al alcaide de la cárcel de la Fuerza, cinco francos para Thenardier.

Mario, no teniendo ya dinero, pedía los cinco francos a Courfeyrac: era la primera vez en su vida que pedía prestado; estos cinco francos periódicos eran un doble enigma para Courfeyrac que los daba, y para Thenardier que los recibía.

—¿Para quién puede ser? —pensaba Courfeyrac.

—¿De dónde puede venir esto? —se preguntaba Thenardier.

Mario estaba dolorido; todo para él había vuelto a las tinieblas. No veía nada delante de sí; su vida estaba sumergida en un misterio, en que andaba a tientas.

El obrero de cabellos blancos que Mario había encontrado en las cercanías de los Inválidos, se le presentaba a la memoria; ya era probable que este obrero y el señor Blanco fuesen uno mismo. ¿Se disfrazaba, pues?

Este hombre tenía cosas heroicas y cosas equívocas. ¿Por qué no había gritado pidiendo auxilio? ¿Por qué había huido? ¿Era el padre de la joven? ¿Era realmente el hombre que Thenardier había creído conocer? ¿Podía haberse equivocado Thenardier? Estas preguntas eran otros tantos problemas sin solución.

Para colmo de desgracia volvía a visitarle la miseria; sentía ya cerca de sí, por detrás, su soplo helado. Porque durante estos tormentos y desde hacía algún tiempo, había abandonado su trabajo; y nada es más peligroso que la interrupción del trabajo: es una costumbre que se pierde. Costumbre fácil de perder y difícil de volver a adquirir.

Todo el pensamiento de Mario era *ella;* no pensaba en otra cosa; conocía confusamente que su levita vieja se ponía inservible; que su levita nueva se hacía vieja; que sus camisas se gastaban, que se gastaba su sombrero, que se gastaban sus botas, es decir, que se gastaba su vida, y decía: "¡Si pudiese verla solamente antes de morir!"

Por lo demás, sucedíanse los días, y nada nuevo se presentaba; parecíale solamente que el espacio sombrío que debía atravesar se reducía a cada momento, y creía entrever ya distintamente el borde del precipicio sin fondo.

—¡Qué! —se decía—, ¿no volveré a verla?

Sucedió una vez, que los paseos solitarios de Mario le llevaron a este terreno cerca de aquel arroyo. Aquel día hubo una novedad en el boulevard, un transeúnte. Mario, gratamente sorprendido por el atractivo casi salvaje del sitio, preguntó al transeúnte:

—¿Cómo se llama este sitio?

El transeúnte respondió:

—El Campo de la Alondra.

Esto era absurdo, pero irresistible.

Y desde entonces fue todos los días al Campo de la Alondra.

II. Formación embrionaria de los crímenes en la incubación de las cárceles

El triunfo de Javert en la casa de Gorbeau había parecido completo, pero no lo había sido.

En primer lugar, y este era su principal cuidado, Javert no había preso al preso. El asesinado que se evade, es más sospechoso que el asesino; y es probable que este personaje, tan preciosa captura para los bandidos, no hubiera sido menos buena presa para la autoridad.

En cuanto a Mario, "ese pazguato de abogado que había tenido probablemente miedo", cuyo nombre había olvidado Javert, era poco importante. Por otra parte, a un abogado se le encuentra siempre. Pero, ¿era sólo un abogado?

III. Aparición al señor Mabeuf

Mario no visitaba a nadie: solamente algunas veces encontraba al señor Mabeuf. Algunas veces, a la hora en que el señor Mabeuf iba al Jardín Botánico, se encontraban el viejo y el joven en el boulevard del Hospital: no se hablaban; solamente se saludaban con la cabeza tristemente. Cosa dolorosa: hay un momento en que la miseria separa hasta a los amigos. Antes eran dos amigos, ahora eran dos transeúntes.

Mientras tanto trabajaba todo el día en su sembrado de añil, y por la noche volvía a su casa para regar el jardín y leer sus libros. El señor Mabeuf tenía por entonces muy cerca de los ochenta años.

Una noche tuvo una singular aparición.

Había vuelto a su casa muy de día aún. La tía Plutarco, cuya salud se quebrantaba, estaba enferma y acostada.

El señor Mabeuf era de esos para quienes las plantas tienen alma. El viejo había trabajado todo el día en su sembrado de añil y estaba rendido de cansancio; se levantó, sin embargo, dejó los libros en el banco, y se dirigió encorvado y con vacilante paso al pozo; pero cuando cogió la soga no pudo ni aún tirar para desengancharla. Entonces se volvió, y dirigió una mirada angustiosa al cielo, que se iba cubriendo de estrellas.

—¡Estrellas por todas partes! —pensaba el anciano—: ¡ni una pequeñísima nube! ¡ni una lágrima de agua!

En aquel momento oyó una voz que decía:

—Señor Mabeuf, ¿queréis que riegue yo el jardín?

Antes que hubiera podido responder una sílaba el señor Mabeuf que se asustaba fácilmente, aquel ser, cuyos movimientos tenían en la obscuridad una especie de brusco capricho, había desenganchado la soga, sumergido y sacado el cubo y llenado la regadera: el buen hombre veía esta aparición, que tenía los pies desnudos y un zagalejo todo roto; veía, decimos, cómo corría por las platabandas derramando la vida en su derredor. El ruido de la regadera en las hojas encantaba al señor Mabeuf. Le parecía que el rhododendron era ya feliz.

Vaciado el primer cubo, la muchacha sacó otro, y después un tercero: así regó todo el jardín.

—¡Qué lástima que yo sea tan desgraciado y tan pobre, y que no pueda hacer nada por vos!

—Algo podéis —dijo ella.

—¿El qué?

—Decirme dónde vive el señor Mario.

—¡Ah! sí... ya sé lo que queréis decir. ¡Esperad! El señor Mario... el barón Mario Pontmercy ¡pardiez! vive... o por mejor decir, no vive ya... vaya, no lo sé.

—Esperad —continuó—; ahora me acuerdo. Pasa mucho por el boulevard, y va hacia la Glaciére, calle de Croule-Barbe, Campo de la Alondra. Id por allí, y no será difícil que lo encontréis.

Cuando el señor Mabeuf se enderezó ya no había nadie: la joven había desaparecido.

IV. Aparición a Mario

Algunos días después de esta visita de un "espíritu" al señor Mabeuf, una mañana —era lunes, el día en que Mario pedía a Courfeyrac la moneda de cien sueldos para Thenardier— Mario había metido esta moneda en el bolsillo, y antes de llevársela al carcelero, había ido "a pasearse un poco"; esperando tener ganas de trabajar a la vuelta.

Y se iba al campo de la Alondra.

Volvía a su casa, trataba de empezar a trabajar, y no lo conseguía; no podía reanudar ni uno solo de los hilos rotos de su cerebro: entonces decía: "Mañana no salgo, porque así no puedo trabajar." Y salía todos los días

De repente, en medio del éxtasis que le dominaba, oyó una voz conocida que decía:

—¡Calla! ¡Ahí está!

Levantó los ojos y conoció a aquella desgraciada niña que había ido una mañana a su casa, la hija mayor de Thenardier, Eponina, pues ya sabía cómo se llamaba. Estaba empobrecida y hermoseada, dos cosas que parecía no podían ser.

Se había parado delante de Mario con alguna expresión de alegría en su lívido rostro, y una como sonrisa.

Estuvo algunos momentos como si no pudiese hablar.

—¡Ya os encontré! —dijo por fin—. Tenía razón el señor Mabeuf. ¡En este boulevard! ¡Cuánto os he buscado! ¡Oh, cómo os he buscado desde hace seis semanas! ¿Ya no vivís allá?

—No —dijo Mario.

—¡Oh! ya comprendo. A causa de aquello. Son muy desagradables esos lances. Parece que no os alegráis de verme.

Mario callaba; ella guardó silencio por un momento, y después exclamó:

—Y sin embargo, si quisiera, os obligaría a estar contento.

—¡Cómo! —preguntó Mario—: ¿qué queréis decir?

—¡Ah! ¡Antes me llamábais de tú!

—Pues bien; ¿qué quieres decir?

—¡Sé las señas!

—¿Qué señas?

—Las señas... ya sabéis.

—¡Sí! —murmuró Mario.

—¡De la señorita!

Y así que pronunció esta palabra suspiró profundamente.

—¡Oh, bien! ¡Llevadme! ¡Dime! ¡Pídeme todo lo que quieras! ¿Dónde es?

—Venid conmigo —respondió.

—¡Ah! ¡Qué contento estáis ahora!

—¡Júrame una cosa! —dijo cogiendo a Eponina del brazo.

—Dejádme! —dijo ella echándose a reír—; ¡cómo me sacudís! Sí, sí; ¡os lo prometo! ¡os lo juro! ¡qué me importa eso! ¡No diré las señas a mi padre! ¿No es esto?

—Ni a nadie —dijo Mario.

—Ni a nadie.

—Ahora, llévame.

—¿En seguida?

—En seguida.

—Venid. ¡Oh, qué contento está! —dijo la joven.

—A propósito: ¿recordáis que habéis prometido una cosa?

Mario registró el bolsillo. No poseía en el mundo más que los cinco francos destinados a Thenardier, que sacó y puso en la mano de Eponina.

Ella abrió los dedos, dejó caer la moneda al suelo, y dijo mirando a Mario con aire sombrío:

—No quiero vuestro dinero.

Libro tercero

● LA CASA DE LA CALLE PLUMET ●

I. LA CASA DEL SECRETO

Hacia mediados del siglo último, un presidente de sala en el Parlamento de París tenía una querida, y queriendo ocultarla, porque en aquella época los grandes señores manifestaban sus queridas, y los pequeños las ocultaban, hizo construir "una casita" en el arrabal de San Germán, en la calle desierta de Blomet, que hoy se llama Plumet, y no lejos del sitio que se llamaba entonces *La lucha de animales*.

Se componía esta casa de un pabellón de un solo piso; tenía dos salas en el bajo, y dos cuartos en el principal, una cocina en aquél, y un gabinete de tocador en éste, y debajo del tejado un granero, precedido todo de un jardín, con una verja que daba a la calle. El jardín tenía cerca de media fanega de tierra, y era lo único que los transeúntes podían ver, pero por detrás del pabellón había un patio pequeño, y en el fondo una habitación baja, compuesta de dos piezas sobre la cueva, especie de secreto, destinado a ocultar, en caso necesario, a un niño y una nodriza.

Había quedado amueblada con los muebles antiguos, y siempre anunciada en venta o alquiler, y las diez o doce personas que pasaban al año por la calle Plumet, veían este anuncio en un cartel amarillo e ilegible, colgado de la verja del jardín desde 1810.

A fines de la Restauración, estos transeúntes pudieron notar que había desaparecido el escrito, y que estaban abiertos los postigos del primer piso. En efecto, la casa estaba ocupada, las ventanas tenían "cortinillas", señal de que había una mujer.

En el mes de octubre de 1829, un hombre de alguna edad se había presentado, y había alquilado la casa tal como estaba, incluyendo la habitación de atrás y el pasadizo que terminaba en la calle de Babilonia.

Este inquilino tan silencioso era Juan Valjean, y la joven, Cosette. La criada era una solterona, llamada Santos, a quien Juan Valjean había sacado del hospital y de la miseria; era vieja, provinciana y tartamuda, tres cualidades que habían determinado a Juan Valjean a tomarla a su servicio. Había alquilado la casa con el nombre del señor Fauchelevent, rentista. En todo lo que hemos referido anteriormente, el lector habrá tardado menos que Thenardier en conocer a Juan Valjean.

¿Por qué había abandonado Juan Valjean el convento del pequeño Picpus? ¿Qué había sucedido?

Nada había pasado de extraordinario.

El lector recordará que Juan Valjean era feliz en el convento, tan feliz, que su conciencia concluyó por alarmarse.

Se decía que esta niña tenía derecho a conocer el mundo antes de renunciar a él; que privarla de antemano y en cierto modo, sin consultarla, de todos los goces, bajo el pretexto de salvarla de todas las pruebas, aprovecharse de su ignorancia y de su aislamiento para hacer germinar en ella una vocación artificial, sería desnaturalizar una criatura humana, y engañar a Dios.

Resolvióse, pues, a abandonar el convento.

Juan Valjean, después de decidirse, sólo esperó una ocasión, y no tardó ésta en presentarse: el tío Fauchelevent murió.

Juan Valjean pidió audiencia a la reverenda priora, y le dijo que habiendo recibido a la muerte de su hermano una modesta herencia que le permitía vivir sin trabajar, pensaba dejar el servicio del convento y llevarse a su nieta; pero que como no era justo que Cosette, no pronunciando el voto hubiese sido educada gratuitamente, suplicaba humildemente a la reverenda priora le permitiese ofrecer a la comunidad una suma de cinco mil francos, como indemnización de los cinco años que Cosette había pasado en el convento.

Así salió Juan Valjean del convento de la Adoración perpetua.

II. JUAN VALJEAN, GUARDIA NACIONAL

Por lo demás, y hablando en rigor, vivía en la calle Plumet, donde había arreglado su existencia del modo siguiente:

Cosette con la criada ocupaba el pabellón, tenía la alcoba principal con los entrepaños pintados, el gabinete de las molduras doradas, el salón del presidente, adornado de tapicería y de grandes sillones, y el jardín. Juan Valjean había mandado poner en el cuarto de Cosette una cama, con pabellón de damasco antiguo de tres colores, y una hermosa alfombra de Persia, antigua también comprada en la calle de Figuier-Saint-Paul, en casa de la tía Gaucher; y para evitar la severidad de estas magníficas antigüedades, había combinado con esta prendería todos los muebles graciosos y elegantes de las jóvenes, el tocador, la biblioteca, los libros dorados, la papelera, el costurero incrustado de nácar, el neceser sobredorado, y la palangana de porcelana del Japón. Grandes cortinones de damasco, de fondo rojo de tres colores, semejantes a los de la cama, colgaban ante las ventanas del primer piso; en el bajo había colgaduras de tapicería.

—¡La señorita es el ama en casa.

—¿Y vos, señor? —había replicado la tía Santos estupefacta.

—Yo soy mucho más que el amo, soy su padre.

Cosette en el convento había aprendido la ciencia doméstica, y arreglaba los gastos que eran muy modestos. Todos los días, Juan Valjean llevaba a Cosette a pasear del brazo. La llevaba al Luxemburgo, a la alameda más solitaria, y los domingos a misa, siempre a Santiago de Haut-Pas, porque estaba muy lejos.

Ni Juan Valjean, ni Cosette, ni la tía Santos, entraban o salían más que por la puerta de la calle de Babilonia, de modo que, a no verlos por la verja del jardín, era difícil adivinar que vivían en la calle Plumet. Esta verja estaba siempre cerrada, y Juan Valjean había dejado inculto el jardín para que no llamase la atención.

Pero en esto se engañaba.

III. FOLIIS AC FRONDIBUS

Aquel jardín, abandonado completamente hacía más de medio siglo, había llegado a ser extraordinario y hermoso. Los transeúntes se paraban a contemplarlo hace cuarenta años, sin sospechar los secretos que ocultaban sus verdes y frescas espesuras.

Más de un hombre meditabundo ha tratado varias veces de penetrar indiscretamente con los ojos y con el pensamiento al través de los hierros de aquella antigua verja en forma de cadena, torcida, movediza, sostenida por dos pilares verdosos y enmohecidos, y coronada caprichosamente por un frontón de indescifrables arabescos.

Había en un rincón un banco de piedra, y una o dos estatuas cubiertas de moho; algunos encañados deshechos por el tiempo, se pudrían arrimados a las paredes; no había ni calles ni césped; sólo abundaba la grama. Puede decirse que había desaparecido la jardinería, y la había reemplazado la naturaleza. Abundaba la mala hierba, admirable fortuna de un pobre rincón de tierra. Los alelíes crecían libre y espléndidamente, y nada contrariaba el esfuerzo sagrado de las cosas hacia la vida; nada impedía su venerable desarrollo. Los árboles se habían inclinado hasta las zarzas, y las zarzas habían subido hasta los árboles; la planta había trepado, la rama se había encorvado; lo que se arrastra por el suelo buscaba lo que se extiende en el aire; lo que flota en el viento se había inclinado hacia lo que vive entre el musgo; troncos y ramas, hojas y fibras, tallos y zarzas, sarmientos y espinas se habían mezclado, atravesado, enlazado, confundido; la vegetación, en un estrecho y profundo abrazo, había celebrado y realizado, a la vista del Creador satisfecho, y en aquel espacio de trescientos pies cuadrados, el santo misterio de su fraternidad, símbolo de la fraternidad humana. Aquello no era ya un jardín, era una maleza colosal, es decir, una cosa impenetrable como un bosque, poblada como una ciudad, temblorosa como un nido, sombría como una catedral, olorosa como un ramillete, solitaria como una tumba, y viva como la multitud.

IV. Cambio de reja

Había también en aquella soledad un corazón que estaba preparado. El amor no tenía que hacer más que manifestarse; tenía allí un templo compuesto de verdor, de hierba, de musgo, de suspiros, de avecillas, de suaves tinieblas, de ramas agitadas, y un alma de dulzura, de fe, de candor, de esperanza, de aspiración y de ilusión.

Cosette había salido del convento aún casi niña; tenía poco más de catorce años, y estaba "en la edad ingrata": ya hemos dicho que, fuera de los ojos, parecía más bien fea que bonita; no tenía, sin embargo, ninguna facción desgraciada; pero era delgada, sosa, tímida y atrevida a la vez; una niña grande, en fin.

Su educación estaba terminada, es decir, la habían enseñado religión, y sobre todo devoción; la "historia", es decir, lo que se llama así en el convento; la geografía, la gramática, los participios, los reyes de Francia, un poco de música, dibujar una nariz, etcétera, pero por lo demás, ignoraba todo; lo cual es un nuevo y atractivo, mas también un peligro.

Sólo el instinto materno, intuición admirable en que entran los recuerdos de la virgen y la experiencia de la mujer, sabe cómo y de qué modo debe ser esta semiluz. Nada puede reemplazar a este instinto. Para educar el alma de una joven, todas las monjas del mundo no valen lo que una madre.

Cosette no había tenido madre; había tenido muchas madres, en plural.

En cuanto a Juan Valjean, poseía toda la ternura, todos los cuidados posibles; pero no era más que un viejo que nada sabía.

Nada prepara a una joven para las pasiones como el convento: el convento dirige el pensamiento hacia lo desconocido. El corazón replegado sobre sí mismo se socava, no pudiendo dilatarse y se profundiza, no hallando expansión. De aquí provienen las visiones, las suposiciones, las conjeturas, los bosquejos novelescos, el deseo de aventuras, los castillos en el aire, los edificios enteros creados en la obscuridad interior del espíritu, sombrías y secretas moradas, en que las pasiones encuentran pronto dónde alojarse luego que les permite entrar la puerta abierta. El convento es una compresión, que para triunfar del corazón humano necesita durar toda la vida.

Cosette adoraba al buen hombre y siempre iba detrás de él, donde estaba Juan Valjean, allí estaba su felicidad.

Cosette sólo recordaba confusamente su infancia. Rezaba por mañana y noche por su madre, a quien no había conocido. Los Thenardier habían quedado en su memoria como dos figuras repugnantes que se la hubiesen aparecido en sueños; recordaba que había ido "un día por la noche" a buscar agua a un bosque, creía que muy lejos de París; le parecía que había empezado a vivir en un abismo, y que Juan Valjean la había sacado de él.

Mientras Cosette había sido niña, Juan Valjean le había hablado con gusto de su madre; cuando llegó a ser joven, le fue imposible hablarle de ella.

Un día le dijo Cosette:

—Padre, esta noche he visto a mi madre en sueños. Tenía dos grandes alas; mi madre debe haber sido en vida casi una santa.

—Por el martirio —respondió Juan Valjean.

Por lo demás, Juan Valjean era feliz.

V. LA ROSA DESCUBRE QUE ES UNA MÁQUINA DE GUERRA

Un día Cosette se miró, por casualidad, al espejo, y se dijo: ¡calla! pareciéndole que era bonita; lo cual la turbó singularmente. Hasta este momento no había pensado en su figura. Se veía en el espejo, pero no se miraba.

Otra vez yendo por la calle, le pareció oír a uno, a quien no pudo ver, que decía detrás de ella: "Linda muchacha, pero mal vestida. "¡Bah!." —pensó ella—, no lo dice por mí. Yo soy fea, y voy bien vestida." —Llevaba entonces su sombrero de felpilla, y su vestido de merino.

—Señor, ¿no habéis observado qué guapa se va poniendo la señorita?

—Cosette no oyó la respuesta de su padre, y las palabras de la tía Santos le produjeron una conmoción. Dejó el jardín, subió a su cuarto, corrió al espejo, al cual hacía tres meses que no se miraba, y arrojó un grito. Se había deslumbrado.

Era linda y graciosa, no podía menos de ser del parecer de la tía Santos y del espejo.

Juan Valjean, por su parte, experimentaba una profunda e indefinible opresión de corazón.

Era que, en efecto, desde hacía algún tiempo, contemplaba con terror aquella belleza, que se presentaba cada día más brillante en la simpática fisonomía de Cosette; aurora de alegría para todos y lúgubre para él.

Desde el día siguiente a aquel en que Cosette se había dicho: "Decididamente soy guapa", puso cuidado en su tocador. Recordó lo que había dicho el transeúnte: bonita, pero mal vestida: soplo de oráculo que había pasado a su lado, y se había desvanecido después de haber dejado en su corazón uno de los dos gérmenes que llenan siempre toda la vida de la mujer: la coquetería. El otro germen es el amor.

En menos de un mes, la niña Cosette, en aquella Tebaida de la calle de Babilonia, fue una mujer, no sólo de las más bonitas, lo que es algo, sino de las "más elegantes" de París, lo que es mucho más.

Desde aquel momento observó que Cosette, que antes quería siempre quedarse, diciendo: "Padre, me divierto más aquí con vos", quería a la sazón salir siempre. Y en efecto, ¿de qué sirve tener buena cara y un delicioso traje, si no se han de enseñar?

Observó también que Cosette no tenía ya tanta afición al patio interior; ya le gustaba más estar en el jardín, y pasearse por delante de la verja. Juan Valjean, disgustado, no ponía los pies en el jardín: permanecía en su patio como un perro.

En esta época fue cuando Mario, después de pasados seis meses, la volvió a ver en el Luxemburgo.

VI. Empieza la batalla

Se ha abusado tanto de las miradas en las novelas amorosas, que se ha concluido por darles poca importancia; apenas se atreve hoy un novelista a decir que dos seres se han amado porque se han mirado; y sin embargo, así es como se ama, y como únicamente se ama.

A cierta hora en que Cosette dirigió, sin saberlo, aquella mirada que turbó a Mario, éste no sospechó que dirigió otra mirada, que turbó también a Cosette, haciéndole el mismo mal y el mismo bien.

Creyéndose bella, conocía muy bien, aunque de un modo vago, que tenía un arma. Las mujeres juegan con su belleza como los niños con un cuchillo, y se hieren.

Recuérdense las vacilaciones de Mario, sus palpitaciones, sus temores. Se quedaba en su banco y no se aproximaba, lo que enojaba a Cosette. Un día dijo ésta a Juan Valjean: "Padre, paseemos un poco por este lado." Viendo que Mario no iba hacia ella, fue ella hacia él. En semejante caso, toda mujer se parece a Mahoma. Y además, cosa extraña, el primer síntoma del verdadero amor en un joven es la timidez, y en una joven es el atrevimiento. Esto es asombroso, y sin embargo, nada más sencillo. Son los dos sexos que tratan de aproximarse, y toman cada uno las cualidades del otro.

Aquel día la mirada de Cosette volvió loco a Mario, y la mirada de Mario puso temblorosa a Cosette. Mario se fue contento; Cosette, inquieta. Desde aquel día se adoraron.

Todos los días esperaba con impaciencia la hora del paseo, encontraba a Mario, sentía una felicidad indecible, y creía expresar sinceramente todo su pensamiento con decir a Juan Valjean: "¡Qué delicioso jardín es el Luxemburgo!"

Mario y Cosette estaban en la noche uno para otro. No se hablaban, no se saludaban, no se conocían; se veían, y como los astros en el cielo que están separados por millones de leguas, vivían de mirarse.

De este modo iba Cosette haciéndose mujer, y desarrollándose bella y enamorada, con la conciencia de su hermosura y la ignorancia de su amor. Coqueta, sobre todo, por inocencia.

VII. A TRISTEZA, TRISTEZA Y MEDIA

Todas las situaciones tienen su instinto. La vieja y eterna madre naturaleza advertía sordamente a Juan Valjean la presencia de Mario; y Juan Valjean temblaba en lo más obscuro de su pensamiento, no veía nada, no sabía nada, y consideraba, sin embargo, con obstinada atención las tinieblas en que estaba; como si sintiese por un lado una cosa que se construyera, y por otro una cosa que se derrumbase. Mario, avisado también, y lo que es la profunda ley de Dios, por la misma madre naturaleza, hacía todo lo que podía por ocultarse del "padre". Pero alguna vez sucedía que le veía Juan Valjean.

En una palabra, Juan Valjean detestaba cordialmente a aquel joven.

Cosette no dejaba adivinar nada. Sin saber exactamente lo que tenía, conocía que era una cosa que debía ocultar a su padre.

Juan Valjean había empezado contra Mario una guerra sorda, que éste, con la sublime estupidez de su pasión y de su edad, no adivinó. Juan Valjean le tendió una porción de emboscadas; cambió de horas, cambió de banco, olvidó su pañuelo, fue solo al Luxemburgo; Mario cayó de cabeza en todos estos lazos, y a todos estos interrogantes plantados en su camino por Juan Valjean, respondió ingenuamente: Sí.

Juan Valjean no había interrumpido sus paseos al Luxemburgo, porque no quería hacer nada singular, y porque temía sobre todo que

Cosette notase algo; pero en aquellas horas, tan gratas para los dos enamorados mientras que Cosette enviaba su sonrisa a Mario, embriagado de placer, que permanecía completamente abstraído de todo, y no veía nada en el mundo más que aquel rostro adorado, Juan Valjean le miraba con ojos chispeantes y terribles; y él, que había concluido por no creerse capaz de un sentimiento malévolo, tenía momentos, cuando Mario estaba allí en que creía volverse salvaje y feroz, y sentía que se abrían y levantaban contra aquel joven las antiguas profundidades de su alma que habían alimentado en otro tiempo tanta cólera. Le parecía que se volvían a formar en su corazón cráteres desconocidos.

Mario continuó siendo insensato. Un día siguió a Cosette a la calle del Oeste, otro día habló al portero, y el portero habló a Juan Valjean, diciéndole:

—Señor, ¿qué querrá un joven curioso que ha preguntado por vos?

Al día siguiente Juan Valjean dirigió a Mario aquella mirada que al fin notó el joven. Ocho días después Juan Valjean se mudó, prometiéndose no volver a poner los pies ni en el Luxemburgo ni en la calle del Oeste; y se volvió a la calle Plumet.

Cosette por su parte iba decayendo de ánimo. En la ausencia de Mario, padecía, como había gozado en su presencia sin explicárselo. Cuando Juan Valjean dejó de llevarla a sus paseos habituales, un instinto de mujer murmuró confusamente en el fondo de su corazón que no debía manifestar afición al Luxemburgo, y que si este paseo le parecía indiferente, su padre la llevaría a él.

Aquella palidez era muy bastante para alarmar a Juan Valjean. Algunas veces le preguntaba:

—¿Qué tienes?

Y ella respondía:

—No tengo nada.

Y después de un rato de silencio, como ella adivinaba también su tristeza, le decía:

—Y vos, padre, ¿tenéis algo?

—¿Yo? Nada —contestaba.

VIII. LA CADENA

Juan Valjean era el más desgraciado de los dos; porque la juventud, aun en medio de sus pesares, tiene cierta claridad propia.

En ciertos momentos, Juan Valjean padecía tanto que llegaba a ser pueril, pues es propio del dolor hacer aparecer el lado de niño en el hombre. Conocía de un modo inevitable que Cosette se le escapaba de las manos; hubiera querido luchar, retenerla, entusiasmarla con alguna cosa exterior y brillante.

Una mañana, pues, de octubre, atraídos por la perfecta serenidad del otoño de 1831, habían salido, y estaban al amanecer cerca de la barrera del Maine.

De repente exclamó Cosette: "Padre, parece que viene algo por allí." Juan Valjean alzó los ojos. Cosette tenía razón.

Siete carretas marchaban en fila por el camino; las seis primeras tenían una estructura singular; parecían carromatos de toneleros, era una especie de escaleras de mano, puestas sobre dos ruedas, y formando unas varas en su extremidad anterior; cada carromato, o por mejor decir, cada escalera, iba tirada por cuatro caballos, uno tras otro. Sobre estas escaleras iban extraños racimos de hombres. Con la escasa luz que había no se les veía, se les adivinaba. Iban veinticuatro en cada carreta, doce a cada lado, recostados unos en otros, de cara a los transeúntes, y las piernas en el aire; así caminaban aquellos hombres. Tenían a la espalda una cosa que sonaba; era una cadena; al cuello una cosa que brillaba; era una argolla.

De repente salió el sol, brilló el inmenso rayo del Oriente, y hubiérase dicho que prendía fuego en aquellas cabezas horribles. Desatáronse las lenguas, y estalló un incendio de burlas, de juramentos y de canciones. La luz horizontal, extendiéndose a lo ancho, cortó en dos partes toda la fila, iluminando las cabezas y las espaldas, y dejando los pies y las ruedas en la obscuridad.

Entre aquellos hombres no había elección posible, todos se presentaban a la vista como lo más escog.ⁱo del lodo. Era evidente que el ordenador de aquella procesión inmunda no los había clasificado. Aquellos seres habían sido atados y apareados confusamente en desorden alfabético, probablemente, y cargados al acaso en las carretas. Sin embargo, los horrores agrupados concluyen por producir una resultante: toda suma de desgraciados da un total; de cada cadena salía un alma común, y cada carreta tenía su fisonomía.

—¡Padre! ¿Qué es eso que llevan esas carretas?

Juan Valjean respondió:

—Presidiarios.

—¿Y a dónde van?

—Al presidio.

En aquel momento sonaron los varazos multiplicados por cien manos; mezcláronse con ellos los sablazos de plano; parecía aquella una rabia de látigos y varas; los presidiarios se encorvaron; de este suplicio resultó una obediencia repugnante, y todos se callaron, despidiéndose, miradas de lobos encadenados. Cosette temblaba de pies a cabeza.

—Padre —dijo— ¿son hombres esos?

—Algunas veces —respondió el miserable.

Pero afortunadamente la casualidad hizo que al día siguiente de aquella mañana tan trágica, y con motivo de una solemnidad oficial, hubiere fiestas en París, revista en el Campo de Marte, gestas en el Sena, teatros en los Campos Elíseos, fuegos artificiales en la Estrella, e iluminaciones en todas partes. Juan Valjean, violentando su costumbre, llevó a Cosette a estas funciones, a fin de distraerla del recuerdo de la víspera, y de borrar con el alegre tumulto de París aquella cosa abominable que había pasado por ante sus ojos.

Algunos días después, una mañana en que hacía hermoso sol, estaban ambos en la escalerilla del jardín, otra infracción de las reglas que parecía haberse impuesto Juan Valjean, y de la costumbre que Cosette había adquirido de permanecer en su cuarto; estaba la joven en el peinador, de pie, con ese traje negligente de la mañana que envuelve adorablemente a las jóvenes, y que parece una nube sobre un astro; con la cabeza al sol, sonrosada a causa de haber dormido bien, observada con ternura por su padre conmovido, mientras ella deshojaba una margarita, Cosette ignoraba la seductora leyenda: "te amo, un poco, apasionadamente, etcétera." ¿Quién se la habría de haber enseñado? Daba vueltas a aquella flor instintiva e inocentemente, sin sospechar que deshojar una margarita es deshojar un corazón. Si hubiese una cuarta gracia llamada Melancolía, sonriéndose, Cosette se habría parecido a esta gracia.

Juan Valjean estaba fascinado contemplando aquellos deditos en la flor, olvidándolo todo en la radiación que despedían. Un pitirrojo piaba entre las ramas allí cerca; nubes blancas cruzaban el cielo tan alegremente, que parecía que acababan de ser puestas en libertad. Cosette seguía deshojando su flor atentamente; pero en aquel momento seductor volvió de repente la cabeza con la delicada lentitud del cisne, y dijo a Juan Valjean: "Padre, ¿qué es el presidio?"

Libro cuarto

● SOCORROS DE ABAJO QUE NO ● PUEDEN SER SOCORROS DE ARRIBA

I. HERIDA POR FUERA, CURACIÓN POR DENTRO

La vida de ambos se iba obscureciendo por grados.

No les quedaba ya más que una distracción, que otro tiempo había sido su felicidad: llevar pan a los que tenían hambre, vestido a los que tenían frío.

Al día siguiente de esta visita, Juan Valjean se presentó en el pabellón, tranquilo, como siempre, pero con una ancha herida en el brazo izquierdo, muy inflamada, muy materiosa, que parecía una quemadura, y que explicó de cualquier manera. Esta herida le tuvo más de un mes con calentura y sin salir de casa; no quiso ver a ningún médico, y cuando Cosette le instaba, le decía: "Llama al médico de los perros."

Cuando Cosette vio que su padre padecía menos, y que se iba curando, y parecía feliz, sintió una alegría que apenas echó de ver; tan dulce y naturalmente se presentaba.

Era el mes de marzo, crecían los días, desaparecía el invierno, que se lleva siempre consigo alguna parte de nuestra tristeza; vino después abril, esa aurora del estío, fresca como toda aurora, alegre como la infancia, llorosa alguna vez como un niño recién nacido.

La noche fue desapareciendo de su espíritu insensiblemente y sin sospecharlo. En la primavera hay claridad en las almas tristes, así como a mediodía hay claridad en los sótanos. Cosette no estaba ya triste, por más que no pudiese explicarlo.

Valjean, satisfecho, la veía volver sonrosada y fresca.

"¡Oh, bendita herida!" —repetía en su interior.

II. De cómo la tía Plutarco no encontraba dificultades para explicar un fenómeno

Una noche, el niño Gavroche no había comido, y recordó que tampoco había cenado el día anterior, lo que era ya muy pesado. Tomó, pues, la resolución de buscar algún medio de cenar.

En una de sus anteriores excursiones había visto allí un viejo jardín, frecuentado por un anciano y una anciana, y que tenía un regular manzano.

Gavroche se dirigió hacia el jardín; encontró la callejuela, reconoció el manzano, identificó la frutera, y examinó el seto; un seto no es más que un salto. Iba declinando el día; la callejuela estaba desierta; la hora era magnífica. Gavroche saltó y se detuvo de repente. Se oía hablar en el jardín, y Gavroche se puso a mirar por un hueco del seto, por el otro lado, precisamente en el punto en que le hubiese hecho caer el salto que meditaba, había una piedra tendida que servía de banco; en este banco estaba sentado el viejo del jardín y delante, de pie, la vieja.

—¡Señor Mabeuf! —decía la vieja.

—¡Mabeuf! —pensó Gavroche—, me choca ese nombre.

El viejo interpelado no se movía. La vieja repitió:

—¡Señor Mabeuf!

El viejo, sin levantar la vista, respondió:

—¿Qué? tía Plutarco.

—Pero, señor, no se puede vivir así, sin dinero.

—¡Y si no lo tengo!

La anciana se fue, y el anciano se quedó solo, meditando.

El primer resultado de la meditación de Gavroche fue que en vez de escalar el seto, se acurrucó debajo. Las ramas se separaban un poco en la parte baja de la maleza, aparecieron dos sombras. Una iba delante, y la otra a algunos pasos detrás.

—¡Dos personas! —murmuró Gavroche.

La primera sombra parecía de algún viejo encorvado y pensativo, vestido más que sencillamente, que andaba con lentitud a causa de la edad, y que salía a pasear a la luz de las estrellas.

La segunda era recta, firme, pequeña. Arreglaba su paso al de la primera; pero en la lentitud voluntaria de la marcha se descubría la esbeltez y la agilidad.

Esta segunda sombra era conocida de Gavroche: era Montparnase.

Mientras que Gavroche deliberaba, tuvo efecto el ataque brusco y repugnante; ataque como el del tigre contra un asno, de la araña contra la mosca. Montparnase de improviso tiró la rosa, saltó sobre el viejo, le agarró del cuello, le acogotó, y se engarabitó sobre él.

Sólo que no había sucedido lo que Gavroche esperaba. El que estaba en tierra era Montparnase; el que estaba encima era el viejo.

—¡Vaya un viejo fuerte! —pensó Gavroche.

Quedó todo en silencio. Montparnase cesó de forcejear, y Gavroche se dijo: "¡Estará muerto!"

El viejo no había pronunciado una palabra, ni arrojado un grito; se levantó, y Gavroche oyó que decía a Montparnase:

—Levántate.

Montparnase se levantó, sin que el viejo soltase aún, tenía la actitud humillada y furiosa de un lobo robado por un cordero.

—¿Qué edad tienes?

—Diecinueve años.

—Eres fuerte y de buena figura, ¿por qué no trabajas?

—Porque me fastidia.

—¿Qué eres?

—Paseante en corte.

—Habla con formalidad. ¿Puedo hacer algo por ti? ¿Qué quieres ser?

—Ladrón.

—Hijo mío: tú entras por pereza en la existencia más laboriosa. ¡Ah, tú te declaras holgazán!, pues prepárate a trabajar.

¡Ah! ¡ten piedad de ti mismo, niño miserable, joven que mamabas hace diecisiete años y que aún tendrás madre! Te lo suplico: escúchame. Quieres gastar paño fino, zapatos lustrosos, pelo rizado, usar en la cabeza perfumes, agradar a las jóvenes, ser elegante; pues bien, te cortarán el pelo al rape, te pondrás una chaqueta roja y unos zuecos. Quieres llevar sortijas en los dedos, y tendrás una argolla al cuello; y si miras a una mujer, te darán un palo. ¡Entrarás allí a los veinte años, y saldrás a los cincuenta! Entrarás joven, sonrosado, fresco, con ojos brillantes, y dientes blancos, y hermosa cabellera, y saldrás cascado, encorvado, lleno de arrugas, sin dientes, horrible, y con el pelo blanco. ¡Ah pobre niño! te equivocas; la holgazanería te aconseja mal; el trabajo más rudo es el robo. Créeme, no emprendas la penosa profesión del perezoso; no es cómodo ser ratero. Menos malo es ser hombre honrado. Anda, ahora, y piensa en lo que te he dicho. Pero ¿qué querías? Mi bolsa. Aquí la tienes.

Y el viejo, soltando a Montparnase, le puso en la mano su bolsa, que Montparnase tuvo un momento en la mano tomándola a peso; después de lo cual, con la misma precaución maquinal que si la hubiese robado, la dejó caer suavemente en el bolsillo de atrás de su levita.

Hecho esto, el viejo volvió la espalda, y siguió su paseo.

—¡Zopenco! —murmuró Montparnase.

¿Quién era aquel viejo? El lector lo habrá adivinado sin duda.

Mientras que el viejo se apartaba, Gavroche se aproximaba.

Así llegó hasta él sin ser visto ni oído. Metió suavemente la mano en el bolsillo de atrás de la levita de paño fino, cogió la bolsa, retiró la mano, y volviendo a la rastra, hizo en la obscuridad una evolución de culebra.

Gavroche, así que llegó adonde estaba el señor Mabeuf, tiró la bolsa por encima del seto, y huyó a todo correr.

La bolsa cayó a los pies del señor Mabeuf. El ruido le despertó; se inclinó, la cogió, y la abrió sin comprender nada. Era una bolsa con dos divisiones; en la primera había algunos cuartos: en la segunda seis napoleones.

El señor Mabeuf, muy asustado, la llevó a su ama.

"Esto viene del cielo" —dijo la tía Plutarco.

Libro quinto

● CUYO FIN NO SE ●
PARECE AL PRINCIPIO

I. LA SOLEDAD Y EL CUARTEL COMBINADOS

El dolor de Cosette, tan punzante y tan vivo aún, cuatro o cinco meses antes, había entrado en convalecencia.

Un día pensó de repente en Mario: —¡Calla! —dijo—, ya no pienso en él.

Esto sucedía precisamente en el momento en que Mario descendía a la agonía, y se decía: "¡Si pudiese solamente verla antes de morir!"

¿Qué tenía Cosette en el alma? Una pasión calmada o adormecida; amor en el estado flotante, algo que era límpido, brillante, turbio a cierta profundidad; obscuro más abajo. La imagen del garrido oficial se reflejaba en la superficie. ¿Había algún recuerdo en el fondo? Muy en el fondo tal vez; mas Cosette no lo sabía.

Pero sucedió un incidente singular.

II. MIEDOS DE COSETTE

En la primera quincena de abril hizo un viaje Juan Valjean. Esto sucedía, como sabe el lector, algunas veces, a largos intervalos, y estaba ausente uno o dos días a lo más. ¿Adónde iba? Nadie lo sabía, ni Cosette.

Juan Valjean estaba, pues, ausente; al marcharse había dicho: "Volveré dentro de tres días."

Por la noche Cosette estaba sola en la sala.

De repente creyó oír andar por el jardín.

No podía ser su padre, porque estaba ausente, ni la tía Santos, porque estaba acostada. Eran las diez de la noche.

Se dirigió a la ventana de la sala que estaba cerrada y aplicó el oído. No había nadie.

Y no pensó más en esto.

Al día siguiente, más temprano, a la caída de la noche, se estaba paseando por el jardín; y en medio de los confusos pensamientos en que estaba sumergida, creyó oír claramente un ruido semejante al de la víspera.

La luna que acababa de salir a su espalda, proyectó su sombra delante de ella, y sobre la alfombra cuando salió de la maleza.

Cosette se detuvo aterrorizada.

Al lado de su sombra, la luna proyectaba claramente sobre el césped, otra sombra singularmente espantosa y terrible; una sombra que tenía sombrero redondo.

Parecía la de un hombre que estuviese de pie en la orilla del césped, a pocos pasos detrás de Cosette.

Permaneció un minuto sin poder hablar, ni gritar, ni moverse, ni volver la cabeza. Pero al fin, reuniendo todo su valor, se volvió resueltamente.

No había nadie.

Al día siguiente volvió Juan Valjean. Cosette le refirió lo que había creído ver y oír. Esperaba que su padre la tranquilizaría, y que encogiéndose de hombros, le diría: "Eres una loquilla."

Juan Valjean se alarmó.

—Quizá no sea nada —dijo.

La dejó con cualquier pretexto y fue al jardín, y Cosette observó que examinaba la verja con mucha atención.

Por la noche despertó; esta vez estaba segura de oír pasos cerca de la escalinata, por bajo de su ventana, y la abrió. En efecto, en el jardín vio a un hombre con un garrote en la mano. Iba ya a gritar, cuando la luna iluminó el rostro del hombre: era su padre.

Volvió, pues, a acostarse, diciéndose: "¡Qué alarmado está!"

Juan Valjean pasó aquella noche y las dos siguientes en el jardín, y Cosette le observó por el ventanillo.

La tercera noche había luna menguante; y salía más tarde: sería como la una de la mañana, y Cosette oyó una carcajada y la voz de su padre que la llamaba:

—¡Cosette!

Echóse fuera de la cama, se puso una bata y abrió la ventana.

Su padre estaba en el jardín en el césped.

—Te despierto para tranquilizarte —le dijo—. Mira; aquí tienes la sombra del sombrero redondo.

Y le enseñó sobre el césped una sombra que hacía la luna, y que parecía, en efecto, el espectro de un hombre con sombrero redondo.

Cosette se echó a reír también; se borraron todas sus lúgubres suposiciones.

Juan Valjean se tranquilizó completamente.

Pero algunos días después hubo un nuevo incidente.

III. Enriquecido con comentarios de la tía Santos

En el jardín, y cerca de la verja que daba a la calle, había un banco de piedra, defendido de las miradas de los curiosos, por un enrejado de cañas, pero hasta el cual podía llegar el brazo de un transeúnte, al través de la verja y de la enramada.

Una tarde de este mismo mes de abril había salido Juan Valjean, y Cosette, después de puesto el sol, se había sentado en este banco.

Cosette se levantó, dio lentamente una vuelta por el jardín, andando sobre la hierba inundada de rocío, y diciéndose al través del sonambulismo melancólico en que estaba sumergida: "Se deben usar zapatos fuertes para andar por el jardín a esta hora; es fácil constiparse."

Después volvió al banco.

En el momento en que iba a sentarse, observó en el sitio que había ocupado, una gran piedra que no estaba antes.

Contempló aquella piedra, preguntándose qué significaba.

—¿Ha vuelto mi padre?

—Aún no, señorita.

—Santos —dijo Cosette—: ¿tendréis cuidado de cerrar bien por la noche las ventanas que dan al jardín, a lo menos con barras, y poner los candados en los anillos?

—¡Oh! Estad tranquila, señorita.

Toda la noche estuvo viendo una piedra, grande como una montaña, y llena de cavernas.

Cosette, pensó en su sueño con espanto, y se dijo: "¿Qué he estado soñando?"

Se vistió, bajó al jardín, corrió al banco, y sintió un sudor frío. La piedra estaba allí.

—¡Bah! —dijo—; veamos lo que es.

Y levantó la piedra, que era bastante grande. Debajo había un papel que parecía una carta.

Cosette le abrió; ya no tenía miedo, ni curiosidad, sino un principio de impaciencia.

Sacó del sobre lo que contenía, que era un cuadernito de papel.

Cosette buscó un nombre, pero no le había, buscó una firma, tampoco la había. ¿A quién iba dirigido aquéllo?

Véase lo que leyó:

IV. Un corazón bajo una piedra

La reducción del universo a un solo ser, la dilatación de un solo ser hasta Dios; esto es el amor.

El amor es la salutación de los ángeles a los astros.

¡Qué triste está el alma cuando está triste por el amor!

El amor es bastante poderoso para emplear a la naturaleza entera en sus mensajes.

¡Oh primavera, tú eres una carta que yo la escribo!

El porvenir pertenece más al corazón que a la inteligencia. El amor es lo único que puede ocupar y llenar la eternidad. El infinito necesita lo inagotable.

El amor es una parte del alma misma; es de la misma naturaleza que ella es una chispa divina; como ella, es incorruptible, indivisible, imperecedero. Es una partícula de fuego que está en nosotros, que es inmortal e infinita, a la cual nada puede limitar, ni amortiguar. Se la siente arder hasta en la médula de los huesos, y se la ve brillar hasta en el fondo del cielo.

El amor verdadero se desespera y se encanta por un guante perdido, o por un pañuelo encontrado, y necesita la eternidad para su desinterés y para sus esperanzas. Se compone a la vez de lo infinitamente grande, y de lo infinitamente pequeño.

El alma elevada y serena, inaccesible a las pasiones y a las emociones vulgares, que domina las nubes y las sombras de este mundo, las locuras, las mentiras, los odios, la vanidad, la miseria, habita el azul del cielo, y no siente más que las conmociones profundas y subterráneas del destino, como las cimas de las montañas sienten los temblores de tierra.

Si no hubiera quien amase, se apagaría el sol.

V. Cosette después de la carta

Durante esta lectura, Cosette iba cayendo poco a poco en meditación. En el momento en que levantó los ojos de la última línea del cuaderno, el oficial pasó triunfante por delante de la verja. Cosette le encontró horrible.

Aquello había sido escrito con los pies en la tumba y el dedo en el cielo. Aquellas líneas que habían caído una a una sobre el papel, podrían llamarse gotas del alma.

Pero, ¿de quién podrían ser aquellas páginas?

¿Quién las había escrito?

Cosette no dudó ni un minuto. Sólo un hombre.

¡Él! Habíase iluminado su alma, todo había vuelto a aparecer, experimentaba una alegría indecible y una angustia profunda.

¡Era él! ¡El quien le escribía! ¡él que estaba allí! ¡él, que había pasado el brazo al través de la verja! Mientras que ella le olvidaba, él la había encontrado. Pero ¿le había olvidado? ¡No! ¡nunca!

Era cosa hecha: Cosette había caído en el profundo amor seráfico: acababa de abrirse el abismo Edén.

Cosette pasó todo el día sumida en una especie de aturdimiento.

VI. Los viejos han nacido
para salir a propósito

Cuando llegó la noche, salió Juan Valjean, y Cosette se vistió. Se peinó del modo que le sentaba mejor y se puso un vestido, cuyo cuerpo había recibido una tijeretada más, y dejaba ver por esta escotadura el nacimiento del cuello; era, como dicen las jóvenes, "un poco indecente". No era de ninguna manera indecente; pero era más bonito que otro. ¡Se vistió de este modo sin saber por qué!

¿Quería salir? No.

Al anochecer bajó al jardín.

Así llegó al banco. Allí estaba todavía la piedra.

De pronto sintió esa impresión indefinible que se experimenta, aun sin ver, cuando se tiene alguno detrás en pie.

Volvió la cabeza y se levantó. Era él.

Tenía la cabeza descubierta, parecía pálido y flaco; apenas se distinguía su traje negro.

Retrocedió lentamente, porque se sentía atraída.

Entonces oyó su voz, aquella voz que realmente no había oído nunca, que apenas sobresalía del susurro de las hojas, y que murmuraba:

—Perdonadme, estoy aquí. Tengo el corazón lleno; no podía vivir como estaba y he venido. ¿Habéis leído lo que he puesto en ese banco? ¿Me conocéis? No tengáis miedo de mí. ¿Os acordáis de aquel día, hace ya mucho tiempo, en que me mirásteis?

"Desde hace mucho tiempo no os he visto. Por la noche vengo aquí. No temáis, nadie me ve; vengo a mirar vuestras ventanas de cerca."

"¡Si supiéseis! ¡Os adoro! Perdonadme; os hablo, y no sé lo que os digo; os incomodo, tal vez. ¿Os incomodo?"

—¡Oh, madre mía! —dijo Cosette. Se la doblaron las piernas como si se muriese.

Él la cogió; ella se desmayaba; la tomó en sus brazos, la apretó sin tener conciencia de lo que hacía, y la sostuvo temblando. Estaba perdido de amor.

Le cogió una mano y se la puso sobre el corazón. Sintió el papel que tenía allí, y balbuceó: "¿Me amáis, pues?"

Cosette respondió en una voz tan baja, que no era más que un soplo que apenas se oía: "¡Cállate! ¡Ya lo sabes!"

Y ocultó su rostro lleno de rubor en el pecho del joven orgulloso y embriagado.

Un beso; esto fue todo.

Los dos se estremecieron, y se miraron en la sombra con ojos brillantes.

Ella no le preguntaba nada, no pensaba ni aun por dónde había entrado, y cómo había penetrado en el jardín. ¡Le parecía ya tan sencillo que estuviese allí!

Poco a poco se hablaron. La expansión sucedió al silencio, que es la plenitud. Se contaron con una fe cándida en sus ilusiones todo lo que el amor, la juventud y el resto de infancia que tenían les hacía pensar.

Cuando acabaron, cuando se lo dijeron todo, ella reposó su cabeza en el hombro de Mario, y le preguntó:

—¿Cómo os llamáis?

—Yo me llamo Mario. ¿Y vos?

—Yo me llamo Cosette.

Libro sexto

● EL NIÑO GAVROCHE ●

I. TRAVESURAS DEL VIENTO

Desde 1823 mientras que el bodegón del Montfermeil se obscurecía y desaparecía poco a poco, no en el abismo de una bancarrota, sino en la cloaca de las deudas pequeñas, los Thenardier habían tenido otros dos hijos, varones ambos: con éstos eran cinco, dos hembras y tres varones; lo cual era mucho.

La Thenardier se había desembarazado de los dos últimos, cuando eran aún muy pequeños, con una facilidad singular.

Hemos dicho, con razón, desembarazado, porque en aquella mujer no había más que un fragmento de naturaleza; fenómeno de que hay más de un ejemplo.

Expliquemos cómo los Thenardier habían llegado a librarse de sus dos últimos hijos, y aun a sacar provecho de ellos.

Aquella Magnon, de quien hemos hablado en otro lugar, era la misma que había conseguido sacar una pensión al infeliz Gillenormand para los dos hijos que tenía.

La Magnon necesitaba dos hijos; la Thenardier los tenía, y precisamente del mismo sexo, de la misma edad. Esto era un buen arreglo para la una, y una buena colocación para la otra. Los niños de la Thenardier se convirtieron en niños de la Magnon. Ésta se mudó del muelle de los Celestinos a la calle Cloche-Perce.

El estado civil, que no intervenía en nada, no reclamó, y la sustitución se hizo del modo más fácil del mundo. No hay que decir que el señor Gillenormand continuó pagando. Cada seis meses iba a ver a los niños, y no notó el cambio. "Señor —le decía la Magnon—, ¡cómo se parecen a vos!"

Los dos niños, que por decirlo así, cayeron en suerte a la Magnon, no tuvieron de qué quejarse. Recomendados por los ochenta francos, estaban cuidados como todo lo que es explotado; no estaban mal vestidos ni mal alimentados: estaban tratados como unos "señoritos"; estaban, por fin, mucho mejor con su falsa madre, que con su madre verdadera. La Magnon se hacía la señora, y no hablaba en caló delante de ellos.

Así pasaron algunos años. Thenardier auguraba bien. Un día que la Magnon le llevaba sus diez francos mensuales, le dijo: "Será preciso que 'el padre' les dé educación."

Pero de repente, aquellos dos pobres niños, bastante protegidos hasta allí, aún por la mala suerte, fueron lanzados bruscamente a la vida, y se vieron obligados a empezar a recorrerla.

La catástrofe de los Thenardier produjo la catástrofe de la Magnon; la Magnon fue presa, lo mismo que la señorita Miss, y toda la vecindad que era sospechosa, tuvo que pasar por los hilos de la justicia.

Los dos niños estaban jugando en aquel momento en un patio, y no vieron nada de esta catástrofe. Cuando volvieron hallaron la puerta cerrada y la casa vacía. Un zapatero de un portal de enfrente los llamó, y les dio un papel, que su "madre" había dejado para ellos.

Los niños se fueron, llevando el mayor al menor, con el papel que debía guiarlos, en la mano.

Al dar la vuelta de la calle Cloche-Perce, se lo llevó una ráfaga de viento, y como caía la noche, no pudo encontrarle.

Pusiéronse, pues, a vagar por las calles.

II. En que se verá cómo Gavroche pudo sacar partido de Napoleón el Grande

La primavera en París suele verse interrumpida por brisas ásperas y agudas que le dejan a uno, no helado, pero sí aterido de frío.

En la primavera de 1832, época en que apareció la primera gran epidemia de este siglo en Europa, estas brisas fueron más incómodas y punzantes que nunca; era que había una puerta más glacial aún que la del invierno entreabierta: era la puerta del sepulcro. Sentíase en esta brisa el aliento del cólera.

Una tarde en que estas brisas soplaban rudamente, de modo que parecía haber vuelto el mes de enero y los parisienses se habían vuelto a poner los abrigos, Gavroche, temblando alegremente de frío bajo sus harapos, estaba de pie y como en éxtasis delante de una peluquería de los alrededores de la calle del Olmo de San Gervasio; observaba la tienda para ver si podía "afanar" del escaparate una pastilla de jabón, que iría a vender en seguida por un sueldo a un "peluquero" de las afueras. Muchos días almorzaba con una de estas pastillas, y llamaba a este trabajo, para el cual tenía talento, "hacer la barba a los barberos".

El barbero en su tienda, templada por una buena chimenea, afeitaba a un parroquiano, y dirigía de cuando en cuando una mirada oblicua a este enemigo, a este pilluelo helado y descarado que tenía las dos manos en los bolsillos, pero el espíritu evidentemente fuera del cuerpo.

Mientras que Gavroche examinaba la muñeca, el escaparate y el jabón Windsor, dos niños, de estatura desigual, vestidos con limpieza, y menores que él, uno como de siete años, y otro de cinco, hicieron girar tímidamente el picaporte, y entraron en la tienda pidiendo algo, una limosna quizá. El barbero se volvió con rostro airado, y sin abandonar la navaja, empujando al mayor con la mano izquierda, y al menor con la rodilla, los echó a la calle, y cerró la puerta diciendo:

—¡Venir a enfriarnos por nada!

Los dos niños echaron a andar llorando.

Gavrochillo corrió detrás de ellos, los alcanzó y les dijo:

—¿Qué tenéis, chiquillos?

—No sabemos dónde dormir —respondió el mayor.

—¿Y es eso todo? ¡Vaya una gran cosa! ¿Y se llora por eso? ¿Sois unos canarios sin duda?

—Criaturas, venid conmigo.

—Sí, señor —dijo el mayor.

Y los dos niños le siguieron, lo mismo que hubieran seguido a un arzobispo, y cesaron de llorar.

Gavroche les hizo subir por la calle de San Antonio en dirección a la Bastilla.

Mientras tanto seguían subiendo la calle, y descubrió bajo una puertacochera a una pobrecita de trece a catorce años, helada y con un vestidito tan corto que apenas le llegaba a la rodilla.

Y quitándose el pañuelo de lana que tenía al cuello, le echó sobre los hombros delgados y amoratados de la pobre, convirtiéndose en chal el tapaboca.

Y siguió su camino.

Los dos niños le seguían.

—¡Ea! muchachos, ¿habéis comido?

—Señor —respondió el mayor—, no hemos comido nada desde esta mañana.

En esto se había parado, y andaba hacía algunos minutos tentando y registrando todos los rincones que tenía en sus harapos.

Por fin levantó la cabeza con una expresión no satisfecha, pero en realidad triunfante.

—Calmémonos, monigotillos. Ya tenemos con qué cenar los tres.

Y sacó de un bolsillo un sueldo.

Y sin dejar a los dos niños tiempo para alegrarse, los empujó delante de sí hacia la tienda de un panadero, y puso el sueldo en el mostrador, gritando:

—¡Mozo! Cinco céntimos de pan.

El panadero, que era el amo en persona, cogió un pan y un cuchillo.

—¡En tres pedazos, mozo! —gritó Gavroche, añadiendo con dignidad—, porque somos tres. ¡Pan blanco, mozo! Pan jabonado. Yo convido.

El panadero no pudo menos de reírse, y cortando el pan blanco, les miró de una manera compasiva, que chocó a Gavroche.

El panadero, así que cortó el pan, guardó el sueldo.

—Comed.

Y al mismo tiempo dio a cada uno un pedazo de pan.

—Volvamos a la calle —dijo Gavroche.

Y tomaron la dirección de la Bastilla.

—¡Calla! ¿Eres tú, Gavroche? —dijo uno.

—¡Calla! ¿Y tú, Montparnase? —dijo Gavroche.

—¿Qué vas a hacer esta noche?

Montparnase tomó de nuevo el tono grave, y dijo mascando las palabras:

—Negocios.

—¿Pero y tú —dijo Montparnase—, a dónde vas ahora?

Gavroche le señaló sus dos protegidos, y dijo:

—Voy a acostar a esos niños.

—¿A dónde?

—A mi casa.

—¿Y dónde vives?

—En el elefante —dijo Gavroche.

Mientras tanto, Montparnase se había quedado pensativo.

—Me has conocido con facilidad —murmuró.

Sacó del bolsillo dos objetos pequeños que no eran más que dos cañones de pluma rodeados de algodón, y se introdujo uno en cada agujero de la nariz. Esto le transformaba la nariz.

—Eso te desfigura —dijo Gavroche—. Así estás más feo. ¿Por qué no los llevas siempre?

—Escucha lo que te voy a decir, chico: si me encontrase en la plaza con mi dama, mi daga y mi dogo, y me prodigasen, digamos diez sueldos, me dignaría trabajar; pero no todo se puede digerir.

Gavroche dejó escapar un ¡ah, ya entiendo! que reprimió en seguida, y dijo sacudiendo la mano de Montparnase:

—Pues bien, buenas noches; me voy a mi elefante con mis hijuelos. Si por casualidad alguna noche me necesitas, ven a buscarme. Vivo en el entresuelo, no hay portero; preguntarás por el señor Gavroche.

—Está bien —dijo Montparnase.

Y se separaron, dirigiéndose Montparnase hacia la Greve, y Gavroche hacia la Bastilla.

Al llegar cerca del coloso, Gavroche comprendió el efecto que lo infinitamente grande podía producir en lo infinitamente pequeño, y dijo:

—¡Cominos! no tengáis miedo.

Después entró por un hueco de la empalizada en el recinto que ocupaba el elefante, y ayudó a los pequeños a pasar la brecha. Los dos niños, un poco asustados, seguían a Gavroche sin decir palabra, y se entregaban a aquella pequeña providencia haraposa que les había dado pan, y les había prometido un abrigo.

Había en el suelo una escalera de mano, que servía de día a los trabajadores de una carpintería próxima. Gavroche la levantó con singular vigor, y la aplicó contra una de las patas delanteras del elefante.

—Subid y entrad.

Los dos niños se miraron aterrorizados.

—¡Tenéis miedo, mamones! —exclamó Gavroche.

Se agarró al pie rugoso del elefante, y en un abrir y cerrar de ojos, sin dignarse hacer uso de la escalera llegó a la grieta; entró por ella como una culebra que se desliza por una hendidura, desapareció, y un momento después, los dos niños vieron aparecer vagamente una forma blanquecina y pálida; era su cabeza que asomaba por el borde del agujero lleno de tinieblas.

—¡Eh! —gritó—, subid ahora; cominejos. ¡Ya veréis qué bien se está aquí!

—Sube —añadió dirigiéndose al mayor—; te daré la mano.

—Ahora —dijo Gavroche—, espérame.

Y saliendo del agujero como había entrado. Después empezó a subir detrás de él, gritando al mayor:

—Yo le empujo; cógelo tú.

En un instante el niño fue subido empujado, arrastrado, metido por el agujero sin que tuviese tiempo de ver nada: Gavroche, que entró detrás de él, dio una patada a la escalera, que cayó sobre la hierba, dio una palmada, y gritó:

—Ya estamos aquí. ¡Viva el general Lafayette!

Pasada esta explosión, exclamó:

—¡Párvulos! estáis en mi casa.

El agujero por donde Gavroche había entrado era una brecha apenas visible por fuera, porque estaba oculta, como hemos dicho, bajo el vientre del elefante; y era tan estrecha, que sólo los gatos o aquellos niños podrían pasar por ella.

—Principiemos —dijo Gavroche—, por decir al portero que no estamos en casa.

Y penetrando en la obscuridad con la seguridad del que conoce su casa, tomó una tabla y tapó el agujero.

El menor de los niños se arrimó a su hermano, y dijo a media voz:

—¡Qué obscuro!

Los dos niños empezaron a mirar aquella habitación con menos espanto; pero Gavroche no les dejó tiempo para contemplarla.

—Listos —dijo.

Y les empujó hacia lo que podemos llamar el fondo del cuarto.

Allí estaba su cama.

La cama de Gavroche estaba completa. Es decir, tenía un colchón, una manta y una alcoba con cortinas.

—Chiquillos, a cuatro pies —dijo.

E hizo entrar con precaución a sus huéspedes en la alcoba, entró después que ellos, arrastrándose, volvió a colocar las piedras, y cerró herméticamente la abertura.

Los tres se echaron sobre la estera.

Y mientras hablaba arropaba con una punta de la manta al más pequeño, que murmuraba:

—¡Oh, qué bueno es esto! ¡Qué caliente!

Gavroche dirigió una mirada de satisfacción a la manta.

—Señor —le dijo tímidamente el mayor—, ¿no tenéis miedo a los agentes de policía?

Gavroche se limitó a contestar:

—¡Parvulillos! No se dice los agentes de policía, sino los ganchos.

—¡Eh! ¡Se está muy bien aquí!

—¡Ah! sí —respondió el mayor.

No debéis incomodaros por nada. Yo tendré cuidado de vosotros. Ya veréis cómo os divertís.

La lluvia redoblaba; oíase al través del redoble del trueno el turbión que azotaba el lomo del coloso.

—Aquí metido, que llueva —dijo Gavroche—. Me divierte ver correr el agua por las patas de la casa. El invierno es un animal; pierde sus mercancías: pierde su trabajo, porque no puede mojarnos, y esto hace gruñir a ese viejo aguador.

Dicho esto, arregló el enrejado, empujó suavemente a los dos niños hacia la cabecera de la cama, apretó sus rodillas para que se estiraran bien.

—¡Envolvéos bien en la manta! Voy a apagar. ¿Estáis ya? —dijo.

—Sí —murmuró el mayor—, estoy bien. Tengo la cabeza como sobre pluma.

Y apagó la luz.

Apenas quedó a obscuras, un temblor singular empezó a conmover el enrejado que cubría a los tres niños.

—¡Señor!

—¡Eh! —dijo Gavroche, que acababa de cerrar los párpados.

—¿Qué es eso?

—Las ratas —respondió Gavroche.

Y volvió a echar la cabeza en la estera.

El niño no podía dormir.

—¡No tengas miedo! No pueden entrar. Además, estoy yo aquí. Toma, coge mi mano. Cállate y duerme —dijo.

Hacia el fin de la hora que precede inmediatamente al alba, salió un hombre corriendo de la calle de San Antonio, atravesó la plaza, dio la vuelta a la cerca de la columna de Julio, y se deslizó por la empalizada hasta colocarse bajo el vientre del elefante.

Cuando llegó bajo el elefante, dio un grito extraño que no pertenece a ninguna lengua humana, y que sólo podría reproducir un papagayo. Repitió dos veces este grito, que sólo podemos representar ortográficamente así:

—¡Quiquiriquieu!

Al segundo grito, una voz clara, alegre y joven respondió desde el vientre del elefante:

—¡Sí!

El hombre y el niño se reconocieron silenciosamente en la obscuridad. Montparnase se limitó a decir:

—Te necesitamos. Ven a dar un golpe de mano.

El pilluelo no se informó más.

—Aquí me tienes —dijo.

Y ambos se dirigieron hacia la calle de San Antonio.

III. LAS PERIPECIAS DE LA EVASIÓN

Veamos ahora lo que había pasado aquella misma noche en la Fuerza.

Habíase concertado una evasión entre Babet, Brujón, Tragamar y Thenardier, aunque Thenardier estaba incomunicado. Babet había dirigido el negocio; como se ha visto por las palabras de Montparnase a Gavroche, Montparnase debía ayudarles desde fuera.

Lo que en aquel momento hacía más favorable una tentativa de evasión, era que los plomeros repasaban y componían parte del empizarrado de la cárcel. El patio de San Bernardo no estaba enteramente aislado del patio de Carlomagno y del patio de San Luis. Había por la parte más alta andamios y escalas, o en otros términos, puentes y escaleras del lado de la libertad.

En aquella misma noche, pues, en que Gavroche había recogido a los dos niños perdidos, Brujón y Tragamar, que sabían que Babet, escapado por la mañana, les esperaba en la calle con Montparnase, se levantaron silenciosamente, y empezaron a agujerear con el clavo encontrado por Brujón el tubo de chimenea que estaba tocando a su cama. Los yesones que se desprendían caían sobre la cama, de modo que no producían ruido alguno.

El turbión y el trueno conmovían las puertas sobre sus goznes, y producían en la cárcel un estrépito horrible y útil.

Brujón era diestro, y Tragamar vigoroso; así es, que antes que el menor ruido llegase al vigilante acostado en la celda enrejada que daba al dormitorio, estaban ya, atravesada la pared, escalada la chimenea, forzada la reja que cerraba el orificio superior del cañón, y en el tejado los temibles bandidos.

No hacía más que tres cuartos de hora que se habían puesto de pie sobre sus camas, en las tinieblas, con el clavo en la mano y el proyecto en la mente.

Algunos momentos después se unieron a Babet y a Montparnase que vagaban por los alrededores.

Thenardier estaba prevenido aquella noche, sin que se pudiese saber de qué manera había recibido aviso, y no dormía.

Thenardier había conseguido que le permitieran conservar una escarpia de hierro que usaba para clavar el pan en una hendedura de la pared, con objeto, decía, de "preservarle de los ratones". Como estaba vigilado, no se había encontrado ningún inconveniente en dejarle esta escarpia. Sin embargo, luego se recordó que el carcelero había dicho: "Más valdría dejarle una escarpia de madera."

A las dos de la mañana fueron a relevar al centinela, que era un soldado viejo, y fue reemplazado por un quinto. Algunos momentos después, el carcelero con sus perros hizo su visita, y se retiró sin notar nada excepto la mucha juventud y el "aire de paisano" del "pistolo". Dos horas después, a las cuatro, cuando iban a relevar el quinto, le encontraron dormido, y tirado en el suelo como un madero cerca del calabozo. En cuanto a Thenardier ya no estaba allí.

Thenardier, iluminado por esa terrible sed de libertad, que transforma los precipicios en fosos, las rejas de hierro en enrejados de mimbres, la debilidad en fuerza, un gotoso en un gamo, la estupidez en instinto, el instinto en inteligencia, y la inteligencia en genio; Thenardier, decimos, ¿había inventado e improvisado un tercer medio? Nunca se ha sabido.

Sea como fuere, Thenardier, goteando sudor, mojado por la lluvia, rotos los vestidos, destrozadas las manos, sangrientos los codos, desolladas las rodillas, había llegado a lo que los niños en su lenguaje figurado llaman *el corte* de la pared ruinosa, y allí, faltándole la fuerza, se había echado a lo largo. La altura vertical de un tercer piso le separaba del empedrado de la calle.

La cuerda que tenía era muy corta.

Se preguntaba si sus tres cómplices de evasión habrían salido bien, si le habrían esperado, y si vendrían en su auxilio. Escuchaba; excepto una patrulla, nadie había pasado por la calle desde que estaba allí.

—Muerto, si caigo; preso, si me quedo.

En esta angustia, vio de pronto en la calle que estaba aún obscura, a un hombre que se deslizaba a lo largo de la pared, y que venía del lado de la calle Pavée, detenerse en la rinconada, encima de la cual estaba Thenardier como suspendido. A aquel hombre se unió otro que marchaba con la misma precaución, después llegó un tercero, y después un cuarto.

Entonces vio pasar por delante de sus ojos una cosa semejante a la esperanza: aquellos hombres hablaban en caló.

El primero decía en voz baja, pero muy claramente:

—Najémonos. ¿Qué querelamos icigo*?

El segundo respondió:

—Bisela hasta apagar el benguistano; los ganchos avillarán, y allí hay un jundo aplacerado a la coba, diquela nae esgabarren mangue *icicaille*.**

Estas dos palabras *icigo* e *icicaille*, que pertenecen la primera al caló de las barreras, y la segunda al caló del Temple, fueron dos rayos de luz para Thenardier.

Mientras tanto el tercero tomaba parte en la conversación.

—Nada nos apremia, esperemos un poco. ¿Quién nos dice que no necesita de nosotros?

—¿Qué sinas garlando? O julai n'asti najarse. Na chanela mistós de chanelaría. Quebrar a talarosa, y riquelar as sabanas somia querelar yeque guindala, querelar chirroes andré as bundales, querelar papeles calabeosos, maestras, quebrar ciseles, luanar a guindala d'abri; sonajarse; vandearse; somia ocono ha a sinelar baró ahoré. O batu no terelará astis querelarlo. Na chanela traginar.***

Babet añadió, hablando siempre en el caló clásico.

—O julai amangue sina trincao. ¡Ha a sinelar baró choré! y sina o yeque chavelo. Sinara jonjobado por yeque chinel, pur na por yeque chaviro vadeado de baro batu. Montparnase, ¿junelas ocolas gritadas? ¿Diquelas acolas urdiflelas andré o estaripel? Ocono sida sos tirela

---

* Vámonos. ¿Qué hacemos aquí?

** Llueve hasta apagar el infierno; los polizontes vendrán, y allí hay un soldado de centinela; mira no nos prendan aquí.

*** ¿Qué estás hablando? El posadero no ha podido escaparse. No sabe bien el arte. Romper la ropa, y rasgar las sábanas para hacer una cuerda, hacer agujeros en las puertas, hacer falsos papeles y llaves falsas, romper los grillos, atar la cuerda por fuera, ocultarse, disfrazarse: para esto hay que ser muy largo. El viejo no habrá podido hacerlo. No sabe trabajar.

esgabarrao. ¡Bah! Sinara apenao a tullosa. Menda na terela dal; na sio mandrial; acana chanetames lo sos sina: na astimos pirrel por o julai, y sinaremos esgabarraos. Na niquelas, andivela sat mangue a piyar de peñascaró.*

—No se debe dejar a los amigos en el peligro —murmuró Montparnase.

—Penelo sos sino trincan. A ocana o julai n'acombra yeque pasmanró. Na sina astio querelar chi. Nagémonos. Penchabelo sos sinao esgabarrao por yeque chinel.**

Montparnase sólo hacía resistencia débilmente.

Thenardier estaba anhelante sobre la tapia como los náufragos de la *Medusa* en la balsa, viendo pasar el buque, y desaparecer en el horizonte.

Sacó del bolsillo el cabo de la cuerda que Brujón había dejado en la chimenea del Edificio nuevo, y le tiró a la cerca de la empalizada.

La cuerda cayó a los pies de los ladrones.

—¡Una viuda! —dijo Babet.***

—Mi guindala —gritó Brujón.****

—Ahí está el posadero —dijo Montparnase.

Levantaron la vista. Thenardier sacó un poco la cabeza.

—¡Pronto! —dijo Montparnase— ¿tienes el otro pedazo de cuerda, Brujón?

—Sí.

—Ata los dos cabos, le echaremos la cuerda; la sujetará a la pared, y tendrá la suficiente para bajar.

Thenardier se arriesgó a hablar.

—¡No podré!

—Es preciso que uno de nosotros suba —dijo Montparnase.

—Por ahí podría subirse —dijo Montparnase.

---

* Tu posadero está cogido. ¡Es preciso ser muy largo! y él es un aprendiz. Le habrá engañado algún alguacil, o tal vez un borrego que se habrá hecho su compadre. Montparnase, ¿oyes esos gritos? ¿esas luces en la cárcel? Eso es que está ya preso. ¡Bah! Será condenado a cadena. Yo no tengo miedo; no soy cobarde; ya sabemos lo que es; no podemos hacer nada por él, y seremos cogidos. No te incomodes; anda, ven con nosotros a beber aguardiente.
** Os digo que está cogido. A estas horas el posadero no vale un ochavo. No podemos hacer nada. Vámonos. Me figuro que me estáis cogiendo los corchetes.
*** Una cuerda.
**** Mi cuerda.

—Sólo un chaval —repitió Brujón.

—¿Y dónde encontrarle? —preguntó Tragamar.

—Esperad —dijo Montparnase—. Yo le tengo.

Pasaron siete u ocho minutos, que fueron ocho mil siglos para Thenardier.

La lluvia tenía todavía la calle desierta.

Gavroche entró en el recinto, y miró aquellas figuras de bandidos con aire tranquilo. El agua le chorreaba por los cabellos. Tragamar le dirigió la palabra:

—Chaval, ¿sinas manú? *

—¿Qué queréis que haga? —dijo Gavroche.

Montparnase respondió:

—Subir por ese conducto.

—Con esta viuda —dijo Babet.

—Nada más —dijo Tragamar.

—Allá arriba hay un hombre, a quien salvarás.

—¿Quieres? —preguntó Brujón.

El pilluelo se dirigió al tubo, en el cual era fácil penetrar por una ancha abertura que tenía cerca del tejado.

—¡Calla! —dijo—. ¡Es mi padre! ¡Aah, no importa!

Y cogiendo la cuerda con los dientes, principió resueltamente la subida.

Llegó a lo alto del paredón, se montó en él como en un caballo, y ató sólidamente la cuerda a la viga superior de la ventana.

Un momento después, Thenardier estaba en la calle.

---

* Chiquillo, ¿eres hombre?

Libro séptimo

● EL CALÓ ●

I. ORIGEN

Pigritia es una palabra terrible.

Engendra un mundo: el *piger*, o sea el robo, y un infierno, el *pigror*, o sea el hambre.

Es decir, que la pereza es una madre.

Tiene un hijo, el robo; y una hija, el hambre.

¿En dónde estamos en este momento? En el caló.

¿Y qué es el caló? Es todo a la vez, nación e idioma, es el robo bajo dos especies: pueblo y lengua.

Cuando hace treinta y cuatro años el narrador de esta grave y sombría historia introducía en un libro escrito con el mismo objeto que éste, un ladrón hablando caló, se suscitó un asombro y un clamor. "¿Qué? ¡Cómo! ¡El caló! ¡El caló es horrible! Es la lengua de la chusma, del presidio, de las cárceles, de todo lo más abominable de la sociedad", etcétera.

Nunca hemos comprendido este género de objeciones.

Después, dos grandes novelistas, de los cuales uno es un profundo observador del corazón humano, y el otro un intrépido amigo del pueblo, Balzac y Eugenio Sue, han hecho hablar a los bandidos en su lengua natural, como lo había hecho en 1828 el autor del *Ultimo día de un reo de muerte*, y se han suscitado las mismas reclamaciones. Se ha repetido:"¿Qué quieren los escritores con esa repugnante jerga? ¡El caló es horrible! ¡El caló hace estremecer!"

¿Quién lo niega? Sin duda.

Pero, ¿desde cuándo el horror excluye al estudio? ¿Desde cuándo la enfermedad rechaza al médico? ¿Qué se diría de un naturalista que se negase a estudiar la víbora, el murciélago, el escorpión, el cienpies, la tarántula, y que los rechazase a las tinieblas, diciendo: ¡Oh, qué fealdad! El pensador que se alejase del caló se parecería a un cirujano que se apartase de una úlcera o de una verruga; sería un filólogo dudando examinar un hecho de la lengua; un filósofo dudando analizar un hecho de la humanidad. Porque, y es preciso decirlo a los que lo ignoran, el caló es al mismo tiempo un fenómeno literario y un resultado social. ¿Qué es el caló propiamente dicho? El caló es la lengua de la miseria.

El álgebra, la medicina, la botánica tienen su caló. El lenguaje que se emplea a bordo, ese admirable lenguaje de la mar, tan completo y tan pintoresco, que se mezcla con el silbido de las cuerdas, con el ruido de la bocina, con el choque de abordaje, con el vaivén, con el viento, con la ráfaga, con el cañón, es un caló heroico y brillante, que es al terrible caló de la miseria, lo que el león al chacal.

Sin duda. Pero, dígase lo que se quiera, este modo de comprender al caló tiene una extensión que no admitirá todo el mundo. En cuanto a nosotros, conservamos a esta palabra su antigua acepción precisa, circunscrita y determinada, y limitamos el caló al caló. El caló verdadero, el caló por excelencia, si es que estas dos palabras pueden reunirse, el caló inmemorial, no es, lo repetimos, más que la lengua fea, inquieta, socarrona, traidora, venenosa, cruel, tortuosa, vil, profunda, fatal, de la miseria.

Hay en el extremo del envilecimiento y del infortunio una última miseria que se rebela, y que se decide a entrar en lucha contra el conjunto de los hechos felices y de los derechos reinantes; lucha horrible, que ora astuta, ora violenta, feroz y malsana a la vez, ataca el orden social a alfilerazos por medio del vicio, y a estocadas por medio del crimen. Para las necesidades de esta lucha la miseria ha inventado una lengua de combate, que es el caló.

El hombre no es un círculo de un solo centro, es una elipse de dos focos: uno, le constituyen los hechos; otro, las ideas.

El caló no es más que un disfraz con que se cubre la lengua cuando va a hacer algo malo. Se reviste de palabras con máscara, y de metáforas con harapos.

Este lenguaje es lo ininteligible en lo tenebroso; rechina y cuchichea, y completa el crepúsculo con el enigma. La noche mora en la desgracia, pero es aún más tenebrosa en el crimen. Estas dos negras sombras amalgamadas componen el caló. Obscuridad en la atmósfera, obscuridad en las acciones, obscuridad en las palabras. Espantosa lengua reptil, que va, viene, salta, se arrastra, babea y se mueve monstruosamente en esa inmensa bruma obscura, compuesta de lluvia, de noche, de hambre, de vicio, de mentira, de injusticia, de desnudez, de asfixia y de invierno; mediodía de los miserables.

II. Raíces

El caló es la lengua de los tenebrosos.

El pensamiento se conmueve en sus más sombrías profundidades; la filosofía social se sumerge en las meditaciones más dolorosas en presencia de este enigmático dialecto, a un mismo tiempo humillado y rebelde.

Allí es donde se encuentra el castigo visible. Cada sílaba tiene una significación marcada.

Las palabras de la lengua vulgar se presentan en el caló como contraídas y retorcidas por el hierro enrojecido del verdugo, y algunas parece que están humeando aún. Tal frase produce el mismo efecto que la marca de la flor de lis de un ladrón, a quien se desnuda de repente. La idea se opone siempre a dejarse expresar por esos sustantivos perseguidos por la justicia.

Bajo el punto de vista puramente literario, pocos estudios serán más curiosos y más fecundos que el del caló. Es una lengua dentro de la lengua común; una especie de excrescencia enfermiza; un injerto malsano que ha producido una vegetación; planta parásita que tiene sus raíces en el viejo tronco galo, y cuyo siniestro follaje se arrastra por un lado de la lengua. Esto es lo que podría llamarse el primer aspecto, el aspecto vulgar del caló. Mas para los que estudian la lengua como deben estudiarla, es decir, como los geólogos estudian la tierra, el caló se presenta como un verdadero aluvión.

En primer lugar, hay que notar la creación directa de las palabras, que constituye el misterio de las lenguas. Pintar con palabras que tienen figura, aunque no se sepa cómo ni por qué, es el fondo primitivo de toda lengua humana; es lo que podría llamarse el granito de su construcción. El caló abunda en palabras de este género, palabras inmediatas, hechas de una pieza, no se sabe cómo ni por qué, sin etimología, sin analogía, sin derivados; palabras solitarias, bárbaras, repugnantes algunas veces, que tienen una singular fuerza de expresión y que viven. El verdugo, el *taule*;

el bosque, el *sabrí*; el miedo, la fuga, *taf*; el lacayo, el *carbin*; el general, el prefecto, el ministro, *pharos*; el diablo, el *rabouin*.

En segundo lugar, viene la metáfora; porque lo más propio de una lengua que quiere decirlo todo y ocultarlo todo, es la abundancia de figuras. La metáfora es un enigma en que se refugian el ladrón que medita un golpe y el preso que combina una evasión. No hay ningún idioma más metafórico que el caló.

El caló, siendo el lenguaje de la corrupción, se corrompe muy pronto: además, como trata siempre de ocultarse, así que se ve comprendido se transforma. Al contrario de lo que sucede en toda vegetación, en el caló, el rayo de luz mata lo que toca. Así, el caló va descomponiéndose y recomponiéndose sin cesar; trabajo rápido y obscuro que no se detiene nunca. El caló camina más en diez años, que la lengua en diez siglos.

Sin embargo, de tiempo en tiempo, y a causa de este mismo movimiento, reaparece el antiguo caló y se hace nuevo.

¿Se quiere saber de dónde han salido la mayor parte de las canciones del presidio, esos refranes, llamados en el vocabulario especial las *lirlonfas*? Pues oíd:

Había en el Chatelet de París un subterráneo muy grande, que estaba ocho pies más bajo que el nivel del Sena. No tenía ni ventanas, ni respiraderos; la única abertura era la puerta. Los hombres podían entrar allí, el aire no. Esta cueva tenía por techo una bóveda de piedra, y por suelo diez pulgadas de fango. Había sido enlosada; pero el enlosado se había podrido y abierto con el agua rezumada. A ocho pies por encima del suelo, una larga y gruesa viga atravesaba el subterráneo de parte, a parte, y de esta viga caían, de distancia en distancia, cadenas de tres pies de longitud, en cuyo extremo había una argolla. En aquella cueva se encerraba a los condenados a galeras, hasta que salían para Tolón.

Se les llevaba hasta ponerlos debajo de la viga, donde a cada uno esperaba una cadena oscilando en las tinieblas. Las cadenas, es decir, los brazos colgando, y las argollas, es decir, las manos abiertas, cogían a aquellos miserables por el cuello. Se remachaba el hierro, y se les dejaba allí. La cadena era demasiado corta, y no podían echarse; permanecían inmóviles en la cueva, en aquella obscuridad, bajo aquella viga, casi colgados, haciendo esfuerzos inauditos para alcanzar el pan o el cántaro, con la bóveda sobre la cabeza y el lodo hasta media pierna, corriendo sus excrementos por sus muslos, rendidos de fatiga, doblándose por las caderas y por las rodillas, agarrándose con las manos a la cadena para descansar, sin poder dormir más que de pie, despertándose a cada instante porque les ahogaba la argolla: algunos no volvían a despertar. Para comer, subían con el talón a lo largo de la pierna hasta la mano el pan que se les arrojaba en el lodo. ¿Y cuánto tiempo estaban así? Un mes, dos meses, seis meses; uno estuvo un año. Aquello era la antecámara de las galeras; y se entraba allí por haber robado una liebre al rey. ¿Y qué hacían en aquel sepulcro-infierno? Lo que se puede hacer en un sepulcro: agonizaban; y lo que se puede hacer en un infierno: cantaban; porque cuando ya no queda esperanza, queda aún el canto.

III. Caló que llora y caló que ríe

Como hemos dicho, el caló completo, el caló de hace cuatrocientos años, como el caló de hoy, está penetrado de ese tenebroso espíritu simbólico, que da a todas las palabras, ya un aspecto dolorido, ya un aire amenazador. Se descubre en ellas la antigua y terrible tristeza de los truhanes de la Corte de los Milagros, que jugaban a las cartas con naipes especiales, de los cuales se han conservado algunos. El ocho de bastos, por ejemplo, representaba un gran árbol con ocho grandes hojas de trébol, especie de personificación fantástica del bosque. Al pie del árbol se veía una hoguera, en que tres liebres asaban a un cazador en el asador, y detrás, en otra hoguera, una marmita humeante, de donde salía la cabeza de un perro.

Nada más lúgubre que estas represalias en pintura, y en una baraja, en presencia de las hogueras que quemaban a los contrabandistas, y de la caldera en que se cocían los monederos falsos. Las diversas formas que tomaban el pensamiento en el reino del caló, hasta la canción, hasta la burla, hasta la amenaza, tenían este carácter impotente y humillado.

Todas las canciones, cuya música se ha conservado alguna vez, eran humildes y lastimeras.

Hacia mediados del último siglo se verificó un cambio. Las canciones de la cárcel, los ritornelos de los ladrones tomaron, por decirlo así, un gesto insolente y jovial.

Una especie de ligera luz sale de estos miserables como si la conciencia no les pesase nada. Esas lastimeras tribus de la sombra no tienen ya solamente la audacia desesperada de las acciones, sino también la osadía negligente del ingenio.

Detengámonos aquí un momento. ¿A quién acusamos? ¿Al siglo XVIII? ¿A su filosofía? No, ciertamente. La obra del siglo XVIII es sana y buena. Los enciclopedistas, con Diderot a la cabeza; los fisiócratas, con Turgot a la cabeza; los filósofos, con Voltaire a la cabeza; los utopistas, con Rousseau a la cabeza, son las cuatro legiones sagradas, a las cuales se debe el inmenso paso dado por la humanidad hacia la luz. Son las cuatro vanguardias del género humano, dirigiéndose a los cuatro puntos cardinales del progreso. Diderot a lo bello, Turgot a lo útil, Voltaire hacia lo verdadero, Rousseau hacia lo justo.

Pero al lado y por bajo de los filósofos estaban los sofistas, vegetación venenosa mezclada con el progreso saludable, cicuta en un bosque virgen. Mientras que el verdugo quemaba en el atrio del palacio de Justicia los grandes libros libertadores del siglo, escritores, hoy olvidados, publicaban, con privilegio del rey, ciertos escritos extrañamente desorganizadores, ávidamente leídos por los miserables.

El saneamiento revolucionario es tal, que en un día de libertad en un 14 de julio, en un 10 de agosto, no hay populacho. El primer grito de la multitud iluminada y engrandecida es: ¡pena de muerte al ladrón! El progreso es honrado; lo ideal y lo absoluto no encubren nada. ¿Quién escoltó en 1848 los furgones que llevaban las riquezas de las Tullerías? Los traperos del arrabal de San Antonio. El harapo hizo la guardia ante el tesoro; la virtud hizo resplandecientes a estos haraposos. En aquellos furgones estaba, en cajas apenas cerradas o entreabiertas, entre cien estuches brillantes, la antigua corona de Francia, toda de diamantes, terminada por el carbunclo de la monarquía, es decir, por el regente, que vale treinta millones de francos. Con los pies descalzos guardaban aquella corona.

Acabóse, pues, la *jacquería*. Lo siento por los hábiles. Con ella se ve el temor que ha causado su último efecto, y que no podrá ya ser empleado en política; se ha roto el resorte del espectro rojo: todo el mundo lo sabe; el espantajo no espanta ya; los pájaros se toman familiaridades con el maniquí; los gorriones se posan en él, los ciudadanos se ríen de él.

IV. Los dos deberes: velar y esperar

Siendo esto así, ¿se ha disipado todo peligro social? No. No hay *jasquería*; la sociedad puede estar tranquila por este lado; no se le subirá ya la sangre a la cabeza, pero medite en el modo con que respira. La apoplejía no es de temer, pero sí la tisis. La tisis social se llama miseria.

Lo mismo se muere minado que aplastado.

No nos cansaremos de repetirlo; pensar ante todo en la multitud desheredada y dolorida, consolarla, darle aire y luz, amarla, ensanchar magníficamente su horizonte, prodigarle la educación bajo todas sus formas, ofrecerle el ejemplo del trabajo, nunca el de la ociosidad, aminorar el peso de la carga individual, aumentando la noción del fin universal, limitar la pobreza sin limitar la riqueza, crear vastos campos de actividad pública y popular, tener como Briareo cien manos que tender por todas partes a los débiles y a los oprimidos, emplear el poder colectivo en ese gran deber de abrir talleres a todos los brazos, escuelas a todas las aptitudes, y laboratorios a todas las inteligencias, aumentar el salario, disminuir el trabajo, equilibrar el deber y el haber, es decir, proporcionar el goce al esfuerzo, y la sociedad a la necesidad, en una palabra, hacer despedir al aparato social más claridad y más bienestar en provecho de los que padecen y de los que ignoran, esta es, que las almas simpáticas no lo olviden, la primera de las obligaciones fraternales; esta es, que los corazones egoístas lo sepan, la primera de las necesidades políticas.

El progreso tiende a la solución del problema. Llegará un día en que todo el mundo se asombre. El género humano, subiendo siempre, conseguirá que las capas más profundas salgan naturalmente de la zona de desgracia. La desaparición de la miseria se hará por una simple elevación de nivel.

Nadie puede dudar de esta gran solución.

Los hechos humanos están regidos por inmensos empujes simultáneos que los llevan a todos, y en un tiempo dado, al estado lógico, es decir, al equilibrio y a la equidad. Una fuerza terrena y celestial resulta de la humanidad, y la gobierna; esta fuerza hace milagros, los desenlaces maravillosos no le son más difíciles que las peripecias extraordinarias. Auxiliada por la ciencia que viene del hombre, y por el suceso, que viene de otra parte, se asusta poco de esas contradicciones en el enunciado de los problemas, que parecen imposibilitados al vulgo.

Que una sociedad desaparezca ante el viento que se desencadena sobre los hombres, lo hemos visto más de una vez; la historia está llena de naufragios de pueblos y de imperios: costumbres, leyes, religiones, todo desaparece el día menos pensado ante el huracán desconocido que pasa y lo arrastra.

Las civilizaciones de la India, de Caldea, de Persia, de Asiria, de Egipto, han desaparecido una tras otra. ¿Por qué? Lo ignoramos. ¿Cuáles fueron las causas de esos desastres? No lo sabemos. ¿Habrían podido salvarse esas sociedades? ¿Fue suya la culpa? ¿Han alimentado algún vicio fatal que las ha perdido? ¿En qué cantidad entra el suicidio en esas muertes terribles de una nación y de una raza? Estas cuestiones no tienen respuesta.

La sombra cubre las civilizaciones condenadas. Hacían agua, pues que se han ido a fondo: no tenemos más que decir.

¿Llegará el porvenir? Parece que casi es posible hacer esta pregunta cuando se descubren tantas sombras terribles, tan obscuras fases entre los egoístas y los miserables; en los egoístas, las preocupaciones, las tinieblas de una educación rica, el apetito aumentado por la embriaguez, un aturdimiento de prosperidad que asombra, el temor de padecer, que en algunos llega hasta la aversión hacia los que padecen, una satisfacción implacable, el yo tan hinchado que cierra las puertas del alma; en los miserables, la ambición, la envidia, el odio, que proviene de ver gozar a los demás, las profundas sacudidas de la fiera humana hacia la saciedad, del apetito, corazones llenos de bruma, la tristeza, la fatalidad, la necesidad, la ignorancia simple e impura.

¿Debemos continuar elevando los ojos al cielo? ¿El punto luminoso que en él se distingue es de los que se apagan? Es muy terrible ver así lo ideal perdido en las profundidades, pequeño, aislado, imperceptible, brillante, pero rodeado de todas esas grandes amenazas negras, monstruosamente amontonadas en su derredor. Sin embargo, no hay más peligro que el que corre una estrella en boca de una nube.

Libro octavo

● EL ENCANTO Y LA DESOLACIÓN ●

I. PLENA LUZ

El lector habrá comprendido que Eponina, habiendo conocido al través de la verja al inquilino de la calle Plumet, adonde la había enviado la Magnon, había empezado por separar a los bandidos de la calle Plumet, y luego había llevado allí a Mario.

Como nunca había nadie en la calle, y Mario sólo entraba en el jardín de noche, no corría peligro de ser visto.

A partir de aquella hora bendita y santa en que un beso unió dos almas, Mario seguía yendo todas las noches. Si en aquel momento de su vida, Cosette hubiera caído en el amor de un hombre poco escrupuloso y libertino, habría estado perdida; porque hay naturalezas generosas que se entregan completamente, y Cosette era una de ellas. Una de las magnanimidades de la mujer es ceder.

Mario tenía una barrera, la pureza de Cosette. Cosette tenía un apoyo, la lealtad de Mario. El primer beso había sido el último. Mario después no había hecho más que tocar con sus labios la mano o el vestido, o un bucle de los cabellos de Cosette. Cosette para él era un perfume y no una mujer: la respiraba. Ella no le negaba nada, él no pedía nada; ella era feliz, él estaba satisfecho. Vivían en ese feliz estado que se podría llamar el deslumbramiento de un alma por un alma. Era aquello el inefable primer abrazo de dos virginidades en lo ideal. Dos cisnes en el campo de la pureza.

¿Qué pasaba entre aquellos dos seres?

Nada, se adoraban.

Una vez Mario dijo a Cosette:

—Figúrate que una vez creí que te llamabas Úrsula.

Y esto les hizo reír toda la noche.

Otra vez, en medio de una de estas conversaciones exclamó Mario:

—¡Oh, un día en el Luxemburgo tuve deseos de acabar de estropear a un inválido!

Aquel amor, casi esquivo, no rechazaba absolutamente la galantería. "Hacer cumplimientos" a quien se ama, es el primer modo de hacer caricias, es un ensayo de audacia.

El cumplimiento es como un beso al través del velo. El deleite envuelve en él su germen, ocultándose. Los requiebros de Mario, saturados de quimeras, eran, por decirlo así, celestes. Los pájaros cuando vuelan por allí arriba al lado de los ángeles, deben de oír estas palabras; en ellas se mezclaba la vida, la humanidad, toda la cantidad de positivismo de que Mario era capaz.

—¡Oh! —murmuraba Mario—. ¡Qué hermosa eres! No me atrevo a mirarte. Por eso te contemplo. Eres una gracia.

Y Cosette respondía:

—Te amo un poquito más por el tiempo que ha pasado desde esta mañana.

Cosette era la sencillez, la ingenuidad, la transparencia, la blancura, el candor, la luz. Podía decirse de Cosette que era clara. Se idolatraban.

II. El aturdimiento de la felicidad completa

Existían vagamente asombrados de su felicidad.

Mario había dicho a Cosette que era huérfano, que se llamaba Mario Pontmercy, que era abogado, que vivía de escribir para los libreros, que su difunto padre era coronel y había sido un héroe, y que estaba reñido con su abuelo, que era rico. Le había indicado también que era barón; pero esto no había causado efecto alguno en Cosette. ¿Mario, barón? No lo comprendía: no sabía lo que quería decir esta palabra. Mario era Mario.

Ella por su parte le había dicho que se había educado en el convento del pequeño Picpus, que su madre había muerto como la de él, que su padre se llamaba el señor Fauchelevent, que era muy bueno, que daba muchas limosnas, que era, a pesar de esto, un pobre, y que se privaba de todo, no privándola a ella de nada.

Así viven esos sonámbulos que se llaman enamorados.

El amor casi reemplaza al pensamiento: es un completo olvido de todo lo demás. No pidáis, pues, lógica a la pasión. No hay encadenamiento lógico absoluto en el corazón humano, lo mismo que no hay ninguna figura geométrica perfecta en la mecánica celeste.

Dormían despiertos en aquel arrullo. ¡Oh letargo espléndido de lo real por lo ideal!

Algunas veces, aunque Cosette era tan bella, cerraba los ojos delante de ella; porque cerrados los ojos es como mejor se ve el alma.

Mario y Cosette no se preguntaban dónde irían a parar. Se miraban como en un encuentro. Es una pretensión del hombre el querer que el amor le lleve a alguna parte.

III. Principio de sombra

Juan Valjean por su parte no sospechaba nada.

Cosette, un poco menos soñadora que Mario, estaba alegre, y esto bastaba a Juan Valjean para ser feliz.

Se encontraba en la edad en que la virgen lleva el amor como el ángel la azucena. Juan Valjean estaba, pues, tranquilo.

Como Juan Valjean se retiraba siempre a las diez de la noche, estas noches no iba Mario al jardín hasta después de esta hora, cuando oía desde la calle que Cosette abría la puerta ventana de la escalinata. No hay que decir que por el día no parecía Mario por allí. Juan Valjean no se acordaba ya ni de que existía tal hombre. Sólo una vez, una mañana le dijo a Cosette:

—¡Calla! ¡Cómo tienes la espalda de yeso!

La noche anterior, Mario, en un momento de transporte, había oprimido a Cosette contra la pared.

Se iba habitualmente a media noche, y se dirigía a casa de Courfeyrac. Este decía a Bahorel:

—¿Lo creerás? Mario se retira ahora a la una de la mañana.

Bahorel respondía:

—¿Y qué quieres? Los seminaristas son siempre un petardo.

Algunas veces, Courfeyrac cruzaba los brazos, poniéndose serio, decía a Mario:

—¡Andáis perdido, joven!

Courfeyrac, hombre práctico, no veía con buenos ojos este reflejo de un paraíso invisible en Mario: conocía muy poco las pasiones inéditas, se impacientaba, y hacía frecuentes reflexiones a Mario para que volviese a lo real. Una mañana le dirigió esta pregunta:

—Querido, creo que vives en la Luna, reino del Delirio, provincia de la Ilusión, capital Bola de Jabón. Vamos, sé buen muchacho. ¿Quién es ella?

Pero no había medio de "hacer hablar" a Mario.

Sin embargo, se aproximaban algunas complicaciones.

Una noche en que Mario iba a la cita por el boulevard de los Inválidos, con la cabeza inclinada, como habitualmente, al volver la esquina de la calle Plumet, oyó decir a su lado:

—Buenas noches, señor Mario.

Levantó la cabeza y conoció a Eponina.

Esto le causó una impresión extraña.

Ni una sola vez había pensado en aquella muchacha desde el día en que le había llevado a la calle Plumet; no la había vuelto a ver, y se había borrado por completo de su memoria. Tenía motivos para estarle agradecido, y le debía su felicidad presente; sin embargo, le incomodó encontrarla.

—¡Ah! ¿Sois Eponina? ¿Por qué me habláis de vos? ¿Os he hecho algo?

—No —respondió él.

Como Mario se calló, le dijo Eponina:

—Decid, pues...

Y se detuvo. Parecía que faltaban palabras a aquella criatura que había sido tan despreocupada y tan atrevida. Trató de sonreírse y no pudo.

—¿Y qué?... —volvió a decir.

Después se calló, y bajó los ojos.

—Buenas noches, señor Mario —dijo después de repente, y se fue.

IV. Cab roule en inglés, y tamború en caló

El día siguiente Mario, al caer de la noche, vio entre los árboles del boulevard a Eponina que se dirigía hacia él, cambió de camino, y fue a la calle Plumet, por la calle de Monsieur.

Eponina le siguió hasta la calle Plumet. Eponina le siguió, pues, sin que él lo supiese, le vio separar el hierro de la verja, y entrar en el jardín.

—¡Calla! —dijo—, ¡entra en la casa!

Se sentó en el estribo de la verja, y al lado del hierro como si le estuviese guardando.

Así permaneció más de una hora sin moverse y sin respirar, entregada a sus ideas.

Momentos después seis hombres que iban separados y a corta distancia unos de otros a lo largo de la pared, y que habrían podido confundirse con una patrulla de policía, entraron en la calle Plumet.

El primero que llegó a la verja del jardín se detuvo y esperó a los demás; un segundo después estaban todos reunidos.

Aquellos hombres se pusieron a hablar en voz baja.

—Aquí es —dijo uno de ellos.

—¿Hay algún tamború[1] en el jardín? —dijo otro.

—No lo sé. Pero en todo caso he acabelado[2] una bolita que le haremos jamelar.[3]

—¿Has traído la pasta para romper la clariosa[4]?

—Sí.

—La verja es vieja —dijo el quinto, que tenía voz de ventrílocuo.

—Tanto mejor —dijo el segundo que había hablado—. Así no goleará[5] bajo la sorda,[6] y no costará tanto ciserarla.[7]

El sexto, que no había abierto aún la boca, oyó una voz que le decía sin gritar:

—Hay un tamború.

Y vio una joven pálida delante de él. Retrocedió, y murmuró:

—¿Quién es esa pícara?

—Vuestra hija.

---

[1] Perro.

[2] Traído.

[3] Comer.

[4] Ventana. Para romper los vidrios usan los ladrones una pasta que se extiende sobre el vidrio, y retiene los pedazos, evitando el ruido.

[5] Chillará.

[6] Lima.

[7] Romperla.

En efecto, era Eponina que hablaba a Thenardier.

A la aparición de Eponina, los otros cinco se habían acercado sin ruido, sin precipitación, sin decir una palabra, con la siniestra lentitud propia de estos hombres nocturnos.

Eponina se echo a reír, y saltó a su cuello:

—Estoy aquí, padrecito mío, porque estoy aquí. ¿No me es permitido sentarme sobre las piedras ahora? Vos sois el que no debéis estar aquí. ¿Qué venís a hacer si esto es un bizcocho?* Ya se lo dije a Magnon. No hay nada que hacer aquí. Pero abrazadme, mi querido padre. ¡Estáis ya fuera! ¡Estáis libre!

—Sí, estoy fuera. No estoy dentro. Ahora vete.

Eponina se volvió hacia los cinco bandidos.

—Ya sabéis que no soy tonta. Casi siempre me creéis; os he prestado servicios algunas veces. Pues bien: me he informado, y os expondréis inútilmente. Ya véis. Os juro que no hay nada que hacer en esta casa.

Thenardier añadió con su acento decisivo:

—Lárgate, mujer, y deja que los hombres hagan sus negocios.

—¿Os empeñáis, pues, en entrar en esta casa?

—Algo hay de eso —dijo el ventrílocuo burlándose.

—Pues bien: yo no quiero.

Ellos se detuvieron estupefactos. El ventrílocuo acabó su risa. Ella continuó.

Thenardier se aproximó:

—No tan cerca, buen hombre —dijo Eponina.

—Pero ¿qué es lo que tienes? ¡Perra!

—Seré lo que queráis, pero no entraréis. No soy hija de perro, porque soy hija de lobo. Sois seis; ¿y eso qué me importa? Sois hombres; pues yo soy mujer. No me dáis miedo; marcháos.

—¡Ni aún de vos, padre!

—No tengo que hacer más que gritar y vienen, y atrás. Sois seis, yo soy todo el mundo.

Los seis bandidos, admirados y disgustados de verse detenidos por una muchacha, se retiraron a la sombra, y celebraron una especie de consejo con movimientos de hombros, humillados y furiosos.

---

* Cosa Imposible.

—Algo le pasa —dijo Babet—. Una razón. ¿Estará enamorada del perro?

Brujón permaneció un instante silencioso, después movió la cabeza de varias maneras, y se decidió a hablar.

—Veamos: he encontrado esta mañana dos gorriones dándose picotazos; esta noche me encuentro con una mujer que riñe. Todo esto es mal presagio. Vámonos.

Y se fueron.

V. Cosas de la noche

Después que se marcharon los bandidos, la calle Plumet volvió a su tranquilo aspecto nocturno.

Las fieras de la sombra se conocen y tienen entre sí misteriosos equilibrios. Los dientes y las garras temen lo que es incaptible.

Estas brutalidades, que no son más que materia, tienen confusamente la inmensa obscuridad condensada en un ser desconocido. Una figura negra que les impide el paso, detiene a una bestia feroz. Lo que sale del cementerio intimida y desconcierta a lo que sale del antro; lo feroz tiene miedo de lo siniestro; los lobos retroceden ante el encuentro de una boca.

VI. Mario desciende a la realidad, hasta el punto de dar las señas de su casa a Cosette

Mientras que aquella perra con figura humana montaba la guardia en la verja, y los seis bandidos retrocedían ante una muchacha, Mario estaba al lado de Cosette.

Pero había encontrado triste a Cosette. Cosette había llorado; tenía los ojos encarnados.

Aquella era la primera nube en tan admirable sueño.

Las primeras palabras de Mario fueron:

—¿Qué tienes?

Ella respondió:

—Mi padre me ha dicho esta mañana que estuviese dispuesta, porque tenía negocios, que tal vez nos harían partir.

Mario se estremeció desde los pies a la cabeza.

Desde hace seis semanas, Mario, poco a poco, lentamente, por grados, iba tomando cada día posesión de Cosette; posesión enteramente ideal, pero profunda. Como hemos dicho ya, en el primer amor se toma el alma antes que el cuerpo; después se toma el cuerpo antes que el alma, y algunas veces no se toma el alma del todo.

—No comprendo lo que has dicho.

Y ella añadió:

—Esta mañana, mi padre ha dicho que tenga prontas todas mis cosas, y esté dispuesta para partir; que prepare mi ropa para guardarla en una maleta, que se verá obligado a hacer un viaje; que teníamos que partir, que necesitábamos una maleta grande para mí, y una pequeña para él, y que lo preparase todo en una semana, porque iríamos tal vez a Inglaterra.

—¡Pero eso es monstruoso! —exclamó Mario—. ¿Y cuándo marcháis?

—No me ha dicho cuándo.

—¿Y cuándo volverás?

—No me ha dicho cuándo.

Mario se levantó, y dijo fríamente: —Cosette, ¿iréis?

Cosette cogió la mano a Mario, y la oprimió sin responder:

—Está bien —dijo Mario—. Entonces yo me iré a otra parte.

—¿Qué quieres decir?

—Nada.

—¡Qué tontos somos! Mario, se me ocurre una idea.

—¿Cuál?

—¡Parte, si partimos los dos! Te diré dónde. Ven a buscarme donde esté.

—¡Partir con vosotros! ¿Estás loca? Es preciso para eso dinero, y yo no le tengo. ¡Ir a Inglaterra!

"Tú no me ves más que por la noche, y me das tu amor, ¡si me vieras de día me darías limosna! ¡Ir a Inglaterra! ¡Y no tengo con qué pagar el pasaporte!"

Así permaneció un largo rato. En esos abismos se podría permanecer una eternidad; por fin se volvió, y oyó detrás de sí un ruido ahogado y triste.

Era Cosette que estaba sollozando.

—No llores —dijo Mario.

Y ella murmuró:

—¡Qué he de hacer, si voy a marcharme y no puedes venir!

Y él respondió:

—¿Me amas? Escucha —dijo—: no me esperes mañana.

—¿Por qué?

—Ni me esperes hasta pasado mañana.

—¡Oh! ¿Por qué?

—Ya lo verás.

—¡Un día sin verte! Eso es imposible.

—Sacrifiquemos un día para tener tal vez toda la vida.

Mario continuó:

—Creo que conviene que sepas las señas de mi casa, por lo que pueda suceder; vivo en la casa de ese amigo, llamado Courfeyrac, calle de la Verrerie, número 16.

Metió la mano en el bolsillo, sacó un cortaplumas, y con la hoja escribió en el yeso de la pared:

Calle de la Verrerie, 16.

—Voy a hacer una tentativa.

Cuando salió Mario, la calle estaba desierta. En aquel momento Eponina seguía a los bandidos hasta el boulevard.

Mientras que Mario meditaba con la cabeza apoyada en el árbol, se le había ocurrido una idea, una idea ¡ah! que él mismo tenía por insensata e imposible. Había tomado un partido violento.

VII. Dos corazones, uno viejo
y otro joven, frente a frente

El señor Gillenormand tenía entonces noventa y un años cumplidos. Seguía viviendo con la señorita Gillenormand en la calle de las Hijas del Calvario, número 6, con su propia y vieja casa.

El hecho es que el viejo estaba abatido. No se doblegaba, no se rendía, porque esto era imposible, así en su naturaleza física como en la moral; pero se sentía desfallecer interiormente.

Hacía cuatro años que esperaba a Mario a pie firme, esta es la frase, con la convicción de que aquel pequeño picarón extraviado llamaría algún día a la puerta; pero llegaba, en algunos momentos tristes, a decirse, que por poco que Mario tardase en venir... Y no era la muerte lo que temía, sino la idea de que no vería más a su nieto.

La ausencia como sucede siempre en los sentimientos naturales y verdaderos, sólo había conseguido aumentar su cariño de abuelo hacia el hijo ingrato que se había marchado con tanta indiferencia.

Había mandado colocar en su cuarto, cerca de la cabecera de la cama, como la primera cosa que quisiera ver al despertar, un antiguo retrato de su otra hija, la que había muerto, la señora Pontmercy, retrato hecho cuando tenía dieciocho años.

Contemplaba sin cesar este retrato, y un día dijo mirándole:

—Ahora encuentro que se le parece.

—¿A mi hermana? —dijo la señorita Gillenormad.

—Sí, se parece.

El viejo añadió:

—Y a él también.

—Padre, ¿seguís tan enfadado con él?

—¿Con quién? —preguntó.

—Con ese pobre Mario.

—¡Pobre Mario, decís! Ese señor es un pillo, un mal pícaro, un vanidoso ingrato, sin corazón, sin alma; un orgulloso, un malvado.

Y se volvió para que su hija no viese una lágrima que tenía en los ojos.

Por lo demás, como puede haberse conocido, la señorita Gillenormand había visto defraudada su tentativa de sustituir su favorito el oficial de lanceros a Mario.

El viejo fastidiaba al lancero y el lancero chocaba al viejo.

El señor Gillenormand pensaba en Mario amorosa y amargamente; y como sucede ordinariamente, dominaba la amargura. Su ternura dolorida concluía por convertirse en indignación. Se encontraba en esa situación en que se trata de tomar un partido, y en aceptar lo que mortifica. Estaba ya dispuesto a decirse que no había razón para que Mario volviese, que si hubiera debido volver lo habría hecho ya, y que por consiguiente era preciso renunciar a verle.

Cuando estaba en lo más profundo de esta tristeza, su antiguo criado Vasco entró y preguntó:

—Señor, ¿podéis recibir al señor Mario?

—¿Qué señor Mario?

El señor Gillenormand balbuceó en voz baja:

—Que entre.

Mario se detuvo a la puerta como esperando que le dijesen que entrase.

Su traje, casi miserable, apenas se veía en la obscuridad que producía la pantalla. Sólo se distinguía su rostro tranquilo y grave, pero extrañamente triste.

El señor Gillenormand, como sobrecogido de estupor y de alegría, permaneció algunos momentos sin ver más que una claridad, como cuando se está delante de una aparición. Estaba próximo a desfallecer; veía a Mario como a través de un deslumbramiento. Era él; era Mario.

Toda esta ternura se abrió paso y llegó a sus labios, y por el contraste que constituía su naturaleza, salió de ellas la dureza, y dijo bruscamente:

—¿Qué venís a hacer aquí?

Mario respondió con embarazo:

—Señor...

El viejo dijo con voz severa:

—¿Venís a pedirme perdón? ¿Habéis reconocido vuestra falta?

—No, señor.

—Y entonces —exclamó impetuosamente el viejo con un dolor agudo y lleno de cólera—, ¿qué me queréis?

—Señor, tened compasión de mí.

Estas palabras conmovieron al señor Gillenormand; un momento antes le hubieran enternecido, pero ya era tarde.

—¡Compasión de vos! señorito. ¡Un adolescente que pide compasión a un anciano de noventa y un años!

Vos tenéis delante un porvenir lleno de luz, yo empiezo a ver mi gota, tanto voy avanzando en la noche; vos estáis enamorado, eso no hay que decirlo, ¡a mí no me ama nadie en el mundo! ¡Y venís a pedirme compasión!

Y el octogenario añadió con voz airada y grave:

—Pero vamos, ¿qué es lo que me queréis?

—Señor —dijo Mario—, sé que mi presencia os enoja; pero vengo solamente a pediros una cosa; después me iré en seguida.

—¡Sois un necio! —dijo el anciano—. ¿Quién os dice que os vayáis? Concluyamos. ¿Venís a pedirme algo? Decidlo. ¿Qué queréis? ¿Qué es? Hablad.

—Señor —dijo Mario con la mirada de un hombre que conoce que va a caer en un precipicio—; vengo a pediros permiso para casarme.

El señor Gillenormand tocó la campanilla; y Vasco abrió la puerta.

—Decid a mi hija que venga.

Un segundo después se abrió la puerta, y la señorita Gillenormand no entró, pero se dejó ver. Mario estaba de pie, mudo, con los brazos caídos, con el aspecto de un culpable.

El señor Gillenormand iba y venía en todas direcciones por el cuarto. Se volvió hacia su hija, y le dijo:

—Nada; es el señor Mario: dadle los buenos días; el señorito se quiere casar. Eso es todo. Idos.

La voz breve y ronca del viejo anunciaba una gran plenitud de ira.

—¡Casaros! ¡A los veintiún años! Lo habéis arreglado así! ¡No tenéis que hacer mas que pedirme permiso! Una formalidad. Sentáos, caballero. Habéis pasado por una revolución desde que no he tenido el honor de veros, y han vencido en vos los jacobinos. ¿Conque queréis casaros? ¿Con quién? ¿Puedo preguntar, sin ser indiscreto, con quién?

"¡Ah! ¿Tendréis una posición? ¿Una fortuna hecha? ¿Cuánto ganáis en vuestro oficio de abogado?"

—Nada —dijo Mario con una especie de firmeza y de resolución casi feroz.

—¿Nada? ¿No tenéis para vivir más que las mil doscientas libras que os envío?

—Eso es, veintiún años, sin posición, mil doscientas libras al año, y la baronesa de Pontmercy irá a comprar dos cuartos de perejil a la plaza.

"¡Ah! ¡ah! ¡ah! Os habéis dicho: ¡pardiez! ¡Voy a buscar a ese viejo pelucón, a ese absurdo bodoque! ¡Qué lástima que no tenga yo veinticinco años! ¡Cómo le pasaría una respetuosa papeleta! ¡Cómo me gobernaría sin él! Pero es lo mismo, le diré: —Viejo gallina, eres muy dichoso en verme; tengo ganas de casarme, quiero casarme con la señorita Fulana, hija del señor Fulano; yo no tengo zapatos, y ella no tiene camisa; pero quiero echar a un lado mi carrera, mi porvenir, mi juventud, mi vida; deseo hacer excursión por la miseria con una mujer al cuello; este es mi pensamiento; ¡y es preciso que consientas! Y el viejo fósil consentirá en ello."

—Padre mío...

—Nunca.

Atravesó el cuarto lentamente con la cabeza inclinada, temblando, y más semejante al que se muere que al que se va.

El señor Gillenormand cogió a Mario por el cuello, le volvió a la habitación, le arrojó en un sillón, y le dijo: "¡Cuéntame eso!"

Sólo estas palabras: "padre mío", que se habían escapado a Mario, habían causado esta revolución.

Mario le miró asustado.

—Sí, eso es; ¡llámame padre y verás!

Había en estas frases algo tan bueno, tan dulce, tan franco, tan paternal, que Mario pasó repentinamente de la desanimación a la esperanza y quedó como aturdido y confuso.

—Padre mío —continuó Mario—, mi buen padre, ¡si supiéseis! La amo. No podéis figuráos. La primera vez que la vi fue en el Luxemburgo, a donde ella iba a pasear; al principio no fijé la atención, pero después, yo no sé cómo me he enamorado. ¡Oh! qué desgraciado me ha hecho esto! Pero en fin, ahora la veo todos los días en su casa, su padre no lo sabe.

Figuráos que van a partir; nos vemos en el jardín por la noche; su padre quiere irse a Inglaterra, y yo me he dicho: voy a ver a mi abuelo y a contárselo. Me volveré loco, me moriré, caeré enfermo, me arrojaré al agua. Es preciso que me case, porque si no, me volveré loco. Esta es la verdad; creo que no he olvidado nada. Vive en un jardín en que hay una verja, en la calle Plumet, cerca de los Inválidos.

El señor Gillenormand se había sentado alegremente al lado de Mario.

—¡Calle Plumet! ¡Calle Plumet! dices. Veamos. ¿No hay por allí un cuartel? Sí, eso es.

Mario, me parece muy bien que un joven como tú esté enamorado, porque eso es propio de tu edad, y mejor quiero que seas enamorado que jacobino; mejor quiero verte enamorado de unas faldas ¡caramba! ¿Y sabes lo que se hace? No se toma la cosa con ferocidad; es preciso ser un muchacho de genio; es preciso tener sentido común. Tropezad, mortales, pero no os caséis. Yo he sido joven, y tú serás viejo. Aquí tienes doscientas pistolas. Diviértete. ¿Me comprendes?

—¡Tonto! ¡tómala por querida!

Mario se puso pálido. La frase: *tómala por querida*, había entrado en su corazón como una espada.

Se levantó, cogió el sombrero que estaba en el suelo, y se dirigió hacia la puerta con paso firme y seguro. Allí se volvió, se inclinó profundamente ante su abuelo, levantó después la cabeza, y dijo:

—Hace cinco años insultásteis a mi padre, hoy habéis insultado a mi mujer. No os pido nada. Adiós.

El anciano permaneció algunos momentos inmóvil, como si hubiera caído un rayo a sus pies, sin poder hablar ni respirar, como si una mano vigorosa le apretase la garganta.

—¡Socorro! ¡Socorro!

Acudió su hija, y luego las criadas, y les dijo con angustioso aliento:

—¡Corre detrás de él! ¡Cógele! ¿Qué he hecho yo? ¡Está loco! ¡Se va! ¡Ay, Dios mío! ¡Ahora ya no volverá!

Se dirigió a la ventana que daba a la calle, la abrió con sus viejas manos arrugadas, se inclinó sacando medio cuerpo fuera, mientras que Vasco y Nicolasita le tenían por detrás, y gritó:

—¡Mario! ¡Mario! ¡Mario! ¡Mario!

Pero Mario ya no podía oírle, porque en aquel momento volvía la esquina de la calle de San Luis.

El octogenario llevó dos o tres veces las manos a las sienes con expresión de angustia, retrocedió temblando, y se recostó en un sillón sin pulso, sin voz, sin lágrimas, meneando la cabeza, y agitando los labios con aire estúpido, sin tener en los ojos y el corazón más que una cosa triste y profunda como la noche.

Libro noveno

● ¿A DÓNDE VAN? ●

I. Juan Valjean

Aquel mismo día, hacia las cuatro de la tarde, Juan Valjean estaba sentado solo en uno de los declives más solitarios del Campo de Marte.

Ya fuese por prudencia, o por ese deseo de recogimiento que sigue a cambios insensibles de costumbres que se introducen poco a poco en todas las existencias, ahora salía poco con Cosette.

Un día, paseándose por el boulevard, había visto a Thenardier, y gracias a su disfraz éste no le había conocido, pero desde entonces, Juan Valjean le había vuelto a ver varias veces, y había adquirido la certeza de que rondaba su barrio.

Esto bastaba para determinarle a tomar una gran resolución.

Además, un hecho inexplicable que acababa de sorprenderle, y que le tenía aún impresionado, aumentaba su inquietud. Aquel día por la mañana se había levantado temprano, y paseándose por el jardín antes que Cosette hubiese abierto su ventana, había descubierto este letrero grabado en la pared, probablemente con un clavo:

"Calle de la Verrerie, 16."

Iba a volverse, cuando cayó sobre sus rodillas un papel doblado en cuatro dobleces, como si una mano le hubiera dejado caer sobre su cabeza.

Cogió el papel, le desdobló y leyó esta palabra escrita en gruesos caracteres con lápiz: MUDAOS.

Juan Valjean se volvió en seguida a su casa pensativo.

II. MARIO

Mario había salido trastornado de casa del señor Gillenormand. Había entrado en ella con poca esperanza, y salía con inmensa desesperación.

A las dos de la mañana entró en casa de Courfeyrac, y se echó vestido en su colchón. Cuando se despertó vio a Courfeyrac, Enjolras, Feuilly y Combeferre, de pie, con el sombrero puesto, preparados para salir, y muy afanosos.

Courfeyrac le dijo:

—¿Vienes al entierro del general Lamarque?

Le pareció que Courfeyrac hablaba en chino.

Salió de casa algunos momentos después que ellos; se metió en el bolsillo los dos cachorrillos que Javert le había entregado para la aventura del 3 de febrero, y que se habían quedado en su poder.

Al caer la noche, a las nueve en punto, como había prometido a Cosette, estaba en la calle Plumet. Cuando se acercó a la verja todo lo olvidó.

Mario abrió la verja, y se precipitó en el jardín. Cosette no estaba en el sitio en que le esperaba siempre.

Alzó la vista y vio que los postigos de la ventana estaban cerrados. Dio la vuelta al jardín y vio que estaba desierto. Entonces volvió a la casa, y perdido de amor, loco, asustado, exasperado de dolor y de inquietud, como un amo que entra en su casa a mala hora, llamó a la ventana. Llamó y volvió a llamar, expuesto a ver abrirse la ventana, y asomar por ella la sombría cabeza del padre.

Todo había concluido. No había nadie en el jardín, nadie en la casa.

Entonces se sentó en la escalinata con el corazón lleno de dolor y de resolución; bendijo su amor en el fondo de su pensamiento, y se dijo que, puesto que Cosette se había marchado, no tenía que hacer más que morir.

De repente oyó una voz que parecía salir de la calle, y que gritaba al través de los árboles:

—¡Señor Mario!

Se levantó.

—¿Quién es? —dijo.

—Señor Mario, ¿estáis ahí?

—Sí.

—Señor Mario —añadió la voz,— vuestros amigos os esperaban en la barricada de la calle de la Chanvrerie.

III. El señor Mabeuf

La bolsa de Juan Valjean había sido inútil al señor Mabeuf, porque éste, en su vulnerable austeridad infantil, no había aceptado el regalo de los astros.

Había llevado la bolsa al comisario de policía del barrio, como objeto perdido, puesto que le había hallado, a disposición del que le reclamase. La bolsa, en efecto, se perdió.

Por lo demás, el señor Mabeuf continuaba viniendo a menos.

Parecía que no tenía vecinos, porque evitaban su encuentro cuando salía; él lo había notado. La miseria de un niño conmueve a una madre; la miseria de un joven conmueve a una joven; pero la miseria de un viejo no conmueve a nadie, y es de todas las desgracias la más fría.

Un día le dijo la señora Plutarco:

—No tengo con qué traer comida.

Lo que ella llamaba comida era un pan y cuatro o cinco patatas.

—Fiado —dijo el señor Mabeuf.

—Ya sabéis que me lo niegan.

El señor Mabeuf abrió su biblioteca, miró mucho tiempo todos sus libros, uno después de otro, como un padre obligado a diezmar a sus hijos los miraría antes de escoger; después cogió uno de repente, se lo puso debajo del brazo y salió. A las dos horas volvió sin nada debajo del brazo, puso treinta sueldos sobre la mesa y dijo:

—Traeréis de qué comer.

Desde aquel momento la tía Plutarco vio cubrirse el cándido semblante del señor Mabeuf con un velo sombrío, que no desapareció nunca.

Era de la sociedad de Horticultura, donde se sabía su pobreza. El presidente de esta sociedad vino a verle, le prometió hablar de él al ministro de Agricultura y Comercio, y lo hizo.

—¿Cómo? —exclamó el ministro—. ¡Ya lo creo! ¡Un docto anciano! ¡Un botánico! ¡Un hombre inofensivo! ¡Es preciso hacer algo por él!

Al día siguiente el señor Mabeuf recibió una invitación para comer con el ministro. Enseñó la carta temblando de alegría a la tía Plutarco.

—¡Nos hemos salvado! —dijo.

El día fijado fue a casa del ministro. Notó que su corbata rosada, su frac grande y cuadrado, y sus zapatos embetunados asombraban a los porteros. Nadie le habló, ni aún el ministro. Hacia las diez de la noche, como estaba todavía esperando una palabra, oyó a la mujer del ministro, hermosa señora descotada, a quien no se había atrevido a acercarse, que preguntaba:

—¿Quién es ese caballero anciano?

A medio día estalló en París un ruido extraordinario; parecía que se oían tiros de fusil y clamores populares.

El señor Mabeuf levantó la cabeza. Vio pasar a un jardinero, y le preguntó:

—¿Qué es eso?

El jardinero respondió, con su azadón al hombro y con el acento más tranquilo:

—Un motín.

—¡Cómo! ¡Un motín!

—Sí, están combatiendo.

—¿Y por qué?

—¡Diablo! —dijo el jardinero.

—¿Hacia qué lado? —preguntó el señor Mabeuf.

—Hacia el arsenal.

El señor Mabeuf volvió a entrar en su casa, buscó maquinalmente un libro para llevarle debajo del brazo, no le encontró, y dijo:

—¡Ah, es verdad! —y salió con aire extraviado.

Libro décimo

● EL 5 DE JUNIO DE 1832 ●

I. LA SUPERFICIE DE LA CUESTIÓN

¿De qué se compone un motín? De todo y de nada. De una electricidad que se desarrolla poco a poco, de una llama que se forma súbitamente, de una fuerza vaga, de un soplo que pasa. Este soplo encuentra cabezas que hablan, cerebros que piensan, almas que padecen, pasiones que arden, miserias que se lamentan y las arrastra.

¿A dónde?

Al acaso. Al través del Estado, al través de la prosperidad y de la insolencia de los demás.

Si se ha de creer a ciertos oráculos de la política recelosa, bajo el punto de vista del poder, un motín es una cosa deseable. Para ellos, es un axioma que el motín afirma a los gobiernos si no los destruye; porque pone a prueba el ejército, concentra a los ciudadanos, estira los músculos de la policía, y pone de manifiesto la fuerza del esqueleto social. Es un ejercicio gimnástico, casi higiénico. El poder se siente mejor después de un motín, como el hombre después de una fricción.

Según esta escuela, "los motines que complicaron la revolución de 1830 quitaron a este gran acontecimiento una parte de su pureza". La revolución de Julio había sido un hermoso huracán popular, seguido inmediatamente de la calma; pero los motines volvieron a nublar el cielo; hicieron que degenerase en querella esta revolución, tan notable al principio por su unanimidad. En la revolución de Julio, como en todo progreso que se realiza por una sacudida, había habido fracturas secretas; el motín las hizo sensibles, y pudo decirse: ¡Ah! esto está roto. Después de la revolución de Julio, sólo se sentía la libertad; después de los motines se conoció la catástrofe.

Un motín de tres días cuesta ciento veinte millones; es decir, que no teniendo en cuenta más que este resultado económico, equivale a un desastre, a un naufragio o a una batalla perdida, que destruyese una escuadra de sesenta navíos de línea.

Los motines despiden llamas rojizas, pero espléndidas, y todos los rasgos más originales del carácter parisiense, la generosidad, el desinterés, la alegría tempestuosa, los estudiantes probando que la bravura es parte de la inteligencia, la guardia nacional inquebrantable, los vivacs de los tenderos, las fortalezas de los pilluelos, el desprecio de la muerte en los transeúntes. Las escuelas y los regimientos se encuentran.

Pero ¿todo esto vale la sangre que se ha derramado?

II. EL FONDO DE LA CUESTIÓN

Hay motines y hay insurrecciones; son dos clases de cólera: una equivocada, otra con derecho. En los Estados democráticos, únicos que están fundados sobre la justicia, sucede algunas veces que una fracción es usurpadora; entonces todo se levanta, y la necesaria reivindicación de su derecho puede llegar hasta tomar las armas.

El mismo cañón asestado contra la multitud no tiene razón el 10 de agosto, y la tiene el 14 de vendimiario.

La apariencia es, pues, semejante; el fondo diferente; los suizos defienden lo falso, Bonaparte lo verdadero. Lo que el sufragio universal ha hecho en su libertad y en su soberanía, no puede ser deshecho por las calles.

Algunas veces el pueblo se miente fidelidad a sí mismo y la multitud hace traición al pueblo. ¿Hay, por ejemplo, nada más extraño que esa larga y sangrienta protesta de los falsos Saulniers, legítima rebelión crónica, que en el momento decisivo, en el día de la salvación, en la hora de la victoria popular se alza con el trono, se hace vandeana, y de insurrección en contra, se vuelve motín en favor? ¡Obra sombría de la ignorancia!

El rumor del derecho en movimiento se conoce, y no sale siempre del temblor de las masas turbulentas; hay furores locos, como hay campanas rajadas; no suena el somatén siempre a bronce. El estremecimiento de la pasión y de la ignorancia es distinto de la sacudida del progreso. Levantaos, sí, pero para engrandeceros; decidme hacia qué lado vais: sólo hay insurrección hacia adelante. Cualquier otro levantamiento es malo; todo paso violento hacia atrás, es un motín; el retroceso es una vía de hecho contra el género humano.

Muchas veces, insurrección es resurrección.

Siendo un hecho absolutamente moderno la solución de todo por el sufragio universal, y siendo toda la historia anterior a este hecho, desde hace cuatro mil años, la violación del derecho y el padecimiento de los pueblos, cada época de la historia trae consigo la protesta que le es posible.

Los déspotas entran para algo en la mente de los pensadores: palabra encadenada, palabra terrible. El escritor duplica y triplica su estilo cuando un señor impone silencio al pueblo. De este silencio nace cierta plenitud misteriosa que se filtra y solidifica duramente en el pensamiento. La comprensión en la historia produce la concisión en el historiador. La solidez granítica de alguna prosa célebre no es más que una condensación hecha por el tirano.

La tiranía obliga al escritor a contracciones de diámetro, que son acrecentamientos de fuerza.

Cierto que el despotismo es siempre despotismo, aun bajo el déspota de genio. Hay corrupción bajo los tiranos ilustres; pero la pérdida moral es más repugnante aun bajo los tiranos infames.

Todas las protestas armadas, aun las más legítimas, aun el 10 de agosto, aun el 14 de julio, principian por la misma agitación.

Al principio, la insurrección es motín, lo mismo que el río es torrente, y ordinariamente llega a este Océano: revolución.

Todo esto se refiere a lo pasado; en lo porvenir será otra cosa. El sufragio universal tiene de admirable, que disuelve el motín en su principio, y dando el voto a la insurrección, le quita las armas. La desaparición de las guerras, de la guerra de las calles, como de la guerra de las fronteras, es el progreso inevitable. La paz, cualquier cosa que sea hoy, es mañana.

Esta crisis patética de la historia contemporánea, que la memoria de los parisienses llama la *época de los motines*, es seguramente una hora característica entre las más tempestuosas de este siglo.

En ella, sin embargo, insistimos; en ella está la vida, la palpitación, el temblor humano. Nosotros vamos a dar a luz, entre particularidades conocidas y publicadas, cosas que no se han sabido, hechos sobre los cuales ha pasado el olvido de unos, y la muerte de otros.

La mayor parte de los actores de estas escenas gigantescas ha desaparecido; al día siguiente se callaban, pero podemos decir de lo que contamos: lo hemos visto.

En este libro no manifestaremos más que un lado y un episodio, seguramente el menos conocido, las jornadas de los días 5 y 6 de junio de 1832; pero lo haremos de modo que el lector entrevea, bajo el sombrío velo que vamos a levantar, la figura real de esa terrible aventura del pueblo.

III. UN ENTIERRO: OCASIÓN DE RENACER

En la primavera de 1832, aunque hacía tres meses que el cólera tenía helados los espíritus, había echado sobre la agitación una lúgubre tranquilidad, París estaba hacía tiempo dispuesto para una conmoción. Como hemos dicho ya, la gran ciudad parece un cañón; cuando está cargado, basta que caiga una chispa para que salga el tiro. En junio de 1832 la chispa fue la muerte del general Lamarque.

Lamarque era un hombre de fama y acción. Había tenido sucesivamente las dos clases de valor necesarias en las dos épocas: el valor de los campos de batalla, y el valor de la tribuna. Era tan elocuente como bravo; su palabra parecía una espada. Como Foy, su antecesor, después de haber mantenido a gran altura el mundo militar, mantuvo a gran altura la libertad.

Su muerte, prevista, era considerada por el pueblo como una pérdida, y por el gobierno como una ocasión. Aquella muerte fue un duelo; duelo que, como todo lo que es amargo, puede cambiarse en una revuelta. Esto fue lo que sucedió.

La víspera y la mañana del 5 de junio, día fijado para el entierro del general Lamarque, el arrabal de San Antonio, por el cual debía pasar el entierro, tomó un aspecto temible. Aquella tumultuosa red de calles se llenó de rumores. Armábanse todos como podían.

El 5 de junio, pues, con un día en que se mezclaban la lluvia y el sol, el entierro del general Lamarque atravesó las calles de París con la pompa militar oficial, aumentada un poco con las precauciones. Dos batallones con los tambores enlutados y los fusiles a la funerala, diez mil guardias nacionales con el sable al lado, las baterías de artillería y de la guardia nacional, escoltaban el féretro. El carro fúnebre era llevado por jóvenes. Los oficiales de inválidos le seguían inmediatamente, llevando ramos de laurel. Después venía una multitud innumerable, agitada, extraña, los seccionarios de los Amigos del Pueblo, la Escuela de Derecho, la de Medicina, los proscritos de todas las naciones, banderas españolas, italianas, alemanas, polacas, tricolores horizontales, toda la clase de enseñas, niños agitando ramas verdes; picapedreros y carpinteros, impresores que se distinguían por sus gorros de papel, marchando de dos en dos, de tres en tres, dando gritos, agitando palos casi todos, algunos sables, sin orden, y a pesar de esto, con un solo pensamiento, semejante ya a una confusión, ya a una columna.

El gobierno por su parte observaba, observaba con la mano en el pomo de la espada. Podían verse dispuestos a marchar, cartucheras llenas, fusiles y carabinas cargados; en la plaza de Luis XV, cuatro escuadrones de carabineros montados y con los clarines a la cabeza; en el barrio Latino y en el jardín Botánico, la guardia municipal escalonada de calle en calle; en el mercado de los vinos, un escuadrón de dragones; en la plaza de Gréve, una mitad del 2° ligero, y la otra mitad en la Bastilla el 6° de dragones en los Celestinos y la artillería llenando la plaza del Louvre. El resto de las tropas estaba retenido en los cuarteles, sin contar los regimientos de los alrededores de París. El poder, inquieto, tenía suspendidos sobre la multitud amenazadora, veinticuatro mil soldados en la ciudad y treinta mil en las afueras.

El acompañamiento fue con una lentitud febril desde la casa mortuoria por los boulevares hasta la Bastilla. Llovía de tiempo en tiempo; pero la lluvia no incomodaba a aquella multitud. En el tránsito habían ocurrido varios incidentes.

De pronto se presentó en medio del grupo un hombre a caballo vestido de negro, con una bandera roja, y según otros, con una pica terminada por el gorro frigio. Lafayette volvió la cabeza. Excelmans abandonó el convoy.

Aquella bandera roja levantó una tempestad y desapareció. Oyóse gritos prodigiosos.

—¡Lamarque al panteón!

—¡Lafayette al Hotel de Ville!

Al oír estas exclamaciones, algunos jóvenes arrastraron el carro fúnebre de Lamarque por el puente de Austerlitz, y a Lafayette en un coche por el muelle Morland.

El grupo que llevaba a Lafayette los vio repentinamente en la esquina del muelle y gritó:

—¡Los dragones! ¡Los dragones!

Los dragones avanzaban al paso, en silencio, con las pistolas en las pistoleras, los sables envainados, las carabinas en el mosquetón, con un aire sombrío de espera.

¿Qué pasó en aquel momento fatal? Nadie podrá decirlo. Aquel fue el momento tenebroso en que se chocan dos nubes. Unos dicen que en el lado del Arsenal se oyó una trompeta que tocaba ataque; otros que un muchacho dio una puñalada a un dragón. El hecho es que se oyeron tres tiros; el primero mató al jefe de escuadrón, Cholet; el segundo a una vieja sorda que estaba cerrando una ventana en la calle de Contrescarpe, y el tercero quemó la charretera de un oficial. Una mujer gritó: "Se empieza muy pronto!"

IV. EL FERVOR DE OTRO TIEMPO

No hay nada más extraordinario que las primeras agitaciones de un motín. Todo estalla en todas partes a un tiempo. ¿Estaba esto prevenido? Sí. ¿Estaba preparado? No. ¿De dónde sale todo esto? Del empedrado. ¿De dónde cae todo esto? De las nubes. La insurrección tiene aquí el carácter de un complot; allí el de una improvisación.

No había pasado un cuarto de hora cuando en veinte puntos de París pasaba lo que vamos a referir:

En la calle de San Pedro de Montmartre, algunos hombres con los brazos desnudos paseaban una bandera negra, en que se leía con letras blancas: *República o muerte*.

En la calle de Jeuneurs, en la del Cuadrante, en la de Montorgueil, en la de Mandar, se presentaban grupos agitando banderas, en que se leía, en letras de oro, la palabra sección con un número. Una de estas banderas era roja y azul, con una imperceptible faja blanca.

Están entregadas las armas. Algunos firmaban con "sus nombres" recibos de fusil y sable, y decían: *Enviad por ellos mañana a la alcaldía*. Desarmaban en la calle a los centinelas aislados; los guardias nacionales se dirigían a su punto de reunión. Se arrancaban las charreteras a los oficiales.

En la calle del Cementerio de San Nicolás, un oficial de la guardia nacional, perseguido por un grupo armado de palos y estoques, se refugió con gran dificultad en una casa, de donde no pudo salir hasta la noche y disfrazado.

En el barrio de Santiago, los estudiantes salían a grupos de sus casas, y subían por la calle de San Jacinto al café Jacinto, al café del Progreso, o bajaban al café de los Siete Billares, calle de los Maturinos. Allí, delante de las puertas algunos jóvenes, subidos en guardacantones, distribuían armas.

En menos de una hora salieron de tierra veintisiete barricadas solamente en el barrio del Mercado.

Sin contar innumerables barricadas en otros veinte barrios de París, en las Huertas, en las montañas de Santa Genoveva, una en la calle de Menilmontant, donde se veía una puerta-cochera arrancada de cuajo; otra cerca del puentecillo del Hotel Dieu, construida con una diligencia desenganchada y tumbada a trescientos pasos de la prefectura de policía.

La dirección del motín, en realidad, pertenecía a una especie de impetuosidad desconocida que reinaba en la atmósfera. La insurrección había construido las barricadas con una mano, y con la otra se había apoderado de todos los cuerpos de guardia.

A las cinco de la tarde se habían apoderado de la Bastilla, de la Lingerie, de Blanc-Monteaux; sus balas llegaban a la plaza de las Victorias, y amenazaban el Banco, el cuartel de los Padres mínimos y la casa de Postas. La tercera parte de París estaba ocupada por los amotinados.

Un observador, el autor de este libro, que había ido a ver el volcán de cerca, se encontró entre dos fuegos dentro del pasaje, sin tener, para guarecerse de las balas, más que el hueco de las medias columnas que separaban las tiendas; y estuvo en esa peligrosa situación más de media hora.

Mientras tanto, el tambor tocaba llamada, los guardias nacionales se vestían y armaban apresuradamente; las legiones salían de las alcaldías, y los regimientos de los cuarteles.

El motín había hecho del centro de París una especie de ciudadela inestricable, tortuosa, colosal.

Allí estaba el foco; allí estaba evidentemente la cuestión. Lo demás eran sólo escaramuzas, y la prueba de que todo había de decidirse allí, era que aún no había empezado la lucha.

El gobierno con un ejército en la mano, dudaba; iba a llegar la noche, y se empezaba a oír el toque de rebato en Sain-Merry.

El viento de las revoluciones no es manejable.

En las Tullerías reinaba la soledad. Luis Felipe estaba muy sereno.

V. Originalidad de París

Desde hacía dos años, según hemos dicho, París había visto más de una insurrección.

Fuera de los barrios sublevados, nada es más extrañamente tranquilo que la fisonomía de París en un motín.

París se acostumbra muy pronto a todo, un motín no es más que un motín, y París tiene tantos negocios, que no se ocupa de una cosa tan pequeña.

Los teatros abren sus puertas, y representan *vaudevilles*; los curiosos hablan y ríen a dos pasos de esas calles en que reina la guerra; los coches hacen sus viajes, los vecinos se van a comer al campo; y algunas veces esto sucede en el mismo barrio en que está empeñada la lucha. En 1831 se detuvo una descarga para dejar pasar una boda.

Cuando la insurrección del 12 de mayo de 1839, en la calle de San Martín, un viejo achacoso, que llevaba un carretón con un trapo tricolor y lleno de garrafas de un líquido cualquiera, iba y venía de una barricada a la tropa, y de la tropa a la barricada, ofreciendo imparcialmente —refrescos— a la anarquía y al gobierno.

No hay nada más extraño; pero esto es un carácter propio de los motines de París, que no se encuentra en ninguna otra capital; porque para esto son necesarias dos cosas: la grandeza y la alegría de París; es necesario que sea la ciudad de Voltaire y de Napoleón.

Esta vez, sin embargo, en la alarma del 5 de junio de 1832, la gran ciudad sintió algo que era quizá más fuerte que ella. Tuvo miedo. Vióse en todas partes, en los barrios más lejanos y más indiferentes, que las puertas y las ventanas estaban cerradas en pleno día. Los valientes se armaron, los cobardes se escondieron.

Llegó la noche, los teatros no se abrieron; las patrullas circulaban con aire irritado; se registraba a los transeúntes; se detenía a los sospechosos. A las ocho había más de ochocientas personas presas; la Prefectura estaba llena, la Conserjería atestada, la Fuerza atestada.

En otras partes, los presos estaban al aire en los patios, unos sobre otros. En todas partes reinaba la ansiedad y el temor del día de mañana.

Algunos preguntaban: "En qué concluirá esto?" Por momentos a medida que la noche iba cayendo, París parecía colorarse más lúgubremente con el formidable fulgor del motín.

Libro undécimo

● EL ÁTOMO FRATERNIZA ●
CON EL HURACÁN

I. Algunas aclaraciones sobre
los orígenes de la poesía de Gavroche
influencia de un académico en esta poesía

En el momento en que la insurrección, saliendo del choque del pueblo y de la tropa en frente del Arsenal, produjo un movimiento de retroceso en la multitud que seguía el carro fúnebre, y en que toda la longitud de los boulevares pesaba, por decirlo así, sobre la cabeza del convoy, hubo un terrible reflujo.

En aquel momento, un muchacho haraposo que bajaba por la calle Menilmontant, llevando en la mano una rama de ébano en flor, que acababa de coger en las alturas de Belleville, descubrió en el escaparate de una prendería una vieja pistola de arzón. Tiró su florida rama al suelo, y dijo:

—Señora Fulana, os compro esa máquina.

Y echó a correr con la pistola.

Dos minutos después, una ola de paisanos asustados que huía por la calle Amelot y por la calle Basse, encontró al muchacho que blandía su pistola, y cantaba:

Nada se ve de noche
y se anda a troche y moche;
de día se ve claro
y el tropezar es raro.

Era Gavroche que iba a la guerra.

En el boulevard descubrió que la pistola no tenía gatillo.

¿De quién eran esos versos pareados que le servían para marcar el paso, y todas las demás canciones que cantaba cuando era ocasión? Lo ignoramos. ¡Quién sabe si serían suyas!

Gavroche, por otra parte, estaba al corriente de todos los cantares populares, y mezclaba con ellos su murmullo. Gavroche era un pilluelo literato.

Por lo demás, no sospechaba que aquella mala noche lluviosa en que había ofrecido hospitalidad en su elefante a los dos niños, había representado el papel de la Providencia con sus dos hermanos. La noche había sido, primero para sus hermanos, y la madrugada para su padre. Al dejar la calle de Ballets al amanecer, había vuelto apresuradamente al elefante, había sacado artísticamente a los dos niños, había partido con ellos un almuerzo cualquiera, que había inventado, y después se había ido confiándolos a la calle; a esa buena madre, que casi le había criado a él.

Piopolos; si no encontráis al papá y a la mamá, volved aquí a la noche. Os daré de cenar, y os acostaré.

Un poco más allá, viendo pasar un grupo de personas bien puestas que le parecieron propietarios, alzó los ojos, y escupió esta bocanada de bilis filosófica:

—¡Esos rentistas, qué gordos están! ¡Cómo gozan con las buenas comidas! ¡Preguntadles qué hacen de su dinero! No lo saben. ¡Se lo comen! ¡Y qué! ¡Todo se lo lleva el vientre!

II. Brujas antes, y porteras hoy

La agitación producida por una pistola sin gatillo que se lleva en la mano a mediodía, es una función pública tal, que Gavroche sentía crecer su verbosidad a cada paso.

En aquel momento, el caballo de un guardia nacional de lanceros que pasaba a su lado, cayó al suelo. Gavroche puso su pistola en tierra, levantó al hombre, y después ayudó a levantar al caballo. En seguida cogió la pistola, y continuó su camino.

En una puerta estaban hablando cuatro comadres. La Escocia tiene tercetos de brujas, pero París tiene cuartetos de comadres, y el "tú serás rey" sería tan lúgubre dicho a Bonaparte en la encrucijada Baudoyer, como a Macbeth la selva de Armury; sería, sobre poco más o menos, el mismo graznido.

Las comadres de la calle Thorigny sólo se cuidaban de sus asuntos. Eran tres porteras y una trapera con su cesto y su gancho.

De pie, como estaban, parecían las cuatro esquinas de la vejez, que son: la caducidad, la decrepitud, la ruina y la tristeza.

Gavroche, que se había parado detrás, estaba escuchando.

—Viejas —dijo—, ¿qué tenéis que hablar de política?

El pilluelo recibió por contestación una andanada de un soflón cuádruple.

—¡Vaya un malvado!

—¿Qué lleva en la mano? ¡Una pistola!

—¡Mirad qué maldito pícaro!

—Esos no están tranquilos mientras no derriban la autoridad.

Gavroche, despreciándolas, se limitó por toda represalia a levantar la punta de la nariz con el dedo pulgar, abriendo enteramente la mano.

III. Justa indignación de un peluquero

El digno peluquero que había echado de su casa a los dos niños, a quienes Gavroche había abierto el vientre paternal del elefante, estaba en este momento en su tienda afeitando a un viejo soldado de la legión de honor, que había servido en tiempo del Imperio. Estaban en conversación; el peluquero había hablado naturalmente al soldado del motín, después del general Lamarque, y de Lamarque habían pasado a hablar del emperador, de lo cual resultó una conversación de barbero y soldado, que Prudhomme, si hubiera estado presente, habría enriquecido con arabescos, y habría titulado: *Diálogo de la navaja y el sable*.

—Caballero —decía el barbero—, ¿cómo montaba el emperador a caballo?

—Mal. No sabía caer; así es que no cayó nunca.

—¿Tenía buenos caballos? ¡Debería tener buenos caballos!

—El día en que me dio la cruz, me fijé en su cabalgadura. Era una yegua corredora, blanca enteramente, con las orejas muy apartadas, la silla profunda, la cabeza delgada, con una estrella negra, el cuello muy largo, las rodillas fuertemente articuladas, las costillas salientes, el lomo oblicuo, la grupa poderosa. Un poco más de quince palmos de alta.

—¡Hermoso caballo! —dijo el peluquero.

—Era de S.M.

—Yo, palabra de honor, antes que morir en mi cama de enfermedad, lentamente, un poco cada día, con drogas, cataplasmas, jeringas y medicinas, quisiera recibir en el vientre una bala de cañón.

—No tenéis mal gusto —dijo el soldado.

Apenas había acabado de pronunciar estas palabras, cuando resonó en la tienda un horrible estrépito; había sido roto violentamente un vidrio del escaparate.

El peluquero se puso lívido.

—¡Ah, Dios mío! —exclamó—; ¡ahí está una!

—¿El qué?

—Una bala de cañón.

—Héla aquí —dijo el soldado.

Y recogió una cosa que rodaba por el suelo: era una piedra.

El peluquero corrió hacia el vidrio roto, y vio a Gavroche que corría a escape hacia el mercado de San Juan. Al pasar por delante de la peluquería, Gavroche, que llevaba en la memoria a los dos niños, no pudo resistir al deseo de darle los buenos días, y le tiró una piedra a los vidrios.

—¡Pero véis!... —dijo el peluquero, que de pálido había pasado a azul—, ése hace mal, sólo por hacer mal. ¿Qué le he hecho yo a ese pilluelo?

IV. El niño se admira del viejo

Mientras tanto Gavroche en el mercado de San Juan, cuyo cuerpo de guardia había sido desarmado ya, acababa de hacer su incorporación a un grupo guiado por Enjolras, Courfeyrac, Combeferre y Feuilly. Todos iban casi armados. Bahorel y Juan Prouvaire les habían encontrado y aumentaban el grupo.

Bahorel vio entonces a una ventana, un joven pálido con barba negra que los estaba viendo pasar, probablemente un amigo del A, B, C, y le gritó:

—Pronto, cartuchos *para bellum*.

—¡Bello hombre! es verdad —dijo Gavroche, que ya comprendía el latín.*

Un acompañamiento tumultuoso les seguía: estudiantes, artistas, jóvenes afiliados a la Cougourde Aix, obreros, hombres bien puestos, armados de palos y de bayonetas, algunos como Combeferre con pistolas sujetas en la pretina de los pantalones. Un viejo, que parecía de mucha edad, iba también en el grupo. No tenía armas, y se apresuraba, para no quedarse atrás, aunque iba pensativo. Gavroche le descubrió.

—¿Queseso? (¿qué es eso?) —dijo a Courfeyrac.

—Un viejo.

Era el señor Mabeuf.

V. El anciano

Digamos ahora lo que había pasado. Enjolras y sus amigos estaban en el boulevard Bourdon, cerca del Pósito, en el momento en que los dragones dieron la carga.

Enjolras, Courfeyrac y Combeferre eran del grupo que había seguido la calle Bassompierre gritando:

—¡A las barricadas!

En la calle Lesdiguieres habían encontrado a un anciano, que les llamó la atención porque andaba haciendo eses como si estuviera embriagado.

—Señor Mabeuf, volvéos a casa.

—¿Por qué?

---

* La palabra latina *bellum* la pronuncian los franceses lo mismo que bel-homme, de aquí la equivocación de Gavroche.

—Porque va a haber jarana.

—Eso es bueno.

—¡Sablazos, tiros, señor Mabeuf!

—Eso es bueno.

—¡Cañonazos!

—Eso es bueno. ¿A dónde váis vosotros?

—Vamos a echar abajo el gobierno.

—Eso es bueno.

Y los había seguido sin volver a pronunciar una palabra.

Gavroche iba delante cantando a grito herido, y haciendo las veces de clarín.

VI. Reclutas

El grupo crecía a cada instante. Hacia la calle de Billetes, un hombre de alta estatura, que empezaba a encanecer, y cuyo rostro rudo y atrevido notaron Courfeyrac, Enjolras y Combeferre, pero a quien nadie conocía, se unió al grupo. Gavroche, distraído con sus cánticos, sus silbidos y sus gritos, con ir el primero, y con llamar en las tiendas con la culata de su pistola sin gatillo, no se fijó en aquel hombre.

Al pasar por la calle de la Verrerie, y al llegar a la puerta de la casa de Courfeyrac, dijo éste:

—Me alegro, porque me he olvidado el dinero, y he perdido el sombrero.

Se separó del grupo, y subió las escaleras de cuatro en cuatro; cogió un sombrero viejo, la bolsa y un cofre del tamaño de una maleta grande, que estaba oculto entre la ropa sucia. Al bajar la escalera le gritó la portera:

—Ahí está uno que quiere hablaros.

—¿Quién es?

—No lo sé.

—¿Dónde está?

—En mi cuarto.

—¡Ah, diablo! —dijo Courfeyrac.

Y al mismo tiempo un jovencillo vestido de obrero, pálido, delgado, pequeño, con manchas rojizas en la piel, dijo a Courfeyrac con una voz que no era por cierto de mujer:

—¿El señor Mario ha venido?

—No está.

—¿Volverá esta noche?

—No lo sé.

—¿Queréis que vaya con vos?

—¡Si tú quieres!... —respondió Courfeyrac—, la calle es libre; el empedrado es de todo el mundo.

Un grupo de este género no va precisamente a donde quiere; ya hemos dicho que le arrastra el viento. Pasaron por San Merry, y se hallaron sin saber cómo en la calle de San Dionisio.

Libro duodécimo

● CORINTO ●

I. HISTORIA DE CORINTO DESDE SU FUNDACIÓN

Los parisienses que al entrar hoy en la calle Rambuteau por el lado del Mercado, notan a su derecha, en frente de la calle Mondetour, una cestería que tenía por muestra un canastillo figurando el emperador, con esta inscripción:

NAPOLEÓN HECHO DE MIMBRES

No sospechan quizá las escenas terribles que se desarrollaron en aquel sitio hace treinta años.

Allí estaba la calle de la Chanvrerie, que en las antiguas lápidas se escribía Chanverreie, y la célebre taberna llamada Corinto.

El sitio era bueno, y los taberneros se sucedían de padres a hijos.

En tiempo de Maturin Regnier, esta taberna se llamaba el *Tiesto-de-Rosas,* y como los jeroglíficos estaban de moda tenía por muestra un poste pintado de color de rosa. En el último siglo, el digno Natoire, uno de los maestros caprichosos despreciados por la escuela rígida, se había achispado muchas veces en esta taberna, en la misma mesa en que se había también embriagado Regnier; había pintado, en señal de agradecimiento, un racimo de uvas de Corinto sobre el poste de color rosa. El tabernero, lleno de alegría, había cambiado la muestra, y había hecho pintar en letras doradas por bajo el racimo estas palabras: *A las pasas de Corinto*. De aquí el nombre Corinto. Nada es más propio de los borrachos que la elipsis. Corinto destronó al tiesto de rosas. El último tabernero de la dinastía, el tío Hucheloup, ignorando la tradición, había hecho pintar el poste de azul.

El tío Hucheloup había nacido quizá químico; el hecho es que era cocinero; en su taberna, no sólo se bebía, sino que se comía. Hucheloup había inventado una cosa excelente, que no se comía mas que en su casa, carpas rellenas, que él llamaba *carpas au gras* (carpas con manteca). Comíanse a la luz de una vela de sebo, o de un quinqué del tiempo de Luis XVI, en mesas que tenían, a guisa de mantel, un hule clavado, y acudían a saborear aquel plato desde muy lejos.

Hucheloup, un buen hombre, era un figonero con bigotes, variedad divertida. Tenía siempre la cara de mal humor; parecía querer intimidar a sus parroquianos; refunfuñaba a los que entraban en su casa, y tenía el aspecto más propio para buscar camorra con ellos, que para servirles la sopa.

Y sin embargo, repetimos, que todos eran bien recibidos.

Su mujer, la tía Hucheloup, era un ser barbudo, y muy feo.

Hacia 1830 murió el tío Hucheloup, y con él desapareció el secreto de las carpas con manteca. Su viuda poco consolable, continuó con la taberna. Pero la cocina degeneró, y llegó a ser malísimo el vino, que antes había sido sólo malo, llegó a ser pésimo.

Dos criadas, llamadas Matelote y Gibelote, sin que nunca se haya sabido que tuvieran otros nombres, ayudaban a la señora Hucheloup a poner en las mesas los jarros de vino y la variedad de pistos que se servían a los hambrientos en cazuelas de barro.

Matelote, gruesa, redonda, roja y vocinglera, antigua sultana favorita del difunto Hucheloup, era fea, más fea que cualquier monstruo mitológico; sin embargo, como conviene que la criada sea siempre menos que el ama, era menos fea que la señora Hucheloup.

Gibelote era alta, delgada, de blancura linfática, con los ojos hundidos, los párpados caídos, siempre como fatigada y rendida, dominada por lo que podría llamarse laxitud crónica; se levantaba la primera, y se acostaba la última; servía a todo el mundo, aun a la otra criada, en silencio y con dulzura, sonriendo bajo el trabajo, con una especie de vaga sonrisa adormecida.

Antes de entrar en la sala-comedor, se leía sobre la puerta este verso, escrito con yeso por Courfeyrac:

Regálate si puedes,
y come si te atreves.

II. ALEGRÍA PREPARATORIA

Laigle de Meaux vivía más en casa de Joly que en otra parte. Tenía una casa como el pájaro tiene una rama. Los dos amigos vivían juntos, comían juntos y dormían juntos.

Eran cerca de las nueve de la mañana cuando abrieron la puerta de Corinto.

Subieron al primer piso.

Matelote y Gibelote los recibieron.

—Ostras, queso y jamón —dijo Laigle.

Y se sentaron a una mesa.

—Pasaba por ahí; he sentido desde la calle un delicioso olor a queso de Brie, y he subido.

Era Grantaire.

Grantaire cogió un taburete y se sentó.

Gibelote, viéndole, puso dos botellas sobre la mesa.

—¡Qué tranquila está esta calle! —exclamó Laigle—. ¿Quién sospecharía aquí que París está tan agitado? ¡Cómo se conoce que antes todo esto eran conventos! Du Breuil, Sauval y el abate Lebeuf traen la lista de los que había.

—No hablemos de frailes —dijo Grantaire.

Y después exclamó:

Acabo de pasar por la calle de Richelieu, por delante de la gran librería pública, aquel montón de conchas de ostras que se llama una biblioteca me quita la gana de pensar. ¡Cuánto papel! ¡Cuánta tinta! ¡Cuántos garabatos! ¡Todo eso se ha escrito! ¡Qué necio ha sido el que ha dicho que el hombre es un bípedo sin pluma! Después he encontrado una joven que me conocía, bella como la primavera, digna de llamarse Floreal, y entusiasmada, alegre, feliz como un ángel, ¡la miserable! porque ayer un espantoso banquero pintado de viruelas se ha dignado solicitarla. ¡Ay! La mujer acecha al negociante lo mismo que al pollo; las gatas cazan lo mismo a los ratones que a los pájaros. Esta doncella no hace aún dos meses era honesta en su boardilla, ajustaba circulitos de cobre a los agujeros de un corsé. ¿Cómo llamáis eso? Cosía, tenía una cama de tijera, vivía al lado de un tiesto de flores, estaba contenta. Ahora está hecha una banquera; esta transformación se ha hecho esta noche. Por la mañana he encontrado a esa víctima muy alegre; y lo más horrible es que esa pícara es hoy tan bonita como ayer. Su banquero no se traslucía en su rostro. Las rosas tienen esta propiedad, de más o menos, comparadas con las mujeres; las huellas que les causan los insectos son invisibles. ¡Ah! No hay moral en la Tierra; y pongo por testigo al mirto, símbolo del amor; al laurel, símbolo de la guerra; al olivo, ese borrico, símbolo de la paz; al manzano, que supo perder a Adán con su fruto, y a la higuera, abuela de las faldas.

Lo que vosotros llamáis progreso, marcha por dos motores: los hombres y los sucesos. Pero, ¡cosa triste! De tiempo en tiempo lo excepcional es necesario.

—Para los sucesos, como para los hombres, la tropa ordinaria no basta; es preciso que haya genios entre los hombres, y revolución entre los sucesos.

Los grandes accidentes son la ley; el orden de las cosas no puede pasar sin ellos; y al ver las apariciones de los cometas, está uno dispuesto a creer que hasta el cielo tiene necesidad de actores de representación.

Al ver el destino humano gastado ya, y aun el destino real que enseña la trama, como lo demuestra el príncipe de Condé ahorcado; al ver el infierno que no es más que un rasgón del cielo por donde sopla el viento; al ver tantos harapos aun en la púrpura nueva de la mañana en el vértice de una colina; al ver las gotas de rocío, esas perlas falsas; al ver la escarcha, ese estrás; al ver la humanidad descosida y los sucesos remendados, y tantas manchas en el sol, y tantos agujeros en la Luna; al ver tanta miseria en todas partes supongo que el Universo no es rico.

Hay apariencia de riqueza, es verdad, pero yo descubro la pequeñez.

Sí, todo está mal arreglado; nada se ajusta bien; este viejo mundo está desechado; me coloco en la oposición.

La Tierra es una gran tontuna. Parece que van a pelear todos esos imbéciles, a romperse las narices, a matarse en pleno estío; en el mes de junio, cuando podrían irse con una joven criatura del brazo a respirar en los campos la inmensa taza de té del heno segado.

—A propósito de revolución —dijo Joly—, parece que Mario está decididamente enamorado.

—¿Se sabe de quién? —preguntó Laigle.

—No.

—¿No?

—Te digo que no.

—¡Los amores de Mario! —exclamó Grantaire—, los veo desde aquí. Mario es una niebla y habrá encontrado un vapor; es de la raza de los poetas, y quien dice poeta, dice loco.

Grantaire empezaba su segunda botella, y tal vez su segunda arenga, cuando se presentó un nuevo ser en la escotilla de la escalera.

Este niño, eligiendo sin dudar entre los tres, aunque evidentemente no conocía a ninguno, se dirigió a Laigle de Meaux.

—¿Sois el señor Bossuet? —le preguntó.

—Ese es mi sobrenombre —respondió Laigle—. ¿Qué me quieres?

—Esto. Uno muy rubio me ha dicho en el boulevard: "¿Conoces a la tía Hucheloup?" Y yo le he dicho que sí, en la calle de la Chanvrerie, la viuda del viejo.

—Pues ve: allí encontrarás al señor Bossuet; y le dirás de mi parte A B C —me dijo.

—Almuerza con nosotros —dijo Grantaire.

El muchacho respondió:

—No puedo; soy del acompañamiento; soy el que va gritando ¡abajo Polignac!

Grantaire tomó la palabra:

—Ese es el pilluelo puro; hay muchas variedades en el género pilluelo. El pilluelo escribano, se llama salta arroyos; el pilluelo cocinero, se llama marmitón; el pilluelo panadero, se llama mitrón, el pilluelo lacayo, se llama groom; el pilluelo soldado, se llama granuja; el pilluelo pintor, se llama aprendiz; el pilluelo negociante, se llama hortera; el pilluelo cortesano, se llama menino.

Mientras tanto, Laigle estaba meditando:

—A, B, C, es decir, entierro de Lamarque.

—¿Iremos?

—Conclusión, nos quedamos —añadió Laigle—. Pues entonces bebamos, se puede faltar al entierro sin faltar al motín.

—¡Ah! al motín no faltaré yo —exclamó Joly.

Tomada esta resolución, Bossuet, Joly y Grantaire no se movieron de la taberna. Hacia las dos de la tarde, la mesa a que estaban sentados se veía cubierta de botellas vacías. Ardían sobre ella dos velas, una en un candelero de cobre perfectamente verde, y la otra en el cuello de una botella rota. Grantaire había arrastrado a Joly y a Bossuet al vino, y Bossuet y Joly habían hecho ponerse alegre a Grantaire.

Bossuet, que estaba muy borracho, había conservado su calma. Se había sentado en el quicio de la ventana abierta, y la lluvia le mojaba la espalda mientras contemplaba a sus dos amigos.

De repente oyó detrás de sí un tumulto, pasos precipitados, gritos de ¡a las armas! Se volvió, y descubrió en la calle de San Dionisio en la esquina de la calle de la Chanvrerie, a Enjolras que pasaba con la carabina en la mano, a Gavroche con su pistola, a Feuilly con su sable, a Courfeyrac con su espada, a Juan Prouvaire con su mosquete, a Combeferre con su fusil, a Bahorel con su fusil, y todo el grupo armado y tumultuoso que le seguía.

La calle de la Chanvrerie apenas tenía el alcance de una carabina. Bossuet improvisó con sus manos una bocina, y gritó:

—¡Courfeyrac! ¡Courfeyrac! ¡Eh!

Courfeyrac oyó las voces, vio a Bossuet, dio algunos pasos en la calle de la Chanvrerie, y dijo:

—¿Qué quieres?

—¿A dónde vas?

—A hacer una barricada —respondió Courfeyrac.

—Pues bien, este sitio es magnífico: hazla aquí.

—Es verdad, Águila de los males —dijo Courfeyrac.

Y a una señal suya todo el grupo se precipitó en la calle de la Chanvrerie.

III. La noche empieza a dominar a Grantaire

El sitio estaba, en efecto, admirablemente indicado; la entrada de la calle ancha, el fondo estrecho, y en forma de callejón sin salida; Corinto figurando un embudo; la calle Mondetour fácil de cerrar a derecha e izquierda, no siendo posible ningún ataque sino por la calle de San Dionisio, es decir, de frente y al descubierto. Bossuet, borracho, había tenido el golpe de vista de Aníbal en ayunas.

Al hacer su irrupción el grupo se había apoderado el espanto de toda la calle; todos los transeúntes se eclipsaron, y en un abrir y cerrar de ojos, por todas partes, a derecha e izquierda, las tiendas, los establecimientos, las puertas, las ventanas, las persianas, las boardillas, los postigos de todas dimensiones se cerraron, desde el piso bajo hasta el tejado.

—¡Ah! ¡Dios mío! ¡Dios mío! —decía suspirando la tía Hucheloup.

Bossuet había bajado a recibir a Courfeyrac.

Mientras tanto, en pocos minutos habían sido arrancadas veinte barras de hierro de las rejas de la fachada de la taberna, y habían sido desempedradas diez toesas de la calle; Gavroche y Bahorel habían cogido al pasar y derribado un carro de un fabricante de cales, llamado Anceau, el cual contenía tres toneles llenos de cal, que fueron colocados sobre pilas de adoquines; Enjolras había levantado la trampa de la cueva, y todos los toneles vacíos de la viuda Hucheloup habían ido a formarse con los de cal; Feuilly, con sus dedos acostumbrados a iluminar delicados países de abanicos, había reforzado los toneles y el carro con dos macizas pilas de guijarros; guijarros improvisados como todo lo demás, y cogidos sin saber dónde.

—¡Compañeros! derribaremos al gobierno; tan cierto como hay quince ácidos intermedios entre el ácido margárico y el ácido fórmico; por lo demás, a mí lo mismo me da. Caballeros, mi padre me ha odiado siempre, porque yo no podía comprender las matemáticas; yo no comprendo más que el amor a la libertad: soy Grantaire, el buen muchacho.

—Cállate, tonel —dijo Courfeyrac.

—¡Grantaire! —exclamó—; vete a dormir la mona fuera de aquí.

—Déjame dormir aquí hasta que aquí muera.

IV. Courfeyrac trata de
consolar a la viuda de Hucheloup

Bahorel, entusiasmado al ver la barricada, exclamaba:

—¡Ya está la calle cortada! ¡Qué bien está!

Courfeyrac, al mismo tiempo que demolía la taberna, trataba de consolar a la viuda tabernera.

—Tía Hucheloup, ¿no os quejábais el otro día de que os habían llamado a juicio y declarado delincuente, porque Gibelote había sacudido una manta por la ventana?

—Sí, mi buen señor Courfeyrac. ¡Ah, Dios mío! ¿Vais a poner también esa mesa en la barricada? Y no sólo por la manta, sino también por un tiesto que se cayó desde la boardilla a la calle, el gobierno me ha sacado cien francos de multa. ¿No es una picardía?

—Pues bien, tía Hucheloup, nosotros os vengaremos.

La tía Hucheloup, al parecer, no comprendía muy bien todo el beneficio de esta reparación.

La lluvia había cesado. Iban llegando reclutas; los obreros habían llevado bajo las blusas un barril de pólvora, una cesta de botellas de vitriolo, dos o tres hachas de viento, un canasto lleno de lamparillas, "restos de la fiesta del rey" que se había celebrado el 1º de mayo. Se decía que enviaba estas municiones un droguero del arrabal de San Antonio, llamado Pepín.

En la cocina se había encendido lumbre, y se fundían en un balinero, medidas, cucharas, tenedores, toda la vajilla de estaño de la taberna; al mismo tiempo se bebía.

Gavroche, completamente entusiasmado, se había encargado de todo. Iba, venía, subía, bajaba, metía ruido, brillaba: parecía que estaba allí para animar a todos. ¿Tenía algún aguijón? —Sí, ciertamente; su miseria. ¿Tenía alas? —Sí, ciertamente; su alegría. Gavroche era un torbellino. Se le veía sin cesar; se le oía continuamente; llenaba todo el espacio, encontrándose en todas partes a la vez; era una especie de ubicuidad casi irritante; no había nada que pudiese detenerle: la enorme barricada sentía su acción.

—¡Bravo! ¡Más adoquines! ¡más toneles! ¡más maderos! ¿Dónde hay?

Por lo demás, estaba furioso con su pistola sin gatillo; iba de uno a otro pidiendo: "¡Un fusil! ¡Quiero un fusil! ¿Por qué no se me da un fusil?"

—¡Un fusil a ti! —dijo Combeferre.

—¡Toma! —replicó Gavroche—, ¿por qué no? ¡Tuve uno en 1830 cuando se disputaba con Carlos X!

Enjolras alzó los hombros.

—Cuando los haya para los hombres, se darán a los niños.

V. LOS PREPARATIVOS

Los periódicos de aquel tiempo, que han dicho que la barricada de la calle de la Chanvrerie, aquella *construcción casi inexpugnable*, como la llamaban, llegaba a nivel del piso principal, se han equivocado. No pasaba de una altura de seis o siete pies, por término medio. Estaba hecha de manera que los combatientes podían, a voluntad, ocultarse detrás, o dominar el paso, y aun subir a la cima por medio de una cuádruple fila de adoquines superpuestos, y colocados a guisa de escalera por el interior. Por fuera, el frente de la barricada, compuesto por filas de adoquines y de toneles, sujetos por vigas y tablas que se enchufaban en las ruedas del carro de Auceau y del ómnibus, presentaba el aspecto de un obstáculo erizado e inextricable.

La pequeña barricada Mondetour, oculta detrás de la casa de la taberna, no se veía. Las dos barricadas reunidas formaban un verdadero reducto.

Todo este trabajo se hizo sin obstáculo en menos de una hora, y sin que aquel puñado de hombres atrevidos viese aparecer una gorra de pelo, ni una bayoneta.

Cuando se acabaron las dos barricadas, y se enarboló la bandera, se sacó una mesa fuera de la taberna, y se subió en ella Courfeyrac. Enjolras trajo el cofre cuadrado, que estaba lleno de cartuchos; Courfeyrac le abrió. Cuando se descubrieron los cartuchos, temblaron los más valientes, y hubo un momento de silencio.

Courfeyrac los distribuyó sonriéndose.

Cada uno recibió treinta cartuchos.

Concluidas ya las barricadas, designados los puestos, cargados los fusiles, puestas las centinelas, solos en aquellas calles temibles, por donde no pasaba ya nadie, rodeados de aquellas casas mudas, y como muertas, en que no palpitaba ningún movimiento humano, y envueltos en las sombras crecientes del crepúsculo que empezaba ya, en medio de aquella obscuridad y de aquel silencio en que se sentía avanzar alguna cosa, y que tenía un no sé qué de trágico y terrorífico, aislados, armados, resueltos, tranquilos, esperaron.

VI. LA ESPERA

En aquellas horas de espera, ¿qué hicieron?

Es preciso que lo digamos, porque esto pertenece a la historia.

Mientras que los hombres hacían cartuchos, y las mujeres hilas; mientras que los centinelas velaban arma al brazo en la barricada, mientras que Enjolras, a quien nada podía distraer, velaba sobre los centinelas; Combeferre, Courfeyrac, Juan Prouvaire, Feuilly, Bossuet, Joly, Bahorel y algunos otros se buscaron y se reunieron como en los días más pacíficos de sus conversaciones de estudiantes, y en un rincón de aquella taberna, convertida en casamata, a dos pasos del reducto que habían construido, con las carabinas cebadas, cargadas y apoyadas en el respaldo de la silla; aquellos jóvenes, tan cercanos a una hora suprema, se pusieron a cantar versos de amor.

—¿Qué versos? Los siguientes:

¿Recuerdas aquel tiempo de alegría,
de nuestra juventud en los albores,
cuando un solo deseo nos movía,
el de nuestros amores?

Añadidos tus años a mis años,
cuarenta y dos apenas se contaban
y libres nuestras almas se encontraban
de amargos desengaños.

Orgulloso era Foy, Manuel prudente;
París santos banquetes celebraba,
y un alfiler en tu corsé saliente,
a veces me picaba.

Al verte, hermosa entre las más hermosas,
de todos envidiada era mi suerte,

y al pasar por el Prado, hasta las rosas,
se volvían por verte.

La hora, el lugar, la evocación de aquellos recuerdos de la juventud, algunas estrellas que empezaban a brillar en el cielo, el reposo fúnebre de aquellas calles desiertas, la inminencia de la aventura inexorable que se preparaba, daban un encanto patético a estos versos, murmurados a media voz en el crepúsculo.

VII. El hombre
reclutado en la calle de Billetes

La noche había ya caído completamente: nadie se acercaba.

Enjolras se sentía dominado por esa impaciencia que se apodera de las almas fuertes, en el umbral de los grandes sucesos.

Fue a buscar a Gavroche que se había puesto a hacer cartuchos en la sala baja, a la dudosa claridad de dos velas, colocadas sobre el mostrador por precaución, a causa de la pólvora extendida sobre la mesa.

Gavroche en aquel momento estaba muy pensativo, aunque no precisamente por sus cartuchos.

El hombre de la calle de Billetes acababa de entrar en la sala baja y había ido a sentarse en la mesa menos alumbrada.

El pilluelo se aproximó a aquel hombre pensativo, y se puso a dar vueltas en derredor suyo sobre la punta de los pies, como se hace cuando no se quiere o se quiere despertar a alguno.

En lo más profundo de este examen, se acercó a él Enjolras.

—Tú eres pequeño —le dijo—, y no serás visto. Sal de las barricadas, desvíate a lo largo de las casas, explora un poco las calles, y ven a decirme lo que hay.

Gavroche se enderezó al oír esto.

—¡Los pequeños sirven, pues, para algo! ¡Es una felicidad! ¡Ya voy!

Y levantando la cabeza y bajando la voz, añadió señalando al hombre de la calle de Billetes:

—¿Veis ese grande?

—¿Y qué?

—Es un espía.

—¿Estás seguro?

Aún no hace quince días que me bajó de las orejas de la cornisa del Puente Real, a donde estaba yo tomando el fresco.

Enjolras abandonó vivamente al pilluelo, y dijo en voz baja algunas palabras a un obrero del puesto que estaba allí.

El obrero salió de la sala, y volvió al momento acompañado de otros tres.

Los cuatro hombres, cuatro mozos de grandes espaldas, fueron a colocarse detrás de la mesa en que estaba el hombre sospechoso, sin hacer nada que pudiese llamar su atención.

Estaban visiblemente dispuestos a arrojarse sobre él.

Entonces Enjolras se acercó al hombre y le preguntó:

—¿Quién sois?

A esta brusca interrogación, el hombre se sobresaltó; dirigió a Enjolras una mirada que penetró hasta el fondo de su cándida pupila, y pareció que adivinaba su pensamiento.

Sonrióse entonces con una sonrisa, la más enérgica y la más resuelta del mundo, y respondió con altiva gravedad:

—¡Veo qué es esto!... Pues bien, sí.

—¿Sois espía?

—Soy agente de la autoridad.

—¿Cómo os llamáis?

—Javert.

Enjolras hizo una señal a los cuatro hombres, y en un abrir y cerrar de ojos, antes de que Javert tuviese tiempo de volverse, fue cogido por el cuello, derribado y registrado.

Halláronle una tarjeta, pequeña circular colocada entre dos vidrios, la cual tenía por un lado las armas de Francia grabadas con esta leyenda: *Seguridad y vigilancia,* y en la otra esta mención: JAVERT, inspector de policía; edad, cincuenta y dos años, y la firma del prefecto de policía de entonces, señor Gisguet.

Tenía además un reloj y un bolsillo que contenía algunas monedas de oro: le dejaron ambas cosas. Detrás del reloj, en el fondo del bolsillo, le descubrieron, por el tacto, un papel hecho cuatro dobleces, que desdobló

Enjolras leyendo estas cuatro líneas, escritas de mano del prefecto de policía:

"El inspector Javert, así que haya cumplido su misión política, se asegurará, por medio de una vigilancia especial, de si es verdad que algunos malhechores andan vagando por las cuestas de la orilla derecha del Sena, cerca del puente de Jena."

Terminado el registro, levantaron a Javert, le sujetaron los brazos por detrás de la espalda, y le ataron en medio de la sala baja a aquel célebre poste que había dado antiguamente nombre a la taberna.

Gavroche, que había presenciado aprobando toda la escena con silenciosos movimientos de cabeza, se aproximó a Javert y le dijo:

—Amigo, el ratón ha cogido al gato.

—Es un espía —dijo Enjolras.

Y volviéndose hacia Javert:

—Seréis fusilado dos minutos antes de que tomen la barricada.

Después llamó a Gavroche.

—¡Tú, vete a tu negocio! ¡Haz lo que te he dicho!

—Voy —dijo Gavroche, y añadió—: A propósito ¡me daréis su fusil! Os dejo el músico, y me llevo el clarinete.

VIII. VARIAS PREGUNTAS
CON MOTIVO DE UN TAL LE CABUC QUE
PROBABLEMENTE NO SE LLAMARA LE CABUC

La pintura trágica que hemos empezado a hacer no sería completa y el lector no vería en ella, en su relieve exacto y real, esos grandes minutos del drama social y del desarrollo revolucionario, en que la convulsión se mezcla con la fuerza, si omitiésemos en este bosquejo un incidente lleno de un horror épico y terrible que sucedió apenas se marchó Gavroche.

Entre los transeúntes que se habían unido al grupo había uno llamado o apodado Le Cabuc. Como era completamente desconocido, a los que pretendían conocerle, exclamó:

—Compañeros, mirad; desde esa casa es desde donde debemos tirar. Puestos en las ventanas, ¡ni el diablo entra en la calle!

Cogió un fusil, y empezó a dar culatazos en la puerta.

Los vecinos debieron ponerse en movimiento en la casa, porque se vio iluminarse y abrirse un ventanuco cuadrado en el tercer piso, y aparecer en él una luz y el rostro asustado de un hombre de cabellos grises, que era el portero.

El hombre que llamaba se quedó parado.

—Señores —dijo el portero—, ¿qué queréis?

—¡Abre! —dijo Le Cabuc.

—Señores, eso no es posible.

—¿Dices que no?

—Digo que no, buenos...

El portero no pudo acabar, salió el tiro, la bala le entró por debajo de la barba y le salió por la nuca después de atravesar la vena yugular.

El pobre hombre cayó sin dar un suspiro.

—¡Bueno! —dijo Le Cabuc, dando un culatazo en el suelo.

Apenas había pronunciado esta palabra, sintió una mano que le cogía del cuello con la fuerza de la garra de un águila, y oyó una voz que le decía:

—¡De rodillas!

El asesino se volvió y vio delante de sí el rostro pálido y sereno de Enjolras, que tenía una pistola en la mano.

Había acudido al oír la detonación.

Con la mano izquierda había cogido el cuello, la blusa, la camisa, y el tirante de Le Cabuc.

—¡De rodillas! —repitió.

Le Cabuc, vencido, no trataba ya de defenderse, y temblaba de pies a cabeza. Enjolras le soltó, y sacó el reloj.

—¡Encomiéndate a Dios! —le dijo—. ¡Te queda un minuto!

—¡Perdón! —murmuró el asesino; después bajó la cabeza, y murmuro algunos juramentos inarticulados.

Enjolras no apartó la vista del reloj, dejó pasar el minuto, y volvió el reloj al bolsillo. En seguida cogió por los cabellos a Le Cabuc que se arremolinaba contra sus rodillas gritando, y le puso en la sien el cañón de la pistola.

Muchos de aquellos hombres intrépidos que habían entrado tan tranquilamente en una de las más terribles aventuras, volvieron la cabeza.

Oyóse la explosión; el asesino cayó al suelo boca abajo. Enjolras se enderezó, y paseó en derredor su mirada satisfecha y severa.

Enjolras se quedó pensativo; su sereno rostro se iba cubriendo de grandiosas tinieblas; de pronto elevó su voz; todos le escucharon en silencio.

—Ciudadanos —dijo Enjolras—, lo que este hombre ha hecho es espantoso, lo que yo he hecho es horrible. Ha matado, por eso le he matado; y he debido hacerlo porque la insurrección debe tener su disciplina; el asesinato es ahora mayor crimen que en otras circunstancias; estamos bajo los ojos de la revolución; somos los apóstoles de la república; somos las víctimas del deber, y es preciso que nadie pueda calumniar nuestra lucha. Por esto he juzgado y condenado a muerte a ese hombre. En cuanto a mí, obligado a hacer lo que he hecho, pero aborreciéndolo, me he juzgado también, y pronto veréis a qué me he condenado.

Después del combate, cuando los cadáveres fueron llevados al depósito y registrados, se encontró a Le Cabuc una cédula de agente de policía.

Añadamos, que si hemos de creer una tradición de policía, extraña, pero probablemente fundada, Le Cabuc era Suena-dinero.

Libro decimotercero

● Mario entra en la sombra ●

I. Desde la calle Plumet al barrio de San Dionisio

Aquella voz que al través del crepúsculo había llamado a Mario a la barricada de la calle de la Chanvrerie, le había producido el mismo efecto que la voz del destino. Quería morir, y se le presentaba la ocasión; llamaba a la puerta de la tumba, y una mano en la sombra le enseñaba la llave.

Esas lúgubres aberturas que se hacen en las tinieblas ante la desesperación son tentadoras. Mario separó la verja que le había dejado pasar tantas veces, salió del jardín, y dijo: "¡Vamos!"

Empezó a andar rápidamente: precisamente iba armado con los dos cachorrillos que le dio Javert.

Después de haber atravesado la zona de la multitud, había pasado el límite de la tropa; se veía envuelto en algo terrible, no encontraba ya ni un transeúnte, ni un soldado, ni una luz; nada. El silencio, la soledad, la noche, un frío que le sobrecogía; entrar en una calle era entrar en una cueva.

Continuó andando.

II. París a vista de búho

Un ser que hubiera podido cernirse sobre París en aquel momento con las alas del murciélago o del mochuelo, habría descubierto un lúgubre espectáculo.

Todo el antiguo barrio del Mercado, que es como una ciudad dentro de otra, atravesado por las calles de San Dionisio y de San Martín en que se cruzan mil callejuelas, de las cuales habían hecho los insurgentes sus reductos y su plaza de armas, se le habría presentado un enorme agujero sombrío en el centro de París.

El barrio de la insurrección no era más que una especie de monstruosa caverna; allí todo parecía dormido o inmóvil, y como acabamos de decir, cada calle no ofrecía más que una espesa sombra.

No se oía más que un solo ruido; ruido doloroso como un gemido, amenazador como una maldición, el toque a rebato de San Merry. Nada más glacial que el clamor de aquella campana perdida y desesperada, lamentándose en las tinieblas.

Como sucede muchas veces, la Naturaleza parecía haberse puesto de acuerdo con lo que los hombres iban a hacer; nada se oponía a las armonías de aquel conjunto. Las estrellas habían desaparecido; pesadas nubes cubrían el horizonte con sus melancólicos pliegues. Había un cielo negro sobre aquellas calles muertas, como si se desplegase una inmensa mortaja sobre aquella inmensa tumba.

Mientras que se preparaba una batalla política en aquel sitio, que había visto ya tantos sucesos revolucionarios, mientras que la juventud, las sociedades secretas, las escuelas en nombre de las teorías, y la clase media en nombre de los intereses se aproximaban para chocar, para luchar y derribarse; mientras que cada uno se apresuraba y llamaba la hora última y decisiva de la crisis, a lo lejos, fuera de este barrio fatal, en lo más profundo de las cavidades insondables de ese viejo París miserable, que desaparece bajo el esplendor del París feliz y opulento, se oía sonar lúgubremente la sombría voz del pueblo.

III. La orilla extrema

Mario había llegado al Mercado. Allí todo estaba más tranquilo, más obscuro e inmóvil que en las calles cercanas. Parecía que la paz glacial del sepulcro había salido de la tierra y se había extendido por el cielo.

Mario no tenía que dar más que un paso.

Entonces el desgraciado joven se sentó en un guardacantón, cruzó los brazos, y pensó en su padre.

Se dijo que ya le había llegado su día, que había sonado su hora y que después de su padre, él también iba a ser valiente, intrépido, atrevido; iba a correr el peligro de las balas, a ofrecer su pecho a las bayonetas, a derramar su sangre, a buscar al enemigo, a buscar la muerte; que iba a hacer la guerra a su vez, a bajar al campo de batalla, y que este campo de batalla a que descendía era la calle, y que la guerra que iba a hacer, era la guerra civil.

Vio la guerra delante de sí como un precipicio en que iba a caer. Entonces se estremeció.

Esto era horrible. Pero ¿qué hacer? Vivir sin Cosette era imposible; y puesto que se había marchado, era preciso morir. ¿No le había dado su palabra de honor de que moriría? Ella había partido sabiéndolo así; luego le agradaba que Mario muriera. Además, era evidente que ella no le amaba, pues se había ido así, sin avisarle, sin decirle una palabra, sin escribirle una letra, sabiendo sus señas. ¿Para qué, pues, vivir ya? Además, ¡haber ido hasta allí y retroceder! ¡Haberse aproximado al peligro y huir! ¡Haber ido a ver la barricada y alejarse de ella! Alejarse temblando y diciendo:

—¡He hecho bastante, he visto, y esto me basta; esto es la guerra civil; me voy! ¡Abandonar a sus amigos que le esperaban, que quizá le necesitaban, que eran un puñado contra un ejército! ¡Faltar a todo a la vez, al amor, a la amistad, a su palabra! ¡Dar a su cobardía el pretexto del patriotismo! Pero esto era imposible; y si el fantasma de su padre estuviese allí en la sombra y le viese retroceder, le azotaría con la espada de plano, y le gritaría:" ¡Anda, cobarde!"

Dominado por el vaivén de estos pensamientos bajó la cabeza.

De pronto la levantó; acababa de verificarse en su espíritu una especie de rectificación espléndida. Hay una dilatación del pensamiento, propia de la aproximación de la tumba: al acercarse a la muerte, se ve la verdad. La visión de la acción, en la cual se veía quizá próximo a entrar, se le presentaba, no ya horrible, sino soberbia. La guerra de las calles se cambió súbitamente por una desconocida modificación anímica interior, ante la vista de su inteligencia.

¡La guerra civil! ¿Qué quiere decir esto? ¿Acaso toda guerra entre hombres no es una guerra fratricida? La guerra no se califica por su objeto. No hay ni guerra extranjera, ni guerra civil, no hay más que justa o guerra injusta. Hasta el día en que se concluya el gran concordato humano, la guerra, a lo menos la que representa el esfuerzo del porvenir que se apresura, contra el pasado que se retarda, puede ser necesaria. ¿Qué hay, pues, qué censurar en esa guerra?

La guerra no es una vergüenza; la espada no se convierte en puñal sino cuando asesina el derecho, el progreso, la razón, la civilización y la verdad. Entonces guerra civil o guerra extranjera, es inicua; se llama crimen. Fuera de esta cosa santa.

El despotismo viola la frontera moral, como la invasión viola la frontera geográfica. Expulsar al tirano o expulsar al inglés, es en ambos casos recuperar el propio territorio.

De aquí proviene la necesidad de los motines y de las guerras. Es preciso que aparezcan grandes combatientes, que iluminen a las naciones con su audacia, y sacudan a esta triste humanidad; que cubran de sombra el derecho divino, la gloria de los Césares, la fuerza, el fanatismo, el poder irresponsable y las majestades absolutas, legión estúpidamente ocupada en contemplar en su esplendor crepuscular esos sombríos triunfos de la noche.

En suma, restablecer la verdad social, volver su trono a la libertad, volver al pueblo, a su hogar, volver al hombre la soberanía, volver la púrpura a la cabeza de Francia, restaurar en su plenitud la razón y la equidad, suprimir todo germen de antagonismo, restituyendo cada uno a sí mismo, aniquilar el obstáculo que el realismo presenta a la inmensa concordia universal, poner al género humano al nivel del derecho, ¿qué causa más justa, y por consiguiente que guerra más grande? Estas guerras traen la paz.

La lógica se mezcla con la convulsión, y el hilo del silogismo flota, sin romperse, en la lúgubre tempestad del pensamiento.

En esta situación de ánimo se encontraba Mario.

Libro decimocuarto

● LA SUBLIMIDAD ●
DE LA DESESPERACIÓN

I. LA BANDERA ROJA DERRIBADA

Aún no venía nadie: las diez habían dado en San Merry. Enjolras y Combeferre habían ido a sentarse con la carabina en la mano cerca de la cortadura de la barricada mayor; no hablaban; escuchaban tratando de oír aun el ruido de la marcha más sorda y más lejana.

De repente, en medio de aquella calma lúgubre, se oyó una voz clara, joven, alegre, que parecía venir de la calle de San Dionisio, y que empezó a cantar con el tono de una antigua canción popular, esta otra que terminaba por un grito semejante al canto del gallo:

> *Mi nariz destila lágrimas,*
> *préstame, amigo Bugeaud*
> *la de uno de tus gendarmes,*
> *que sea de lo mejor.*

Con ella podré a la calle
salir luciendo este talle
que envidia a los mozos da.
Quiquiriquí, cacaracá.

Ellos se apretaron la mano.

—Es Gavroche —dijo Enjolras.

—Nos avisa —dijo Combeferre.

Una carrera precipitada turbó el silencio de la calle desierta; Gavroche saltó con más agilidad que un clown por encima del ómnibus, y cayó en medio de la barricada, sofocado y gritando:

—¡Mi fusil! ¡Ahí están!

—¿Quieres mi carabina? —dijo Enjolras al pilluelo.

—Quiero el fusil grande —respondió Gavroche. Y cogió el fusil de Javert.

Cada uno se había colocado en su puesto de combate.

Pasáronse así algunos instantes, después se oyó claramente por el lado de San Leu un ruido de pasos acompasado, numeroso.

No se oía ninguna otra cosa.

Al extremo de la calle se oía como el aliento de muchos hombres.

Hubo aún una pausa como si esperasen por ambos lados. De repente desde el fondo de aquella sombra, una voz tanto más siniestra cuanto que no se veía a nadie, y parecía que hablaba la misma obscuridad, gritó:

—¿Quién vive?

Al mismo tiempo se oyó el golpe de los fusiles que caían sobre las manos.

Enjolras respondió con acento vibrante y altanero:

—¡Revolución francesa!

—¡Fuego! —dijo la voz.

Una terrible detonación estalló sobre la barricada. La bandera roja cayó al suelo.

—Compañeros —gritó Courfeyrac— no gastemos pólvora en balde. Esperemos a que entren en la calle para contestarles.

—Antes de todo —dijo Enjolras—, izemos de nuevo la bandera.

Enjolras añadió:

—¿Quién tiene corazón aquí? ¿Quién se atreve a clavar la bandera sobre la barricada?

—¿Nadie se atreve?

II. La bandera roja izada

Desde que los insurgentes habían llegado a Corinto y empezado a construir la barricada, nadie se había acordado del señor Mabeuf, que sin embargo, no había abandonado el grupo. Había entrado en el piso bajo de la taberna, sentándose detrás del mostrador. Allí se había anonadado en sí mismo, por decirlo así; parecía que no veía, ni pensaba.

Cuando cada uno ocupó su puesto de combate, no quedaron en la sala baja más que Javert atado al poste, un insurgente con el sable desnudo custodiándole, y el señor Mabeuf. En el momento del ataque, de la detonación, le conmovió una sacudida física, y como si despertase se levantó bruscamente, atravesó la sala, y apareció en la puerta de la taberna en el momento en que Enjolras repetía por segunda vez su pregunta:

—¿No se atreve nadie?

La presencia del anciano causó una especie de conmoción en todos los grupos; y se oyeron estos gritos:

—¡Es el votante! ¡El convencional! ¡El representante del pueblo!

Es muy probable que él no lo oyera.

Dirigióse hacia Enjolras; los insurgentes se apartaban a su paso con religioso temor; cogió la bandera a Enjolras que retrocedió petrificado, y sin que nadie se atreviese a detenerle ni a auxiliarle, aquel anciano de ochenta años, con la cabeza temblorosa, y el pie firme, empezó a subir lentamente la escalera de adoquines hecha en la barricada.

Cuando estuvo en lo alto del último escalón, hubo ese silencio que sólo producen en su derredor los prodigios.

En medio de este silencio, el anciano agitó la bandera roja, y gritó:

—¡Viva la revolución! ¡Viva la república! ¡Fraternidad! ¡Igualdad! ¡y la muerte!

Después, la misma voz vibrante que había dicho ¿quién vive? gritó:

—¡Retiráos!

El señor Mabeuf, pálido, con los ojos extraviados, las pupilas iluminadas con lúgubres fulgores, levantó la bandera por encima de su frente, y repitió:

—¡Viva la república!

—¡Fuego! —dijo la voz.

Una segunda descarga semejante a una metralla cayó sobre la barricada.

El anciano se dobló sobre sus rodillas, después se levanto, dejó escapar la bandera de sus manos, y cayó hacia atrás sobre el suelo, inerte, en todo lo largo, y con los brazos en cruz.

—¡Qué hombres son estos regicidas! —dijo Enjolras.

Después elevó la voz, y dijo:

—Ciudadanos: este es el ejemplo que los viejos dan a los jóvenes. Estábamos dudando, y se ha presentado; retrocedíamos, y él ha avanzado. ¡Ved ahí lo que los que tiemblan de viejos enseñan a los que tiemblan de miedo! Este anciano es augusto a los ojos de la patria; ha tenido una larga vida, y una magnífica muerte. ¡Retiremos ahora el cadáver, y que cada uno de nosotros defienda a este anciano muerto como defendería a su padre vivo: que su presencia haga inaccesible nuestra barricada!

III. Donde verá el lector que Gavroche habría hecho mejor en tomar la carabina de Enjolras

Cubrióse al señor Mabeuf con un viejo pañuelo negro de la viuda Hucheloup; seis hombres hicieron con sus fusiles una camilla de campaña, pusieron en ella el cadáver, y lo llevaron con la cabeza desnuda, con solemne lentitud, a la mesa grande de la sala baja.

Entretanto, el pequeño Gavroche, único que no había abandonado su puesto, quedándose en observación, creía ver algunos hombres que se aproximaban como lobos a la barricada.

De repente gritó:

—¡Desconfiad!

Courfeyrac, Enjolras, Juan Prouvaire, Combeferre, Joly, Bahorel y Bossuet, todos salieron en tumulto de la taberna. Apenas era ya tiempo.

Descubríase un gran espesor de bayonetas ondulando por encima de la barricada.

El instante era crítico. Un segundo más, y la barricada estaba perdida.

Bahorel se lanzó sobre el primer guardia, y le mató de un tiro a quemarropa con su carabina; el segundo mató a Bahorel de un bayonetazo. Otro había derribado a Courfeyrac, que gritaba: "¡A mí!"

El más alto de todos, una especie de coloso, se dirigía contra Gavroche con la bayoneta calada.

El pilluelo cogió en sus pequeños brazos el enorme fusil de Javert, apuntó resueltamente al gigante, y dejó caer el gatillo; pero el tiro no salió.

El guardia municipal dio una carcajada, y levantó la bayoneta sobre el niño.

Pero antes que hubiera podido tocarle, el fusil se escapó de manos del soldado, y cayó de espaldas, herido de un balazo en medio de la frente.

Una segunda bala daba en medio del pecho del otro guardia que había derribado a Courfeyrac.

Era Mario que acababa de entrar en la barricada.

IV. El barril de pólvora

Mario, oculto en el recodo de la calle de Mondetour, había asistido a la primera fase del combate, irresoluto y tembloroso.

Mario no tenía ya armas, había tirado sus pistolas descargadas, pero había visto el barril de pólvora en la sala baja cerca de la puerta.

Por ambas partes se apuntaban a quemarropa; estaban tan cerca, que podían hablarse sin elevar la voz. Cuando llegó ese momento en que va a saltar la chispa, un oficial con gala y grandes charreteras, extendió la espada, y dijo:

—¡Rendid las armas!

—¡Fuego! —gritó Enjolras.

Las dos detonaciones partieron al mismo tiempo y todo desapareció en una nube de humo.

De repente se oyó una voz tonante que gritaba:

—¡Retiráos, o hago volar la barricada!

Todos se volvieron hacia el sitio de donde salía esta voz.

—¡Saltar la barricada! —dijo un sargento—; ¡tú saltarás también!

Mario respondió:

—Y yo también.

Habíase dado el "sálvese quien pueda".

La barricada estaba libre.

V. Fin de los versos de Juan Prouvaire

Todos rodearon a Mario. Courfeyrac le abrazó.

—¡Tú aquí!

—¡Qué felicidad! —dijo Combeferre.

—¡Has venido a tiempo! —dijo Bossuet.

—¡Si no es por ti, hubiera muerto! —añadió Courfeyrac.

—¡Sin vos, me hubieran comido! —dijo Gavroche.

Mario preguntó:

—¿Quién es el jefe?

—Tú —contestó Enjolras.

Cosette perdida para él, la barricada, el señor Mabeuf dando su vida por la república, él convertido en jefe de los insurgentes; todas estas cosas le parecían una monstruosa pesadilla.

Mientras tanto, los agresores no se movían; se les oía andar y hormiguear al fin de la calle, pero no se aventuraban, ya porque estuviesen esperando órdenes, ya porque quisiesen recibir refuerzos antes de atacar aquel inaccesible reducto.

Los insurgentes habían puesto centinelas, y algunos que eran estudiantes de medicina, curaban a los heridos.

VI. La agonía de la muerte
después de la agonía de la vida

Una particularidad de este género de guerra es que el ataque de las barricadas se verifica casi siempre de frente, y en general los agresores se abstienen de rodear las posiciones, ya porque teman las emboscadas, ya porque teman meterse en calles tortuosas.

Mario, sin embargo, pensó en la barricada pequeña; fue a ella, y la encontró desierta, guardada sólo por la temblorosa lamparilla.

Cuando Mario se retiraba, después de hacer su visita de inspección, oyó que llamaban débilmente.

—¡Señor Mario!

Se estremeció, porque conoció la voz que le había llamado dos horas antes por la verja de la calle Plumet.

—¡Señor Mario! —repitió la voz.

—¿Me conocéis?

—No.

—Eponina.

Mario se bajó rápidamente.

—¿Cómo estáis aquí? ¿Qué hacéis ahí?

—¡Me muero! —dijo ella.

Eponina acercó la mano a los ojos de Mario, y le enseñó en ella un agujero negro.

—¿Qué tenéis en la mano? —le preguntó.

—La tengo atravesada.

—¿Atravesada?

—Sí.

—¿De qué?

—De una bala.

—¿Cómo?

—¿No habéis visto un fusil que os estaba apuntando?

—Sí, y una mano que lo tapó.

—Era la mía.

Mario se estremeció.

Mario obedeció, ella puso la cabeza sobre sus rodillas, y le dijo sin mirarle:

—¡Oh, qué placer! ¡Qué bien estoy! ¡Ya no padezco!

Y continuó:

—¡Ya véis! ¡Estáis perdido! Ahora nadie saldrá de la barricada.

Tenía un aspecto insensato, grave, extraviado. Por entre la blusa desabotonada, se veía su cuello desnudo. Al mismo tiempo que hablaba, apoyaba la mano herida sobre el pecho donde tenía otro agujero, del cual salía a intervalos una ola de sangre, como sale el vino de un tonel abierto.

Mario contemplaba a aquella desgraciada criatura con profunda compasión.

—¡Oh! —dijo la joven de repente—. ¡Me vuelve ya! ¡Me ahogo!

En aquel momento el grito de gallo de Gavroche resonó en la barricada. El muchacho se había subido sobre una mesa para cargar el fusil, y cantaba alegremente esta canción, tan popular en aquella época:

Decían los gendarmes al ver a Lafayette:

—¡Huyamos! ¡Huyamos! ¡Huyamos!

Eponina se levantó y escuchó; después dijo en voz baja:

—¡El es!

Y volviéndose hacia Mario:

—Ahí está mi hermano. No conviene que me vea, porque me regañaría.

Mario hizo un movimiento.

—¡Oh! ¡No os vayáis! —le dijo—. ¡Ya no durará esto mucho!

—Escuchad: no quiero engañaros. Tengo en el bolsillo una carta para vos desde ayer. Me habían encargado que la echara al correo, y la he guardado porque no quería que la recibiérais. ¡Pero tal vez me odiaríais cuando nos veamos dentro de poco! Porque los muertos se vuelven a ver, ¿no es verdad? Tomad la carta.

Mario cogió la carta.

—Ahora, prometedme por mis dolores...

—Os lo prometo.

—Prometedme darme un beso en la frente cuando muera. Le sentiré.

Su cabeza cayó entre las rodillas de Mario, y cerráronse sus párpados.

Él creyó que había partido ya su alma.

—Mirad, señor Mario, creo que estaba un poco enamorada de vos.

Trató de sonreírse y expiró.

VII. Donde se ve que Gavroche era un profundo calculador de distancias

Mario cumplió su promesa, y dio un beso en aquella frente lívida, de la cual corría un sudor glacial.

Aquel beso no era una infidelidad a Cosette, era un adiós pensativo y dulce a un alma desgraciada.

Mario no había podido coger sin estremecerse la carta que Eponina le había dado; había comprendido desde luego que encerraba algo grave, y estaba impaciente por leerla.

Las señas, de letra de mujer, eran éstas.

"Al señor Mario Pontmercy, en casa del señor Courfeyrac, calle de la Verriere, número 16."

Abrió el sobre y leyó:

"Querido mío: ¡Ay! mi padre quiere que marchemos en seguida. Estaremos esta noche en la calle del Hombre-Armado número 7. Dentro de ocho días iremos a Londres —COSETTE.— 4 de junio."

Tal era la inocencia de estos amores, que Mario no conocía aún la letra de Cosette.

Lo que había pasado puede decirse en breves palabras. Eponina había sido causa de todo.

Tenía allí una cartera, la misma en que había escrito tantos pensamientos de amor para Cosette; arrancó una hoja, y escribió con lápiz estas líneas:

"Nuestro casamiento es imposible. He hablado a mi abuelo y se opone; no tengo nada ni tú tampoco. He ido a tu casa y no te he encontrado; ya sabes la palabra que te di; la cumplo: moriré. Te amo; cuando leas estas líneas mi alma estará cerca de ti sonriendo."

No teniendo con qué cerrar la carta, dobló sólo el papel, y puso estas señas:

A la señorita Cosette Fauchelevent, en casa del señor Fauchelevent. calle del Hombre-Armado, número 7.

Doblada la carta, permaneció un momento pensativo, volvió a coger su cartera, la abrió, y escribió con el mismo lápiz en la primera página estas tres líneas:

"Me llamo Mario Pontmercy. Llévese mi cadáver a casa de mi abuelo, el señor Gillenormand, calle de las Hijas del Calvario número 6, en el Marais."

Guardó la cartera en el bolsillo de la levita, y llamó a Gavroche. El pilluelo acudió a la voz de Mario con su rostro alegre y decidido.

—¿Quieres hacer una cosa por mí?

—Todo —dijo Gavroche—. ¡Dios mío! si no hubiera sido por vos me habrían comido.

—¿Ves esta carta?

—Sí.

—Tómala. Sal de la barricada —al momento Gavroche, inquieto, empezó a rascarse la oreja—, y mañana por la mañana la llevarás a su destino, a la señorita Cosette, en casa del señor Fauchelevent, calle del Hombre-Armado, número 7.

—Está bien —dijo.

Y salió corriendo por la calle Mondetour.

Se le había ocurrido una idea que le había decidido, pero que había callado, temiendo que Mario hiciese alguna objeción.

Esta idea era la siguiente: llevar en seguida la carta.

Libro decimoquinto

● LA CALLE DEL HOMBRE-ARMADO ●

I. CARTA CANTA

La víspera de aquel día, Juan Valjean, acompañado de Cosette y de Santos, se había instalado en la calle del Hombre-Armado: una nueva peripecia le esperaba allí.

La seca orden "mudáos", dada por un desconocido a Juan Valjean, le había alarmado, hasta el punto de hacerlo absoluto; se creía ya descubierto y perseguido. Cosette había tenido que ceder.

Ambos habían llegado a la calle del Hombre-Armado sin despegar los labios, sin hablar una palabra, absortos cada uno en su meditación personal. Juan Valjean, tan inquieto, que no veía la tristeza de Cosette. Cosette, tan triste, que no veía la inquietud de Juan Valjean.

En aquella mudanza de la calle Plumet, que había sido casi una huida, Juan Valjean no había llevado más que la maletita embalsamada, bautizada por Cosette con el nombre de *inseparable*. Otros bultos habrían exigido mozos, y los mozos son testigos: había mandado ir un coche a la puerta de la calle de Babilonia, y en él se habían trasladado.

Solamente Santos consiguió empaquetar, con algún obstáculo, alguna ropa blanca, vestidos, y algunos objetos de tocador. Cosette no había llevado más que su papelera y su cartapacio.

Apenas llegó Juan Valjean a la calle del Hombre-Armado, se disminuyó su ansiedad, y se fue disipando por grados.

Hay sitios tranquilos que obran mecánicamente sobre el alma.

Durmió bien. Dícese que la noche aconseja, y puede añadirse que tranquiliza.

A la mañana siguiente se despertó casi alegre.

En cuanto a Cosette, había mandado a Santos que le llevara un caldo a su cuarto; y no se la vio hasta por la tarde.

Hacia las cinco, Santos, que iba y venía muy ocupada en sus quehaceres, puso en la mesa del comedor un ave fiambre, que Cosette consintió mirar por deferencia hacia su padre.

Hecho esto Cosette, pretextando una jaqueca persistente, había dado las buenas noches a Juan Valjean, y se había encerrado en su alcoba.

En aquella pacífica calle en que se había refugiado, Juan Valjean se desprendía de todo lo que le había turbado por algún tiempo.

Por lo mismo que había visto muchas tinieblas, empezaba a descubrir un poco la luz.

Haber abandonado la calle Plumet sin complicaciones ni incidentes, era un buen paso de hecho. Tal vez sería conveniente salir por algún tiempo, e ir a Londres.

Pues iría; porque lo mismo le daba estar en Francia o en Inglaterra, con tal que tuviese a su lado a Cosette.

Mientras se paseaba de un lado a otro lentamente, su mirada se fijó en una cosa extraña.

Vio enfrente de sí, en un espejo inclinado que estaba sobre el aparador, estas tres líneas que leyó perfectamente:

"Querido mío: ¡Ay! mi padre quiere que marchemos en seguida. Estaremos esta noche en la calle del Hombre-Armado núm. 7. Dentro de ocho días iremos a Londres—. COSETTE —4 de junio."

Juan Valjean se detuvo aturdido.

Esto era una cosa muy sencilla, pero muy terrible.

Poco a poco fue precisándose su percepción: miró el cartapacio de Cosette, y adquirió el sentimiento de la realidad. Le cogió y dijo: "Aquí está la causa."

Juan Valjean desfalleció, dejó caer el cartapacio, y se recostó en el viejo sofá, al lado del aparador, con la cabeza caída, la vista vidriosa, extraviado.

Su conciencia aguerrida en todos los asaltos posibles de la adversidad, parecía inaccesible. Pero ahora, cualquiera que hubiera visto su interior, habría podido asegurar que decaía.

Consistía en que de todas las torturas que había sufrido en aquel largo interrogatorio que le hacía el destino, ésta era la más terrible. Nunca había sentido otro tormento igual. Toda la sensibilidad latente se conmovía en su interior; iba sintiendo como el latido de una fibra desconocida.

Exceptuando a Cosette, es decir, una niña, Juan Valjean no tenía en su larga vida nada que amar. Las pasiones y los amores que se suceden no habían dejado en su vida esos matices sucesivos del verde, ya claros, ya sombríos, que se notan en las hojas que han pasado el invierno, y en los hombres que han pasado los cincuenta años.

Así, cuando vio que todo estaba concluido, que se le escapaba de las manos, que se deslizaba, que se perdía, que era una nube, una corriente de agua; cuando tuvo ante los ojos esta evidencia terrible, otro es el objeto de su corazón, otro es el deseo de su vida; tiene su amor, y yo no soy más que su padre; yo no existo ya; no pudo dudar cuando se dijo: "¡Se va fuera de mí!"

El dolor que experimentó traspasó los límites de lo posible.

Juan Valjean volvió a coger el cartapacio, y se convenció de nuevo, permaneciendo inclinado y como petrificado sobre aquellas tres líneas irrecusables, con la vista fija; formóse en su interior tal nube, que no parecía sino que se derrumbaba toda su alma.

Su instinto no dudó un momento.

Reunió algunas circunstancias, algunas fechas, ciertos rubores y palideces de Cosette, y se dijo: "Es él."

Después que se hubo convencido de que era el mismo, Juan Valjean, el hombre regenerado, el hombre que había trabajado tanto por su alma, que había hecho tantos esfuerzos por convertir toda la vida, toda la miseria, y toda la desgracia en amor, miró dentro de sí mismo, y vio un espectro: el Odio.

Mientras pensaba en esto, entró Santos.

—¿No me habéis dicho que estaban combatiendo?

—¡Ah! Sí, señor —contestó Santos—. Hacia San Merry.

Sin duda, a impulsos de un movimiento de este género de que apenas tuvo conciencia Juan Valjean, salió a la calle antes de cinco minutos.

Era ya de noche.

II. El pilluelo enemigo de las luces

¿Cuánto tiempo pasó así? ¿Cuáles fueron las ondulaciones de aquella trágica meditación? ¿Se reanimó o permaneció abatido? ¿Había sido encorvado por el dolor hasta la ruptura? ¿Podía levantarse aún y hacer pie sobre alguna cosa sólida en su conciencia?

Ni él mismo hubiera podido decirlo probablemente.

La calle estaba desierta. Algunos vecinos inquietos que volvían rápidamente a sus casas apenas le vieron.

En los momentos de peligro, cada uno mira sólo para sí.

Pero poco después oyó una violenta detonación por el lado de los Mercados; al poco rato la siguió otra más violenta aún; era probablemente el ataque de la barricada de la calle de la Chanvrerie, que según hemos visto, fue rechazado por Mario.

Entonces continuó su tenebroso diálogo consigo mismo.

De repente levantó los ojos; alguien andaba por la calle; oía los pasos muy cerca; miró a la luz del farol, y por el lado de la calle que va a los archivos, descubrió una figura, lívida, joven y alegre.

Gavroche acababa de entrar en la calle del Hombre-Armado.

Iba mirando al aire como buscando algo. Veía perfectamente a Juan Valjean, pero no hacía caso alguno de él.

—Niño —le dijo—, ¿qué tienes?

—Hambre —contestó secamente Gavroche, y añadió—: El niño seréis vos.

Juan Valjean metió la mano en el bolsillo, y sacó una moneda de cinco francos.

Y le puso la moneda de cinco francos en la mano.

—¿Tienes madre? —le preguntó Juan Valjean.

Gavroche respondió:

—Tal vez más que vos.

—Pues bien —dijo Juan Valjean—, guarda ese dinero para tu madre.

—¿Vivís en la calle?

—Sí. ¿Por qué?

—¿Podríais enseñarme el número 7?

—¿Para qué quieres saber el número 7?

Dirigiéndose al pilluelo le preguntó: —¿Eres tú el que trae una carta que estoy esperando?

—¿Vos? —dijo Gavroche—. No sois mujer.

—La carta es para la señorita Cosette; ¿no es verdad?

—¿Cosette? —murmuró Gavroche—; sí, creo que es ese endiablado nombre.

—Pues bien —añadió Juan Valjean—; yo debo recibir la carta para dársela. Dámela.

Gavroche tenía el papel en la mano por encima de su cabeza.

—No creáis que es un billete amoroso; es para una mujer, pero es para el pueblo. Nosotros peleamos, pero respetamos el sexo.

—Dámela.

—A la verdad —continuó Gavroche— me parecéis un buen hombre.

—Dámela pronto.

—¡Tomad!

Y dio el papel a Juan Valjean.

Juan Valjean, añadió: "¿Hay que llevar la respuesta a San Merry?"

—Haríais entonces un pan como unas hostias. Esta carta viene de la barricada de la Chanvrerie, y allá me vuelvo. Buenas noches, ciudadano.

III. Donde se verá lo que
sucedió mientras dormían Cosette y Santos

Juan Valjean entró en su casa con la carta de Mario.

Por fin encendió la vela, se recostó en la mesa, desdobló el papel y leyó.

En la carta de Mario a Cosette Juan Valjean no vio más que esto: "Muero, cuando leas esto, mi alma estará a tu lado."

Al leer estas dos líneas sintió un deslumbramiento horrible; se quedó un momento como pasmado del cambio de emoción que se verificaba en él; miraba la carta de Mario con una especie de asombro embriagador; tenía ante sus ojos este esplendor: la muerte del ser aborrecido.

No tenía que hacer más que guardar la carta en el bolsillo, y Cosette no sabría nunca lo que había sido de "aquel hombre". No hay más que dejar que las cosas se cumplan. "Ese hombre" no puede escaparse. Si aun no ha muerto, de seguro va a morir. ¡Qué felicidad!

Después de decirse todo esto, se puso sombrío; bajó y llamó al portero.

Como una hora después Juan Valjean salía vestido de guardia nacional y armado. El portero había encontrado fácilmente en la vecindad con qué completar su traje. Llevaba un fusil cargado, y una cartuchera llena de cartuchos. Se dirigió hacia el Mercado.

IV. El exceso de celo de Gavroche

Mientras tanto, había sucedido una aventura a Gavroche.

Después de haber apedreado el farol de la calle de Chaume, llegó a la de Vieilles-Haudriettes, y no viendo ni "un alma" creyó que era buena ocasión de entonar una de sus canciones.

De repente se detuvo.

—Cortemos la canción —dijo.

Acababa de distinguir en el hueco de una puerta cochera lo que se llama en pintura un grupo, es decir, un ser y una cosa; la cosa era un carretón de mano, y el ser un auvernés que dormía dentro.

Gavroche, con la experiencia que tenía de las cosas de este mundo, conoció que era un borracho.

Habíase iluminado de repente su inteligencia con esta idea:

—Este carretón hará muy bien en nuestra barricada.

El auvernés roncaba.

Gavroche sacó suavemente el carretón por detrás, y el auvernés por delante, es decir, por los pies, y en un minuto el pobre hombre imperturbable, estaba tendido en el suelo.

El carretón estaba libre.

Sacó un pedazo de papel y una punta de lápiz rojo, robado a algún carpintero, y escribió:

"*República francesa.*

"Recibí tu carretón.

"Gavroche."

Hecho esto, puso el papel en el bolsillo del chaleco de pana del auvernés que seguía roncando, cogió el carretón, y partió hacia el Mercado, empujando el carretón al galope y en aire de triunfo.

Hacía una hora que el pilluelo metía en el barrio el mismo ruido que un moscardón en una botella. El jefe de la guardia lo escuchaba, y esperaba; era un hombre prudente.

El estrépito del carretón al rodar, llenó la medida de la expectación, y determinó al sargento a hacer un reconocimiento.

—Viene toda una partida —se dijo—; vayamos con tiento.

Era claro que la hidra de la anarquía había salido de su agujero, y se paseaba por el barrio.

El sargento se aventuró a salir fuera del cuerpo de guardia sin hacer ruido alguno.

—¡Calla! —dijo—, es él; buenos días orden público.

El asombro de Gavroche era muy breve, y se pasaba en seguida.

—¿A dónde vas, tunante?

—Mi general —dijo Gavroche—, voy a buscar al comadrón para mi esposa que está de parto.

—¡A las armas! —gritó el sargento.

Salvarse con lo mismo que ha sido causa de la perdición, es muy propio de los hombres fuertes; Gavroche midió de un golpe toda la situación; el carretón le había comprometido, el carretón debía protegerle.

En el momento en que el sargento iba a caer sobre Gavroche, el carretón convertido en proyectil y lanzado con fuerza caía sobre él, y dándole en medio del vientre, le tiraba boca arriba en el arroyo, al mismo tiempo que se disparaba su fusil al aire.

Al grito del sargento, acudieron atropelladamente los que estaban en el cuerpo de guardia; el tiro fue seguido de una descarga general al acaso, después de la cual cargaron los fusiles y empezaron de nuevo el fuego.

Duró el fuego al aire un buen cuarto de hora, y mató algunos cristales.

Mientras tanto, Gavroche que había retrocedido corriendo, se detuvo cinco o seis calles más allá, y se sentó sofocado en el guarda-cantón de la esquina de los Niños Rojos. Allí escuchó.

Después de haber descansado un momento, se volvió hacia el sitio donde se oía el fuego.

Entonces siguió su carrera.

La alarma del cuerpo de guardia no dejó de tener resultado. El carretón fue conquistado, y el borracho hecho prisionero. El primero se puso en una leñera; el segundo fue después perseguido ante un consejo de guerra como cómplice.

El ministerio público de entonces dio pruebas en estas circunstancias de su infatigable celo por la defensa de la sociedad.

La aventura de Gavroche, que vive en la tradición del barrio del Temple, es uno de los recuerdos más terribles de los antiguos vecinos del Marais, y se titula en su memoria: "Ataque nocturno del cuerpo de guardia de la imprenta real".

PARTE QUINTA

JUAN VALJEAN

Libro primero

● LA GUERRA DENTRO ●
DE CUATRO PAREDES

I. CARIBDIS DEL ARRABAL DE
SAN ANTONIO Y SCILA DEL ARRABAL DEL TEMPLE

*L*as dos barricadas más memorables que es dado al observador de las enfermedades sociales mencionar, no pertenecen al período en que pasa la acción de este libro.

Esas dos barricadas, símbolo ambas, bajo distintos aspectos, de una terrible situación, surgieron durante la fatal insurrección de junio de 1848, la guerra más grande de las calles que ha visto la historia.

Sucede a veces que, aun contra los principios, contra la libertad, la igualdad y la fraternidad, contra el voto universal, contra el gobierno de todos por todos, desde lo profundo de su angustia, de su desaliento, de su desnudez, de su fiebre, de sus aflicciones, de sus miasmas, de su ignorancia, de sus tinieblas, esa gran desesperada, la canalla, protesta, y el populacho da la batalla al pueblo.

Los mendigos atacan el derecho común: la oclocracia se subleva contra la democracia.

Son días lúgubres; porque hay siempre, en esa misma demencia, cierto grado de derecho; hay algo de suicidio en ese duelo, y estas palabras, que se consideran otras tantas injurias, mendigo, canalla, oclocracia, populacho, prueban ¡ay! más bien la culpa de los que reinan, que la de los que padecen; más bien la culpa de los privilegiados, que la de los desheredados.

Lo que sucedió en junio de 1848 fue, apresurémonos a decirlo, un hecho aparte, y casi imposible de calificar en la filosofía de la historia.

Fue necesario combatirle, y era un deber hacerlo porque atacaba a la república pero en el fondo ¿qué fue junio de 1848?

Una rebelión del pueblo contra sí mismo.

La barricada de San Antonio echaba mano de todo; de ella salía cuanto la guerra civil puede arrojar la cabeza de la sociedad. No era un combate, sino un paroxismo. Las carabinas que defendían el reducto, entre las cuales había algunos trabucos, enviaban pedazos de loza, huesecillos, botones, hasta aldabillas de las mesas de noche; proyectiles peligrosos a causa del cobre.

Como hemos dicho antes, atacaba, en nombre de la revolución, ¿a qué? a la revolución. Aquella barricada, el acaso, el desorden, el azoramiento, el error, lo desconocido, tenía frente a sí la Asamblea Constituyente, la soberanía del pueblo, el sufragio universal, la nación, la república; era la Carmañola retando a la Marsellesa.

Reto insensato, pero heroico, porque este antiguo arrabal es un héroe.

El arrabal y el reducto se auxiliaban mutuamente. El reducto servía de respaldo al arrabal, y el arrabal de arrimo al reducto. Ostentábase la gran barricada como un arrecife, donde iba a estrellarse la estrategia de los generales de Africa.

El resplandeciente sol de junio inundaba con su luz aquel objeto terrible.

Era la barricada del arrabal del Temple.

Aun los más atrevidos, desde que llegaban a aquel sitio y la veían, no podían menos de ponerse pensativos ante la misteriosa aparición.

Era una cosa bien proporcionada; las partes ajustaban y encajaban perfectamente; el todo rectilíneo, simétrico y fúnebre. Había allí ciencia tinieblas. Conocíase que el jefe de la barricada era un geómetra o un espectro. Se la miraba, y se hablaba en voz baja.

El valiente coronel Monteynard admiraba, estremeciéndose, esta barricada.

—¡Qué bien construida está! —decía a un representante—. No hay una piedra más saliente que otra. Parece porcelana.

La barricada del arrabal del Temple, defendida por ochenta hombres y atacada por diez mil, resistió tres días. Al cuarto, se hizo como en Zaacha y Constantina, se agujerearon las casas, se entró en ellas por los techos, y la barricada fue tomada. Ninguno de aquellos ochenta *cobardes* pensó en huir, todos sucumbieron, excepto el jefe, Barthelemy.

II. DE CÓMO EN EL ABISMO NO PUEDE HACERSE MAS QUE HABLAR

Dieciséis años habían pasado en la subterránea educación del motín y junio de 1848 sabía más que junio de 1832. La barricada de la calle de la Chanvrerie era sólo un bosquejo y un embrión, comparada con las dos colosales barricadas que acabamos de describir; mas para su época era formidable.

La barricada había sido no sólo reparada sino aumentada. Se le había levantado dos pies más. Algunas barras de hierro entre las piedras parecían lanzas en ristre.

Entre los muertos había cuatro guardias nacionales de las afueras, cuyos uniformes mandó recoger Enjolras.

Este había aconsejado dos horas de sueño. Un consejo de Enjolras era una consigna, y sin embargo, sólo se aprovecharon de él tres o cuatro personas. Feuilly empleó aquellas dos horas en grabar esta inscripción en la pared que daba frente a la taberna.

¡VIVAN LOS PUEBLOS!

Estas tres palabras, escritas en la piedra con un clavo, se leían allí aún en 1848.

Las tres mujeres se habían aprovechado de la noche para desaparecer definitivamente; así quedaban más a sus anchas los insurrectos.

En la sala baja no quedaron más que Mabeuf, cubierto con el paño negro, y Javert atado al poste.

—Esta es la sala de los muertos —dijo Enjolras.

No era posible preparar comida ninguna, pues no había pan ni carne. Los cincuenta hombres de la barricada, en las dieciséis horas que llevaban de estar allí, habían consumido pronto las mezquinas provisiones de la taberna.

A las dos de la madrugada se contaron los combatientes, y resultó que quedaban aún treinta y siete.

El día empezaba a despuntar.

III. Claridad y sombra

Enjolras había ido a hacer un reconocimiento, saliendo por la callejuela de Mondetour, y serpenteando a la orilla de las casas.

Los insurrectos estaban llenos de esperanzas. La manera como habían rechazado el ataque de la noche, los inducía casi a despreciar de antemano el ataque de la mañana. Aguardábanle sonriéndose, y creían en el triunfo, tanto como en la causa que sustentaban.

Por otra parte, iba a llegarles evidentemente un socorro, y contaban con él. Arrastrados por esa facilidad de profecía victoriosa que es una de las fuerzas del francés en la lucha, dividían en tres fases seguras el día próximo a clarear a las seis de la mañana la unión de un regimiento *que estaba ganando;* a las doce, la insurrección de todo París; a la puesta del sol, la revolución.

Después, fresco y sonrosado, en medio de la blancura matinal creciente, dijo:

—Todo el ejército de París está sobre las armas. La tercera parte de ese ejército pesa sobre la barricada que defendéis, y además la Guardia nacional he distinguido los chacós del quinto de línea, y las banderas de la sexta legión. Dentro de una hora seréis atacados. En cuanto al pueblo, ha mostrado ayer efervescencia, pero hoy ya no se mueve. No hay nada que esperar; ni un arrabal, ni un regimiento. Estáis abandonados.

Estas palabras cayeron sobre los bulliciosos grupos, causando el efecto de la primera gota de la tempestad que cae sobre un enjambre. Todos quedaron mudos. Hubo un momento de inexplicable silencio en que se habría oído volar a la muerte.

Este momento fue corto.

Una voz que salió del fondo de los grupos, gritó a Enjolras:

—Bien está. Elevemos la barricada a veinte pies de altura, y muramos todos. Ciudadanos, hagamos la protesta de los cadáveres. Mostremos que si el pueblo abandona a los republicanos, los republicanos no abandonan al pueblo.

Esta inexorable resolución era tan unánime entre los sublevados del 6 de junio de 1832, que casi a la misma hora, en la barricada de San Merry, se lanzaba este grito, conservado por la historia, y del cual hace mención el proceso:

—Désenos o no auxilio, ¡qué importa! Muramos aquí hasta el último.

Las dos barricadas, según se ve, aunque aisladas materialmente, se comunicaban entre sí.

IV. Cinco menos, y uno más

Después que el desconocido que decretó "la protesta de los cadáveres" hubo hablado, y dado la fórmula del sentimiento común, brotó de todos los labios un grito de extraña satisfacción; grito terrible, fúnebre por el sentido, y triunfal por el acento:

—¡Viva la muerte! Muramos aquí todos.

—¿Por qué todos? —dijo Enjolras.

—¡Todos! ¡Todos!

—La posición —dijo Enjolras— es buena; la barricada es excelente. Treinta hombres bastan, ¿por qué sacrificar cuarenta?

—Porque ninguno querrá marcharse —replicaron todos.

Enjolras, el hombre principio, tenía sobre sus correligionarios esa especie de omnipotencia que se desprende de lo absoluto; y con todo, empezaron a oírse murmullos.

—Que los que teman no ser más que treinta lo digan.

Los murmullos se aumentaron.

—Además —observó una voz de entre el grupo—, marcharse es más difícil de lo que se piensa. La barricada está cerrada por todas partes.

—Menos por el lado de los Mercados —dijo Enjolras—. La calle de Mondetour está libre, y siguiendo la de Predicadores, se puede llegar al Mercado de los Inocentes.

—Y allí —añadió otra voz del grupo—; no habrá medio de escapar.

Enjolras, sin responder, tocó a Combeferre en el hombro, y ambos entraron en la sala baja.

Al cabo de un momento salieron, Enjolras traía en sus dos manos los cuatro uniformes que había mandado reservar, y Combeferre le seguía con las correas y los chacós.

—Vistiendo este uniforme —dijo Enjolras—, es fácil mezclarse en las filas y huir. Hay para cuatro personas.

Y arrojó en el suelo desempedrado los cuatro uniformes.

Nadie se movió en aquel estoico auditorio.

Mario, en ayunas, calenturiento, sucesivamente burlado en todas sus esperanzas, encallado en el dolor, el más sombrío de los naufragios, saturado de emociones violentas y sintiendo aproximarse el fin, estaba cada vez más sumido en ese visionario estupor que precede siempre a la hora fatal, voluntariamente aceptada.

Entre vosotros se cuentan algunos que tienen familias, madres, hermanas, esposas, hijos. Salgan, pues, de las filas.

Nadie se movió.

—Despachemos —dijo Combeferre—; dentro de un cuarto de hora ya no será tiempo.

—Ciudadanos —prosiguió Enjolras—, reina aquí la república y con ella el sufragio universal. Designad vosotros mismos las personas que hayan de marcharse.

Se obedeció esta orden. Al cabo de algunos minutos fueron designados cinco por unanimidad y salieron de las filas.

—¡Son cinco! —exclamó Mario.

—Designad vos el que deba quedarse.

—Sí —dijeron los cinco—; elegid y obedeceremos.

En aquel instante el quinto uniforme cayó como si lo arrojasen del cielo sobre los otros cuatro.

El quinto hombre se había salvado.

Mario alzó los ojos, y conoció al señor Fauchelevent.

Juan Valjean acababa de entrar en la barricada.

Al entrar Valjean en el reducto, nadie advirtió en él, pues todos los ojos estaban fijos en los cinco individuos elegidos, y en los cuatro uniformes. Juan Valjean había visto y oído todo; y despojándose silenciosamente de su uniforme, lo arrojó, según queda relatado.

La emoción fue indescriptible.

Mario añadió con voz grave:

—Le conozco.

No se necesitaba de más fianza.

Enjolras se volvió a Juan Valjean:

—Bienvenido seáis, ciudadano.

V. DONDE SE DIRÁ EL HORIZONTE QUE SE DESCUBRE DE LO ALTO DE LA BARRICADA

La situación de todos en aquella hora inexorable y en aquel sitio fatal, tenía por resultante y por vértice la suprema melancolía de Enjolras.

Enjolras habló así:

—Ciudadanos: ¿Os representáis el porvenir? Las calles de las ciudades inundadas de luz, ramas verdes en los umbrales, las naciones hermanas, los hombres justos, los ancianos bendiciendo a los niños, lo pasado amando a lo presente, los pensadores en completa libertad, los creyentes iguales entre sí; por religión, el cielo, por sacerdote a Dios; la conciencia humana convertida en altar extinguido el odio; la fraternidad del taller y de la escuela, por penalidad y por recompensa, la notoriedad; el trabajo, el derecho, la paz para todos; no más sangre vertida, no más guerras, ¡las madres dichosas! El primer paso es sojuzgar la materia; el segundo, realizar el ideal. Reflexionad en lo que ha hecho el progreso. En otro tiempo las primeras razas humanas veían con terror pasar ante sus ojos la hidra que soplaba sobre las aguas, el dragón que vomitaba fuego, el grifo, monstruo del aire, que volaba con las alas de un águila y las garras de un tigre; espantosas fieras, colocadas por encima del hombre. Sin embargo, el hombre ha tendido sus redes, las redes sagradas de la inteligencia, y ha acabado por coger en ellas a los monstruos. Hemos domado la hidra, y le hemos dado el nombre de vapor, hemos domado el dragón, llamándole locomotora; estamos a punto de domar el grifo, pues ya ha caído en nuestras manos, y hemos cambiado su nombre en el de globo.

El género humano cumplirá su ley, como el globo terrestre cumple la suya; la armonía entre el alma y el astro se restablecerá, el alma gravitará en torno de la verdad, como el astro en torno de la luz. Amigos, la hora en que estamos y en que os hablo, es una hora sombría, pero tales son las terribles condiciones de la conquista del porvenir. Una revolución es un peaje. ¡Oh! el género humano será libertado, sacado de su postración, consolado. Se lo afirmamos desde esta barricada. ¿De dónde saldrá el grito de amor, sino de lo alto del sacrificio? ¡Oh, hermanos míos! Aquí está el vínculo de unión de los que piensan y de los que padecen; esta barricada no está hecha ni de adoquines, ni de vigas, ni de hierro viejo; está hecha de dos montones, uno de ideas, otro de dolores. La miseria encuentra en ella a lo ideal; el día se abraza con la noche, y le dice: voy a morir contigo, y tú vas a renacer conmigo. Del estrecho abrazo de todas las aflicciones brota la fe. Los padecimientos traen aquí su agonía, y las ideas su inmortalidad. Esta agonía y esta inmortalidad van a mezclarse y a componer nuestra muerte. Hermanos, el que muere aquí, muere en la irradiación del porvenir, y nosotros bajamos a una tumba iluminada por la aurora.

Enjolras se detuvo; era más bien una interrupción, que el fin de su discurso. Sus labios seguían moviéndose en silencio, como si continuase hablando consigo mismo; y sus compañeros atentos y ansiosos de recoger aquellas palabras, no apartaban de él la vista. No hubo aplausos, pero se habló en voz baja mucho tiempo.

La palabra es aire, y el estremecimiento de las inteligencias se parece al estremecimiento de las hojas.

VI. Mario esquivo, y Javert lacónico

Digamos lo que pasaba en el pensamiento de Mario.

Téngase presente el estado de su alma.

¿Cómo y por qué se encontraba allí el señor Fauchelevent? ¿Qué iba a hacer a la barricada? Mario no trató de averiguar nada de esto, pues siendo propio de nuestra desesperación extenderse a cuanto nos rodea, hallaba lógico que todos fuesen a morir a aquel sitio.

Pensó, no obstante, en Cosette con indecible angustia.

Por lo demás, el señor Fauchelevent no le habló, ni le miró, y hasta pareció no haber oído cuando Mario, levantando la voz, dijo: "Le conozco."

Esta actitud del señor Fauchelevent aliviaba a Mario de un gran peso, y aun diríamos que le agradaba, si tratándose de tales impresiones.

Los cinco hombres designados salieron de la barricada por la callejuela de Mondetour, perfectamente disfrazados de guardias nacionales.

Javert, atado al poste, parecía meditabundo.

—¿Quieres algo? —le preguntó Enjolras.

—Entonces dadme de beber —dijo Javert.

Enjolras le presentó un vaso de agua, y como Javert estaba atado, le ayudó a beber.

—¿Quieres algo más? —preguntó de nuevo Enjolras.

—Estoy mal en este poste —respondió Javert—. ¡Habéis tenido alma para dejarme pasar aquí la noche! Atadme como más os plazca, pero se me figura que no habrá inconveniente en que se me tienda como a ese otro sobre una mesa.

Por orden de Enjolras, cuatro insurrectos desataron a Javert del poste, teniendo otro, mientras tanto, una bayoneta apoyada en su pecho.

Le dejaron las manos atadas atrás, le sujetaron los pies con una cuerda delgada, pero fuerte, de modo que pudiera dar pasos de quince pulgadas, como se hace con los que van a subir al cadalso, y se le condujo hasta la mesa del fondo, teniéndole allí, y atándole perfectamente por la mitad del cuerpo.

Mientras amarraban a Javert, un hombre, en el umbral de la puerta, le consideraba con singular atención. La sombra que formaba aquel hombre hizo volver la cabeza a Javert. Alzó los ojos y conoció a Juan Valjean. Sin el menor estremecimiento, los bajó de nuevo con altivez y se limitó a decir: "Es natural."

VII. De cómo la situación se fue agravando

El día adelantaba rápidamente; pero las ventanas y las puertas permanecían cerradas. Era la aurora, no el despertar. Ni un solo ser viviente se veía en las encrucijadas que blanqueaban un reflejo de sol. Nada hay tan lúgubre como esa claridad de las calles desiertas.

Aunque no se divisaba a nadie, en cambio se oía. Notábase a cierta distancia un movimiento misterioso. Era evidente que el instante crítico iba a llegar.

Enjolras por aviso del centinela a quien tocó observar los Mercados, temeroso de ser sorprendido por aquella parte, adoptó una resolución grave. Mandó hacer otra barricada en la bocacalle de la de Mondetour, que había permanecido libre hasta entonces.

Nada hay más curioso que una barricada preparándose a recibir el asalto. Cada cual elige su sitio como en el teatro. Se recuestan, apoyan los codos, se respaldan y hasta algunos forman sillones con los adoquines. Si la esquina de una pared incomoda, todos se alejan de ella; si sobresale un ángulo protector, a él se acogen. Los zurdos hacen buena obra, pues ocupan los sitios que molestan a los demás. Muchos se disponen a combatir sentados, queriendo estar cómodos para matar o para morir.

Oyóse un ruido de golpes secos resonar confusamente en toda la extensión de la barricada. Era que se montaban los fusiles.

Por lo demás, reinaba allí más grandeza de ánimo, más confianza que nunca. El exceso del sacrificio fortalece, no tenían ya esperanza pero les quedaba la desesperación. La desesperación, última arma, que a veces da la victoria.

Como la víspera por la noche, la atención de todos se dirigía, y casi pudiera decirse que se apoyaba, en la extremidad de la calle, ahora clara y visible.

No aguardaron mucho tiempo. El movimiento empezó a oírse distintamente por el lado de San Leu, aunque no se parecía al del primer ataque.

Apareció una pieza de artillería. Los artilleros la conducían, colocada ya sobre las muñoneras y sin el avantrén.

—¡Fuego! —gritó Enjolras.

Toda la barricada hizo fuego, y la detonación fue espantosa; una tempestad de humo envolvía y obscurecía a la pieza de artillería y a los hombres. Después de algunos instantes se disipó la nube, y el cañón y los hombres reaparecieron.

En seguida el jefe, apoyándose en la culata para elevar el tiro, se puso a apuntar el cañón con la gravedad de un astrónomo que asesta el anteojo.

—¡Bien, bien! —dijo Courfeyrac—. Aquí viene lo gordo. Después del papirotazo, la puñada. El ejército extiende su garra hacia nosotros. La barricada va a sentirse sacudir seriamente. Los fusiles no hacen más que tantear, el cañón coge.

—Volved a cargar —dijo Enjolras.

Mientras que los insurrectos cargaban de nuevo sus fusiles, los artilleros hacían lo propio con el cañón.

Salió el tiro, y sonó la detonación. Y al mismo tiempo que la bala dio contra la barricada, vióse a Gavroche lanzarse dentro.

Gavroche produjo en la barricada más efecto que la bala.

Habíase perdido ésta en los escombros, logrando a lo sumo romper una rueda del ómnibus, y acabar con la carreta vieja de Anceau.

VIII. La cosa se va poniendo seria

Todos cercaron a Gavroche.

Pero Mario, sin darle tiempo para contar nada, le tomó aparte, y estremeciéndose, le dijo:

—¿Qué vienes a hacer aquí?

—¡Toma! —le respondió el pilluelo—. ¿Y vos?

Y miró fijamente a Mario con su descaro épico.

Mario prosiguió, con severo acento:

—¿Quién te ha dicho que volvieras? Supongo que habrás entregado mi carta.

—Ciudadano, entregué la carta al portero. La señora dormía, y se la darán en cuanto despierte.

Mario, al enviar aquella carta, se había propuesto dos cosas: despedirse de Cosette, y salvar a Gavroche. Tuvo que contentarse con la mitad de lo que quería.

Gavroche advirtió a los "camaradas" (así los llamaban) que el bloqueo de la barricada era cosa hecha; que a él le había costado mucho trabajo el llegar. Un batallón de línea, cuyos pabellones estaban en la pequeña Truanderie, tenía ocupada la salida de la calle del Cisne; y por el lado opuesto, la guardia municipal se había apostado en la calle de Predicadores. Enfrente estaba el grueso del ejército.

Cuando hubo dado estas noticias, añadió Gavroche:

—Os autorizo para que los zurréis de lo lindo.

Entretanto, Enjolras, desde su almena, con el oído atento, espiaba.

Los sitiadores, poco contentos sin duda de su cañón, no le habían vuelto a hacer funcionar.

Una compañía de infantería de línea ocupó la extremidad de la calle, detrás de la pieza.

—¡Bajad la cabeza! —gritó Enjolras—: ¡todos de rodillas en la barricada!

La carga había sido dirigida a la cortadura del reducto, rebotando contra la pared; y de este espantoso rebote resultaron dos muertos y tres heridos.

Continuando así, la barricada sería pronto destruida. La metralla se abría ancha calle.

IX. Donde se verá la manera de emplear ese talento de cazador furtivo, y esa puntería segura, que influyó en la condena de 1796

Cruzábanse los avisos en la barricada. La pieza de artillería iba a empezar de nuevo, y con aquella metralla todo habría concluido en un cuarto de hora. Era de absoluta necesidad amortiguar los tiros.

—Es preciso poner ahí un colchón —dijo Enjolras.

Juan Valjean, sentado aparte en un guardacantón junto a la esquina de la taberna, con el fusil entre las piernas, no había tomado parte hasta entonces en nada de lo que pasaba.

—¿Hay quien me preste una carabina de dos cañones? —dijo Juan Valjean.

Enjolras, que acababa de cargar de nuevo la suya, se la entregó.

Juan Valjean apuntó a la boardilla, y tiró.

Una de las cuerdas estaba rota, y el colchón no pendía ya más que de un hilo.

Juan Valjean disparó el segundo tiro, y la segunda cuerda golpeó en los vidrios de la boardilla. El colchón resbaló por entre las dos varas, y cayó a la calle. La barricada aplaudió.

Todos gritaron: —¡Un colchón! ¡Un colchón!

—Sí —dijo Combeferre—; pero ¿quién irá a traerlo?

Juan Valjean salió por la cortadura, entró en la calle, atravesó aquel huracán de balas, fue al colchón, le cogió, se lo echó a cuestas, y volvió a la barricada.

El mismo puso el colchón en la cortadura, fijándole contra la pared, de modo que no lo viesen los artilleros.

Ejecutado esto, se aguardó la descarga de metralla. No se hizo esperar.

El cañón vomitó con un rugido su carga, pero no hubo rebote. La metralla se amortiguó en el colchón. Habíase logrado el efecto previsto, y la barricada se había salvado.

—Ciudadano —dijo Enjolras a Juan Valjean—, la república os da las gracias.

X. Aurora

En aquel momento se despertaba Cosette.

Su cuarto era estrecho, aseado, discreto, con una gran ventana a Oriente, que daba al patio interior de la casa.

Cosette no sabía nada de lo que pasaba en París.

De improviso le asaltó una angustia indecible.

¡Hacía tres días que había visto a Mario!

Había que levantarse, no obstante, para recibir a Mario.

Sentía que le era imposible vivir sin Mario, y parecíale suficiente razón ésta para que viniese.

No había nada que objetar.

El argumento era concluyente.

¡Pues no llevaba ya tres días de padecer! ¡Tres días sin ver a Mario! ¡Atrocidad inaudita!

Por lo demás, Cosette no podía recordar lo que Mario le había dicho a propósito de aquella ausencia, que sólo debía durar un día, ni cómo se la había explicado.

En cuanto dejó el lecho, se apresuró a cumplir con las dos atenciones del alma y del cuerpo, la oración y el tocador.

Cosette se vistió muy pronto, y se peinó, lo cual era sencillísimo en aquel tiempo, pues entonces las mujeres no se ahuecaban el pelo con almohadillas, ni se ponían miriñaques en la cabeza. Después abrió la ventana y miró alrededor, esperando descubrir algún trozo de calle, una esquina de casa o de empedrado, y divisar en ella a Mario.

Pero no se veía nada de lo que pasaba afuera, por hallarse el patio interior rodeado de pared, y sin más salida que a unos jardines.

Todos dormían aún en la casa. Reinaba un silencio de provincia, y no se había abierto ningún postigo. La portería estaba cerrada.

La tía Santos no se había levantado, y Cosette supuso naturalmente que sucedería lo propio a su padre.

XI. El tiro de fusil
CERTERO Y QUE NO MATA A NADIE

El fuego de la tropa continuaba alternando la fusilería y la metralla sin gran daño a la verdad.

De repente, los insurrectos divisaron un casco que reflejaba los rayos del sol en el tejado de una casa vecina.

Juan Valjean había devuelto la carabina a Enjolras, pero tenía su fusil.

Sin decir palabra, apuntó al bombero, y un segundo después el casco, herido por la bala, cayó con estrépito a la calle.

El bombero, asustado, se alejó más que de prisa.

Sucedióle otro observador. Era oficial.

Juan Valjean, que había vuelto a cargar el fusil, apuntó al recién llegado, y el casco del oficial fue a reunirse al del soldado.

El oficial no insistió más, desapareciendo con igual presteza que el bombero.

—¿Por qué no habéis matado a esos hombres? —preguntó Bossuet a Juan Valjean.

Juan Valjean no respondió.

XII. El desorden partidario del orden

Bossuet dijo por lo bajo a Combeferre:

—No ha contestado a mi pregunta.

—Es un hombre que hace el bien a tiros —observó Combeferre.

Los que conservan algún recuerdo de esta época, ya lejana, saben que la guardia nacional de las afueras combatió con valor contra las insurrecciones.

Otra de las cosas que caracterizaban aquella época, era la anarquía mezclada con el gubernamentalismo (nombre bárbaro del partido correcto). Defendíase el orden por indisciplina.

La civilización, representada desgraciadamente en aquella época, más bien por un agregado de intereses, que por un grupo de principios, estaba, o se creía en peligro, y lanzaba el grito de alarma. Todos constituyéndose en centro la defendían, le prestaban auxilio y protección, y el primero que llegaba se imponía la obligación de salvar la sociedad.

Aquel instante de vacilación dio a los insurrectos tiempo para volver a cargar las armas, y otra descarga, muy mortífera, alcanzó a la compañía antes de que pudiera doblar la esquina de la calle, que era su abrigo. Un momento se vio cogida entre dos metrallas, y recibió el fuego del cañón, que no teniendo orden en contrario, seguía con sus disparos. El intrépido e imprudente Fannicot, fue una de las víctimas de esta metralla. Matóle el cañón, esto es: el orden.

Aquel ataque, más furioso que formal, irritó a Enjolras.

—¡Imbéciles! —dijo—. Envían su gente a morir, y nos hacen gastar las municiones para nada.

Enjolras hablaba como verdadero general de motín. La insurrección que se agota pronto, no tiene sino un número limitado de tiros y de combatientes. Imposible es reemplazar una cartuchera que se vacía, o un hombre que sucumbe. La represión, como cuenta con el ejército, no se cuida de los hombres; y como tiene un parque de Vincennes, poco le importa desperdiciar pólvora ni balas. La represión dispone de tantos regimientos como defensores hay en la barricada, y de tantos arsenales como cartucheras poseen los insurrectos.

Son, pues, luchas de uno contra ciento, que terminan siempre por destruir la barricada; a menos que la revolución, surgiendo bruscamente, no venga a arrojar en la balanza su flamígera espada de arcángel.

XIII. Claridades pasajeras

En el caos de sentimientos y pasiones que defienden una barricada, se encuentra de todo: bravura, juventud, pundonor, entusiasmo, ideal, convicción, encarnizamiento de jugador, y más que nada, intermitencias de esperanza.

Una de esas intermitencias, uno de esos vagos estremecimientos de esperanza, se experimentó de improviso y cuando menos se creía, en la barricada de la Chanvrerie.

—Escuchad —exclamó de repente Enjolras desde su atalaya—: figuráseme que París se despierta.

La tropa derribaba las puertas de las casas desde donde se había hecho fuego, y al mismo tiempo piquetes de caballería dispersaban los grupos de los boulevares. No se verificó esta represión sin ruido, sin ese estrépito tumultuoso, propio de los choques del ejército y el pueblo. Esto era lo que percibía Enjolras en los intervalos de la fusilería y la metralla. Había visto, además, pasar por la esquina de la calle heridos en parihuelas, y dijo a Courfeyrac:

—Esos heridos no son de aquí.

Había abortado el movimiento general, que pareció bosquejarse vagamente; y así, la atención del ministro de la Guerra y la estrategia de los generales podían concentrarse ya en las tres o cuatro barricadas que aún se sostenían.

XIV. Donde se leerá el
nombre de la querida de Enjolras

Courfeyrac, sentado en su adoquín junto a Enjolras, continuaba insultando al cañón, y cada vez que pasaba, con su monstruoso ruido, esa sombría nube de proyectiles que se denominó la metralla, lanzábale una bocanada de sarcasmos.

—Admiro a Enjolras —decía Bossuet—. Su impasible temeridad me maravilla. Vive solo, y por lo mismo quizá es algo triste. Enjolras se queja de su grandeza, que le obliga a permanecer viudo. Todos nosotros tenemos, más o menos, queridas que nos vuelven locos, esto es, valientes.

Es cosa inaudita, poder ser frío como la nieve, y atrevido como el fuego.

Enjolras no parecía escuchar; pero cualquiera que hubiese estado junto a él, le habría oído pronunciar a media voz esta palabra: *Patricia*.

Los artilleros, maniobrando con rapidez, colocaron en batería la segunda pieza al lado de la primera. Con esto empezaba ya a bosquejarse el desenlace.

De las dos piezas asestadas ahora contra la barricada de la calle de la Chanvrerie, una tiraba con metralla y otra con bala.

—Es absolutamente preciso disminuir el daño que nos hacen esas piezas —dijo Enjolras; y gritó—: ¡Fuego contra los artilleros!

Todos estaban prontos. La barricada, que por tanto tiempo se había mantenido silenciosa, hizo fuego desesperadamente, sucediéndose siete u ocho descargas con una especie de rabia mezclada de alegría; la calle se llenó de un humo espesísimo, y al cabo de algunos minutos, por entre aquella bruma rayada de llamaradas se pudo distinguir confusamente a las dos terceras partes de los artilleros, tendidos bajo las ruedas de los cañones. Los que quedaban en pie continuaban en el servicio de las piezas con severa tranquilidad, pero el fuego se había amortiguado.

—Vamos bien —dijo Bossuet a Enjolras—. ¡Victoria!

Enjolras, meneando la cabeza, contestó:

—Con un cuarto de hora más que dure esta victoria, no se encontrarán arriba de diez cartuchos en la barricada.

Parece que Gavroche oyó esto último.

XV. Gavroche fuera de la barricada

De improviso, Courfeyrac vio un bulto al pie de la barricada, fuera de la calle, bajo las balas.

—¿Qué haces ahí? —dijo Courfeyrac.

Gavroche levantó la cabeza.

—Ciudadano, lleno mi cesta.

Gritóle Courfeyrac:

—¡Entra!

—Al instante —y de un salto se internó en la calle.

Aquella obscuridad, probablemente prevista y calculada por los jefes que debían dirigir el asalto de la barricada, fue útil a Gavroche.

Arrastrábase boca abajo, andaba a gatas, cogía la cesta con los dientes, se retorcía, se deslizaba, ondulaba, serpenteaba de un cadáver a otro, y vaciaba la cartuchera como un mono abre una nuez.

En el momento en que Gavroche vaciaba la cartuchera de un sargento que yacía cerca de un guarda cantón, una bala hirió al cadáver.

—¡Diablo! —dijo Gavroche—. Me matan a mis muertos.

Así continuó por algún tiempo. El espectáculo era a la vez espantoso y entretenido.

Gavroche, blanco de las balas, se burlaba de los fusiles. Parecía divertirse mucho. Era el gorrión picoteando a los cazadores. A cada descarga respondía con una copla.

Los insurrectos, sin casi respirar, le seguían con la vista. La barricada temblaba mientras él cantaba.

Las balas corrían tras él, pero él era más listo que ellas.

Vióse vacilar a Gavroche, y luego caer.

Gavroche no había caído sino para volverse a levantar. Incorporóse; una larga línea de sangre le rayaba la cara.

Otra bala del mismo tirador cortó la frase en su garganta.

Esta vez cayó con el rostro contra el suelo, y no se movió más. La grande alma de aquel niño había volado.

XVI. Donde se verá que el
HERMANO PUEDE CONVERTIRSE EN PADRE

Había a la sazón en el jardín del Luxemburgo (pues la mirada del drama debe extenderse a todas partes) dos niños que iban cogidos de la mano. Uno podría contar siete años, y el otro cinco. Mojados por la lluvia, habían elegido los paseos donde daba el sol. El mayor conducía al más pequeño; ambos estaban cubiertos de harapos y pálidos.

El más pequeño decía: "Tengo hambre."

El mayor, con sus ínfulas ya de protección, conducía al otro de la mano izquierda, y en la derecha llevaba una varita.

El hecho es que vagaban por allí, y que parecían libres. Vagar y parecer libre es estar perdido; y en efecto, aquellos pobres niños lo estaban.

Eran los mismos cuya suerte había tenido inquieto a Gavroche, y que el lector recordará.

Los dos niños abandonados habían llegado junto al estanque; y como si les asustase toda aquella luz, procuraban esconderse; instinto del pobre y del débil ante la magnificencia, aun impersonal; y se pusieron detrás de la cabaña de los cisnes.

El más pequeño repetía de tiempo en tiempo a media voz: "Tengo hambre."

Casi a la par que los dos niños, arrimábase otra pareja al estanque. Era un honrado vecino de cincuenta años, que conducía de la mano a otro honrado vecino de seis; sin duda el padre en compañía del hijo. El honrado vecino de seis años tenía un enorme bollo.

Los dos pobrecillos vieron venir a *aquel señor*, y se ocultaron algo más.

Detuviéronse el padre y el hijo junto al estanque donde se refocilaban los cisnes. Aquel ciudadano parecía profesar una admiración especial a estos animales. Asemejábase a ellos en el modo de andar.

Entretanto, el hijo volvió a morder el bollo, escupió el pedazo, y se echó a llorar bruscamente.

—¿Por qué lloras? —preguntó el padre.

—No tengo más ganas —respondió el niño.

El padre tomó un aspecto serio.

—No es preciso tener ganas para comer un bollo.

—Me repugna el bollo. Está duro.

—¿No lo quieres?

—No.

El padre le mostró los cisnes.

—Arrójalo a esos palmípedos.

El bollo cayó bastante cerca de la orilla.

En aquel momento el tumulto lejano de la ciudad se aumentó repentinamente.

—Volvámonos —dijo el padre—; atacan las Tullerías.

—Quisiera ver a los cisnes comerse el bollo —dijo el niño.

El padre respondió:

—Sería —y se llevó a su ciudadanito.

Entre tanto, y al mismo tiempo que los cisnes, los chicos vagabundos se habían acercado al bollo. Flotaba éste sobre el agua.

Los cisnes, viendo al enemigo, se dieron prisa, y al apresurarse produjeron un efecto de pecho útil al pescadorcito.

El agua refluyó delante de ellos y una de sus blandas ondulaciones concéntricas empujó suavemente el bollo hacia la varita del niño. Ésta tocaba el bollo al mismo tiempo que llegaban los cisnes; el muchacho dio un golpe vivo, lo atrajo hacia sí, asustó a los cisnes, lo cogió, y se levantó. El bollo estaba mojado, pero los chicos tenían hambre y sed. El mayor lo dividió en dos partes, una grande y otra pequeña; tomó la pequeña para sí, dio la grande a su hermanito, y le dijo: "Echate eso al coleto."

XVII. Mortuus pater, filium moriturum espectat

Habíase lanzado Mario fuera de la barricada, seguido de Combeferre, pero era tarde. Gavroche estaba ya muerto.

Combeferre se encargó del cesto con los cartuchos, y Mario del chico.

Cuando Mario entró en el reducto con Gavroche en los brazos, tenía, como el pilluelo, el rostro inundado de sangre. En el instante de bajarse para coger a Gavroche, una bala le había rozado el cráneo, sin que él lo advirtiese.

Courfeyrac se quitó la corbata, y. vendó la frente de Mario.

Púsose a Gavroche en la misma mesa que a Mabeuf, y sobre ambos cuerpos se tendió el paño negro. Hubo bastante para el anciano y el niño.

Juan Valjean seguía en el mismo sitio, sin moverse. Cuando Combeferre le presentó sus quince cartuchos, sacudió la cabeza.

El reducto de la calle de la Chanvrerie, lo repetimos, parecía muy tranquilo en el interior. Todas las peripecias y todas las fases habían sido, o iban a ser agotadas. La posición, de crítica que era, habíase convertido en amenazadora, e iba probablemente a volverse desesperada.

Juan Valjean, mudo, miraba la pared que tenía enfrente.

Algunos combatientes, habiendo descubierto mendrugos de pan casi mohosos, en una gaveta, se los comían con ansia. Mario se sentía inquieto, pensando en lo que su padre iba a decirle.

XVIII. El buitre convertido en presa

Insistamos en un hecho psicológico propio de las barricadas.

Hay algo de apocalipsis en la guerra civil; todas las brumas de lo desconocido se mezclan a esos terribles resplandores; las revoluciones son esfinges y cualquiera que ha estado en una barricada, cree haber tenido un sueño.

Volvamos a la calle de la Chanvrerie.

De repente, entre dos descargas se oyó el sonido lejano de la hora.

—Son las doce —dijo Combeferre.

Una partida de zapadores bomberos, con el hacha al hombro, acababa de aparecer en orden de batalla, al extremo de la calle.

Aquella tenía que ser la cabeza de una columna. ¿Y de cuál? De la de ataque evidentemente. Los zapadores bomberos, encargados de demoler la barricada, deben preceder siempre a los soldados que han de escalarla.

La fortaleza estaba completa. La barricada era el baluarte, y la taberna el torreón.

Dijo a Mario:

—Somos los dos jefes. Voy adentro a dar algunas órdenes; quédate fuera tú, y observa.

Apostóse Mario de vigía en la cúspide de la barricada.

—Aprontar hachas en el primer piso para cortar la escalera. ¿Las hay?

—Sí —dijo Feuilly.

—¿Cuántas?

—Dos hachas y un merlín.

—Está bien. Somos veintisiete hombres aptos para el combate. ¿Cuántos fusiles hay?

—Treinta y cuatro.

—Sobran siete. Tened a mano esos siete fusiles cargados como los demás.

Dadas estas órdenes, se volvió a Javert, y le dijo:

—No creas que te olvido —y poniendo sobre la mesa una pistola, añadió—: El último que salga de aquí levantará la tapa de los sesos a ese espía.

Presentóse Juan Valjean.

Estaba confundido en el grupo de los insurrectos. Salió y dijo a Enjolras:

—¿Sois el jefe? ¿Creéis que merezco recompensa? —preguntó.

—Sin duda.

—Pues bien, os pido una.

—¿Cuál?

—La de permitirme levantar la tapa de los sesos a ese hombre.

—¿No hay quien reclame? —y dirigiéndose a Juan Valjean, le dijo—: Os entrego al polizonte.

Casi al mismo instante se oyó el sonido de una corneta.

—¡Alerta! —gritó Mario en lo alto de la barricada.

XIX. LA VENGANZA DE JUAN VALJEAN

Cuando Juan Valjean se quedó solo con Javert, desató la cuerda que sujetaba al prisionero por mitad del cuerpo, y cuyo nudo estaba hecho debajo de la mesa. En seguida le indicó que se levantase.

Javert obedeció, con esa indefinible sonrisa en que se condensa la supremacía de la autoridad encadenada.

Juan Valjean tomó a Javert de la gamarra, como se tomaría a una acémila de la rienda, y arrastrándolo en pos de sí, salió de la taberna con lentitud, porque Javert, a causa de las trabas que tenía puestas en las piernas, no podía dar sino pasos muy cortos. Juan Valjean llevaba la pistola en la mano.

Atravesaron de este modo el trapecio interior de la barricada.

Juan Valjean, aunque con algún trabajo, hizo escalar a Javert, atado y todo, sin soltarle un instante, la pequeña trinchera de la callejuela de Mondetour.

Una vez pasado este parapeto, se encontraron solos en la calle. Nadie los veía.

Juan Valjean colocó la pistola bajo el brazo, y fijó en Javert una mirada que no necesitaba palabras para decir: "Javert, soy yo."

Javert dijo: "Desquítate."

Juan Valjean cortó la gamarra que Javert tenía al cuello, en seguida cortó las cuerdas de las muñecas, y por último, bajándose, ejecutó lo mismo con la de los pies. Luego, poniéndose otra vez derecho, le dijo: "Estás libre."

Javert no era hombre que se asombraba fácilmente. Sin embargo, a pesar de ser tan dueño de sí mismo, no pudo menos de sentirse conmovido.

—Me fastidiáis. Mejor es que me matéis.

Javert, sin advertirlo, no tuteaba ya a Juan Valjean.

—Idos —dijo Juan Valjean.

Cuando Javert hubo desaparecido, Juan Valjean descargó la pistola al aire.

XX. Donde se verá que los muertos no tienen menos razón que los vivos

La agonía de la barricada iba a empezar.

Porque, desde la víspera, las dos hileras de casas de la calle de la Chanvrerie se habían convertido en murallas, y murallas de aspecto feroz.

Las puertas, las ventanas, los postigos, todo estaba cerrado.

La utopía se transforma siempre de su cuenta y riesgo en insurrección, pasando de protesta filosófica a protesta armada, de Minerva a Palas. La utopía que se impacienta y se vuelve motín, sabe lo que le aguarda; lo común es que llegue con demasiada anticipación. Entonces se resigna, y acepta estoicamente, en lugar del triunfo, la catástrofe. Sirve, sin quejarse, y hasta disculpa a los que reniegan de ella; su magnanimidad es consentir en el abandono. Es indomable contra el obstáculo, e indulgente para con la ingratitud.

¿Y es, en efecto, ingratitud? Sí, bajo el punto de vista del género humano. No, bajo el punto de vista del individuo.

El progreso es el modo de ser del hombre.

¿Qué es, pues, el progreso? Acabamos de decirlo: La vida permanente de los pueblos. Ahora bien, algunas veces sucede que la vida momentánea de los individuos resiste a la vida eterna del género humano.

Por otra parte, la utopía, preciso es convenir en ello, sale de su radiosa esfera cuando apela a las armas. Siendo la verdad de mañana, toma prestado a la mentira de ayer su regla de conducta: la batalla. Siendo el porvenir, obra como el pasado. Siendo la idea pura, se convierte en vía de hecho. Complica su heroísmo con una violencia, de que es justo responda; violencia de ocasión y de recurso, contraria a los principios, y por la que es castigada fatalmente.

La utopía, una vez insurrección, combate, llevando en la mano el antiguo código militar, fusila a los espías, ejecuta a los traidores, suprime seres vivientes, y los arroja en las tinieblas desconocidas. Se sirve de la muerte ¡cosa siempre grave! Parece que la utopía ha perdido la fe en la irradiación, que es su fuerza irresistible e incorruptible. Maneja la espada; y como toda espada tiene dos filos, al herir con el uno se hiere con el otro.

Hecha esta salvedad, sin consideración de ninguna especie, nos es imposible dejar de admirar, triunfen o no, a los gloriosos combatientes del porvenir, a los mártires de la utopía. Aun cuando pierdan, son venerables; y quizá su majestad es mayor en este último caso. La victoria, en el sentido del progreso, merece el aplauso de los pueblos; pero una derrota heroica merece su simpatía. La una es magnífica y la otra sublime.

Por lo demás, hay (conviene añadir esta distinción a las ya indicadas en otro capítulo) las insurrecciones rechazadas que se llaman motines. Una insurrección que estalla, es una idea que sufre su examen ante el pueblo. Si el pueblo deja caer la bola negra, la idea es un fruto seco; la insurrección es una planta agostada.

Combatir a cada intimación, y siempre que la utopía la desea, no es propio de los pueblos. Las naciones no tienen a todas horas el temperamento de los héroes y de los mártires. Son positivas. A priori, la insurrección les repugna: primero, porque frecuentemente su resultado es una catástrofe; segundo, porque siempre su punto de partida es una abstracción.

Pues siempre, y esto es hermoso, los que se sacrifican lo hacen por el ideal, por el ideal sólo. Una insurrección es un entusiasmo. El entusiasmo puede montar en cólera, y tal es el motivo de que se eche mano de las armas. Pero toda insurrección que apunta a un gobierno o a un régimen, pone la mira más alto.

Una batalla como la que referimos en este momento, no es otra cosa que una convulsión hacia lo ideal. El progreso con trabas es enfermizo, y padece esta clase de epilepsias trágicas. Hemos debido tropezar con la guerra civil, esa enfermedad del progreso. Es una de las fases fatales, a la vez acto y entreacto de este drama, cuyo eje es un condenado social, cuyo verdadero título es: *el progreso*.

¡El progreso! Este grito, que lanzamos con frecuencia, encierra todo nuestro pensamiento; y en el punto del drama a que hemos llegado, teniendo que experimentar aún más de una prueba, la idea que abraza quizá nos sea permitido, si no descorrer el velo, a lo menos dejar entrever claramente la luz.

XXI. Los héroes

De repente el tambor dio la señal del ataque.

La embestida fue el huracán. Una poderosa columna de infantería de línea, cortada a intervalos iguales por guardia nacional y municipal de a pie, y apoyada en masas profundas, a las que se oía sin verlas, desembocó en la calle al paso de carga, tocando tambores y clarines, con las bayonetas caladas y los zapadores a la cabeza, e imperturbable bajo los proyectiles, cayó sobre la barricada con el peso de una viga de bronce sobre un muro. El muro se mantuvo firme.

Los insurrectos hicieron fuego impetuosamente, y el reducto escalado ostentó una cabellera de relámpagos.

El asalto fue tan furibundo, que por un momento se vio la barricada llena de sitiadores; pero sacudió de sí a los soldados, como el león a los perros, y no se cubrió de combatientes sino como el arrecife de espuma, para reaparecer luego escarpada, negra y formidable.

De ambas partes había igual resolución. La tropa quería acabar pronto; la insurrección quería luchar. Cada cual allí tenía el engrandecimiento de la hora suprema. La calle se cubrió de cadáveres.

Enjolras, que llevaba toda la barricada dentro de su cabeza, se reservaba y se ponía al abrigo de las balas; tres soldados cayeron uno tras otro al pie de su almena sin haberle visto siquiera.

Mario aparecía formidable y meditabundo. Estaba en la batalla como en un sueño. Diríase un fantasma disparando tiros.

El interior de la barricada estaba tan lleno de cartuchos rotos, que parecía haber nevado. Los sitiadores tenían la ventaja del número, los insurrectos la de la posición. De lo alto de una muralla hacían fuego a boca de jarro contra los soldados, quienes tropezaban con los muertos y heridos, enredándose en la escarpa.

Aquel reducto, construido como estaba y admirablemente apuntalado, era en verdad una de esas posiciones donde un puñado de hombres resiste a una legión. No obstante, la columna de ataque reclutada sin cesar, y agrandándose bajo la lluvia de balas, se acercaba inexorablemente y ahora el ejército, poco a poco, paso a paso, pero con seguridad, estrechaba la barricada, como el husillo la prensa del lagar.

Sucediéronse los asaltos. El horror iba en aumento.

Aquellos hombres macilentos, haraposos, cansados, que no habían comido hacía veinticuatro horas, que tampoco habían dormido, que sólo contaban con unos cuantos tiros más, que se tentaban los bolsillos vacíos de cartuchos, heridos casi todos, vendada la cabeza o el brazo con un lienzo mohoso y negruzco; de cuyos calzones agujereados corría sangre, armados apenas de malos fusiles y de sables viejos mellados, se convirtieron en titanes. Diez veces fue atacado y escalado el reducto, y ninguna se consiguió tomarlo.

Se combatía cuerpo a cuerpo, palmo a palmo, a pistoletazos, a sablazos, a puñadas, de lejos, de cerca, de arriba, de abajo, de todas partes, de los tejados de la casa, de las ventanas de la taberna, de los respiraderos de las bodegas a donde se habían retirado algunos. Eran uno contra sesenta.

Mario, combatiendo siempre; estaba tan acribillado de heridas, particularmente en la cabeza, que el rostro desaparecía en la sangre, y se hubiera dicho que lo llevaba cubierto con un pañuelo encarnado.

Enjolras era el único que se conservaba ileso.

XXII. Palmo a palmo

Cuando no quedaron vivos más jefes que Enjolras y Mario en los dos extremos de la barricada, el centro, que habían sostenido tanto tiempo Courfeyrac, Joly, Bossuet, Feuilly y Combeferre, cedió. El cañón, sin abrir una brecha practicable, había ensanchado bastante la parte media del reducto. El borde superior de la pared había desaparecido, desmoronándose a impulso de las balas; y los escombros que caían, ya interior, ya exteriormente, acabaron por formar, amontonándose a ambos lados, dos declives; uno dentro, y otro fuera. El declive exterior presentaba a los sitiadores un plano inclinado.

Intentóse por allí un asalto decisivo, y esta vez salió bien. Entonces no hubo ya remedio. El grupo de insurrectos que defendía el centro, retrocedió en desorden.

Pero Enjolras, Mario y siete u ocho más que los seguían, corrieron a protegerlos. Enjolras había gritado a los soldados: ¡Deteneos! y como un oficial no obedeciese a la intimación, Enjolras le dejó muerto en el acto.

Desde allí gritó a los desesperados:

—No hay más que una puerta abierta. Esta.

Y cubriéndolos con su cuerpo, y haciendo él solo cara a un batallón, les dio tiempo para que pasasen por detrás.

Todos se precipitaron dentro.

Mario se quedó afuera; una bala acababa de romperle la clavícula y se sintió desmayar y caer. En aquel momento, ya cerrados los ojos, experimentó la conmoción de una vigorosa mano que le cogía, y su desmayo le permitió apenas este pensamiento en que se mezclaba el supremo recuerdo de Cosette:

—Soy hecho prisionero, y me fusilarán.

Enjolras sujetó la barra de la puerta, empezaba el sitio de la taberna.

Los soldados, preciso es decirlo, estaban encendidos de cólera.

Cuando la puerta estuvo barreada, Enjolras dijo a los suyos: Vendámonos caros.

Los sitiadores, al precipitarse dentro de la taberna, con los pies enredados en los tableros de la puerta rota y derribada, no encontraron un solo combatiente. La escalera en espiral, cortada a hachazos, yacía en medio de la sala baja; algunos heridos acababan de expirar; los que aún vivían estaban en el piso principal; y allí, por el agujero del techo que había servido de encaje a la escalera, empezó un espantoso fuego. Eran los últimos cartuchos. Una vez quemados, sin pólvora ya ni balas, aquellos formidables agonizantes, tomó cada cual en la mano dos de las botellas reservadas por Enjolras, que hemos mencionado antes, e hicieron frente al enemigo con esas mazas horriblemente frágiles. Eran botellas de agua fuerte.

Referimos los hechos lúgubres de la matanza tales cuales son. El sitiado ¡ay! echa mano de todo. El fuego griego no ha deshonrado a Arquímedes ni la pez derretida a Bayardo. La guerra es todo espanto, y no hay en ella nada que elegir.

La fusilería de los sitiadores, aunque con la molestia de tener que dirigirse de abajo arriba, era mortífera. Pronto el borde del agujero del techo se vio rodeado de cabezas de muertos, de donde corría la sangre en rojos y humeantes hilos. El ruido era indecible; un humo espeso y ardiente esparcía casi la noche sobre aquel combate. Faltan palabras para expresar el horror cuando se ha llegado a este punto. No había ya hombres en aquella lucha, ahora infernal.

Era el heroísmo monstruo.

XXIII. Orestes en ayunas y Pílades ebrio

En fin, subiéndose unos sobre otros, ayudándose con el esqueleto de la escalera, trepando por las paredes, asiéndose del techo, acuchillando al borde mismo de la trampa a los últimos que resistían, unos veinte de los sitiadores, entre soldados, guardias nacionales y guardias municipales, desfigurados la mayor parte por heridas en el rostro, al verificar aquella terrible ascensión, cegados por la sangre, furiosos, salvajes, se precipitaron en la sala del piso principal. No quedaba allí más que un hombre en pie: Enjolras.

Oyóse gritar:

—Es el jefe. Es el que mató al artillero. Ya que se ha puesto ahí, está perfectamente. Que se quede. Fusilémosle en ese mismo sitio.

—Fusiladme —dijo Enjolras.

Y arrojando el trozo de su carabina, y cruzando los brazos, presentó el pecho.

La audacia de una muerte heroica conmueve siempre a los hombres.

Doce hombres se formaron en el ángulo opuesto a Enjolras, y montaron los fusiles en silencio.

En seguida un sargento gritó:

—¡Apunten!

Intervino un oficial.

—Esperad dijo. Y añadió, dirigiéndose a Enjolras: ¿Queréis que os venden los ojos?

—No.

—¿Sois vos, en efecto, quien mató al sargento de artillería?

—Sí.

Hacía unos instantes que se había despertado Grantaire.

Grantaire, como recordará el lector, dormía desde la víspera en la sala alta de la taberna, sentado en una silla, y recostada la parte superior del cuerpo sobre una mesa.

Grantaire levantó la cabeza sobresaltado, estiró los brazos, se frotó los ojos, miró, bostezó y comprendió.

—¡Viva la república! Aquí estoy yo.

Grantaire se había levantado.

Repitiendo ¡viva la república! atravesó la sala con paso firme, y fue a colocarse delante de los fusiles, en pie, junto a Enjolras.

—Matad a dos de un golpe —dijo. Y volviéndose a Enjolras, añadió con timidez—: ¿Lo permites?

Enjolras le estrechó la mano sonriéndole. No había acabado de sonreírse, cuando sonó la detonación.

Enjolras, atravesado por ocho tiros, quedó arrimado a la pared, como si las balas le hubiesen clavado allí. No hizo más que inclinar la cabeza.

Grantaire cayó a sus pies como herido por el rayo.

Unos instantes después, los soldados desalojaban a los últimos insurrectos que se habían refugiado en lo alto de la casa.

Los soldados empezaron el registro de las casas vecinas y la persecución de los fugitivos.

XXIV. Prisionero

Mario era prisionero en efecto. Prisionero de Juan Valjean.

La mano que le había asido por detrás en el momento de caer, y cuya presión había sentido al desmayarse, era la de Juan Valjean.

Juan Valjean no había tomado más parte en el combate que la de exponer su vida. Sin él, en aquella fase suprema de la agonía, nadie hubiera pensado en los heridos.

Juan Valjean, en medio de la densa niebla del combate, no aparentaba ver a Mario, siendo así que no le perdía de vista un solo instante. Cuando un balazo derribó a Mario, Juan Valjean saltó con la agilidad de un tigre, se arrojó sobre él como si se tratara de una presa, y se lo llevó.

El remolino del ataque estaba entonces concentrado tan violentamente en Enjolras y en la puerta de la taberna, que nadie vio a Juan Valjean sosteniendo en sus brazos a Mario sin sentido, atravesar el suelo desempedrado de la barricada, y desaparecer detrás del ángulo de la casa de Corinto.

A la izquierda estaba el campo del combate. Detrás del ángulo de la pared estaba la muerte.

¿Qué partido tomar? Sólo un pájaro hubiera podido salir de allí.

Y era preciso decidirse en el momento, hallar un recurso, adoptar una resolución.

A fuerza de mirar, bosquejóse y llegó a adquirir forma ante él una cosa vagamente perceptible en tal agonía, como si la vista tuviera poder para hacer brotar el objeto perdido. Vio a los pocos pasos, y al pie del pequeño parapeto, con tanto rigor custodiado y vigilado por fuera, bajo un hundimiento de adoquines que la ocultaba en parte, una reja de hierro colocada de plano y al nivel del piso.

Su antigua ciencia de las evasiones le iluminó el cerebro como una claridad. Apartar los adoquines, levantar la reja, echarse a cuestas a Mario inerte como un cuerpo muerto, bajar con esta carga, sirviéndose de los codos y de las rodillas, a aquella especie de pozo, felizmente poco profundo, volver a dejar caer la pesada trampa de hierro, que los adoquines derrumbándose cubrieron de nuevo, asentar el pie en una superficie embaldosada a tres metros del suelo, todo esto fue ejecutado como lo que se hace en el delirio, con la fuerza de un gigante y la rapidez de un águila; apenas empleó unos cuantos minutos.

Encontróse Juan Valjean, con Mario siempre desmayado, en una especie de corredor largo y subterráneo.

Apenas oía encima de su cabeza como un vago murmullo; era el formidable tumulto de la taberna tomada por asalto.

Libro segundo

EL INTESTINO DE LEVIATÁN

I. LA TIERRA EMPOBRECIDA POR EL MAR

París arroja anualmente veinticinco millones al agua. Y cuenta que no hablamos en estilo metafórico. ¿Cómo y de qué manera? Día y noche. ¿Con qué objeto? Con ninguno. ¿Con qué idea? Sin pensar en ello. ¿Para qué? Para nada. ¿Por medio de qué órgano? Por medio de su intestino. ¿Y cuál es su intestino? La alcantarilla.

Veinticinco millones; tal es el más moderado de los guarismos aproximados que dan los cálculos de la ciencia especial.

La ciencia, después de haber andado a tientas por mucho tiempo, sabe hoy que el más fecundo y eficaz de los abonos es el humano. Los chinos, digámoslo para nuestra vergüenza, lo sabían antes que nosotros. Ningún labrador chino (así lo dice Eckeberg) vuelve de la ciudad sin traer en los dos extremos de su bambú, dos cubos llenos de lo que nosotros llamamos inmundicias. Merced al abono humano, la tierra está aún en China tan joven como en tiempo de Abraham. El trigo chino da hasta ciento veintiocho granos por uno. No hay guano comparable en fertilidad al *detritus* de una capital. Una gran ciudad es el mejor de los estercoleros. Emplear la ciudad en abonar la llanura, sería asegurarse un éxito infalible. Si nuestro oro es estiércol, en cambio nuestro estiércol es oro.

La estadística ha calculado que Francia sola vierte todos los años en el Atlántico por boca de sus ríos, quinientos millones. Con estos quinientos, notadlo bien, se cubriría la cuarta parte de los gastos del té, de los gastos del presupuesto, y sin embargo, es tal la habilidad del hombre, que prefiere desprenderse de ellos, regalándolos al arroyo.

El procedimiento actual perjudica queriendo beneficiar. La intención es buena, pero el resultado es triste. Créese purificar la ciudad, y se enferma a los habitantes. Una alcantarilla es una equivocación. Cuando en todas partes el drenaje, con su doble función, restituyendo lo que toma, haya reemplazado a la alcantarilla, simple lavado empobrecedor, entonces, combinándose esto con los datos de una nueva economía social, el producto de la tierra será décuplo y el problema de la miseria se atenuará considerablemente. Añádase la supresión de los parasitismos, y quedará resuelto.

Para las necesidades de la operación de que hemos hablado, París tiene debajo de sí, otro París. Un París de alcantarillas, con sus calles encrucijadas, plazas, callejuelas sin salida, con sus arterias y circulación, que es fango, faltando sólo la forma humana.

Porque no debe adularse a nadie, ni siquiera a un gran pueblo.

Libro tercero

● A UN TIEMPO LODO Y ALMA ●

I. La cloaca y sus sorpresas

Encontrábase Juan Valjean en la alcantarilla de París.

Otra semejanza de París con el mar. El buzo puede desaparecer allí, como desaparece en el Océano.

La transición era inaudita. En medio mismo de la ciudad, Juan Valjean había salido de ella, y en un abrir y cerrar de ojos, en el tiempo preciso para levantar una tapa y volverla a dejar caer, había pasado de la luz a las tinieblas, del mediodía a la media noche, del ruido al silencio, del torbellino de los truenos al estancamiento de la tumba, del mayor peligro a la seguridad más absoluta.

Caída repentina en una cueva; desaparición en los calabozos de París. Dejar aquella calle, donde en todos lados veía la muerte, por una especie de sepulcro, donde debía encontrar la vida, fue un extraño instante. Permaneció algunos segundos como aturdido, escuchando estupefacto. Habíase abierto de improviso ante sus pies la trampa de salvación, cogiéndole, digámoslo así, por traición la bondad celeste. ¡Adorables emboscadas de la providencia!

Entre tanto el herido no se movía, y Juan Valjean ignoraba si lo que había traído consigo a aquella fosa era un vivo o un muerto.

Su primera sensación fue la de que estaba ciego. Repentinamente no vio nada. Parecióle también que en un minuto se había puesto sordo. No oía el menor ruido. Una bocanada de aire fétido le indicó cuál era su mansión actual.

Al cabo de algunos instantes no estaba ya ciego. Un poco de luz caía del respiradero por donde había entrado, y ya su mirada se había acostumbrado a la cueva.

No había que perder un minuto. Recogió a Mario del suelo, se lo echó a cuestas, y se puso en marcha, penetrando resueltamente en aquella obscuridad.

La verdad es que estaban menos a salvo de lo que Juan Valjean creía. Aguardábanles quizá peligros de otro género, y de no menor tamaño.

¿Cómo orientarse en aquel negro laberinto? El hilo de este laberinto según dijimos antes, es la pendiente, siguiéndola se va al río.

Juan Valjean lo comprendió desde luego. Era preferible internarse en el laberinto, fiarse de la obscuridad, y encomendarse a la Providencia para la salida.

Subió la pendiente, y tomó la derecha.

Cuando hubo doblado el ángulo de la galería, la lejana claridad del respiradero desapareció, la cortina de tinieblas volvió a caer ante él, y de nuevo quedó ciego. Continuó, sin embargo, avanzando y tan rápidamente como le fue posible. Los dos brazos de Mario rodeaban el cuello de Juan Valjean, y sus pies colgaban por detrás.

La pupila se dilata en las tinieblas, y concluye por percibir claridad.

Era difícil dirigir el rumbo. El trazado de las alcantarillas refleja, digámoslo así, el de las calles superpuestas. Había en el París de aquella época dos mil doscientas calles. Imagínese debajo esa selva de tenebrosas ramas que se denomina el albañal.

Seguía adelante, con ansiedad, pero con calma, sin ver ni saber nada a la ventura, es decir, en manos de la Providencia.

Gradualmente, confesémoslo, cierto horror se apoderaba de él. La sombra que le envolvía penetraba en su espíritu. Caminaba en medio de un enigma. El acueducto de la cloaca es formidable, crúzanse sus cañerías vertiginosamente.

De repente se sintió sorprendido. Cuando menos lo esperaba, y sin haber cesado de caminar en línea recta, notó que ya no subía; el agua del arroyo le daba en los talones y no en la punta de los pies. La alcantarilla bajaba ahora. ¿Por qué? ¿Iba, pues, a llegar de improviso al Sena? Este peligro era grande; pero era mayor el que resultaría en retroceder. Siguió avanzando.

No se dirigía al Sena. La albardilla que forma el suelo de París en la orilla derecha, vacía una de sus vertientes en el Sena, y otra en el albañal grande. La cima de esta albardilla, que determina la división de las aguas, traza una línea muy caprichosa.

A ese punto culminante había llegado Juan Valjean. Dirigíase al albañal del centro, y estaba en buen camino, aunque sin saberlo.

De improviso vio su sombra delante de sí. Destacábase sobre un rojo claro que tenía vagamente el zampeado y la bóveda, y que resbalaba, a derecha e izquierda, por las dos paredes viscosas del corredor. Volvióse lleno de asombro. Detrás de él, en la parte del pasillo que acababa de dejar, a una distancia que le pareció inmensa, resplandecía, rayando las tinieblas, una especie de astro horrible que parecía mirarle. Era la lúgubre estrella de la policía que se levantaba en el albañal.

Detrás de la estrella se movían confusamente ocho o diez formas negras, rectas, vagas y terribles.

II. EXPLICACIÓN

El 6 de junio se dispuso una batida de las alcantarillas. Temíase que los vencidos se refugiasen en ellas, y el prefecto Gisquet fue encargado de registrar el París oculto.

Los agentes estaban armados de carabinas, macanas, espadas y puñales.

Mientras la ronda registraba estos callejones, Juan Valjean había tropezado con la entrada de la galería, y viendo que era más estrecha que el pasillo principal, no penetró en ella, sino pasó adelante. Los de la policía, al dejar la galería del Cuadrante, habían creído oír ruido de pisadas en la dirección del albañal del centro. Eran, en efecto, las pisadas de Juan.

Para Juan Valjean fue aquel un minuto de indecible angustia. Felizmente, aunque él veía bien la linterna, ésta le veía a él mal. La linterna era la luz y él la sombra. Hallábase él muy lejos y confundido en el fondo obscuro del subterráneo. Arrimóse a la pared, y se detuvo.

Habiéndose detenido Juan Valjean, el ruido cesó. Los hombres de la ronda escuchaban y no oían; miraban y no veían. Consultaron entre sí.

El resultado de la conferencia celebrada por los perros de guardia fue decidir que se habían engañado.

El sargento dio la orden de torcer a la izquierda, dirigiéndose a la vertiente del Sena. Si les hubiese ocurrido dividirse en dos partidas y marchar en opuestos sentidos, Juan Valjean habría caído en sus manos. Esto pendió de un hilo.

III. La doble caza

Preciso es hacer a la policía de aquel tiempo la justicia de decir, que aún en las circunstancias públicas más graves, cumplía imperturbablemente su deber de inspección y vigilancia. Un motín no era a sus ojos un pretexto para aflojar la rienda a los malhechores, y descuidar a la sociedad por la razón de que el gobierno estaba en peligro.

IV. Con la cruz a cuestas

Juan Valjean emprendió de nuevo su marcha, y ya no volvió a detenerse.

Era una marcha que se hacía cada vez más embarazosa. El nivel de las bóvedas varía; la elevación media es de unos cinco pies y seis pulgadas, y ha sido calculada para la estatura de un hombre. Juan Valjean se veía obligado a doblarse, por miedo de que Mario diese contra la bóveda. A cada momento le era preciso bajarse, luego se volvía a levantar e iba sin cesar tentando la pared.

Juan Valjean tenía hambre y sed; sed, sobre todo; allí, como en la mar, había abundancia de agua no potable. Su fuerza prodigiosa, como es sabido, y muy poco debilitada por la edad, gracias a una vida casta y sombría, empezaba, sin embargo, a abandonarle. Sobrevveníale la fatiga, y a medida que perdía vigor, aumentábase el peso de la carga. Mario, muerto, quizá, pesaba, como pesan los cuerpos inertes.

Podrían ser las tres de la tarde cuando entró en el albañal del centro.

Al principio le sorprendió aquel ensanche repentino. Pero renovábase la duda sobre si valdría más subir que bajar, o al contrario. Calculó, sin embargo, que la situación era apurada, y que necesitaba, a todo trance, llegar al Sena, o lo que equivalía a lo mismo, bajar. Torció, pues, a la izquierda.

Su instinto le guió perfectamente. La única salvación posible era, en efecto, bajar.

Algo más allá de un afluente se detuvo. Juan Valjean, con la suavidad de movimientos que emplearía un hermano respecto de su hermano herido, colocó a Mario en la banqueta de la alcantarilla.

Juan Valjean, cogiendo con la punta de los dedos la ropa y separándola, le puso la mano en el pecho, y vio que el corazón latía aún.

Al desabrochar el vestido de Mario, había encontrado en su bolsillo dos cosas, el pan que yacía en él, olvidado desde la víspera, y la cartera del joven. Se comió el pan, y abrió la cartera. En la primera página vio las cuatro líneas escritas por Mario. Decían, como se recordará:

"Me llamo Mario Pontmercy. Condúzcase mi cadáver a casa de mi abuelo, el señor Gillenormand, calle de las Monjas del Calvario, número 6, en el Marais."

Había comido y se sentía reanimado. Cargó otra vez con el joven, le apoyó cuidadosamente la cabeza en su hombro derecho, y continuó bajando por la alcantarilla.

V. De cómo cierta clase de finura, así en la arena como en la mujer, es pérfida

Juan Valjean conoció que entraba en el agua, y que tenía debajo de los pies, no baldosas, sino cieno.

Sucede, a veces, en ciertas costas de Bretaña y de Escocia, que un hombre, viajero o pescador, caminando durante la marea baja por el arenal, a alguna distancia de la orilla, nota de improviso que hace rato anda penosamente. La playa está como resinosa; péganse a ella las suelas de los zapatos; no parece arena, sino liga. La arena no presenta señal de humedad, y, sin embargo, a cada paso, desde que ha levantado el pie, el hueco que deja se llena de agua.

Por lo demás, la vista no ha advertido ningún cambio. La inmensa playa está tranquila; la arena conserva el mismo aspecto; nada distingue el suelo sólido del no sólido; la alegre nubecilla de los pulgones de mar continúa saltando tumultuosamente sobre los pies del transeúnte.

El hombre sigue su camino, siempre hacia adelante, pisando con fuerza y procurando acercarse a la costa. No está inquieto. ¿Por qué ha de estarlo? Sólo siente como si la pesadez de sus pies se aumentase a cada paso que da. De repente se hunde... dos o tres pulgadas. Es que no va por el buen camino. Se detiene para orientarse. Se mira a los pies: los pies han desaparecido bajo la arena. Sácalos, quiere retroceder, retrocede y se hunde más. La arena le llega al tobillo. Con un esfuerzo se arranca de allí y se dirige a la izquierda; la arena le llega a media pierna. Con otro esfuerzo se dirige a la derecha; la arena le llega a las corvas. Entonces conoce con indecible terror que se ha metido en un arenal movedizo, en ese medio espantoso donde no puede caminar el hombre ni nadar el pez. Si lleva alguna carga, la arroja, como el buque cuando le acosa la tormenta, pero ya no es tiempo: la arena le pasa de las rodillas.

Llama, agita el sombrero o el pañuelo: la arena sube más cada vez.

Antes de los importantes trabajos empezados en 1883, el muladar subterráneo de París estaba expuesto a hundimientos repentinos.

Infiltrábase el agua en ciertos terrenos subyacentes, y en sumo grado desmoronables; el zampeado, fuese de baldosa, como en las alcantarillas antiguas, o de cal hidráulica y hormigón, como en las galerías modernas, careciendo ya de punto de apoyo, cedía, y en un piso de esta clase, ceder es rajarse, es hundirse. El zampeado desaparecía en cierta extensión. La grieta que se formaba, boca de un abismo de cieno, tenía en el lenguaje técnico el nombre de *fontis* (hundimiento). ¿Qué viene a ser *fontis*? Es la arena movediza de las orillas del mar que se encuentra de repente debajo de la tierra; es el arenal del monte de San Miguel en una alcantarilla. El suelo humedecido está como en fusión; todas sus moléculas se encuentran suspendidas en un medio blanco; ni es tierra, ni es agua. La profundidad suele ser muy grande, y nada hay más terrible que semejante encuentro. Si el agua domina la muerte es rápida, a causa de la inmersión, si domina la tierra, la muerte es lenta, verificándose por hundimiento.

VI. El cenegal

Encontrábase Juan Valjean junto a un abismo de cieno.

El hundimiento que encontró Juan Valjean provenía del chaparrón de la víspera. Era un agujero de lodo en una caverna de noche.

Juan Valjean sintió que le faltaban las baldosas, y entró en aquel fango. Agua en la superficie, légamo en el fondo. Pero había que pasar. Retroceder era de todo punto imposible. Mario estaba expirante, Juan Valjean extenuado. Por otra parte, ¿a dónde iría? Juan Valjean siguió adelante; tanto más, cuanto que el hoyo parecía al principio poco profundo. Pero a medida que avanzaba, sumergíanse sus pies. Pronto el cieno le llegó a media pierna, y el agua por arriba de las rodillas. Continuó, sin embargo, y con los brazos levantados sostuvo a Mario sobre el agua.

Juan Valjean continuó avanzando, con aquel moribundo, que tal vez fuese un cadáver, a cuestas.

Todavía continuó hundiéndose, y para librarse del agua y poder respirar, echaba hacia atrás la cara. Hizo un esfuerzo desesperado y lanzó el pie adelante. El pie tropezó en una cosa sólida, en un punto de apoyo; ya era tiempo. Afirmóse con una especie de furia en aquel punto de apoyo, lo cual le produjo el efecto del primer peldaño de una escalera para subir de nuevo a la vida.

El fragmento del zampeado, en parte sumergido, pero sólido, era una verdadera rampa; la vida estaba en salvo. Juan Valjean subió por aquel plano inclinado, y pronto estuvo al otro lado del cenagal.

Al salir del agua, tropezó en una piedra y cayó de rodillas. Le pareció justo, y permaneció allí algún tiempo, con el alma abismada en la contemplación divina. Levantóse tiritando, helado, infecto; doblándose bajo el peso del moribundo que llevaba consigo, cubierto de fango, y con el alma inundada de una extraña claridad.

VII. El naufragio a la vista del puerto

Púsose otra vez en camino.

Por lo demás, aunque no dejó la vida en el cenagal, parecía haber dejado la fuerza. Habíale agotado aquel supremo sacrificio; y era tal su fatiga que, a cada tres o cuatro pasos, tenía que cobrar aliento y apoyarse en la pared.

Alzó los ojos, y en la extremidad del subterráneo, delante de él, lejos, muy lejos, percibió la claridad. Esta vez no era la claridad terrible, sino la claridad buena y blanca, el día. Juan Valjean veía la salida.

A medida que se aproximaba distinguía mejor la salida. Juan Valjean llegó a la puerta.

Allí se detuvo. Era la salida, pero no se podía salir.

Veíase el agujero de la llave, y el macizo pestillo profundamente encajado en la chapa de hierro.

Serían las seis y media de la tarde. El día iba a desaparecer. Juan Valjean colocó a Mario junto a la pared, en la parte seca del zampeado; después se dirigió a la reja, y cogió con sus dos manos los barrotes. El sacudimiento fue frenético; la conmoción nula. La reja no se movió. El obstáculo era invencible. No había medio de abrir la puerta.

Hundió luego la cabeza entre las rodillas. No había medio de salir. Era la última gota de la amargura.

¿En qué pensaba en aquel profundo abatimiento? Ni en sí mismo, ni en Mario. Pensaba en Cosette.

VIII. El faldón de la levita roto

En medio de tal postración, una mano se apoyó en su hombro, y una voz que hablaba bajo, le dijo: "Partamos."

Juan Valjean no vaciló un momento. A pesar de cogerle tan de improviso, conoció al hombre. Era Thenardier.

Juan Valjean advirtió inmediatamente que Thenardier no le conocía. Se consideraron un momento en la penumbra, y como si tratasen de medirse. Thenardier habló primero.

—¿Qué traza vas a darte para salir?

Juan Valjean no contestó. Thenardier continuó:

—Es imposible abrir la puerta, y sin embargo, tienes que marcharte.

—Cierto —dijo Juan Valjean.

—Pues bien, partamos las ganancias.

—¿Qué quieres decir?

—Has matado a ese hombre bueno. Yo tengo la llave.

Thenardier indicaba con el dedo a Mario.

—No te conozco —prosiguió—, pero quiero ayudarte. Debes ser un camarada.

Juan Valjean empezó a comprender. Thenardier le tomaba por un asesino.

—Escucha —volvió a decir Thenardier—. No habrás matado a ese hombre sin mirar lo que tenía en el bolsillo. Dame la mitad y te abro la puerta.

Sacando entonces a medias una enorme llave de debajo de su agujereada blusa, añadió:

—¿Quieres ver lo que ha de proporcionarte la salida? Pues míralo.

Juan Valjean se quedó atónito, no atreviéndose a creer en la realidad de lo que veía.

—Ahora que me acuerdo, eres un animal. ¿Por qué no arrojaste en el cenagal a ese hombre?

—Terminemos nuestro asunto.

—Has visto mi llave; muéstrame tu dinero —dijo Thenardier—, ¿cuánto tenía ese mozo en los bolsillos?

Juan Valjean metió la mano en los suyos. Sólo tenía unas cuantas monedas en el bolsillo del chaleco lleno de fango. Lo vertió en el zampeado, y eran un Luis de oro, dos napoleones y cinco o seis sueldos.

—Le has matado casi de gracia —dijo.

Al mismo tiempo de andar en el vestido de Mario, Thenardier, con la destreza de un escamoteador, halló medio de arrancar, sin que Juan Valjean lo notase, un pedazo, y ocultarle debajo de la blusa, calculando, sin duda, que podría servirle algún día para conocer al hombre asesinado y al asesino. En cuanto al dinero, no encontró más de los treinta francos.

—Es verdad —dijo—, eso es todo.

Juan Valjean, con la ayuda de Thenardier, colocó de nuevo a Mario sobre sus hombros, y luego el segundo se dirigió a la reja de puntillas, indicando al primero que le siguiese; miró hacia fuera, se puso el dedo en la boca, y permaneció algunos segundos como escuchando. Satisfecho de su observación, entró la llave en la cerradura.

Thenardier entreabrió la puerta lo suficiente para que saliese Juan Valjean; volvió a cerrar, dio dos vueltas a la llave de la cerradura.

Juan Valjean se encontró fuera.

IX. DE CÓMO MARIO PARECE
MUERTO A UNA PERSONA QUE LO ENTIENDE

Colocó a Mario en el ribazo. ¡Estaba fuera!

Después, vivamente, como si el sentimiento del deber le asaltase, se inclinó hacia Mario, y cogiendo agua en el hueco de la mano, le salpicó el rostro con algunas gotas. Los párpados de Mario no se movieron, y sin embargo, su boca entreabierta respiraba.

Juan Valjean iba a introducir de nuevo la mano en el río, cuando de improviso sintió ese embarazo que se siente al tener detrás de sí alguna persona sin verla.

Estaba de pie, a corta distancia del grupo que formaban Juan Valjean y Mario.

Con el auxilio de la sombra, ofrecíase a la vista como una aparición. Un hombre sencillo se hubiera asustado a causa del crepúsculo, y un hombre de reflexión, a causa de la macana. Juan Valjean conoció a Javert.

Javert no conoció a Juan Valjean, quien como hemos dicho, no se parecía a sí mismo. Sin separar los brazos, aseguró mejor la macana por un movimiento imperceptible, y dijo con voz seca y tranquila:

—¿Quién sois?

—Yo.

—¿Quién?

—Juan Valjean.

Juan Valjean permaneció inerte bajo la presión de Javert, como un león que consintiese la garra de un lince.

—Inspector Javert —dijo—, estoy en vuestras manos. Por otra parte, desde esta mañana me juzgo prisionero vuestro. No os he dado las señas de mi casa para tratar luego de evadirme. Apoderáos de mí. Sólo os pido una cosa.

—¿Qué hacéis ahí? ¿Quién es ese hombre?

—Cabalmente de él quería hablaros. Disponed de mi persona lo que os plazca; pero antes, ayudadme a llevarle a su casa. Es todo lo que os pido.

Cogió la mano de Mario y le pulsó.

—Es un herido —dijo Juan Valjean.

—Es un muerto —dijo Javert.

Juan Valjean respondió: —No. Todavía...

—Vive —continuó— en el Marais, calle de las Monjas del Calvario, en casa de su abuelo... No me acuerdo cómo se llama.

Juan Valjean registró la levita de Mario, sacó la cartera, la abrió en la página donde Mario había escrito con lápiz, y se la mostró así a Javert.

Luego gritó:

—¡Cochero!

Un momento después, el carruaje, bajando por la rampa del abrevadero, estaba en el ribazo. Mario fue colocado en el asiento del fondo, y Javert y Juan Valjean ocuparon el asiento delantero. Una vez cerrada la portezuela, alejóse el coche rápidamente, subiendo por los muelles en dirección de la Bastilla.

X. La vuelta del hijo pródigo de su vida

A cada vaivén del carruaje una gota de sangre caía de los cabellos de Mario. Era noche cerrada cuando llegaron al número 6 de la calle de las Monjas del Calvario.

Javert fue el primero que bajó, y después de cerciorarse de que aquella era la casa que buscaba, levantó el pesado aldabón de hierro de la puerta cochera, que figuraba, según el estilo antiguo, un macho cabrío y un sátiro frente a otro, y le dejó caer con fuerza. Entreabrióse apenas la puerta, y Javert la empujó. El portero aparecía a medias, bostezando, entre dormido y despierto, con una vela en la mano.

Todos dormían en la casa. En el Marais se acuestan temprano, sobre todo en los días de motín.

Juan Valjean y el cochero sacaron a Mario del carruaje, sosteniéndole el primero por los sobacos, y el segundo por las corvas.

Javert interpeló al portero con el tono propio de los dependientes del gobierno, tratándose del portero de un faccioso.

—¿Vive aquí uno que se llama Gillenormand?

—Vive. ¿Qué le queréis?

—Le traemos a su hijo.

—¡Su hijo! —dijo el portero atónito.

—Está muerto.

El portero se limitó a despertar a Vasco, Vasco despertó a la señorita Gillenormand.

Mientras que Vasco iba a buscar un médico, y Nicolasa abría los armarios de la ropa blanca, Juan Valjean sintió que Javert le tocaba en el hombro. Comprendió, y bajó seguido del inspector de policía.

—Inspector Javert —dijo Juan Valjean—, concededme otra cosa.

—¿Cuál? —preguntó con dureza Javert.

—Dejad que entre un instante en mi casa. Después haréis de mí lo que os acomode.

XI. Conmoción en lo absoluto

No volvieron a despegar los labios en todo el camino.

¿Qué quería Juan Valjean? Acabar lo que había principiado, advertir a Cosette, decirle dónde estaba Mario, darle quizá alguna otra indicación útil, tomar, si podía, ciertas disposiciones supremas. En cuanto a él, en cuanto a lo que le concernía personalmente, era asunto concluido, haberle cogido Javert, y no se resistía.

A la entrada de la calle del Hombre-Armado, el coche se detuvo, por no permitir lo estrecho de aquélla el tránsito de los carruajes. Javert y Juan Valjean se apearon.

—Está bien —dijo Javert—; subid.

—Os aguardo.

Empujó la puerta, entró en la casa, gritó al portero que estaba ya acostado: "¡Soy yo!" y subió al primer piso.

Juan Valjean, sea para respirar, sea maquinalmente, sacó la cabeza por la ventana, y miró toda la calle, que es corta, y que recibía la luz del farol de un extremo a otro. Juan Valjean se quedó atónito; no se veía a nadie; Javert se había marchado.

XII. El abuelo

Vasco y el portero habían llevado al salón a Mario, que seguía tendido e inmóvil en el canapé donde se le colocó a su llegada. El médico estaba ya allí. La señorita Gillenormand se había levantado.

Por orden del médico, habíase arreglado una cama de cordeles junto al canapé.

El cuerpo no había recibido ninguna lesión interior; una bala, amortiguada una bala, amortiguada al dar en la cartera, se había desviado, y corriéndose por las costillas, había abierto una grieta de horrible aspecto, pero sin profundidad, y de consiguiente sin peligro.

El médico pareció meditar tristemente. En el momento en que el médico limpiaba el rostro y tocaba apenas con el dedo los párpados siempre cerrados de Mario, la puerta del fondo se abrió, apareciendo en el umbral una figura alta y pálida. Era el abuelo.

El abuelo sintió de los pies a la cabeza el estremecimiento que son capaces de experimentar miembros osificados: sus ojos, cuya córnea estaba amarilla a causa de la vejez, se velaron con una especie de reflejo vítreo; toda su cara tomó en un instante las formas terrosas de una cabeza de esqueleto; sus brazos cayeron como si les hubiera faltado el resorte que los mantenía suspendidos: manifestase el estupor en la separación de los dedos de sus trémulas manos, y sus rodillas formaron un ángulo, permitiendo entrever por la abertura de la bata las pobres piernas desnudas del anciano erizadas de blanco vello. Se le oyó decir con un susurro:

—¡Mario!

—Señor —dijo Vasco—, acaban de traer al señorito. Estaba en la barricada, y...

—¡Ha muerto! —gritó el anciano con voz terrible—. ¡Ah, bandido! Caballero —dijo—, sois el médico, y váis a empezar por hablarme francamente. Está muerto, ¿no es así?

El médico, en el colmo de la ansiedad, guardó silencio. El señor Gillenormand se torció las manos, prorrumpiendo en una carcajada espantosa.

—¡Está muerto! ¡Está muerto! ¡Se ha dejado matar en las barricadas! ¡Por odio a mí! ¡Por vengarse de mí! ¡Ah, sanguinarios! ¡Ved cómo vuelve a casa de su abuelo! ¡Miserable de mí! ¡Está muerto!

El médico, que empezaba a alarmarse por los dos, dejó un momento a Mario, y yendo a la ventana, cogió al señor Gillenormand del brazo.

Volvióse el abuelo, lo miró con ojos que parecían agrandarse y brotar sangre, y le dijo con calma:

—Caballero, os doy las gracias. Estoy tranquilo, soy un hombre; he visto la muerte de Luis XVI, y sé sobrellevar las desgracias.

Acercóse a Mario, que seguía lívido e inmóvil, y a cuyo lado había vuelto el médico, y empezó de nuevo a torcerse los brazos.

Los blancos labios del anciano se agitaban como maquinalmente, y de ellos saltaban, a modo de soplo en el estertor, palabras inconexas, que se oían apenas: "¡Ah! ¡Desalmado! ¡Clubista! ¡Septembrista!"

Eran reconvenciones en voz baja dirigidas por un agonizante a un cadáver.

—¡Me es indiferente, pues yo también voy a morir! ¡Y cuando pienso que no hay en París una mujer que no se hubiera alegrado de labrar la felicidad de ese miserable! ¡Un imbécil, que en vez de divertirse y de disfrutar de la vida, ha ido a combatir y se ha dejado ametrallar! ¿Por quién? ¡Por la república! Y ya que has sido implacable dejándote matar así, yo no tendré siquiera el disgusto de tu muerte! ¿Oyes, asesino?

En aquel momento abrió Mario lentamente los párpados, y su mirada, velada aún por el asombro letárgico, se fijó en el señor Gillenormand.

—¡Mario! —gritó el anciano—. ¡Mario! ¡Niño de mi alma! ¡Hijo de mis entrañas! ¡Abres los ojos, me miras, estás vivo, gracias!

Y cayó desmayado.

Libro cuarto

● JAVERT DESORIENTADO ●

I. Un inspector de policía en el embarazo

Javert se alejó lentamente de la calle del Hombre-Armado. Caminaba con la cabeza baja por la primera vez de su vida, y también por la primera vez de su vida con las manos cruzadas atrás.

Hasta entonces Javert, de las dos actitudes de Napoleón, sólo había adoptado la que denota un ánimo resuelto, los brazos cruzados sobre el pecho; érale desconocida la que denota incertidumbre, esto es, las manos cogidas atrás. Habíase verificado en él un gran cambio; toda su persona, lenta y sombría, llevaba el sello de la ansiedad. Internóse en las calles más silenciosas. Sin embargo, seguía una dirección.

Hacía algunas horas que la unidad de objeto había cesado en él.

Cuando encontró tan impensadamente a Juan Valjean en el ribazo del Sena, hubo en él algo del lobo que se apodera de nuevo de su presa y del perro que vuelve a hallar a su amo.

Ante sí veía dos sendas, ambas igualmente rectas; pero eran dos, y esto le aterraba, pues en toda su vida no había conocido sino una sola línea recta. Y para colmo de angustia, aquellas dos sendas eran contrarias y se excluían mutuamente.

¿Cuál es la verdadera? Su situación era inexplicable.

Habíale admirado una cosa, y era que Juan Valjean le perdonase: y petrificábale la idea que él, Javert, hubiese perdonado a Juan Valjean.

¿Qué era de su personalidad? Buscábase y no se encontraba. Estremecíase al considerar lo que había hecho, decidiendo, contra todos los reglamentos de policía, contra toda la organización social y judicial, contra el Código entero, poner en libertad a un hombre. ¿Habíale convenido esto?; ¿había sustituido sus negocios particulares, a los negocios públicos? ¿No era incalificable tal conducta? Cada vez que fijaba la mente en aquella acción sin nombre, acometíale un temblor general. ¿Qué resolución debería tomar? Un solo recurso le quedaba; volver apresuradamente a la calle del Hombre-Armado y apoderarse de Juan Valjean. Claro estaba que no debía hacer sino eso. Con todo no podía. Algo le cerraba el camino por aquel lado.

¿Y qué era ese algo? ¿Hay en el mundo una cosa distinta de los tribunales, de las sentencias ejecutorias, de la policía y de la autoridad? Las ideas de Javert se confundían. ¡Un presidiario que se emancipaba de la justicia por causa de Javert!

Un malhechor benéfico, un presidiario compasivo, dulce, clemente, recompensando el mal con el bien, el odio con el perdón, la venganza con la piedad; prefiriendo perderse a perder a su enemigo; salvando al que le había herido, de rodillas en lo más culminante de la virtud, más cerca del ángel que del hombre; era un monstruo cuya existencia no podía ya negar Javert. Imposible que esto continuase así.

Entrega a tu salvador, y en seguida haz traer la jofaina de Poncio Pilato, y lávate.

Después se examinaba a sí mismo y junto a Juan Valjean ennoblecido contemplaba a Javert degradado. ¡Un presidiario era su bienhechor!

Pero, ¿por qué había permitido que aquel hombre le perdonase la vida? Tenía derecho a morir en la barricada, y hubiera debido usar de este derecho. Hubiera debido llamar a los demás insurrectos en su auxilio contra Juan Valjean, y haber hecho que le fusilasen: valía más así.

Su angustia mayor era la desaparición de la certidumbre.

El ideal para Javert no era ser humano, grande, sublime: era ser irreprensible. Ahora bien, acababa de cometer una falta. ¿Cómo había podido cometerla? ¿Cómo había pasado todo aquello? Ni él mismo lo sabía. Se cogía la cabeza con ambas manos; pero a pesar de sus esfuerzos, no alcanzaba a explicárselo.

¡Interrogatorio tremendo! Dirigíase preguntas, daba respuestas, y estas respuestas le aterraban. Preguntábase: "¿Qué ha hecho ese presidiario, a quien he perseguido sin cesar, que me ha tenido bajo sus pies, que podía y debía vengarse, tanto por rencor como por seguridad, dejándome la vida, perdonándome? ¿Su deber? No. Algo más. Y yo perdonándole a mi vez, ¿qué he hecho? ¿Mi deber? No. Algo más. ¿Hay, pues, algo por encima del deber?" Al llegar aquí se asustaba; dislocábase su balanza; uno de los platillos caía en el abismo, el otro se elevaba al cielo, y Javert sentía el mismo terror por el que subía como por el que bajaba.

En adelante era preciso ser otro hombre. Padecía los extraños dolores de una conciencia ciega, bruscamente devuelta a la luz. Veía lo que le repugnaba ver. Encontrábase vacío, inútil, segregado de su pasada vida, destruido, disuelto. En él había muerto la autoridad, y no tenía ya razón de ser.

Javert dejó el parapeto, e irguiendo su cabeza, se dirigió con paso firme al cuerpo de guardia indicado por un farol en una de las esquinas de la plaza del Chatelet. Miró por el ventanillo, y viendo que estaba dentro un municipal, entró. Los empleados de policía se conocen entre sí en el modo como empujan la puerta de un cuerpo de guardia.

Javert tomó la pluma y un pliego de papel, y se puso a escribir lo siguiente:

Algunas observaciones para bien del servicio

"Primero. Suplico al señor prefecto que pase la vista por estas líneas.

"Segundo. Los detenidos que vienen de la sala de Audiencia se quitan los zapatos, y permanecen descalzos en el piso de ladrillos mientras se les registra. Muchos tosen cuando se les conduce al encierro. Esto ocasiona gastos de enfermería.

"Tercero. Es bueno seguir la pista, relevándose los agentes de distancia en distancia; pero convendría que en las ocasiones importantes, dos agentes, por lo menos, no se perdieran de vista, con objeto de que, si por cualquier causa un agente afloja en el servicio, el otro le vigile y haga sus veces.

"Cuarto. No se comprende por qué el reglamento especial de la cárcel de las Madelonetas prohíbe al preso que tenga una silla, aun pagándola.

"Quinto. En la cantina de las Madelonetas no hay más que dos barrotes, y esto permite a la cantinera dejarse tocar la mano por los detenidos.

"Sexto. Los detenidos, llamados habladores, porque llaman a los otros a la roja, exigen dos sueldos de cada preso por pregonar su nombre con voz clara. Es un robo.

"Séptimo. Por un hilo corredizo retienen diez sueldos al preso en el taller de los tejedores. Es un abuso del contratista, pues no es menos bueno el lienzo sin eso.

"Octavo. No parece bien que los que van a visitar la Fuerza tengan que atravesar por el Patio de los raterillos para ir al locutorio de Santa Marta Egipciaca.

"Noveno. Es cierto que diariamente se oye a los gendarmes referir en el patio de la prefectura los interrogatorios de los detenidos. En un gendarme, que debiera ser sagrado, semejante revelación es una grave falta.

"Décimo. La señora Henry es una buena mujer; su cantina está muy aseada; pero no es conveniente que una mujer pueda disponer del secreto del calabozo. Esto no es digno de la Conserjería de una gran civilización."

Javert trazó las anteriores líneas con mano firme y escritura correcta, no omitiendo una sola coma, y haciendo crujir el papel bajo su pluma. Al pie firmó:

"JAVERT, *inspector de primera clase.*

"En el cuerpo de guardia de la plaza del Chatelet. 7 de junio de 1832, a eso de la una de la madrugada."

Secó la tinta fresca, dobló el papel en forma de carta, le puso una oblea, escribió encima: *Nota para la administración;* lo dejó sobre la mesa, y salió del cuerpo de guardia. La puerta se cerró tras él.

Cruzó de nuevo diagonalmente la plaza de Chatelet, llegó al muelle, y fue a situarse con una exactitud automática en el punto mismo que había dejado hacía un cuarto de hora. Los codos, como antes, sobre el parapeto; la actitud idéntica. Parecía no haberse movido.

Obscuridad completa. Era el momento sepulcral que sigue a la media noche.

Javert permaneció algunos minutos inmóvil, mirando aquel abismo de tinieblas. Consideraba lo invisible con una fijeza que tenía algo de atención. El único ruido era el del agua.

De repente se quitó el sombrero y lo puso en el pretil del muelle. Poco después apareció de pie sobre el parapeto una figura alta y negra, que a lo lejos cualquier transeúnte retardado hubiera podido tomar por un fantasma; se inclinó hacia el Sena, volvió a enderezarse, y cayó luego a plomo en las tinieblas.

Hubo un estremecimiento sordo, y únicamente la sombra estuvo en el secreto de las convulsiones de aquella forma obscura que desapareció bajo las aguas.

Libro quinto

● EL NIETO Y EL ABUELO ●

I. Donde se vuelve a ver el árbol con el parche de cinc

Algún tiempo después de los acontecimientos que acabamos de referir, el señor Boulatruelle experimentó una conmoción muy viva.

Una mañana en que Boulatruelle se dirigía, como de costumbre, a su trabajo y quizá al sitio desde donde acechaba, divisó entre las ramas a un hombre que estaba de espaldas hacia él, pero cuya traza, por lo que pudo juzgar desde lejos y a la luz del crepúsculo, no le era del todo desconocida. Boulatruelle, aunque borracho, tenía excelente memoria; arma defensiva indispensable a todo el que se pone en lucha con el orden legal.

—¿Dónde diablos he visto yo algo parecido a ese hombre? —dijo para sí.

Boulatruelle pensó en el tesoro.

Mientras meditaba, había bajado la cabeza, como cediendo a la presión del pensamiento; lo cual, aunque natural, fue poco hábil. Cuando la levantó no vio ya nada. El hombre había desaparecido en el bosque y en las dudosas tintas del crepúsculo.

—¡Diablo! —dijo Boulatruelle—, yo le husmearé. Yo descubriré la parroquia de ese parroquiano.

Internóse en el bosque, y llegó a una especie de eminencia.

Boulatruelle vio de repente a su hombre. En seguida se perdió de vista.

Boulatruelle, con la rapidez que da la alegría, se dejó caer en vez de bajar del árbol. Había encontrado la guarida, y sólo se trataba ahora de apoderarse de la fiera. El famoso tesoro, objeto de sus sueños, estaba allí probablemente.

Boulatruelle, acostumbrado a caminar siempre torcido, cometió esta vez la falta de ir en derechura. Internóse resueltamente entre las malezas. Llegó al cabo de cuarenta minutos al predio Blaru, sudando, mojado, jadeante, feroz.

No vio a nadie.

II. De cómo Mario, saliendo de la guerra civil, se dispone para la guerra doméstica

Mario permaneció mucho tiempo entre la muerte y la vida. Durante algunas semanas tuvo fiebre acompañada de delirio, y síntomas cerebrales de alguna gravedad, causados más bien por la conmoción de las heridas en la cabeza, que por las heridas mismas.

Repitió el nombre de Cosette noches enteras en medio de la locuacidad lúgubre que da la fiebre, y con la sombría obstinación del agonizante. Lo ancho de ciertas lesiones fue un peligro serio, pues la supuración de las llagas podía siempre reabsorberse y matar al enfermo, existiendo ciertas influencias atmosféricas. A cada mutación del tiempo, al menor huracán, el médico se asustaba.

Por fin, el 7 de septiembre, al cabo de cuatro meses, día por día, contados desde la fatal noche en que le habían traído moribundo a casa de su abuelo, el médico declaró que respondió de Mario.

Empezó la convalecencia. Sin embargo, tuvo que permanecer aún más de dos meses tendido en un sillón, a causa de los accidentes producidos por la fractura de la clavícula. Hay siempre una llaga, la última, que no quiere cerrarse, y que eterniza la curación con gran fastidio del paciente.

En cambio, aquella larga enfermedad y la no menos larga convalecencia, le libraron de las pesquisas judiciales.

El día en que el facultativo le anunció que Mario estaba fuera de peligro, faltó poco al buen anciano para volverse loco. Dio tres luises de gratificación al portero.

Arrodillóse luego sobre una silla, y Vasco, que le veía desde la puerta a medio cerrar, no tuvo duda de que oraba. Hasta entonces no había creído verdaderamente en Dios.

A cada nueva fase de la convalecencia, que iba notándose más y más, el abuelo hacía mil locuras.

Miraba a Mario con ojos de abuela. Cuando comía, le contemplaba alelado. No se conocía, no hacía mérito de sí mismo para nada.

Mario era el dueño de la casa; en el colmo de su júbilo había abdicado, viniendo a ser el nieto de su nieto. En cuanto a Mario, mientras se dejaba curar y cuidar, no tenía más que una idea fija: Cosette.

No sabía qué había sido de ella; los sucesos de la calle de la Chanvrerie vagaban como una nube en su memoria; los confusos nombres de Eponina, Gavroche, Mabeuf, los Thenardier y todos sus amigos envueltos lúgubremente con el humo de la barricada, flotaban en su espíritu; la extraña aparición del señor Fauchelevent en aquella sangrienta aventura le causaba el efecto de un enigma en una tempestad, no comprendía su propia vida; no sabía cómo ni por quién había sido salvado; tampoco lo sabían las personas que le rodeaban.

Todo lo que pudieron decirle es que le habían traído de noche en un carruaje de alquiler a la calle de las Monjas del Calvario.

III. Mario ataca

Mario, que había recobrado ya casi todo su vigor, hizo un esfuerzo, se incorporó en la cama, apoyó las manos en la colcha, miró a su abuelo de frente, tomó un aire terrible, y dijo:

—Esto me pone en camino de participaros una cosa.

—¿Cuál?

—Que quiero casarme.

—Lo había previsto —dijo el abuelo soltando la carcajada.

—¿Cómo previsto?

—Sí, previsto. Tendrás tu chiquilla.

Mario, atónito y sin saber qué pensar, se sintió acometido de temblor. El señor Gillenormand, continuó:

—Sí; verás colmados tus deseos, tendrás esa preciosa niña.

¡Ah! te has llevado chasco, y merecido. Te ofrezco una chuleta, y me respondes que quieres casarte. Golpe de efecto. Contabas de seguro con que habría escándalo, olvidándote de que soy un viejo cobarde. ¿Qué dices ahora? Estás con la boca abierta. No esperabas encontrar al abuelo más borrico aún que tú, y pierdes así el discurso que debías dirigirme.

¡Ah! Te figuras que el abuelo iba a incomodarse, a dar voces, a gritar. —¡No! ¡A empañar con su cólera toda esta aurora de felicidad! Nada de eso. Cosette y el amor: convenido. Yo no deseo otra cosa. Caballero, tomaos la molestia de casaros. ¡Sé dichoso, hijo de mi alma!

—¡Padre mío! —exclamó Mario.

—¡Ah! ¡Conque me quieres! —dijo el anciano.

—Pero, padre mío, ahora que estoy bueno, me parece que podría verla.

—También lo tenía previsto. La verás mañana.

—¡Padre mío!

—¿Qué?

—¿Por qué no hoy?

—Sea hoy; concedido. Me has dicho tres veces "padre mío", y váyase lo uno por lo otro. En seguida te la traerán.

IV. Donde se verá que la señorita Gillenor-
mand se conformó al fin con que el señor
Fauchelevent entrase llevando
un bulto debajo del brazo

Cosette y Mario se volvieron a ver.

Toda la familia, incluso Vasco y Nicolasa, estaba reunida en el cuarto de Mario cuando entró Cosette. Apareció en el umbral; diríase que la rodeaba una aureola. Precisamente en aquel instante iba a sonarse el anciano, y se quedó parado, cogida la nariz, y mirando a Cosette por encima del pañuelo.

—¡Adorable! —exclamó. Después se sonó estrepitosamente.

Cosette estaba embriagada de placer, medio asustada, en el cielo. Tenía ese azoramiento que da la felicidad.

Detrás de Cosette había entrado un hombre de cabellos blancos, grave, y sin embargo sonriente, aunque su sonrisa tenía cierto tinte vago y doloroso. Era el señor Fauchelevent; era Juan Valjean. Estaba *vestido decentemente,* como había dicho el portero, de negro y de nuevo, y con corbata blanca.

El señor Fauchelevent, en el cuarto de Mario, permanecía como aparte y junto a la puerta. Llevaba bajo el brazo un paquete bastante parecido a un tomo en octavo, con cubierta de papel verde, algo mohoso.

—¿Llevará siempre ese caballero libros bajo el brazo? —preguntó en voz baja a Nicolasa la señorita Gillenormand, poco amiga de libros.

—¡Y qué! —respondió en el mismo tono el señor Gillenormand que la había oído—; será algo sabio.

Y saludando, dijo en voz alta:

—Señor Fauchelevent...

El señor Gillenormand no lo hizo adrede, pues la poca atención a los nombres propios era en el estilo aristocrático.

—Señor Tranchelevent, tengo el honor de pediros para mi nieto, el señor barón Mario de Pontmercy, la mano de esta señorita.

"El señor Tranchelevent" se inclinó en señal de asentimiento.

—Negocio concluido —dijo el abuelo.

Y volviéndose hacia Mario y Cosette, con los dos brazos extendidos, en actitud de bendecir, les gritó:

—Se os permite adoraros.

—¡Dios mío! —decía Cosette—, os vuelvo a ver. ¡Eres tú! ¡Sois vos! ¡Haber ido a combatir de ese modo! ¿Y por qué? Es horrible. En cuatro meses no he vivido. ¡Oh! ¡Qué maldad haber tomado parte en esa batalla! ¿Qué os había yo hecho? Os perdono, pero con la condición de que será la última vez. Ahora mismo, cuando se nos avisó que viniésemos, creí de nuevo que iba a morir, pero era de alegría. ¡Estaba tan triste! ¿Me amáis como antes? Vivimos en la calle del Hombre-Armado. Allí no hay jardín.

El señor Gillenormand se volvió a los que estaban en el cuarto, y les dijo:

—Vamos, hablad alto, meted ruido, ¡qué diablo! para que estos muchachos puedan charlar a su gusto y acercándose a Mario y Cosette, les dijo por lo bajo—: Tutéaos. No os violentéis.

El abuelo ejecutó una pirueta sobre sus talones de ochenta años, y en seguida se puso de nuevo a hablar como movido de un resorte:

—A propósito.

—¿Qué, padre mío?

—¿No tenías un amigo íntimo?

—Sí. Courfeyrac.

—¿Qué se ha hecho de él?

—Ha muerto.

—Más vale así.

Sentóse junto a ellos, hizo sentar a Cosette, y tomando sus cuatro manos en las suyas arrugadas por la edad, dijo:

—Es bocado exquisito esta picarona. ¡Es una obra maestra esta Cosette! Muy niña y muy señora al mismo tiempo; lástima que no lleve más título que el de baronesa, pues ha nacido marquesa. Esas bonitas y blancas manos, señora baronesa, se verán quizá obligadas a dedicarse a faenas que no son de vuestra clase.

Oyóse, al llegar aquí, una voz grave y tranquila, que decía:

—La señorita Eufrasia Fauchelevent tiene seiscientos mil francos.

—¿Quién es la señorita Eufrasia? —preguntó el abuelo como asustado.

—Soy yo —respondió Cosette.

—¡Seiscientos mil francos! —repuso el señor Gillenormand.

Los contó, y había quinientos billetes de mil francos, y ciento sesenta y ocho de quinientos. Total: quinientos ochenta y cuatro mil francos.

—¡Buen libro! —dijo el señor Gillenormand.

—¡Quinientos ochenta y cuatro mil francos! —murmuró entre dientes la tía.

—Esto allana muchas cosas, ¿no es verdad, señorita Gillenormand mayor? —preguntó el abuelo.

—¡Quinientos ochenta y cuatro mil francos! —repetía a media voz la señorita Gillenormand—. ¡Quinientos ochenta y cuatro! Poco falta para los seiscientos mil. ¡Oh!

En cuanto a Mario y Cosette, no hacían en todo este tiempo más que mirarse, prestando apenas atención a aquel incidente.

V. Donde prueba que es más seguro depositar el dinero en ciertos bosques que en manos de ciertos notarios

El lector debe haber comprendido, sin que necesitemos explicárselo latamente, que Juan Valjean, después del resultado obtenido en lo de Champmathieu, pudo, gracias a su primera evasión de algunos días, ir a París, y retirar a tiempo de la casa de Laffitte la suma que había ganado, bajo el nombre del señor Magdalena, en M.—de M.—; y que temeroso de que le cogiesen, lo que no tardó en suceder, había aquella suma en el bosque de Montfermeil, donde dicen el predio Blaru.

Cuando vio a Mario convaleciente, presintiendo que se acercaba la hora en que aquel dinero podía ser útil, fue a buscarlo.

Juan Valjean colocó los dos candelabros de plata sobre la chimenea, donde los contemplaba con grande admiración la tía Santos.

Por lo demás, Juan Valjean sabía que nada tenía ya que temer de Javert.

VI. DONDE SE VERÁ CÓMO LOS ANCIANOS PROCURAN LABRAR, CADA UNO A SU MANERA, LA FELICIDAD DE COSETTE

Se dispuso todo para el casamiento. Habiéndose consultado al médico, declaró que podría verificarse en el mes de febrero.

Corría el mes de diciembre. Algunas semanas de perfecta o inefable dicha se pasaron.

El abuelo no era el menos feliz. Empleaba sus buenos cuartos de hora contemplando a Cosette.

Cosette y Mario habían pasado repentinamente del sepulcro al paraíso.

—¿Comprendes algo de todo esto? —preguntaba Mario a Cosette.

—No —respondía Cosette—; pero me parece que Dios nos está mirando.

Juan Valjean hizo, aplaudió, concilió y facilitó todo, apresurando la dicha de Cosette con tanta solicitud y alegría, a lo menos en la apariencia, como la joven misma. Él supo allanar todas las dificultades, arreglando a Cosette una familia de personas ya difuntas, lo cual era el mejor medio de evitar reclamaciones.

Las buenas monjas dieron excelentes informes.

Extendióse un acta de notoriedad, y Cosette fue, ante la ley, la señorita Eufrasia Fauchelevent, huérfana de padre y madre.

Juan Valjean hizo de modo que se le designase, bajo el nombre de Fauchelevent, por tutor de Cosette, con el señor Gillenormand en clase de tutor sustituto.

En cuanto a los quinientos ochenta y cuatro mil francos, era un legado hecho a Cosette por una persona, ya difunta, y que deseaba permanecer desconocida.

Cosette, en su amoroso éxtasis, se sentía entusiasmada por el señor Gillenormand, aunque él verdaderamente la colmaba de madrigales y de regalos. Mientras que Juan Valjean construía a Cosette una situación normal en la sociedad, y un atado al abrigo de todos los ataques, el señor Gillenormand cuidaba del canastillo de boda.

La embriaguez de los enamorados no era igualada, lo hemos dicho, más que por el éxtasis del abuelo. Había como un concierto de trompetas y clarines en la calle de las Monjas del Calvario.

Cada mañana, nueva ofrenda del abuelo a Cosette. Todos los falbalás imaginables se ostentaban espléndidamente a su alrededor.

La señorita Gillenormand consideraba todo esto con su impasibilidad habitual. En cinco o seis meses no había cesado de recibir emociones; Mario de vuelta, Mario cubierto de sangre, Mario traído de una barricada, Mario muerto y luego vivo, Mario reconciliado, Mario casándose con una pobre, Mario casándose con una millonaria. Los seiscientos mil francos fueron su última sorpresa, y en seguida recobró su indiferente calma. Iba, como antes, a los oficios, rezaba el rosario, leía su eucologio, acompañaba con el murmullo de sus *Ave Marías* el otro murmullo de los *I love you* (yo te amo), y veía vagamente a Mario y Cosette como dos sombras. La sombra era ella.

Por lo demás, los seiscientos mil francos habían fijado la indecisión de la anciana señora. Su padre estaba tan acostumbrado a prescindir de ella, que no la consultó sobre el casamiento de Mario. Había cedido al primer ímpetu, como hacía siempre, no teniendo, convertido de déspota en esclavo, mas que un pensamiento: satisfacer a Mario. De la tía no se había acordado para nada, y esto, monótona y todo, como la señorita Gillenormand era, no dejó de lastimarla.

Se dispuso que los esposos habitasen en casa del abuelo. El señor Gillenormand quiso absolutamente cederles su cuarto por ser el más hermoso de la casa.

"Esto me rejuvenecerá —decía—. Es un antiguo proyecto. Había tenido siempre la idea de convertir mi cuarto en cámara nupcial."

Lo amuebló con cierta galantería antigua, y lo hizo techar y alfombrar con una tela de extraordinario mérito, que conservaba en pieza, y que creía ser de Utrecht; tenía el fondo de raso, y por adorno flores de terciopelo.

—De esta tela —decía—, era el cobertor de la cama de la duquesa de Anville, en la Rocheguyon.

Colocó en la chimenea una figurilla de Sajonia que tenía un manguito sobre el desnudo vientre.

La biblioteca del señor Gillenormand se transformó en despacho de abogado para Mario.

VII. Efectos de sueño
MEZCLADOS CON LA FELICIDAD

Los amantes se veían diariamente. Cosette iba a casa de Mario con el señor Fauchelevent.

—Es al revés de todas las cosas —decía la señorita Gillenormand—, la futura viene al domicilio del novio para que éste le haga la corte.

La convalecencia de Mario lo había exigido así; y los sillones de la calle de las Monjas del Calvario, mejores para los diálogos amorosos que las sillas de paja de la calle del Hombre-Armado, habían contribuido a que se arraigase esta costumbre.

Mario y el señor Fauchelevent se veían, pero no se hablaban. Parecía plan convenido.

Mario, interiormente y en el fondo de su pensamiento, dirigía todo género de preguntas mudas a aquel señor Fauchelevent que era para él simplemente benévolo y frío. Ocurríanle de vez en cuando dudas sobre sus propios recuerdos. Había en su memoria un agujero, un punto negro, un abismo abierto por cuatro meses de agonía, y en él se habían perdido muchas cosas. Preguntábase si estaba bien seguro de haber visto al señor Fauchelevent, a un hombre tan grave y tan sereno en la barricada.

Una vez sola intentó Mario romper aquel silencio. Hizo intervenir en la conversación la calle de la Chanvrerie, y volviéndose al señor Fauchelevent, le dijo:

—Conocéis perfectamente esa calle, ¿no es verdad?

—¿Qué calle?

—La de la Chanvrerie.

—No tengo ninguna idea del nombre de esa calle —contestó el señor Fauchelevent con el tono más natural del mundo.

La respuesta, que se refería al nombre de la calle, y no a la calle misma, pareció a Mario más concluyente de lo que en sí era.

—Decididamente —pensó—, he soñado. Ha sido una alucinación. Alguno que se le parecía, sin duda. El señor Fauchelevent no estaba allí.

VIII. Investigaciones inútiles

El encanto, aunque grande, no consiguió borrar en el espíritu de Mario otros cuidados. Mientras se disponía el casamiento y llegaba la época fijada, se dedicó a hacer difíciles y escrupulosas indagaciones retrospectivas. Tenía contraídas deudas de gratitud con varias personas, tanto en nombre de su padre, como en nombre suyo. Una era la de Thenardier, y otra la del desconocido que le había llevado a casa de su abuelo, el señor Gillenormand.

Mario deseaba encontrar a estos dos hombres, pues no podía conciliar la idea del casamiento y felicidad con la de olvidarlos, pareciéndole que esas deudas de reconocimiento, no pagadas, proyectarían una sombra en su vida, tan luminosa en adelante. Erale imposible dejar tras de sí tales partidas en descubierto; y quería, antes de entrar alegremente en el porvenir, recibir el finiquito del pasado.

El que Thenardier fuese un infame, no impedía que hubiese salvado al coronel Pontmercy.

Contra Thenardier, como jefe y autor de la trama, recayó, también por contumacia, sentencia de muerte.

En cuanto al otro, esto es, al individuo que había salvado a Mario, las indagaciones dieron al principio algún resultado, y luego cesaron de darle de ninguna clase.

Mario, ya lo hemos dicho, no recordaba nada. Sólo hacía memoria de que le habían cogido por detrás con mano enérgica en el momento de caer al suelo; lo demás no existía para él. Recobró el conocimiento en casa del señor Gillenormand.

Una tarde hablaba Mario, delante de Cosette y de Juan Valjean, de toda esta singular aventura, de la multitud de datos que había recogido, y de la multitud de sus esfuerzos. Impacientábale el rostro frío del señor Fauchelevent, y exclamó con una vivacidad que casi tenía la vibración de la cólera:

—Sí, ese hombre, quien quiera que sea, ha estado sublime. ¿Sabéis lo que ha hecho? Ha intervenido como el arcángel. Ha sido preciso que se arrojase en medio del combate, que me arrebatase de allí, que abriese la alcantarilla, que bajase a ella conmigo. Ha tenido que andar más de legua y media por horribles galerías subterráneas, encorvado en medio de las tinieblas, al través de las cloacas. ¡Más de legua y media, señor, con un cadáver a cuestas! ¿Y con qué objeto? Sin otro objeto que salvar aquel cadáver. Y el cadáver era yo. Dijo sin duda entre sí: quizá en ese miserable haya todavía un resto de vida, y para salvar esa pobre chispa voy a aventurar mi existencia. ¡Y no la arriesgó una vez, sino veinte! Cada paso era un peligro. La prueba es que le prendieron al salir de la alcantarilla. ¿Sabéis que ese hombre ha hecho todo esto? Y sin esperar ninguna recompensa. ¿Qué era yo? Un insurrecto, un vencido. ¡Oh! Si los seiscientos mil francos de Cosette fuesen míos...

—Son vuestros —interrumpió Juan Valjean.

—Pues bien —continuó Mario—, los daría por encontrar a ese hombre.

Juan Valjean guardó silencio.

Libro sexto

● LA NOCHE TOLEDANA ●

I. EL 16 DE FEBRERO DE 1833

La noche del 16 de febrero de 1833 fue una noche bendita. Sobre sus tinieblas veíase sonreír el cielo. Fue la noche de boda de Mario y Cosette.

El día se había pasado en el colmo de la felicidad. No había sido la fiesta imaginada por el abuelo; esto es, una hechicería con grupos de querubines y de Cupidos sobre la cabeza de los novios; un casamiento digno de figurar en la muestra de una puerta; pero había sido un día apacible y risueño.

Ahora bien; por el puro placer de ser exactos diremos que el 16 de febrero era martes de Carnaval, lo cual dio lugar a vacilaciones y escrúpulos, en particular de la señorita Gillenormand.

—¡Martes de Carnaval! —exclamó el abuelo—. Tanto mejor. Hay un refrán que dice:

Si en Carnaval te casas
no habrá ingratos en tu casa

—Pero basta de día 16. Por ventura, ¿quieres que se aplace la boda, Mario?

—De ninguna manera —respondió el enamorado joven.

—Casémonos, pues —dijo el abuelo.

Efectuóse el casamiento el 16, a pesar de la alegría pública.

Juan Valjean había entregado la víspera a Mario en presencia del señor Gillenormand los quinientos ochenta y cuatro mil francos.

Habiéndose verificado el casamiento bajo el régimen de la municipalidad, los trámites fueron sencillos.

La tía Santos era en adelante inútil a Juan Valjean, por cuya razón Cosette se quedó con ella, y la promovió al grado de doncella suya.

En cuanto a Juan Valjean, había en la casa del señor Gillenormand un bonito cuarto amueblado expresamente para él, y Cosette le dijo con irresistible acento:

—Padre, aceptadlo, os lo ruego.

Juan Valjean le ofreció ir a habitarlo.

Unos días antes del fijado para el casamiento, sucedió a Juan Valjean un fracaso. Habíase lastimado el dedo pulgar de la mano derecha; y sin ser cosa grave, como que no permitió que nadie le curase, ni que nadie viese así, ni que nadie viese siquiera en qué consistía la lastimadura, tuvo que envolverse la mano en un lienzo, y llevar el brazo suspendido en un pañuelo, por lo cual no le fue posible firmar. Hízolo en su lugar, el señor Gillenormand, como tutor sustituto de Cosette.

Uno de los convidados observó que, siendo martes de Carnestolendas, habría allí una gran acumulación de carruajes.

—¿Por qué? —preguntó el señor Gillenormand.

—Por las máscaras.

—Perfectamente —dijo el abuelo—. Vamos por ese lado. Estos jóvenes, casándose, entrarán en la parte seria de la vida, y bueno es que se preparen viendo las máscaras —se siguió el camino del boulevard.

En la primera berlina iban Cosette y la señora Gillenormand, con el señor Gillenormand y Juan Valjean. En la segunda iba Mario, separado todavía, conforme al uso establecido, de la novia.

—¡Tate! —dijo una máscara—, es una boda.

—Una boda fingida —observó otro—. En nuestro carruaje va la verdadera boda.

—Dime.

—¿El qué, padre?

—¿Ves ese viejo?

—¿Qué viejo?

—Aquel que va en el primer carruaje de la boda, a este lado.

—¿El que lleva el brazo metido en el pañuelo negro?

—El mismo.

—¿Y qué?

—Estoy seguro de conocerle. Que me ahorquen si no le conozco. ¿Puedes ver a la novia inclinándote un poco?

—Escucha. Yo no puedo salir sino con máscara. No se me conoce. Vivo oculto. Mañana no se permiten ya máscaras, como que es miércoles de Ceniza, y corro peligro de que me echen el guante. Fuerza es que me vuelva a mi agujero. Tú estás libre.

—No del todo.

—Más que yo a lo menos.

—Bien. ¿Qué es lo que quieres?

—Hay más todavía. Es preciso que me averigües qué boda es ésa, y dónde viven los novios.

II. Juan Valjean continúa enfermo

¿A quién es dado realizar su sueño? Para esto habrá elecciones en el cielo; nosotros, sin saberlo, somos los candidatos, y los ángeles votan.

Cosette y Mario habían sido elegidos. Cosette en el corregimiento y en la iglesia estuvo radiante de hermosura y de amor. La había vestido la tía Santos, ayudada de Nicolasa. Sobre una saya de tafetán blanco llevaba puesto el vestido de guipur; de Binche, realzando su belleza un velo de punto de Inglaterra, un collar de perlas finas y una corona de azahares, todo blanco. Era un candor exquisito dilatándose y transfigurándose en claridad. Hubiérase dicho una virgen próxima a convertirse en diosa.

Los hermosos cabellos de Mario estaban lustrosos y perfumados; entreveíanse acá y allá, bajo los bucles, líneas pálidas, que eran las cicatrices de la barricada.

Cuando al finalizar las ceremonias, después de haber pronunciado delante del corregidor y del sacerdote todos los sí posibles, después de haber firmado en los registros civiles y eclesiásticos, después del cambio de los anillos, después de haber estado de rodillas codo con codo bajo el yugo de muer blanco, entre nubes de incienso, llegaron asidos de la mano, admirados y envidiados de todos, Mario de negro y Cosette de blanco, precedidos del pertiguero con charreteras de coronel, cuya maza sonaba en las baldosas, atravesando por en medio de dos hileras de personas, maravilladas, a las puertas de la iglesia, abiertas de par en par, y se dispusieron a subir al coche, la joven apenas se atrevía a creer en la realidad de su dicha. Miraba a Mario, miraba aquella multitud de gente reunida, miraba al cielo, pareciendo como temerosa de despertarse, y así, atónita e inquieta, estaba aún más linda.

En la calle de San Antonio, delante de San Pablo, se detenía la gente para ver, al través del ventanillo del coche, temblar los azahares sobre la cabeza de Cosette.

Entraron luego en la calle de las Monjas del Calvario. Mario, sin separarse de Cosette, subió con aire de triunfo, la misma escalera por donde le habían llevado moribundo. Los pobres, agrupados delante de la puerta y repartiéndose las limosnas, los bendecían.

En todas partes no se veían más que flores. La casa estaba tan perfumada como la iglesia; después del incienso, las rosas.

Habían sido convidados muchos antiguos amigos de la familia Gillenormand, y todos se agolpaban alrededor de Cosette, llamándola a porfía señora baronesa.

Habíase preparado un banquete en el comedor.

Juan Valjean se había sentado en el salón detrás de la puerta, cuya hoja casi le ocultaba. Algunos momentos antes de sentarse a la mesa, Cosette le hizo un gran saludo, cogiendo entre los dedos de la suya su vestido de novia, y le preguntó si estaba contento.

—Sí —contestó Juan Valjean.

—Pues entonces, reíos.

Juan Valjean se sonrió.

Poco después anunció Vasco que estaba servida la sopa.

Buscóse con la vista al señor Fauchelevent. No estaba allí.

El señor Gillenormand interpeló a Vasco.

—¿Sabes dónde está el señor Fauchelevent?

—Señor —respondió Vasco—, precisamente acaba de salir, encargándome dijese al amo, que padecía un poco de la mano que tiene enferma, lo cual le impedía comer con el señor barón y la señora baronesa. Que rogaba se le dispensase, y que vendría mañana a primera hora.

La noche se pasó alegremente. El buen humor del anciano dio el tono a la fiesta, y todos trataron de corresponder a aquella cordialidad casi centenaria. Se bailó un poco, se rió mucho; fue una boda al uso antiguo. El uso antiguo estaba allí representado en la persona del señor Gillenormand. Hubo ruido, y luego silencio. Los novios desaparecieron.

III. La inseparable

¿Qué se había hecho de Juan Valjean? Inmediatamente después de haberse sonreído, cediendo a la graciosa intimación de Cosette, Juan Valjean aprovechó un instante en que nadie le miraba, salió del salón y entró en la antecámara. Era la misma antecámara donde, ocho meses antes, había entrado cubierto de cieno, de sangre y de polvo, trayendo al nieto a casa de su abuelo. La antigua ensambladura estaba adornada con hojas y flores, y los músicos ocupaban el sofá en que se había depositado a Mario. Vasco, vestido de negro, con el calzón corto y las medias y los guantes blancos, colocaba guirnaldas de rosas alrededor de las fuentes que iban a servirse.

Juan Valjean le mostró su brazo en cabestrillo, y se marchó, encargándole explicase el motivo de su ausencia.

Dejó la calle de las Monjas del Calvario y se dirigió a la del Hombre-Armado.

Juan Valjean entró en su casa. Encendió la vela y subió. La habitación estaba vacía; hasta faltaba la tía Santos. Las pisadas de Juan Valjean hacían en los cuartos más ruidos que de ordinario. Todos los armarios estaban abiertos.

Juan Valjean miró las paredes; cerró las puertas de algunos armarios, y visitó los cuartos uno tras otro. Encontróse luego en el suyo, y pasó la vela sobre una mesa. Había sacado el brazo del pañuelo, y se servía de la mano derecha como si nada padeciese. Acercóse a la cama, y sus ojos, no sabemos si por casualidad o de intento, se fijaron en la *inseparable*, que había dado celos a Cosette, en la maleta, de que no se separaba jamás. El 5 de junio, al llegar a la calle del Hombre-Armado, la había colocado en un velador, junto a su cabecera. Dirigióse al velador con cierta precipitación, tomó la llave del bolsillo y abrió la maleta. Fue sacando de ella poco a poco los vestidos con que diez años antes había partido Cosette de Montfermeil.

A medida que los sacaba de la maleta, iba poniéndolos encima de la cama.

Sus pensamientos eran otros tantos recuerdos.

Colocó en orden las prendas de vestir sobre la cama, el pañuelo junto a la saya, las medias cerca de los zapatos, el justillo al lado del traje, y las contempló una tras otra.

Al llegar aquí, su blanca y venerable cabeza cayó sobre el lecho; aquel viejo corazón estoico pareció romperse; su rostro se hundió, por decirlo así en los vestidos de Cosette, y si alguien hubiera entonces andado en la escalera, habría oído terribles sollozos.

IV. INMORTALE JECUR

La antigua y formidable lucha, de la que hemos visto ya varias fases, empezó de nuevo. Jacob no luchó con el ángel más que una noche. ¡Ay! ¡Cuántas veces hemos visto a Juan Valjean luchando en medio de las tinieblas a brazo partido con su conciencia!

¡Combate inaudito! En ciertos instantes el pie se desliza, en otros el suelo se hunde.

La conciencia es, pues, infatigable e invencible. Sin embargo, Juan Valjean conoció que aquella noche empeñaba su postrer combate.

La cuestión era ésta: ¿De qué manera iba a conducirse Juan Valjean ante la felicidad de Cosette y de Mario? Él era quien había querido, quien había hecho aquella felicidad, por más que le destrozase las entrañas; y a la sazón, contemplándola podía sentir la satisfacción que sentiría un armero al reconocer la marca de su fábrica en un cuchillo, sacándoselo humeante del pecho.

Cosette y Mario estaban unidos por indisoluble lazo, tenían hasta riqueza. Y era obra suya. Pero una vez formada, una vez existente aquella dicha, ¿qué le correspondía hacer a Juan Valjean? ¿Imponérsele y tratarla como cosa que le pertenecía? Cosette era ya de otro; pero ¿retendría Juan Valjean todo lo que podía retener de la joven? ¿Continuaría siendo la especie de padre que había sido hasta allí? ¿Se introduciría tranquilamente en la casa de Cosette? ¿Uniría sin decir palabra su pasado a aquel porvenir? ¿Presentaríase, como asistido de un derecho, para sentarse, velado el rostro, junto a aquel luminoso hogar? ¿Cogería, sonriéndose, la mano de aquellos inocentes en sus dos manos trágicas? ¿Pondría a calentar en la chimenea del señor Gillenormand sus pies, que arrastraban en pos de sí la infamante sombra de la ley? ¿Entraría a participar de la suerte reservada a Cosette y Mario? ¿Esperaría la obscuridad sobre su propia frente, e iría a esparcir una nube en la de aquellos jóvenes, a intercalar su catástrofe en aquellas dos felicidades? ¿Persistiría en su silencio? En una palabra, ¿sería, al lado de aquellos dos seres dichosos, el siniestro mudo del destino?

Fue una dicha para Juan Valjean haber podido llorar. Esto quizá lo iluminó. Al principio, no obstante, la tempestad tomó un aspecto horrible, desencadenándose con más violencia que la que le impulsó hacia Arras. El pasado reapareció ante él; comparaba y sollozaba. Una vez abierta la exclusa de las lágrimas, aquel desesperado se sintió como detenido.

Su meditación vertiginosa duró toda la noche. Permaneció hasta el alba en la misma actitud, doblado sobre aquel lecho, prosternado bajo el enorme peso del destino, anonadado tal vez, ¡ay!, con las manos contraídas y los brazos extendidos en ángulo recto, como un crucifijo desclavado, y colocado allí boca abajo.

Así estuvo doce horas, las doce horas de una larga noche de invierno, sin alzar la cabeza ni pronunciar una palabra, inmóvil como un cadáver, mientras que su pensamiento rodaba por el suelo o subió a las nubes, ya hidra, ya águila.

Viéndole sin movimiento se le habría creído difunto; de improviso se estremeció convulsivamente, y su boca, pegada a los vestidos de Cosette, imprimió besos en ellos, señal de que aún vivía.

Único testigo de aquel inmenso dolor era el Ser que ve en las tinieblas.

Libro séptimo

● LA ÚLTIMA GOTA DEL ● CÁLIZ DE LA AMARGURA

I. EL SÉPTIMO CÍRCULO Y EL OCTAVO CIELO

Las tornabodas son solitarias. Respétase el recogimiento de los novios, y algo también su sueño retardado. La baraunda de las visitas y de las felicitaciones no empieza hasta después. El 17 de febrero, pasaba de las doce cuando Vasco, con la servilleta y el plumero bajo el brazo, ocupado en asear la antecámara, oyó un ligero golpe en la puerta. No habían tirado de la campanilla, conducta discreta en semejante día.

Vasco abrió, y vio al señor Fauchelevent. Introdújosele en el salón, donde todo estaba aún revuelto, y que ofrecía el aspecto del campo de batalla de la fiesta de la víspera.

—¡Diantre! —observó Vasco—, nos hemos despertado tarde.

—¿Se ha levantado vuestro amo? —preguntó Juan Valjean.

—¿Cómo está el brazo del señor? —preguntó Vasco a su vez.

—Mejor. ¿Se ha levantado vuestro amo?

—¿Cuál? ¿El antiguo o el nuevo?

—El señor de Pontmercy.

—¿El señor barón? —repitió Vasco—. Voy a ver. Le diré que el señor Fauchelevent le está aguardando.

—No. No le digáis que soy yo. Decidle que hay una persona que desea hablarle en particular, y no pronunciéis ningún nombre.

—¡Ah! —exclamó Vasco.

—Quiero causarle una sorpresa.

Pasaron algunos minutos. Juan Valjean permaneció inmóvil en el sitio donde le había dejado Vasco. Estaba muy pálido y tenía los ojos tan hundidos bajo las órbitas a causa del insomnio, que casi desaparecían. Al ruido que hizo la puerta, levantó los ojos.

Mario entró, con la cabeza erguida, la boca risueña, el rostro inundado de luz, la frente dilatada, la mirada triunfante. Tampoco él había dormido.

—¡Sois vos, padre! —exclamó viendo a Juan Valjean—, ¡y ese imbécil de Vasco con su aire misterioso! Pero venís demasiado temprano. Apenas son las doce y media. Cosette está durmiendo.

La palabra padre, dicha al señor Fauchelevent por Mario significaba felicidad suprema.

—¡Qué contento estoy de veros! ¡Si supiéseis cómo os hemos echado de menos ayer! Buenos días, padre. ¿Cómo va esa mano? Mejor, ¿no es verdad?

Y satisfecho de la respuesta que se daba a sí mismo, prosiguió:

—Hemos hablado mucho de vos. ¡Cosette os quiere tanto! No vayáis a olvidaros que tenéis aquí vuestro cuarto. Basta de calle del Hombre-Armado. Basta. ¿Cómo os determinasteis por esa calle tan vieja y tan fea, con una barrera donde hace frío y donde no se puede entrar? Vendréis a instalaros aquí, y desde hoy, o se enfadará Cosette. Ella se propone llevarnos a todos de la barba, os lo prevengo.

—Señor —dijo Juan Valjean—, tengo que comunicaros una cosa. Soy un antiguo presidiario.

El límite de los sonidos agudos perceptibles, puede estar lo mismo fuera del alcance del espíritu que de la materia. Estas palabras: *Soy un antiguo presidiario*, al salir de los labios del señor Fauchelevent y al entrar en el oído de Mario, iban más allá de lo posible. Mario, pues, no oyó.

Juan Valjean desató el pañuelo negro que sostenía su brazo, se quitó la ligadura de la mano, descubrió el dedo pulgar, y dijo mostrándoselo a Mario:

—No tengo nada en la mano.

Mario miró el dedo.

—Ni he tenido jamás nada —añadió Juan Valjean.

—¿Qué significa esto? —preguntó Mario entre dientes.

—Esto significa —respondió Juan Valjean— que he estado en presidio.

—¡Vais a volverme loco! —exclamó Mario aterrado.

—Señor de Pontmercy —dijo Juan Valjean—, he estado diecinueve años en presidio por robo. Luego se me consignó a cadena perpetua, también por robo, como reincidente, y a estas horas ando prófugo.

—¡Decidlo todo, todo! —exclamó—. ¡Sois el padre de Cosette! —y dio dos pasos hacia atrás con un movimiento de horror indecible.

"En nombre de Dios os juro que no. Señor barón de Pontmercy, soy un aldeano de Faverolles. Ganaba la vida podando árboles. No me llamo Fauchelevent, sino Juan Valjean. Ningún parentesco me une a Cosette. Tranquilizáos."

"¿Qué soy para Cosette? Un extraño. Hace diez años que ignoraba si existía. La quiero mucho, es cierto. Cuando uno, ya viejo, ha visto crecer a esos ángeles, es natural que los quiera. Los viejos se creen abuelos de todos los niños. Supongo que no iréis a considerarme desprovisto enteramente de corazón. Era huérfana. No tenía padre ni madre. Me necesitaba y por eso le he consagrado todo mi cariño."

"Anotad esta circunstancia atenuante. Hoy Cosette deja mi casa, con lo cual nuestros dos caminos se separan, y en lo sucesivo no puedo hacer nada por ella. Cosette es ya la señora de Pontmercy. Su providencia ha cambiado, ganando sin duda en el cambio. En cuanto a los seiscientos mil francos, aunque no me habléis de ellos, me anticipo a vuestro pensamiento. Es un depósito. ¿Cómo se hallaba en mis manos ese depósito? Poco importa. Devuelvo el depósito, y no se me debe exigir más. Completo la restitución diciendo mi verdadero nombre. Así me conviene. Sabéis ya quién soy."

Y Juan Valjean clavó la vista en Mario.

—Pero, en fin —exclamó—, ¿por qué me decís todo esto? ¿Quién os obligaba a descubrir el arcano de vuestra vida? ¿Por qué me habéis hecho esa revelación? ¿Qué motivo os ha inducido a ello?

—Pues bien —dijo, el motivo es extraño, en efecto. Me ha inducido a ello la honradez. Mi mayor desgracia, sabedlo, es un hilo que está prendido en mi corazón, y con ligadura fortísima. Esos hilos nunca son más sólidos que cuando uno es viejo. Toda la vida se quiebra en derredor; ellos resisten. Si hubiera podido arrancar ese hilo, romperle, desatar el nudo o cortarlo, irme lejos, muy lejos, estaba en salvo, con partir de aquí bastaba.

"Fácil me era mentir, no cabe duda, y seguir engañándonos bajo el nombre de señor Fauchelevent. Mientras ha sido para bien de ella, he callado; pero hoy que se trata sólo de mi bien, no debió continuar en silencio. Bastaba no despegar los labios, y las cosas hubieran marchado como hasta aquí. Me preguntáis quién me ha obligado a hablar. Os contesto que la conciencia.

"Por esto he venido a descubríroslo todo, o casi todo; pues lo que concierne únicamente a mi individuo me lo guardo. Sabéis lo esencial. Os he revelado mi secreto. El misterio que me envolvía ha dejado de serlo para vos. Bastante me ha costado decidirme, he luchado toda la noche."

"Cada cual hubiera tenido su felicidad proporcionada. Con seguir siendo el señor Fauchelevent, todo se arreglaba. Todo, excepto mi alma. Alrededor mío, alegría; en el fondo de mi alma, tinieblas. No basta ser dichoso, es preciso estar contento."

"¿Conque callar es fácil? ¿Conque guardar silencio es cosa sencilla? No, no es cosa sencilla. Hay un silencio que miente. ¡Y había de mentir, ser embustero, indigno, vil traidor, en el salón, en la mesa, en el hogar, en todas partes; de noche, de día, mirando cara a cara a Cosette, y respondiendo a la sonrisa del ángel con la sonrisa del condenador. ¿Para qué? ¡Para ser feliz! ¡Para ser feliz, yo! ¿Acaso tengo ese derecho? No pertenezco al gremio de los vivientes, señor."

Respiró penosamente, y pronunció después esta última frase:

—En otro tiempo, para vivir, robé un pan; hoy para vivir no quiero robar un nombre.

—¡Para vivir! —dijo Mario—. ¿Acaso necesitáis de ese nombre para vivir?

—¡Ah!, yo me entiendo —respondió Juan Valjean, levantando y bajando la cabeza lentamente muchas veces seguidas.

Hubo un silencio. Los dos callaban, hundido cada cual en un abismo de pensamientos. Habíase sentado Mario junto a una mesa, y apoyaba el ángulo de la boca en uno de sus dedos doblado. Juan Valjean iba y venía. Detúvose delante de un espejo, y se quedó inmóvil. Luego, como si respondiese a un razonamiento interior, dijo mirando aquel espejo, donde no se veía:

—¡Mientras que ahora me siento aliviado! Y ahora, figuráos que nada he dicho, que soy el señor Fauchelevent, que vivo en vuestra casa, que soy de la familia, que tengo mi cuarto, que os acompaño a almorzar de bata, que por la tarde vamos los tres al teatro, acompaño a la señora de Pontmercy a las Tullerías y a la Plaza Real; en una palabra, que me creéis igual que vos; y el día menos pensado, cuando estemos juntos, mientras hablamos, mientras reímos, oís pronunciar el nombre de Juan Valjean, y véis salir de la sombra la mano espantosa de la policía que me arranca bruscamente de vuestro lado."

Callóse de nuevo; Mario se había levantado con un estremecimiento.

Juan Valjean prosiguió: "¿Qué decís?"

Mario no acertó a despegar los labios.

—Véis qué razón he tenido en hablar. Sed dichosos, vivid en el cielo, sed el ángel de otro ángel, y contentáos con eso, sin cuidaros del medio que un pobre condenado ha elegido para desgarrarse el pecho, y cumplir con su deber. Tenéis delante de vos, señor, a un hombre miserable.

—Mi abuelo tiene amigos —dijo Mario—; yo haré que os consiga el perdón.

—Es inútil —respondió Juan Valjean—. Se me cree muerto, y basta. Los muertos no están sometidos a la vigilancia de la policía. Se les deja podrirse tranquilamente. La muerte equivale al perdón.

Y retirando su mano de la de Mario, añadió con una especie de dignidad inexorable:

—Además, de que no he de acudir a otro amigo que al cumplimiento de mi deber. No necesito más que un perdón: el de mi conciencia.

En aquel momento, la puerta se entreabrió poco a poco al extremo opuesto del salón, y se dejó ver la cabeza de Cosette.

—¡Apostaría a que habláis de política! ¡Qué necedad! ¡En vez de estar conmigo!

Era una sonrisa en el fondo de una rosa. Juan Valjean se estremeció.

—Os he cogido infraganti —dijo Cosette—. Acabo de oír al través de la puerta, las palabras de mi padre Fauchelevent: La conciencia... el cumplimiento de mi deber... No cabe duda. Hablábais de política, y no quiero eso. ¡Hablar de política al día siguiente de la boda! No me parece justo.

—Te engañas, Cosette —respondió Mario—. Hablábamos de negocios. Buscábamos el medio mejor de colocar tus seiscientos mil francos, y...

—Pues si no es más que eso —interrumpió Cosette—, aquí me tenéis. ¿Se me admite?

Y atravesando resueltamente el umbral entró en el salón.

Mario la tomó del brazo, y le dijo con dulzura:

—Hablamos de negocios.

—A propósito —respondió Cosette—, he abierto mi ventana, y acaba de llegar al jardín una bandada de gorriones. ¿Creísteis que iba a decir de máscaras?

—Te repito que hablamos de negocios; vamos, mi querida Cosette, déjanos un instante. Son guarismos y te fastidiarías.

—Que no. Habláis vosotros, y me basta.

—Amor mío, imposible.

—¿Imposible?

—Sí.

—Muy bien —repuso la joven—. ¡Os hubiera dicho tantas cosas!

—Te juro que necesitamos estar solos.

—¿Acaso soy yo alguien?

Juan Valjean no pronunciaba una palabra. Cosette se volvió hacia él.

—Lo primerito que quiero, padre, es que me déis un abrazo.

Juan Valjean dio un paso hacia ella. Cosette retrocedió, exclamando:

—¡Qué pálido estáis padre!

—¡Vaya! un beso. Si os sentís bien, si dormís mejor, si estáis contento, no os reñiré —y le alargó de nuevo la frente. Juan Valjean besó aquella frente, donde brillaba un celestial reflejo.

—Sonreíos, ahora.

Juan Valjean obedeció. Diríase la de un espectro.

—Padre, enfadáos. Decidle que debo quedarme; que delante de mí bien se puede hablar.

—Cosette, te aseguro que es imposible.

Salió.

Mario se cercioró de que la puerta estaba bien cerrada.

—¡Pobre Cosette! —murmuró—; cuando sepa...

A estas palabras, Juan Valjean se estremeció y clavó en Mario la vista.

—¡Cosette! ¡Ah! Sí, es verdad, se lo vais a decir todo; justo. No había pensado en ello. ¿No basta que vos lo sepáis? Nadie me ha obligado a delatarme, lo he hecho de buen grado; me delataría al universo, ¿qué me importa? Pero ella ignora estas cosas, y se asustaría. ¡Un forzado! Habría que explicárselo; habría que decirle: es un hombre que ha estado en presidio. Ella vio pasar un día la cadena. ¡Oh, Dios mío! ¡Oh! ¡Quisiera morir!

—Serenáos —dijo Mario—; guardaré vuestro secreto para mí solo.

—Ahora que lo sabéis todo ¿creéis, señor, pues sois el dueño, que no debo volver a ver a Cosette?

—Sería lo más acertado —respondió fríamente Mario.

—No volveré a verla —dijo Juan Valjean. Y se dirigió hacia la puerta.

Puso la mano en la cerradura, el pestillo cedió, entreabrióse la puerta bastante para que pasase Juan Valjean, se quedó un segundo inmóvil, luego cerró de nuevo y se encaró con Mario.

No estaba ya pálido sino lívido. Sus ojos no tenían ya lágrimas, sino una especie de luz trágica. Su voz había cobrado cierta extraña serenidad.

—Si lo permitís señor, vendré a verla. Os aseguro que lo deseo muchísimo. Sin eso, sin la necesidad de ver a Cosette, no os habría hecho esta confesión. Hubiera partido meramente... Pero queriendo permanecer en el pueblo donde vive Cosette, y continuar viéndola, me ha parecido que debía descubríroslo todo. ¿Me comprendéis, no es cierto?

"Ponéos en mi lugar; no tengo más que a ella en la Tierra. Además de que, si no volviese, lo extrañarían. Lo que podré hacer es venir por la tarde cuando empiece ya a obscurecer."

—Vendréis todas las tardes —dijo Mario—, y Cosette os aguardará.

—¡Qué bueno sois! —respondió Juan Valjean.

Mario le saludó; la felicidad acompañó hasta la puerta a la desesperación, y aquellos dos hombres se separaron.

II. Tras la revelación, la duda

Mario estaba trastornado.

La especie de antipatía que había sentido siempre hacia el supuesto padre de Cosette estaba ya explicada. Encontraba en aquel personaje un no sé qué enigmático, de que lo advertía su instinto, y el enigma era la peor de las vergüenzas, el presidio. El señor Fauchelevent era el presidiario Juan Valjean.

Como acontece siempre con los cambios de situación por el estilo del que acabamos de relatar, preguntábase Mario si no tendría algo que echarse en cara. ¿Su previsión, su prudencia habrían sufrido un voluntario eclipse? Tal vez. ¿Habríase empeñado, sin la necesaria precaución, sin aclarar bien las circunstancias de la persona, en la aventura amorosa, cuyo término era el casamiento con Cosette?

Recordaba que en la embriaguez de su amor, durante las seis o siete semanas de éxtasis que había pasado en la calle Plumet, ni siquiera habló a Cosette del drama de la casuca Gorbeau, donde la víctima guardó tan extraño silencio, en medio de la lucha, fugándose al ser aprehendidos los criminales. ¿Cómo se concibe que no hubiese dicho una palabra de esto a Cosette, y más siendo un acontecimiento tan reciente y terrible? ¿Cómo se concibe que no hubiese nombrado ni aun a los Thenardier, sobre todo el día en que encontró a Eponina?

Trabajo le costaba explicarse ahora el silencio de entonces. En fin, pasado y analizado todo, resultaba que, aun en el caso de haber referido la asechanza de la casuca Gorbeau a Cosette, de nombrarle a los Thenardier, y hasta de haber descubierto que Juan Valjean era un presidiario, ¿hubiera bastado esto para que él cambiase? ¿Para que cambiase Cosette? ¿Hubiera él retrocedido? ¿La hubiera adorado menos? ¿Hubiera desistido del casamiento? No. Nada tenía pues, que sentir ni que echarse en cara.

La antipatía de Mario hacia el señor Fauchelevent, transformado en Juan Valjean, mezclábase ahora con ideas horribles, entre las cuales justo es decirlo, había algo de lástima, y hasta de sorpresa.

El ladrón, y ladrón reincidente, había restituido un depósito: ¿y qué depósito? Seiscientos mil francos, de los que sólo él tenía noticia, y que pudo muy bien guardarse. Había hecho todo lo contrario.

Además, era delator de sí mismo. ¿Quién le obligaba a delatarse? Si se sabía su verdadero nombre, es porque él lo había dicho. Con aquella confesión Juan Valjean aceptaba, no únicamente la humillación, sino también el peligro.

En suma, quien quiera que fuese aquel hombre, incontestablemente se le debía considerar como una conciencia que se despertaba.

En el misterioso balance que Mario formaba de aquel individuo, comparando el debe y el haber, quería llegar a un resultado pero sentíase como envuelto en un torbellino. Esforzándose en deducir una idea clara de Juan Valjean, y persiguiéndole, por decirlo así, en el fondo de su pensamiento, le perdía y no volvía a encontrarle sino en una bruma fatal.

El depósito restituido honradamente y la probidad de la confesión eran acciones meritorias y producían como un resplandor en la nube; ésta en seguida se ponía otra vez negra.

¿Qué era, pues, aquel hombre erizado de precipicios? ¿Juan Valjean formando el corazón de Cosette? ¿La figura tenebrosa dedicándose exclusivamente a preservar de toda sombra y de toda nube la salida de un astro? Este era el secreto de Juan Valjean, y también de Dios.

Ante estos dos secretos, Mario retrocedía.

Los negocios personales de Juan Valjean no le incumbían, principalmente desde la declaración solemne del miserable: *No soy nada de Cosette. Hace diez años ignoraba su existencia.*

Juan Valjean era un simple transeúnte, como había dicho él mismo.

Pasaba, pues, y quien quiera que fuese, su papel había concluido.

En cualquier círculo de ideas que girase Mario: siempre se reproducía su horror hacia Juan Valjean.

Horror sagrado quizá porque, según hemos insinuado, sentía cierto *quid divinum* en aquel hombre.

Sin embargo, por más atenuaciones que buscase, preciso le era siempre acabar por aquella de: es un presidiario a decir, el ser que en la escala social carece hasta de sitio, por no ocupar siquiera el pie.

Mario, fuerza es reconocerlo e insistir en ello, aunque interrogase a Juan Valjean hasta el punto de decirle éste: *Me confesáis,* no le había dirigido dos o tres preguntas decisivas; y no porque no se le ocurriesen, que sí se le habían ocurrido; pero inspirábanle cierto pavor.

¿El desván de Jondrette? ¿La barricada? ¿Javert? ¿Quién sabe a dónde habrían llegado las revelaciones? Juan Valjean no parecía hombre de retroceder. ¿Y quién sabe si Mario, después de empujarle, no hubiera deseado retenerle? ¿No nos ha sucedido a todos en circunstancias supremas, hacer una pregunta y taparnos luego los oídos para no oír la contestación?

Estas flaquezas son propias, sobre todo, de enamorados.

Este hombre era la noche; noche palpitante y terrible. ¿Cómo atreverse a buscar el fondo? Es atroz dirigir preguntas a la sombra. ¿Quién sabe lo que va a responder? El alba pudiera perder eternamente su blancura.

En tal situación de espíritu, era para Mario una perplejidad dolorosa pensar que aquel hombre se rozaría en lo sucesivo, aunque apenas, con Cosette.

Por lo demás, hizo sin objeto aparente algunas preguntas a Cosette, cándida como una paloma, y sin recelar nada. Le habló de su infancia y de su juventud, convenciéndose cada vez más de que el presidiario había sido respecto de Cosette todo lo bueno, paternal y respetable que cabe en una criatura humana. Cuanto Mario había entrevisto y supuesto era verdad. Aquella ortiga siniestra había amado y protegido a aquel lirio.

Libro octavo

● EL CREPÚSCULO DE LA TARDE ●

I. El primer piso

Al día siguiente, cuando empezaba a obscurecer, Juan Valjean llamó a la puerta cochera de la casa del señor Gillenormand, Vasco le recibió encontrándose allí como exprofeso y por orden de alguno. A veces basta con decir a un criado: Espera a Fulano.

Vasco, sin aguardar a que Juan Valjean se adelantase hacia él, le dirigió la palabra:

—El señor barón me ha encargado que os preguntase si queréis subir o quedaros abajo.

—Quedarme abajo —respondió Juan Valjean.

Vasco, respetuoso como siempre, abrió la puerta de la sala baja, y dijo:

—Voy a avisar a la señora.

La habitación en que Juan Valjean entró era un primer piso abovedado y húmedo, que servía a veces de bodega, y que daba a la calle, con el suelo de ladrillos encarnados, y una mala ventana que permitía apenas el paso a unos míseros rayos de luz al través de los barrotes de hierro.

A cada lado de la chimenea había un sillón, y entre los dos sillones, a modo de alfombra, una manta de cama, vieja, mostrando más hebra que lana.

Juan Valjean se sentía fatigado, pues llevaba algunos días sin comer ni dormir, y se dejó caer en uno de los sillones.

De repente se levantó como sobresaltado.

Cosette estaba detrás de él. No la había visto entrar, pero había sentido que entraba. Se volvió y la contempló con éxtasis. Estaba adorablemente hermosa; pero lo que él miraba de aquella suerte no era la hermosura material, sino el alma.

—Padre —exclamó Cosette—, sabía vuestras rarezas, pero jamás me hubiera figurado que llegasen a tanto. ¡Vaya una idea! Dice Mario que os habéis empeñado en que os reciba aquí.

—Sí, me he empeñado.

—Empecemos por el principio. Padre, besadme.

Y le presentó la mejilla.

Juan Valjean permaneció inmóvil.

—Comeréis con nosotros.

—He comido ya.

—No es verdad. Haré que el señor Gillenormand os riña. Los abuelos están encargados de reñir a los padres. Vamos, subid conmigo al salón. Pronto.

—Imposible.

—Sabéis, señora, que soy raro, que tengo mis caprichos.

Cosette dio una palmada.

—¡Señora!... ¡Sabéis!...

—Habéis querido ser señora y lo sois.

—Para vos no, padre.

—Cesad de llamarme padre.

—¿Cómo?

—Llamadme señor Juan, Juan, si gustáis.

—¡No sois ya padre, ni yo soy Cosette! ¡Que os llame señor Juan! ¿Qué significan estos cambios? ¿Qué revolución es ésta? ¿Qué ha pasado?

—Nada.

—¿Y entonces?

Juan Valjean no respondió.

Tomóle ella vivamente las dos manos, y con un movimiento irresistible, levantándolas al nivel de su rostro, las estrechó contra su cuello por debajo de la barba; profunda señal de cariño.

—¡Oh! —le dijo— ¡sed bueno!

Él retiró las manos.

—No necesitáis ya de padre; tenéis marido.

Cosette se incomodó:

—¿Conque no necesito de padre? No hay sentido común en lo que decís. Estoy furiosa —prosiguió—. Desde ayer me hacéis todos rabiar. No comprendo una palabra. Vos no me defendéis de Mario, ni Mario me sostiene contra vos; estoy sola.

—Cosette, eres dichosa, y mi misión ha terminado.

—¡Ah! ¡Me habéis dicho eres! —exclamó Cosette. Y se arrojó en sus brazos.

Juan Valjean, desvanecido, la estrechó contra su pecho, pareciéndole casi que la recobraba.

—¡Gracias, padre! —dijo Cosette.

Desprendióse con dulzura de los brazos de Cosette, y tomó el sombrero.

—¿A dónde váis? —preguntó Cosette.

Juan Valjean respondió:

—Me retiro, señora; os aguardan y desde el umbral añadió—: Os he tuteado. Decid a vuestro marido que no volverá a sucederme. Perdonadme.

Juan Valjean salió, dejando a Cosette atónita con aquel adiós enigmático.

II. De mal en peor

Juan Valjean volvió al día siguiente a la misma hora.

Cosette no le hizo preguntas, ni mostró admiración, ni dijo que sentía frío, ni habló mal de la sala: evitó al mismo tiempo llamarle padre y señor Juan; dejó que la tratase de vos y de señora. Notóse, sin embargo, que estaba menos alegre.

La sala baja estaba algo más elegante.

Las visitas continuaron siendo diarias. Juan Valjean no tuvo valor para ver en las palabras de Mario otra cosa que la letra. Mario, por su parte, se ingenió de manera que siempre se hallaba ausente cuando Juan Valjean iba.

Varias semanas transcurrieron así. Poco a poco entró Cosette en una vida nueva, el matrimonio crea relaciones, las visitas son su necesaria consecuencia, y el cuidado de la casa ocupa gran parte del tiempo. En cuanto a los placeres de la nueva vida no eran costosos para Cosette, pues se reducían a uno solo; estar con Mario. Su principal gloria era salir con él y no separarse de su lado. Ambos sentían un placer cada vez mayor en pasearse asidos del brazo, a la faz del sol, a la vista de todos, los dos solos.

Cosette experimentó una contrariedad. La tía Santos no hizo buenas migas con Nicolasa y se marchó. En cuanto al abuelo, su salud era excelente; Mario defendía de tiempo en tiempo algunas causas; la señorita Gillenormand pasaba agradablemente junto a la nueva familia la vida lateral que parecía bastarle. Juan Valjean iba todos los días.

—Erais mi padre, y no lo sois ya; Erais mi tío, y habéis cesado de serlo; Erais el señor Fauchelevent, y sois el señor Juan. ¿Quién sois, pues? No me gustan estas cosas. Si no os conociese, os tendría miedo.

Poco a poco se fue acostumbrando a alargar sus visitas, como si aprovechase la autorización de los días, que iban también creciendo. Llegaba más temprano, y se despedía más tarde.

Cierto día Cosette le dijo maquinalmente: "¡Padre! —y un relámpago de alegría iluminó el sombrío rostro de Juan Valjean."

—Llamadme Juan —fue su única respuesta.

—¡Ah! es verdad —dijo Cosette riéndose—; señor Juan.

—Eso, eso —replicó aquel desgraciado, volviéndose para que ella no lo viera enjugarse los ojos.

III. Un recuerdo de la calle de Plumet

Fue la última vez. Después de aquella claridad, verificóse la extinción absoluta. No más familiaridad, no más buenos días acompañados de un beso, no más esa palabra tan dulce: ¡Padre mío!

Una tarde... Era uno de los primeros días de abril en que el calor alterna con la frescura.

Mario dijo a Cosette:

—Hemos ofrecido hacer una visita a nuestro jardín de la calle Plumet. Vamos, pues. No debemos ser ingratos.

Y volaron como dos golondrinas en busca del cielo primaveral.

El jardín de la calle Plumet les producía el efecto del alba. Tenían ya detrás de sí en la vida algo que era como la primavera de su amor. La casa de la calle Plumet pertenecía aún a Cosette, por no haber concluido el plazo del arriendo.

Cuando obscurecía, a la hora de siempre, Juan Valjean fue a la calle de las Monjas del Calvario.

—La señora ha salido, con el señor barón, y aún no ha vuelto —le dijo Vasco.

Sentóse en silencio, y esperó una hora.

Cosette no volvía.

Bajó la cabeza y se marchó.

Hallábase Cosette tan embriagada con aquel paseo a "su jardín", y tan contenta de haber "vivido un día en el pasado", que la tarde siguiente no habló de otra cosa. Ni siquiera advirtió que no había visto a Juan Valjean.

—¿Cómo habéis ido? —le preguntó éste.

—A pie.

—¿Y cómo habéis vuelto?

—En un coche de alquiler.

Juan Valjean observaba hacía algún tiempo la estrechez con que vivían los esposos, y esto le indujo a cavilar. La economía de Mario era rigurosa, y Juan Valjean tomaba esta palabra en sentido absoluto.

Varias veces tuvo Vasco que repetir este recado: "El señor Gillenormand me envía a recordar a la señora baronesa que la sopa espera en los platos."

Cuando sucedía esto, Juan Valjean se marchaba muy pensativo.

Un día se quedó más tiempo aún de lo que acostumbraba a estarse otras veces. Al día siguiente notó que no había lumbre en la chimenea; y para explicar esta falta, hizo la reflexión de que, hallándose en abril, los fríos habían cesado.

—¡Dios mío! ¡Qué frío se siente aquí! —exclamó Cosette al entrar.

—¡Ca! —dijo Juan Valjean.

—¿Sois vos el que habéis dado orden a Vasco de que no encienda?

—Sí. Pronto va a llegar mayo.

Al otro día no faltaba la lumbre; pero los dos sillones estaban colocados en el extremo opuesto de la sala, cerca de la puerta.

—¿Qué significa esto? —pensó Juan Valjean.

Tomó los sillones y los puso en el sitio de siempre, junto a la chimenea.

Reanimóse un poco al ver de nuevo la lumbre; y prolongó la visita más de lo regular. Cuando se levantaba para irse, le dijo Cosette:

—Mi marido me propuso ayer una cosa que me ha hecho gracia.

—¿Cuál?

—Me dijo: "Cosette, tenemos treinta mil francos de renta, veintisiete mil tuyos, y tres mil que me ha asignado mi abuelo. Treinta mil, bueno." ¿y qué?, le pregunté. "¿Te atreverías a vivir sólo con los tres mil?", me preguntó. —Sí, le respondí, y con nada también, siempre que sea a tu lado. Le pregunté a mi vez luego: ¿por qué me dices eso? Y contestó: "Para mi gobierno."

Juan Valjean no pronunció una palabra. Empezó a hacer conjeturas. Era evidente que Mario tenía duda acerca del origen de los seiscientos mil francos, y que alimentaba temores sobre la pureza de su procedencia.

Al día siguiente experimentó, al entrar en la sala baja, como un sacudimiento. Los sillones habían desaparecido. No se veía una silla siquiera.

—¿Qué es esto? —dijo Cosette en cuanto entró—, no hay sillones. ¿Dónde están los sillones?

—Se los han llevado —respondió Juan Valjean—. Se me figura que Vasco necesitará los sillones. Adiós —murmuró Juan Valjean.

No dijo: Adiós, Cosette; pero le faltaron fuerzas para decir: Adiós, señora.

Salió abrumado de dolor.

Esta vez había comprendido.

Al día siguiente no fue.

Tampoco fue al otro día.

Cosette envió a Nicolasa a casa del señor Juan para saber si estaba enfermo, y por qué no había venido la víspera.

Nicolasa trajo la respuesta del señor Juan: "No estaba enfermo, sino muy ocupado."

IV. La atracción y la extinción

En los últimos meses de la primavera y los primeros del verano de 1833, los pocos transeúntes del Marais, los tenderos, y los ociosos que se paran en las puertas, observaban a un anciano aseadamente vestido de negro, que todos los días, a la misma hora, antes de obscurecer, salía de la calle del Hombre-Armado, por el lado de la calle de Santa Cruz de la Bretonnerie, pasaba por delante de la de los Mantos Blancos, llegaba a la de Santa Catalina, y una vez en la de Echarpe, torcía a la izquierda, y entraba en la de San Luis.

Allí caminaba a paso lento, con el cuello estirado, sin ver ni oír nada, fija siempre la vista en un punto invariable, que parecía para él estrellado, y que no era otro que el ángulo de la calle de las Monjas del Calvario.

Cuanto más se acercaba a aquella esquina, más brillo había en sus ojos, y una especie de alegría iluminaba sus pupilas como una aurora interior; tenía cierto aire de fascinación y de ternura; sus labios se movían, como si hablasen a una persona sin verla; se sonreía vagamente, y andaba muy despacio. Hubiérase dicho que, aunque deseaba llegar, lo temía al mismo tiempo.

Gradualmente el anciano cesó de ir hasta la esquina de las Monjas del Calvario. Deteníase a la mitad del camino en la calle San Luis, ora más lejos, ora más cerca.

Todos los días salía de su casa a la misma hora, emprendía el mismo trayecto, pero no lo acababa ya; y tal vez sin conciencia de ello, lo iba abreviando incesantemente. Su semblante expresaba esta idea irónica: ¿Para qué? La pupila se había apagado, y también la lágrima estaba agotada. Ya no se condensaba en el ángulo de los párpados; aquellos ojos meditabundos permanecían secos.

El anciano estiraba siempre la cabeza; la barba solía moverse, y daba pena ver las arrugas de su descarnado pescuezo. Cuando el tiempo estaba malo, llevaba bajo el brazo un paraguas que no abría. Las buenas mujeres del barrio decían: Es un inocente. Los chicos le seguían, riéndose.

Libro noveno

● SUPREMA SOMBRA, ●
SUPREMA AURORA

I. COMPASIÓN PARA LOS DESGRACIADOS, E INDULGENCIA PARA LOS DICHOSOS

¡Terrible cosa es la felicidad! En medio de sus goces, en medio de las satisfacciones que produce la posesión de ese falso objeto de la vida, induce a olvidar el verdadero, que es el deber.

Sin embargo, se haría mal en acusar a Mario.

Mario hacía lo que juzgaba necesario y justo. Creía que le asistían para alejar a Juan Valjean, sin dureza, pero también sin debilidad, graves razones, algunas de las cuales ya se han indicado, y otras se indicarán a su tiempo.

Cosette no estaba en tales interioridades, pero también merece disculpa.

Existía de Mario a ella un terrible magnetismo, que la obligaba a ejecutar por instinto, y casi maquinalmente, los deseos de su esposo. Sentía, en la parte relativa al "señor Juan" un deseo de Mario, y se conformaba con él.

Cosette estaba aturdida más que otra cosa. En el fondo quería mucho al que había llamado por tanto tiempo padre, pero quería más a su esposo. Esto era lo que había falseado algo la balanza de aquel corazón, inclinándola a un lado solo.

Si sucedía que Cosette hablaba de Juan Valjean como admirándose, Mario la tranquilizaba, diciéndole:

—Está ausente, supongo. ¿No avisó que iba a emprender un viaje?

Por otra parte, los dos jóvenes habían estado ausentes. Habían ido a Vernon, pues Mario quiso que Cosette le acompañase en la visita al sepulcro de su padre.

Mario consiguió poco a poco separar a Cosette de Juan Valjean, la esposa no opuso resistencia al esposo.

II. Últimas palpitaciones
DE LA LÁMPARA SIN ACEITE

Un día Juan Valjean bajó la escalera, dio tres pasos en la calle, se sentó en un trascantón, en el mismo trascantón donde Gavroche, en la noche del 5 al 6 de junio, le había encontrado pensativo; se detuvo allí unos minutos, y luego volvió a subir.

Fue la última oscilación del péndulo.

Al día siguiente no salió, y al otro día guardó cama.

—¡Pero si no habéis comido ayer, buen hombre!

—Mañana comeré.

Juan Valjean tomó la mano de la vieja, y le dijo con bondadoso acento:

—Os prometo comerlas.

Transcurrió una semana sin que Juan Valjean diese un paseo por el cuarto. Estaba de continuo sobre la cama.

Divisó en el extremo de la calle a un médico del barrio, que pasaba y acudió a él suplicándole que subiese.

—Es en el piso segundo —le dijo.

Cuando bajó, la portera fue a preguntar por el paciente.

—Está muy grave —dijo el doctor.

—¿Qué es lo que tiene?

—Todo y nada. Es un hombre que, según las apariencias, ha perdido a una persona querida. Algunos mueren de eso.

—¿Qué os ha dicho?

—Que se sentía bueno.

—¿Volveréis?

—Sí —respondió el doctor—; aunque más le conviniera un médico para el alma.

III. DONDE SE VERA QUE
EL QUE LEVANTÓ LA CARRETA DE
FAUCHELEVENT, NO PUDO LEVANTAR UNA PLUMA

Una tarde Juan Valjean, apoyándose con trabajo en el codo, se tomó la mano y no halló el pulso; su respiración era corta, y se interrumpía a cada momento; conoció que estaba más débil que nunca.

Púsose el traje de obrero, pues no saliendo ya, lo prefería a los otros. Abrió la maleta, sacó el ajuar de Cosette y lo extendió sobre la cama.

Los candelabros del obispo estaban en su sitio, en la chimenea. Sacó de un cajón dos velas de cera y las puso en ellos. Después, aunque no hubiese obscurecido aún, como que era en verano, las encendió.

Cada paso, yendo de un mueble a otro se extenuaba, y se veía obligado a sentarse.

Una de las sillas donde se dejó caer estaba colocada en frente del espejo, tan fatal para él y tan providencial para Mario, donde había leído la carta de Cosette.

Se miró a aquel espejo y no se conoció.

Encontrábase en la última fase de la agonía, fase en que ya el dolor no corre, sino que está, por decirlo así, cuajado; hay sobre el alma como un coágulo de desesperación.

Había cerrado la noche. Arrastró con mucho trabajo una mesa y el viejo sillón junto a la chimenea, y puso en la mesa, pluma, tintero y papel.

Temblábale la mano. Véanse las líneas que escribió poco a poco:

"Cosette, te bendigo. Voy a explicártelo todo. Tu marido ha tenido razón en darme a entender que debía marcharme; aunque se haya equivocado algo en lo que ha creído, ha tenido razón. Es excelente. Amale siempre mucho, cuando yo no exista. Señor de Pontmercy, amad siempre a mi querida niña. Cosette, este papel será encontrado y en él verás los guarismos, si tengo fuerzas para recordarlos. Escucha; ese dinero es tuyo. Lo vas a saber todo. El azabache blanco viene de Noruega; el azabache negro de Inglaterra; los abalorios negros de Alemania. El azabache es más ligero, más precioso, más caro. En Francia pueden hacerse imitaciones como en Alemania. Se necesita un pequeño yunque de dos pulgadas cuadradas y una lámpara de espíritu de vino para ablandar la cera. La cera en otro tiempo se elaboraba con resma y negro de humo, y costaba a cuatro francos la libra. Se me ocurrió hacerla con goma-laca y trementina. Cuesta sólo treinta sueldos, y es preferible. Las hebillas se hacen con vidrio violado que se pega, mediante esta cera, en una planchita de hierro negro. El vidrio ha de ser violado para las alhajas de hierro, y negro para las de oro. España compra en gran cantidad. Es el país del azabache... "

No le fue posible seguir.

El desgraciado se cogió la cabeza entre las manos, y se hundió en la meditación.

—¡Oh! —exclamaba en sus adentros (gritos lamentables, oídos sólo de Dios)—, todo ha acabado para mí.

¡Dios mío! ¡Dios mío! No la volveré a ver. En aquel momento llamaron a la puerta.

IV. Donde se verá que hay botellas de tinta buenas para quitar las manchas

El mismo día, mejor dicho la misma tarde, cuando Mario dejaba la mesa y entraba en su gabinete para examinar unos asuntos, le entregó Vasco una carta, diciéndole: "La persona que ha escrito espera en la antesala."

Cosette se había cogido del brazo del abuelo, y daba una vuelta por el jardín.

Hay cartas que, lo mismo que ciertos hombres, tienen mala catadura.

Abrió ansiosamente la carta, y leyó lo que sigue:

"Señor barón: Si el Ser Supremo me huviese dado talento, huviera podido ser el barón Thenard, miembro del Instituto (academia de Siencias); pero no lo soy. Me llamo solamente como él; feliz si este recuerdo me recomienda a la excelencia de vuestras vondades. El veneficio con que me honrréis será recíproco. Poseo un secreto que concierne a un indibiduo, y este indibiduo os concierne. El secreto está a vuestra dispocisión, deseando el honor de seros hútil. Os proporcionaré un modo sencillo de arrojar de vuestra dina familia a ese individuo, que no tiene derecho a estar en ella; pues la señora baronesa pertenece a una clase elevada. El santuario de la virtud no puede coavitar más tiempo con el crimen sin mancharse. Espero en la antesala las órdenes del señor barón.

"Soy, con el mayor respeto."

La firma de la carta era "THENARD", firma verdadera, aunque abreviada. Por lo demás, el estilo y la ortografía completaban la revelación.

El certificado de origen no podía estar más evidente. No era posible dudar.

—Haced que pase —dijo Mario—. Vasco anunció: —El señor Thenard.

Entró un hombre y la sorpresa de Mario fue grande, pues le era totalmente desconocido.

El disgusto experimentado por Mario, viendo entrar a un hombre distinto del que esperaba, recayó sobre el recién venido.

Le examinó de pies a cabeza, durante su saludo, y le preguntó secamente:

—¿Qué se os ofrece?

El personaje contestó, sonriéndose como pudiera haberlo hecho un cocodrilo capaz de sonreírse:

—Señor barón, dignáos oírme. Hay en América en un país que confina con Panamá, una aldea llamada Joya. Compónese de una sola casa de tres pisos, construida de ladrillos cocidos al sol; cada costado tiene de largo quinientos pies, y cada piso se retira del inferior doce, a fin de dejar ante sí una azotea que da vuelta al edificio. En el centro hay un patio donde están los víveres y las municiones. En lugar de ventanas, troneras; nada de puerta principal; se sirven de escala para subir del suelo a la primera azotea y de ésta a la segunda y a la tercera, lo mismo para bajar al patio interior; las puertas de los cuartos son trampas. Por la noche se cierran estas trampas, se quitan las escalas, las bocas de las carabinas asoman por las troneras, y la entrada es imposible. De día casa, de noche ciudadela. Ochocientos habitantes: tal es la aldea de Joya. ¿Por qué tantas precauciones? Porque el país es peligroso, a causa de los antropófagos de que está lleno. Entonces ¿por qué van allí? Porque es un país maravilloso; porque se encuentra oro en él.

—¿No ha leído el señor barón mi carta?

—Sed más explícito.

—Está bien, señor barón. Voy a ser más explícito. Tengo un secreto que venderos.

—¡Un secreto!

—Un secreto.

—Hablad.

—Señor barón, tenéis en vuestra casa a un ladrón, que es al mismo tiempo asesino.

Mario se estremeció.

—¿En mi casa? No.

—Voy a deciros el nombre verdadero. Os lo voy a decir de balde.

—Escucho.

—Se llama Juan Valjean.

—Lo sé.

—Voy a deciros, también de balde, quién es.

—Decidlo.

—Un antiguo presidiario.

—Lo sé.

—Lo sabéis desde que he tenido el honor de decíroslo.

—No. Lo sabía antes.

El tono frío de Mario, aquella réplica por dos veces, *lo sé*, su laconismo que repugnaba el diálogo, despertaron en el desconocido una cólera sorda.

El desconocido prosiguió, siempre sonriéndose:

—No me atrevo a desmentir al señor barón. En todo caso; debéis conocer que estoy al cabo de la calle. Ahora lo que tengo que revelaros sólo yo lo sé, e importa a la señora baronesa. Es un secreto extraordinario, que vale dinero. A vos os lo ofrezco antes que a nadie, y barato. Veinte mil francos.

—Sé ese secreto como sé los demás —dijo Mario. Conozco vuestro secreto extraordinario, lo mismo que sabía el nombre de Juan Valjean y que sé vuestro nombre.

—¿Mi nombre?

—Sí.

—No es difícil, señor barón, pues he tenido el honor de escribíroslo y decíroslo. Thenar...

—Dier.

—¿Cómo?

—Thenardier.

—Sois también el obrero Jondrette, el comediante Fabantou, el poeta Genflot, el español Alvarez y la tía Balizard. Además habéis tenido un figón en Montfermeil.

—Pues bien, sea. Fuera disfraces. El señor barón es infalible —dijo con voz clara y sin ganguear—: soy Thenardier.

Veía por primera vez al barón de Pontmercy, y a pesar de su disfraz, este barón le había conocido, y conocido a fondo. Para mayor sorpresa suya, no sólo estaba el barón de Pontmercy al cabo de su historia, sino de la de Juan Valjean.

En la mente de Thenardier, la conversación con Mario no había empezado todavía. Se vio obligado a retroceder, a modificar su estrategia, a abandonar una posición y cambiar de frente; pero nada esencial se hallaba aún comprometido, y tenía ya quinientos francos en el bolsillo. Quedábanle por revelar cosas decisivas, y se sentía fuerte hasta contra aquel barón de Pontmercy tan resignado; y que esgrimía tan buenas armas.

Para los hombres de la índole de Thenardier todo diálogo es un duelo. ¿Cuál era su situación en el que iba a empeñarse?

Mario meditaba. Al cabo tenía delante a Thenardier al hombre que tanto había deseado encontrar, y podía cumplir el encargo del coronel Pontmercy. Humillábale que este héroe debiera algo a aquel bandido, y que la letra de cambio girada desde el fondo de la tumba por su padre contra él, estuviese aún en descubierto.

Mario rompió el silencio.

—Thenardier, os he dicho vuestro nombre. Ahora, ¿queréis que os diga el secreto que pretendíais descubrirme? También he reunido yo datos, y os convenceréis de que sé más que vos. Juan Valjean, como dijisteis, es asesino y ladrón, porque robó a un rico fabricante, siendo causa de su ruina: el señor Magdalena. Asesino, porque dio muerte al agente de policía Javert.

—No comprendo, señor barón —dijo Thenardier.

—Vais a comprenderme. Escuchad. Vivía en un distrito del Paso de Calais, por los años de 1822, un hombre que había tenido no sé qué antiguo choque con la justicia, y que bajo el nombre de señor Magdalena, se había corregido y rehabilitado. Este hombre era, en toda la fuerza de la expresión, un justo. Con una industria, la fábrica de abalorios negros, labró la fortuna de toda la ciudad.

Un presidiario cumplido sabía el secreto de una pena en que había incurrido en otro tiempo aquel hombre; le denunció, fue causa de que le prendiesen, y aprovechándose de su prisión para venir a París, logró que el banquero Laffitte (lo sé de boca del mismo cajero) le entregase, en virtud de una firma falsa, una suma de más de medio millón perteneciente al señor Magdalena. El presidiario que robó al señor Magdalena, es Juan Valjean. En cuanto al otro hecho, nada necesitáis tampoco decirme, Juan Valjean mató al agente Javert de un pistoletazo. Yo, que os hablo, estaba allí.

—Señor barón, equivocamos el camino.

"No me gusta ver acusar a nadie injustamente. Señor barón, Juan Valjean no ha robado al señor Magdalena, ni ha matado a Javert."

—¡Ahí es nada! ¿En qué fundáis vuestro aserto?

—En dos razones.

—¿Cuáles? Hablad.

—Primera: no ha robado al señor Magdalena, porque el señor Magdalena y Juan Valjean son uno mismo.

—¡Qué me contáis!

—Segunda: no ha asesinado a Javert, porque Javert, y no Juan Valjean, es el autor de su muerte.

—¿Qué queréis decir?

—Javert se suicidó.

—¡Probadlo, probadlo! —gritó Mario fuera de sí.

Thenardier repuso, midiendo sus palabras como si se tratase de un alejandrino antiguo:

—Al agen-te de la polici-a Ja-vert se le en-contró aho-gado debajo de u-na barca del Pont-au-Change.

—Pero ¡probadlo!

Thenardier sacó del bolsillo del pecho una ancha cubierta de papel obscuro, que parecía contener pliegos doblados de diferentes tamaños.

—Tengo mi legajo —dijo con calma.

Mientras hablaba, extraía Thenardier de su legajo dos números de periódicos amarillos estrujados y oliendo a tabaco. Uno de los números, roto por los dobleces y casi deshaciéndose, parecía mucho más antiguo que el otro.

—Dos hechos, dos pruebas —dijo Thenardier. Y alargó a Mario los dos periódicos.

El lector los conoce. Uno, el más antiguo era un número de la *Bandera Blanca* del 25 de junio de 1823, cuyo texto ha podido verse en una página del libro segundo de esta obra, y probaba la identidad del señor Magdalena y de Juan Valjean. El otro era un *Monitor* del 15 de julio de 1832, donde se refería el suicidio de Javert, añadiéndose que resultaba de un informe verbal del agente al prefecto, que hecho prisionero en la barricada de la calle de la Chanvrerie, había debido su vida a la magnanimidad de un insurrecto, el cual, teniéndolo al alcance de su pistola, en lugar de levantarle la tapa de los sesos, había disparado al aire.

Mario no pudo contener un grito de alegría:

—¡Es Juan Valjean el salvador de Javert! ¡Un héroe! ¡Un santo!

—Ni un santo, ni un héroe —dijo Thenardier—. Es un asesino y un ladrón.

—Digo asesinato y robo, señor barón. Repito que hablo de los hechos actuales. Lo que os voy a revelar es absolutamente desconocido. Es inédito. Quizá descubráis en ello el origen del caudal hábilmente ofrecido por Juan Valjean a la señora baronesa.

"Señor barón —agregó—, voy a decirlo todo; dejo la recompensa a vuestra generosidad. El secreto vale oro macizo."

El el 6 de junio de 1832, hace cosa de un año, el día del motín, estaba un hombre en la alcantarilla grande de París, por el lado donde desemboca en el Sena, entre el puente de Jena y el de los Inválidos.

"Ese hombre, obligado a ocultarse por razones ajenas a la política, había elegido la alcantarilla para su domicilio, y tenía una llave de la reja. Era, repito, el 6 de junio, a las ocho, poco más o menos de la noche. El hombre oyó ruido en la alcantarilla. Bastante sorprendido, se ocultó y espió."

"Señor barón, la alcantarilla no es el Campo de Marte. Allí falta todo, hasta sitio. Así, cuando la ocupan dos hombres, menester es que se encuentren. Esto fue lo que sucedió. El domiciliado y el transeúnte tuvieron que darse las buenas noches, uno y otro sin malditas ganas. El transeúnte dijo al domiciliado: "Ves lo que llevo a cuestas; es preciso que salga de aquí; ¿tienes la llave?, dámela." El presidiario era hombre de extraordinarias fuerzas, y no había medio de resistirle. Sin embargo, el que poseía la llave parlamentó, únicamente para ganar tiempo. Examinó al muerto; mas sólo pudo averiguar que era joven, de buena apostura, con aire de persona rica, y que estaba todo desfigurado por la sangre. Mientras hablaba, halló medio de romper y arrancar, sin que el asesino lo advirtiese, un pedazo de faldón de la levita que vestía el hombre asesinado.

"Ahora veréis claro. El conductor del cadáver era Juan Valjean; el que tenía la llave os habla en este momento; y el pedazo de la levita..."

Thenardier acabó la frase sacando del bolsillo y sosteniendo a la altura de los ojos, cogido entre los dos pulgares y los índices, un jirón de paño negro, todo lleno de manchas oscuras.

—Señor barón, me asisten grandes razones para creer que el joven asesinado era un opulento extranjero, atraído por Juan Valjean a una emboscada, y portador de una suma enorme.

—El joven era yo, y aquí está la levita —gritó Mario, arrojando en el suelo una levita negra y vieja, manchada de sangre. En seguida, arrancando el jirón de manos de Thenardier, se bajó y lo ajustó en el faldón roto. Adaptábase perfectamente, el jirón completaba la levita.

Thenardier quedó petrificado, y dijo para sí: "Me he lucido."

—¡Sois un infame! ¡Sois un embustero! ¡Un calumniador! ¡Un malvado! Veníais a acusar a ese hombre y le habéis justificado: queríais perderle y habéis conseguido tan sólo glorificarle. ¡Vos sois el ladrón! ¡Vos sois el asesino! Yo os he visto.

Y arrojó un billete de mil francos a los pies de Thenardier.

—¡Ah, Jondrette. Thenardier, vil e indigno! ¡Que os sirva esto de lección, chalán de secretos, mercachifle de misterios, desenterrador de huesos, miserable! ¡Tomad además esos quinientos francos, y salid de aquí! Waterloo os protege.

"Tomad también esos tres mil francos. Mañana, mañana mismo, os iréis a América con vuestra hija, porque vuestra mujer ha muerto, abominable embustero. Cuidaré de vuestra, partida, bandido, y en el momento de marchar os entregaré veinte mil francos más. ¡Id a que os ahorquen en otra parte!"

—Señor barón —respondió Thenardier inclinándose hasta el suelo—, gratitud eterna.

Acabemos desde ahora con este personaje. Dos días después de los sucesos que estamos refiriendo, salió, merced a Mario para América mudándose el nombre y en compañía de su hija Acelma. Mario, según le había ofrecido, giró sobre Nueva York a su favor una letra de veinte mil francos.

Con el dinero de Mario, Thenardier se hizo negrero.

—¡Cosette! ¡Cosette! —exclamó—. ¡Ven! ¡Ven pronto! Marchemos. Vasco, un coche. Ven, Cosette. ¡Ah, Dios mío! ¡El es quien me había salvado la vida!... ¡No perdamos un minuto! Ponte el chal.

Cosette creyó que se había vuelto loco, y obedeció.

—¡Ah! ¡qué desgraciado soy!

En el arrebato de su imaginación, Mario empezaba a entrever en Juan Valjean una elevada y sombría figura.

El coche no tardó en llegar.

—Cochero —dijo—, calle del Hombre-Armado, número 7.

El coche partió.

—¡Ah, qué felicidad! —exclamó Cosette—. A la calle del Hombre-Armado. No me atrevía a hablarte de eso. Vamos a ver al señor Juan.

—A tu padre, ¡Cosette! A tu padre, pues lo es hoy más que nunca. Cosette, todo lo adivino. Me has dicho que no recibiste la carta que te mandé con Gavroche. Cayó sin duda en sus manos, y fue a la barricada para salvarme.

Pasaré lo que me resta de vida venerándole. Habrá pasado cual te he dicho, ¿no es verdad, Cosette? Gavroche le entregaría mi carta. Todo se explica. ¿Comprendes?

Cosette no comprendía una palabra.

—Tienes razón —fue su respuesta. Entre tanto, el coche seguía rodando.

V. Noche que deja entrever el día

Oyendo llamar a la puerta, Juan Valjean se volvió, y dijo con voz débil:

—Adentro.

Abrióse la puerta y aparecieron Cosette y Mario.

Cosette se precipitó en el cuarto. Mario permaneció en el umbral, de pie y apoyado contra los largueros de la puerta.

—¡Cosette! —dijo Juan Valjean, y se levantó con los brazos abiertos y trémulos, lívido, siniestro, mostrando una alegría inmensa en los ojos.

Cosette, ahogada por la emoción, cayó sobre el pecho de Juan Valjean, exclamando:

—¡Padre!

Juan Valjean, tartamudeaba:

—¡Cosette! ¡Es ella! ¡Sois vos, señora! ¡Eres tú! ¡Ah, Dios mío!

Y sintiéndose estrechar por los brazos de Cosette, añadió:

—¡Eres tú, sí! ¡Me perdonas, pues!

Mario, bajando los párpados para detener el raudal de sus lágrimas, dio un paso, y murmuró entre sus labios contraídos convulsivamente para que no brotasen los sollozos:

—¡Padre mío!

—¡Y vos también me perdonáis! —dijo Juan Valjean.

Juan Valjean, balbuceaba:

—¡Qué ignorantes somos! Creía no volverla a ver. Figuráos, señor de Pontmercy, que en el mismo momento en que entrábais, decía: ¡Todo se acabó! ¡Ah! ¡Qué desgraciado era!

Estuvo un instante sin poder hablar; luego continuó:

—A la verdad, yo necesitaba ver a Cosette un rato, de tiempo en tiempo.

Cosette, a su vez, le dijo:

—¡Qué ruindad dejarnos de ese modo! ¿A dónde, pues, habéis ido? ¿Por qué habéis estado ausente tanto tiempo?

—Habéis venido, señor de Pontmercy; ¡conque me perdonáis! —repitió Juan Valjean.

—Cosette, ¿no le oyes? ¿No le oyes, que me pide perdón? ¿Sabes lo que me ha hecho, Cosette? Me ha salvado la vida. Más aún te ha entregado a mí. Y después de salvarme, y después de entregarte a mí, Cosette, ¿sabes lo que ha hecho de su persona? Se ha sacrificado. Tal es su conducta. ¡Y a mí, que he sido ingrato, olvidadizo, cruel, hasta criminal!, me dice: ¡Gracias! Cosette, aunque pase todo lo que me resta de vida a los pies de este hombre, no será bastante expiación.

—¡Silencio! ¡Silencio! —murmuró apenas Juan Valjean—. ¿A qué decir todo eso?

—¡Pero vos! —exclamó Mario, con cierta cólera llena de veneración—. ¿Por qué no lo habéis dicho? Es culpa vuestra también.

"No —replicó Mario—; la verdad es toda la verdad, y no habéis dicho sino parte. Erais el señor Magdalena, ¿por qué callarlo? Habíais salvado a Javert, ¿por qué callarlo? Yo os debía la vida, ¿por qué callarlo?."

—Porque pensaba como vos, y conocía que teníais razón, que era preciso que me fuese. Si os hubiera referido lo de la alcantarilla me habríais detenido a vuestro lado. Debía, pues, callarme. Hablando, todo se contrariaba.

—¿Por ventura os figuráis que os vamos a dejar aquí? No. Os llevamos con nosotros.

—Mañana —dijo Juan Valjean—, no estaré aquí, ni tampoco en vuestra casa.

—¿Qué queréis decir? —replicó—. Se acabarán los viajes. No os volveréis a separar de nosotros. Nos pertenecéis, y no os permitiremos marchar.

—No hay duda que sería delicioso vivir juntos. Tenéis árboles llenos de pájaros. Me pasearía con Cosette. Sería delicioso; pero...—se detuvo, y luego dijo bajando más la voz—: No hay remedio.

Cosette tomó las dos manos del anciano entre las suyas.

—¡Dios mío! —exclamó—. Vuestras manos me parecen más frías que antes. ¿Estáis malo? ¿Padecéis?

—¿Yo? No —respondió Juan Valjean—, me siento bien. Sólo que... Se detuvo.

—¿Sólo qué?...

—Me voy a morir en seguida.

—Estáis lleno de fuerza y de vida —observó Mario—. ¿Acaso imagináis que se muere tan fácilmente? Habéis tenido disgustos y no volveréis a tenerlos.

—Señor de Pontmercy, aunque me recobráseis, ¿me impediría eso que fuese lo que soy? No; Dios ha pensado como vos y como yo y él no cambia de dictamen. Es útil que parta. La muerte lo arregla todo.

"Hace una hora tuve un desmayo, y después, esta noche pasada, me he bebido todo ese jarro de agua. ¡Qué bueno es tu marido, Cosette! Con él te va mejor que conmigo."

Se oyó ruido en la puerta. Era el médico que entraba.

—Buenos días y adiós, doctor —dijo Juan Valjean—. Ved a mis pobres niños.

El médico le tomó el pulso.

—¡Ah! ¡necesitaba de vosotros! —dijo dirigiéndose a Cosette y a Mario.

E inclinándose al oído del último, añadió muy bajo:

—Es demasiado tarde.

Juan Valjean, sin apartar casi los ojos de Cosette, consideró al médico y a Mario con serenidad.

Se oyó salir de su boca esta frase apenas articulada:

—Nada importa, pero el no vivir es horrible.

De repente se levantó.

Pudiera decirse que la agonía serpentea. Va, viene, se adelanta hacia el sepulcro y retrocede hacia la vida. Hay algo de titubeo en el acto de morir.

—¡Vuelve en sí, doctor, vuelve en sí! —gritó Mario.

—Ambos sois buenos —dijo Juan Valjean—. Voy a explicaros lo que me ha causado viva pena. Señor de Pontmercy, me la ha causado el que no hayáis querido tocar ese dinero. Ese dinero es de vuestra mujer.

Cosette, con mucha suavidad, le puso una almohada bajo el cuerpo. Juan Valjean continuó:

—Señor de Pontmercy, no temáis nada, os lo suplico. Los seiscientos mil francos son de Cosette. Si no disfrutáseis de ellos, resultaría perdido todo el trabajo de mi vida. Habíamos conseguido fabricar con singular perfección los abalorios, y rivalizábamos con los de Berlín.

Juan Valjean declinaba por instantes. La luz del mundo desconocido era ya visible en sus pupilas.

Hizo señas a Cosette de que se aproximase, y luego a Mario.

—Acércate, acercáos los dos. Os quiero mucho. ¡Oh! ¡Qué placer morir así! Tú también me quieres, Cosette.

"No quiero que tengas verdaderos disgustos. Divertíos mucho, mis amados hijos. Se me olvidada deciros que las hebillas sin clavillos producían más que todo. La gruesa, las doce docenas, costaba diez francos y se vendía en sesenta. No debéis, pues, admiraros de los seiscientos mil francos, señor de Pontmercy. Es dinero ganado honradamente. Podéis ser ricos sin repugnancia alguna.

"Me ocupaba hace poco en escribir a Cosette; ya encontrará mi carta. Le lego los dos candeleros que están sobre la chimenea. Son de plata; mas para mí son de oro, de diamantes, y convierten las velas en cirios. No sé si el que me los dio está satisfecho de mí en el cielo. He hecho lo que he podido. Hijos míos, no olvidéis que soy un pobre, y os encargo que me hagáis enterrar en el primer rincón de tierra que haya a mano, con sólo una piedra por lápida. Es mi voluntad. Sobre la piedra no grabéis ningún nombre. Si Cosette quisiere ir allí alguna vez se lo agradeceré. Vos también, señor de Pontmercy.

"Cosette, ¿te acuerdas de Montfermeil? Estabas en el bosque y tenías miedo. ¿Te acuerdas cuando yo cogí el asa del cubo lleno de agua? Ha sido la primera vez que toqué tu pobre manita. ¡Y qué fría estaba! Entonces vuestras manos, señorita, tiraban a rojas, hoy brillan por su blancura. ¿Y la muñeca? ¿Te acuerdas?"

"Los Thenardier han sido muy perversos; pero es menester perdonarlos. Cosette, ha llegado el momento de decirte el nombre de tu madre. Se llamaba Fantina. Retén este nombre: Fantina. Arrodíllate cada vez que lo pronuncies. Ella padeció mucho, y te quería con extremo. Su desgracia fue tan grande como es grande tu felicidad. Dios lo dispuso así."

Cosette y Mario, fuera de sí, cayeron de rodillas, inundando de lágrimas las manos de Juan Valjean; manos augustas que habían cesado de moverse. Estaba echado hacia atrás, de modo que la luz de los candelabros le iluminaba el pálido rostro, dirigido hacia el cielo.

Cosette y Mario cubrían sus manos de besos. Estaba muerto.

VI. La hierba oculta, y la lluvia borra

Hay en el cementerio del padre Lachaise, en las cercanías del hoyo común, lejos del barrio elegante de la ciudad de los sepulcros, lejos de todas esas tumbas, hijas del capricho, que ostentan, al borde de la eternidad, las horribles modas de la muerte, en un ángulo desierto, al pie de una antigua pared, bajo un gran tejo por el cual trepan las enredaderas de campanilla, en medio de la grama y del musgo, una piedra.

Ningún nombre se lee en ella. Sólo, hace muchos años, una mano escribió con lápiz estos cuatro versos, que se fueron volviendo poco a poco ilegibles a causa de la lluvia y del polvo, y que probablemente no existirán ya:

Duerme. La suerte persiguióle ruda:
murió al perder la prenda de su alma.
Larga la expiación, la pena aguda
fue; y así obtuvo la celeste palma.

ÍNDICE

TERCERA PARTE
MARIO

CUARTA PARTE
EL IDILIO DE LA CALLE PLUMET Y LA EPOPEYA
DE LA CALLE DE SAN DIONISIO

QUINTA PARTE
JUAN VALJEAN

Otros títulos del fondo editorial

●●●●●●●●●●●●●●●●●●●●●●●●●●●●●●●●●

===== **GRANDES DE LA LITERATURA UNIVERSAL** =====

- ● el ANTICRISTO. Federico Nietzsche.
- ● DEMIAN. Hermann Hesse.
- ● las FLORES DEL MAL. Carlos Baudelaire.
- ● LOBO ESTEPARIO y POEMAS Hermann Hesse.
- ● la METAMORFÓSIS y CARTA AL PADRE. Franz Kafka.
- ● las MIL Y UNA NOCHES. Anónimo.
- ● los MISERABLES. Víctor Hugo.
- ● el PRINCIPITO, el PRÍNCIPE FELIZ y otros cuentos. Antoine de Saint Exúperry / Oscar Wilde.
- ● SIDDHARTA y CUENTOS. Hermann Hesse.
- ● UN MUNDO FELIZ. A. Huxley.

===== **NUEVA COLECCIÓN LITERARIA** =====

- ● las ALMAS MUERTAS. N. Gogol.
- ● los BANDIDOS DE RÍO FRÍO. Manuel Payno.
- ● el CASTILLO. Franz Kafka.
- ● el LOCO. Franz Kafka.
- ● CUENTOS. Anton Chéjov.
- ● CUENTOS DE LAS MIL Y UNA NOCHES. Anónimo.
- ● CUENTOS DE TOLSTOI. León Tolstoi.
- ● FAUSTO. W.Goethe.
- ● los MISERABLES. Compendio. Víctor Hugo.
- ● la MUERTE DE IVÁN ÍLICH. León Tolstoi.
- ● SINUHÉ EL EGIPCIO. M. Waltarí.

===== **COLECCIÓN LITERARIA UNIVERSAL** =====

- ● el AMANTE DE LADY CHATTERLY. D. H. Lawrence.
- ● AMÉRICA. Franz Kafka.
- ● EL ARTE DE AMAR. Ovidio.
- ● las AVENTURAS DE ARTHUR GORDON PYM. Edgar Allan Poe.
- ● AZUL. Rubén Darío.
- ● BOLA DE SEBO y 22 CUENTOS COMPLETOS. G. de Maupassant.
- ● la CALANDRIA. Rafael Delgado.
- ● el CAPITÁN VENENO. Pedro Antonio de Alarcón.
- ● CARTA AL PADRE. Franz Kafka.
- ● CARTAS DE RELACIÓN. Hernán Cortés.
- ● la CARTUJA DE PARMA. Stendhal.
- ● CLEMENCIA. Ignacio M. Altamirano.
- ● CONDE LUCANOR. Don Juan Manuel.
- ● CRIMEN Y CASTIGO. F. M. Dostoievsky.
- ● CUENTOS. Oscar Wilde.
- ● CUENTOS. Horacio Quiroga.
- ● CUENTOS. Rabindranath Tagore.
- ● CUENTOS DE AMOR, LOCURA Y MUERTE. Horacio Quiroga.
- ● CUENTOS DEL GENERAL. Riva Palacios.

Otros títulos del fondo editorial

- CUMBRES BORRASCOSAS. Emily Bronte.
- el DECAMERÓN. Bocaccio.
- DIÁLOGOS. Platón.
- DIARIO DE ANA FRANK.
- DIEZ DÍAS QUE CONMOVIERON AL MUNDO. John Reed.
- la DIVINA COMEDIA. Dante Alighieri.
- DON QUIJOTE DE LA MANCHA. M. de Cervantes Saavedra.
- DON SEGUNDO DE SOMBRA. R. Güiraldes.
- DOÑA BÁRBARA. Rómulo Gallegos.
- DOÑA PERFECTA. B. Pérez Galdós.
- la EDAD DE ORO. José Martí.
- la ENEIDA. Virgilio.
- FRANKENSTEIN. Mary W. Shelley.
- HACE FALTA UN MUCHACHO. A. Cuyás.
- HISTORIA DE LA VIDA DEL BUSCÓN. F. Quevedo.
- la ILIADA. Homero.
- JUANITA LA LARGA. Juan Valera.
- el JUGADOR. F. Dostoievsky.
- LAZARILLO DE TORMES. Anónimo.
- LIBRO DE BUEN AMOR. Arcipreste de Hita.
- el LLAMADO DE LA SELVA. Jack London.
- MADAME BOVARY. Gustave Flaubert.
- la MADRE. Máximo Gorki.
- MARÍA. Jorge Issacs.
- MARIANELA. Benito Pérez Galdós.
- MARTÍN FIERRO. J. Hernández.
- la METAMORFOSIS. Franz Kafka.
- MÉXICO INSURGENTE. John Reed.
- MONJA Y CASADA, VIRGEN Y MÁRTIR. V. Riva Palacio.
- la MURALLA CHINA. Franz Kafka.
- NANÁ. Emilio Zolá.
- NARRACIONES EXTRAORDINARIAS. Edgar Allan Poe.
- NAVIDAD EN LAS MONTAÑAS. I. M. Altamirano.
- NOVELAS EJEMPLARES. M. de Cervantes Saavedra.
- la ODISEA. Homero.
- los PAZOS DE ULLOA. Emilia Pardo Bazán.
- PEPITA JIMÉNEZ. Juan Valera.
- la PERFECTA CASADA. Fray Luis de León.
- el PERIQUILLO SARNIENTO. Fernández de Lizardi.
- POEMA DEL MIO CID (español antiguo y moderno, en verso). Anónimo.
- el POPOL VUH.
- ¿POR QUIÉN DOBLAN LAS CAMPANAS? E. Hemingway.
- el PROCESO. Franz Kafka.
- QUO VADIS. E. Sienkiewicz.
- el RAMAYANA. Valmiki.
- el RETRATO DE DORIAN GRAY. Oscar Wilde.
- el RETRATO DEL ARTISTA ADOLESCENTE. James Joyce.
- RIMAS Y LEYENDAS. Gustavo A. Bécquer.
- ROJO Y NEGRO. Stendhal.

DRUCK SPIEGEL EDITORES
AV. AYUNTAMIENTO No. 96
COL. TLALNEPANTLA CENTRO